L'enfant adopté dans le monde
(en quinze chapitres et demi)

La Collection de l'Hôpital Sainte-Justine
pour les parents

L'enfant adopté dans le monde
(en quinze chapitres et demi)

Jean-François Chicoine
Patricia Germain
Johanne Lemieux

Éditions de l'Hôpital Sainte-Justine

Centre hospitalier universitaire mère-enfant

Données de catalogage avant publication (Canada)

Chicoine, Jean-François

L'enfant adopté dans le monde: en quinze chapitres et demi

(La Collection de l'Hôpital Sainte-Justine pour les parents)
Comprend des réf. bibliogr.
ISBN 2-922770-56-7

1. Adoption internationale. 2. Enfants adoptés - Santé et hygiène. 3. Enfants adoptés - Psychologie. 4. Parents adoptifs. 5. Adoption internationale - Québec (Province). I. Germain, Patricia. II. Lemieux, Johanne. III. Hôpital Sainte-Justine. IV. Titre. V. Collection: Collection de l'Hôpital Sainte-Justine pour les parents.

HV875.5.C44 2003   362.73'4   C2003-940115-4

Photographies: Claude Dolbec (couverture)

Jean-François Chicoine (p.15, 35, 79, 109, 139, 177, 201, 219, 265, 299, 323, 351, 397, 431, 459)

Jean Lebel/Johanne Lemieux (p.51)

Infographie: Nicole Tétreault

Diffusion-Distribution au Québec: Prologue inc.
en France: Casteilla Diffusion
en Belgique et au Luxembourg: S.A. Vander
en Suisse: Servidis S.A.

Éditions de l'Hôpital Sainte-Justine (CHU mère-enfant)
3175, chemin de la Côte-Sainte-Catherine
Montréal (Québec) H3T 1C5
Téléphone: (514) 345-4671
Télécopieur: (514) 345-4631
www.hsj.qc.ca/editions

Dépôt légal: Bibliothèque nationale du Québec, 2003
Bibliothèque nationale du Canada, 2003

Le masculin est utilisé pour désigner les deux sexes, sans discrimination, et dans le seul but d'alléger le texte.

À mon père, qui m'a montré ma médecine,
à ma mère qui m'a montré à en sortir,
à Esther qui m'en sert une merveilleuse,
et enfin à Rémi, qui la transporte avec moi
ailleurs dans le monde.

Jean-François

À mes parents qui m'ont démontré l'importance d'une famille,
aux nourrices qui m'ont appris à soigner,
aux orphelins qui ont donné un sens à ma vie.

Patricia

À ma mère qui m'a tant donné et tant appris
sur l'amour inconditionnel des enfants.

Johanne

Table des matières

▼

Préface

▼

À la retraite, rien n'est plus satisfaisant que de constater qu'on n'a pas perdu son temps. Pour moi, c'est une grande joie que d'observer l'évolution favorable du travail que j'ai commencé. Mon fils Jean-François, aidé par mon «infirmière adoptée», Patricia, a continué l'évolution ascendante de la Clinique de santé internationale de l'Hôpital Sainte-Justine, fondée en 1989. Ensemble, ils l'ont portée au niveau d'excellence dont j'avais rêvé. Johanne, travailleuse sociale, a joint son énergie à eux pour développer une autre dimension; elle est très expérimentée et elle est de taille pour compléter l'équipe. Reste Rémi Baril, qui a réalisé avec Jean-François, un portail Internet dans lequel il a intégré, entre autres, le présent ouvrage, pour la maintenir d'actualité. Ce spécialiste en nouvelles technologies de l'information possède des connaissances en gestion de l'informatique qui modernisent celles des trois autres.

La présente publication cherche à être utile et à combler un vide dans les attitudes et les connaissances pédiatriques, car c'est un phénomène relativement récent que celui de l'adoption internationale. Entre les histoires d'amour romantique, les légendes urbaines et les récits d'horreur, il y a des faits empiriques, des études et des théories qui expliquent et illustrent les différentes facettes de ce merveilleux sujet. L'ouvrage aidera les enfants «nés ailleurs» qui sont aussi des voyageurs précoces; il bénéficiera à ceux qui, avant leur arrivée, n'étaient parents qu'en désir ou en devenir. Et il donnera une dimension historique et universelle à l'enfance internationale.

Pour les auteurs, ce sujet n'est pas de la théorie, c'est devenu du quotidien. Ce livre aidera aussi les parents à mieux réussir le mandat qu'ils se sont donné. Il sera également un ouvrage d'une grande utilité pour les professionnels et les amis de la petite enfance. Restera le grand public à instruire: c'est souvent là le chemin le plus long et le plus difficile. On peut aussi prévoir que la publication sera intéressante et formatrice pour tous ceux et celles qui aiment les enfants. Pour presque tous, donc.

Luc Chicoine, M.D.
Professeur titulaire de pédiatrie et pédiatre à la retraite
Université de Montréal, Hôpital Sainte-Justine
Retraité de la clinique, mais pas de l'amour des enfants

Introduction

▼

La fascination pour la filiation adoptive ne date pas d'hier. Le sujet de l'adoption, et qui plus est de l'adoption internationale, est vaste, très vaste. Pour bien en apprécier toute la réalité et toute la complexité, il faut comprendre le phénomène de l'abandon. Seulement 5 % des enfants abandonnés seront et pourront être adoptés un jour. Grâce à un voyage dans le temps et dans l'espace, nous tissons des liens entre ces deux pôles que sont l'abandon et l'adoption, et il nous faut comprendre à quel point ils influencent la santé de l'enfant... et sa vie.

Dans les deux premiers chapitres, nous traitons de l'abandon et de l'adoption. Au troisième chapitre nous nous faisons anthropologues, afin de cerner le profil des familles adoptives. Les chapitres 4, 5 et 6 décrivent l'essence même du processus d'adoption, depuis l'évaluation psychosociale jusqu'au cabinet du médecin, en passant par le voyage d'adoption. Dans les chapitres 7, 8, 9, 10 et 11, nous abordons plus en détail les aspects de l'alimentation, de la croissance, des infections, du développement et des particularités ethniques de l'enfant adopté. Le chapitre 12 aborde les défis quotidiens de l'adaptation. Le chapitre 13 est un mal nécessaire où l'on aborde les troubles de développement; il ne concerne pas tous les parents, mais il est malheureusement incontournable. Puis, le temps passe et vient le moment de la garderie, de l'école et du chapitre 14 qui répond à certaines questions concernant ces sujets. Le chapitre 15 traite de l'identité de l'enfant et de l'adolescent. Enfin, il y a un demi-chapitre, qui ouvre sur l'avenir à bâtir avec votre enfant.

Ce livre fait appel à la science et à un humanisme nécessaire pour prendre en charge des enfants et des adolescents, dans une perspective multidisciplinaire. Il a été inspiré par les milliers d'enfants que nous rencontrons au cours de nos carrières. Il est fait pour les nombreux parents hantés par des questions sans réponse. Il a été pensé aussi pour les intervenants, trop souvent isolés face à la détresse et aux questionnements des familles. Enfin, il a été imaginé pour nous-mêmes, pour que nous puissions enfin partager ce en quoi nous croyons.

CHAPITRE 1

DES ENFANTS ABANDONNÉS

▼

New York Hotel
Kenya, 1990

De Moïse à Harry Potter, en passant par Oliver Twist et *Les Malheurs de Sophie*, les foules ont toujours aimé les histoires, romans autant que comédies musicales, mettant en vedette des orphelins ou des enfants abandonnés. Cette fascination incontournable a pour origine une des anxiétés les plus profondes des êtres humains : la peur d'être abandonné, sinon à la naissance, du moins un jour ou l'autre dans un supermarché.

L'immense majorité des enfants abandonnés dans le monde ne seront jamais adoptés, ce qui n'empêche pas les mots « adoption » et « abandon » d'être intimement liés. Bien que l'adoption représente a priori une fin heureuse et que l'abandon ravive l'idée de la souffrance, il s'avère impossible de concevoir la majorité des adoptions sans accepter qu'il y ait eu abandon préalable. Que vous ayez adopté ou que vous songiez à adopter, vous pourrez difficilement contourner les réalités de l'abandon.

Le terme « abandon », quand il n'est pas matière à intrigue ou à exercice lyrique, est pourtant aseptisé, un peu comme si les parents adoptants et les autres acteurs du processus d'adoption avaient choisi de minimiser l'impact du malheur, dans l'espoir d'éviter des souffrances à l'enfant ou de se voir eux-mêmes confrontés à l'irréparable. On parle allègrement de traumatismes, de violence, de maltraitance, de chocs, mais très peu d'abandon. Désormais, le parent biologique n'a pas abandonné son enfant, il a confié son enfant à l'adoption ! Jusqu'à preuve du contraire, l'intention linguistique est noble, sauf que seul le mot « abandon » exprime clairement l'ampleur du désarroi d'un enfant séparé de sa mère biologique, ainsi que la gravité du geste posé.

L'abandon implique nécessairement des souffrances, des pots cassés, parfois des blessures physiologiques. Aussi faut-il tenir compte de la souffrance du parent biologique, de la souffrance de l'enfant et, ultérieurement, de la souffrance du parent adoptant qui aura à gérer, consciemment ou non, les conséquences de ce geste. Extraire le concept d'abandon du discours, c'est s'inscrire dans un processus édulcoré et faussé, parce que trop superficiel, avec des attentes irréalistes envers l'enfant. Il est injuste, voire risqué, pour la santé de l'enfant adopté et pour son développement dans sa famille nouvelle, de chercher à nier ou à minimiser l'impact de l'abandon. Il ne s'agit pas de verser dans l'allégorie du pauvre petit canard éploré, mais plutôt de comprendre que l'abandon fait partie intégrante de l'histoire de chaque enfant.

« À la fin des *Malheurs*, Sophie doit partir en Amérique avec sa mère rejoindre son père, qui vient d'hériter d'une fortune colossale », nous écrivait la journaliste et romancière québécoise Marie Desjardins, une exégète de la comtesse de Ségur, à qui nous avions demandé de nous parler de l'abandon dans la littérature enfantine. « La famille sera-t-elle enfin reconstituée ? Et l'abandon transcendé ? Pas du tout. Le navire fait naufrage. La mère de Sophie se noie. Sophie – survivante – est recueillie par son père qui, anéanti, se remarie avec une mégère qui le fera mourir de peine... Désormais orpheline, Sophie sera prise en charge par ce tyran. Il lui faudra poursuivre son dur chemin dans *Les petites filles modèles* et dans *Les Vacances*, avant d'arriver, grâce à l'amour, à surmonter enfin ce sentiment d'abandon. Mais celui-ci peut-il vraiment disparaître ? Sophie en gardera incontestablement une déchirure à l'âme – cette blessure même qui détermine la trajectoire exceptionnelle des êtres à part. »

L'abandon se situe toujours dans un contexte d'histoire familiale, sociale, économique, politique, militaire, sanitaire qui mérite d'être bien compris afin d'évaluer l'ensemble des facteurs déterminants qui affectera la santé de l'enfant et, adopté ou non, sa capacité exceptionnelle à rebondir. Ne pas saisir la souffrance de l'abandon et ses nombreuses manifestations, c'est amputer l'enfant d'une partie de lui-même. C'est aussi priver tous les acteurs en place d'une grille d'analyse et d'outils indispensables pour accueillir et aider l'enfant à cheminer normalement, malgré son départ difficile dans la vie.

Imaginez l'extraordinaire occasion que vous avez comme parents adoptants : toute une vie pour transformer un malheur en bonheur, une fragilité potentielle en force !

Des enfants perdus

> *Le fœtus est la propriété socialiste*
> *de la société dans son ensemble.*
>
> Nicolai Ceausescu

Abandonner un enfant : est-ce de la lâcheté ou bien une action nécessaire empreinte d'empathie ? Mais surtout, est-ce toujours un choix ? Si, dans la plupart des pays occidentaux, on s'est permis d'humaniser le processus psychosocial et légal entourant le geste de « confier » un enfant à l'adoption, et ce, en essayant d'aller au-devant des besoins de l'enfant et en faisant de ses parents biologiques des acteurs importants et respectés, c'est encore loin d'être le cas dans le reste du monde. Partout ailleurs, l'abandon s'inscrit essentiellement dans un besoin fondamental de survie : survie de l'enfant, survie du parent biologique et survie de l'ensemble du réseau social auquel il appartient.

Ainsi, l'abandon peut permettre à l'enfant haïtien d'avoir à manger parce qu'il aura été récupéré par une famille plus riche. Voyez le cas classique : sa maman ne l'abandonne pas à la naissance, mais plutôt au maximum de ses possibilités maternelles, vers sept ou huit mois de vie, question de permettre à l'enfant de survivre ailleurs, au lieu de le voir mourir auprès d'elle. L'abandon sauve aussi l'honneur de la jeune fille-mère du Mexique, de Corée ou de Taiwan, où les grossesses hors mariage sont très mal tolérées. La maman aura caché son gros ventre sous un ceinturon ou une robe ample, et aura conduit secrètement son nouveau-né dans une sorte de passe-plat anonyme à la porte   quelconque couvent. En Chine, l'abandon va également permettre à la famille d'être en accord avec les lois démographiques, et ainsi de suite.

Le geste, comme on le constate, ne peut être bien compris qu'en tenant compte de différentes contraintes socioculturelles, politiques, environnementales, économiques, culturelles ou individuelles. En matière d'abandon, l'état du geste est en quelque sorte tributaire de l'état du monde.

La pauvreté des familles : retour sur le Petit Poucet

Les tremblements de terre au Honduras et autres cataclysmes, les épidémies, les grandes famines du Biafra déciment des familles et laissent des enfants abandonnés à leur sort, soumis à la nature et aux bonnes grâces des secouristes locaux ou envoyés spéciaux. Mais au-delà de ces volontés du ciel et des climats, s'il nous fallait identifier une grande sœur à l'abandon, ce serait sans nul doute un parent social : la pauvreté.

Malgré la grande prospérité du commerce international, la Banque mondiale estimait qu'en 1998, 1,2 milliard de personnes, dont plus d'un milliard d'enfants, vivaient dans une pauvreté implacable, avec moins de un dollar par jour pour subvenir à leurs besoins. Avec le Sierra Leone en tête de liste, la pauvreté se concentre avant tout dans les pays africains, ensuite en Asie, puis dans les Amériques. Mais les pauvres ne sont pas que l'apanage du monde en développement. Dans quinze pays de l'Union européenne par exemple, où trois millions de personnes sont sans logement permanent, les réalités pratiques et les questions morales, aux allures de contes de Perrault, contraignent également bien des parents à se séparer de leur progéniture.

En Europe de l'Est, la perestroïka autant que la chute du régime Ceausescu, les génocides, les conflits armés, les déplacements de millions de réfugiés en déroute et des changements trop rapides vers une économie de marché ont entraîné la population dans une pauvreté inimaginable. La dépression, l'alcoolisme et la violence entretenus par ces durs changements y ont aussi affecté la vie des plus petits et les capacités de leurs parents à y survivre. À l'aube du nouveau millénaire, dans la seule Fédération de Russie, on comptait dans la rue environ deux millions d'enfants sans famille. Dans la presque totalité des pays d'Europe de l'Est ou d'Asie centrale, sauf la Géorgie et la Hongrie, l'institutionnalisation des enfants se chiffre encore à la hausse avec des records d'augmentation au Bélarus, en Arménie et au Kazakhstan.

La mortalité maternelle : l'abandon forcé

Environ 600 000 femmes par an dans le monde vont mourir en donnant naissance à un enfant. Les risques de décès liés à la grossesse ou à l'accouchement sont 400 fois plus fréquents en Afrique subsaharienne que dans n'importe quel pays industrialisé.

En Afrique toujours, c'est surtout le sida qui s'est fait une véritable machine à créer des orphelins. Avant son arrivée, à peine 2 % des populations enfantines des pays en développement se retrouvait privé de parents. Aujourd'hui, plus de 11 % des enfants ougandais de moins de 15 ans ont perdu leur mère ou leurs deux parents des suites du sida. On rencontre aussi des orphelins du sida à Haïti, en Thaïlande, au Honduras et au Cambodge. On ne compte plus ces orphelins par milliers, mais plutôt par millions. De fait sur la planète, ils seraient autour de 15 millions à avoir perdu leurs parents des suites du sida. Les projections n'épargnent aucune région du monde, et surtout pas l'Asie de l'Est où le nombre de victimes pourrait bien rejoindre un jour l'hécatombe constatée dans certains pays africains.

Le relativisme culturel : l'exemple chinois

Garçons ou filles, les enfants chinois en ont vu d'autres : des dysenteries, des famines, des révolutions leur volant leurs parents et leurs familles. Néanmoins, c'est le destin du bébé fille, en Chine, qui marque encore les idées, les éditoriaux et la conscience du monde entier.

Voyons l'histoire : pendant les premières années du régime communiste, les autorités en place luttent vigoureusement pour réduire la mortalité, favorisant ainsi la croissance fulgurante d'une population déjà innombrable. Contrairement à ce qu'on pourrait croire, pas question à l'époque de limiter les naissances : c'est même tout le contraire. Mao lui-même aurait déclaré à plusieurs reprises que la multitude et les bras étaient les plus grands atouts des Chinois : grande reproduction, grande armée, grande puissance ! La loi du 1er mai 1953, dite « loi sur le mariage », explique d'ailleurs clairement la position de son gouvernement contre l'infanticide traditionnel. De fait, jusqu'à cette date, la noyade des nouveau-nés – tout particulièrement celle des bébés filles – n'était pas rare en Chine. Pour extirper de ce pays ces pratiques barbares, convaincre la société que la procréation est une bonne chose constituait très clairement la voie d'abord privilégiée par son gouvernement.

C'est alors qu'un premier recensement officiel confronte de plein fouet la dynastie rouge à une évidence dorénavant incontournable : le surnombre. Dès 1954, Mao et les dirigeants chinois effectuent donc un véritable changement de cap en instaurant une première campagne en faveur de la limitation des naissances. Dorénavant, progrès économique et transition démographique passeraient par la maîtrise du bébé chinois.

Au départ, le «contrôle» du bébé se fait plutôt timide. Jusqu'en 1957, Chou En Lai, premier ministre de Mao, parle plutôt de «régulation convenable de la reproduction». De 1957 à la fin des années 60, entre le «grand bond» et les années difficiles de la «révolution culturelle», l'application des directives en matière de limitation des naissances se fait concrètement plus soutenue, quoique encore peu coercitive. Sont encouragés à l'époque, via de méga-campagnes de promotion, le mariage tardif à 23 ans plutôt qu'à 18, la stérilisation des femmes, la vasectomie et l'avortement. On en appelle à un effort commun pour contrer «la procréation anarchique de l'humanité». Mais la résistance est grande en ville et l'inertie totale dans les brigades rurales confrontées à la réticence et à l'orgueil des grandes familles. Ici, la Chine perd un temps précieux à freiner la croissance de sa population. Non seulement la mortalité amorce-t-elle une chute rapide, mais la natalité tant décriée reste très élevée. Ces enfants des années 60 procréent aujourd'hui et recherchent encore la descendance mâle qui, de tout temps en Chine, a culturellement assuré la pérennité de l'Empire du Milieu. On ne change pas aisément une mentalité aussi ancienne.

Dans les années 70, les autorités mettent finalement les bouchées doubles. De 33 à 37 pour 1 000 en 1970, le taux de natalité serait tombé à 21,4 pour 1 000 dès 1979. Avec la politique de l'unicité, la propagande anticonceptionnelle virulente, les interruptions de grossesses tardives pratiquées dans des conditions d'hygiène douteuses, les amendes et la réprobation sociale des contrevenants, on peut dire que le «planning familial» s'est terriblement durci. Les coûts humains seront extrêmes.

Début des années 80, les autorités n'hésitent pas à faire appliquer les lois par des matrones capables d'avorter des femmes enceintes de six ou sept mois. Un tiers des avortements recensés en 1982 dans la province du Guangdong étaient pratiqués pendant ou après le sixième mois de grossesse. À demander l'impossible aux couples, on les incitait à désobéir. Des paysans, même appelés à se serrer la ceinture, préfèrent payer l'amende et garder l'enfant. En échange de pots-de-vin, des cadres locaux sont appelés à fermer les yeux sur des naissances « illégales », surtout en milieu rural. Des médecins, contre quelques centaines de yuans, acceptent d'établir de faux certificats de stérilisation. Tout le monde s'y retrouve, si bien que la coercition s'affaiblit à partir de 1984, les autorités se résignant alors à consentir des dérogations aux couples ruraux en mal d'enfants... et surtout de fils, entendons-nous bien. Si l'aînée est une fille, les paysans peuvent dorénavant tenter leur chance une seconde fois. La question de l'infanticide ou de l'abandon est reléguée au sort de la cadette. À cause de cet état de fait, la plupart des fillettes qu'on retrouve aujourd'hui à adopter dans les orphelinats chinois seraient des *deuxièmes* de famille ; ces petites Chinoises d'une diaspora nouveau genre se partagent ainsi la Chine comme une grande sœur aînée.

Le passage à l'économie de marché aura divisé la Chine de la Chine, créé une opposition entre le nord et le sud et un véritable clivage entre l'est et l'ouest. Les images qui nous sont retransmises par les médias écrits ou électroniques sont souvent celles de la côte est, opérationnelle et industrieuse, plus rarement celles du nord-ouest où le chômage se fait si grand qu'il provoque l'exode de millions de travailleurs migrants. On sait par ailleurs qu'un groupe social défavorisé ou appauvri est moins apte à faire valoir ses droits et à se voir confronté à des idées nouvelles, notamment celles qui concernent la famille, bébé compris. On peut dorénavant parler du Chinois des villes qui communique par le cellulaire, gave, gâte et chérit son fils unique, traque les copies pirates des disques de Céline Dion ; et de l'autre Chinois, celui-là qui s'adonne encore au cycle de la terre et du temps dans une pauvreté relativement inchangée par la modernité. À titre d'exemple, en matière de poids et de taille au sein d'une population d'enfants de 24 à 72 mois, des données chinoises de 1990 rapportaient de 12 % à 28 % plus de retards de croissance sévères et modérés chez les enfants des régions rurales que chez ceux du même âge habitant la ville. À différentes échelles, les disparités s'inscrivent aussi dans le même sens que la malnutrition face à l'éducation, à l'accès aux soins de santé, sans oublier la manière de voir les traditions et les croyances. Ainsi, malgré ses échanges internationaux, son programme spatial, son grand barrage, une bonne partie de la Chine est encore affamée, illettrée et arriérée, et accuse donc un retard considérable.

Ainsi, au moment de mourir, nombreux sont les Chinois imperturbables qui tendent encore à mesurer leur vie matérielle, familiale et spirituelle via la pérennité de leur fils, seul et unique responsable de la continuité de la lignée. Ici les enfants portent le nom du père: plus les enfants masculins sont nombreux, mieux est assurée la postérité. Le chef du clan est traditionnellement le fils aîné de la génération la plus élevée. Sans fils en Chine, on a peu à faire d'une fille. À 18 ans, c'est qu'on la perd sa fille: elle s'en va définitivement vivre et servir la belle-famille... laissant à son ou ses frères, s'il y a lieu, le soin des parents vieux et retraités. En se voyant universellement imposer un enfant unique, des millions de Chinois ont donc décidé que bébé serait un garçon. Non seulement veillerait-il sur les vieux jours de ses parents et assurerait-il leur culte après leur mort, selon la tradition confucianiste, mais il enrichirait le foyer d'une servante. «Quand une fille voit le jour, écrivait Peyrefitte qui aimait pourtant la Chine comme sa mère, les voisins ont la délicatesse de ne pas présenter de condoléances; ils préfèrent ne rien dire.» Cette différence de traitement n'est sans doute pas propre au seul peuple chinois, mais la conséquence a toujours été plus rigoureuse chez lui que nulle part ailleurs.

Pour les tenants de la politique de l'enfant unique, la persistance du non-respect des droits des bébés filles en Chine est attribuable à la conjonction de la pauvreté et des valeurs sociales. La loi du plus fort et de la mondialisation des marchés à laquelle participe le pays ne serait pas la cause, mais la conséquence d'un projet inégalitaire mondial où l'argent seul a sa place, en Chine peut-être plus qu'ailleurs sur la planète. On reconnaît ici à la Chine, historiquement flouée par le Japon autant que par l'Angleterre, sa pleine souveraineté et son autonomie suprême à redresser ses torts et à corriger ses tirs manqués. Pour d'autres groupes, non moins activistes, mais opposés, eux, à la politique de l'enfant unique, les violations systématiques des droits de l'enfant en Chine, particulièrement ceux des bébés filles, sont une conséquence directement imputable à la limitation des naissances. Ces violations contreviennent à plusieurs articles de la Convention relative aux droits de l'enfant, notamment à l'article 19 qui fait obligation à l'État de protéger ses enfants contre l'abandon et les mauvais traitements, ainsi qu'à l'article 20 qui reconnaît «aux enfants privés de leur milieu familial, le droit à une protection et à une aide spéciale de l'État». Il est d'ailleurs décevant que cette Convention ne soit que partiellement mise en application en Chine, comme d'ailleurs dans des dizaines d'autres pays dans le monde. Ces groupes ont réagi notamment en 1996 à la diffusion du fameux reportage de la BBC accompagné de la publication d'un rapport de l'organisation *Human Right Watch* sur un orphelinat à Shanghai. Le document de 300 pages faisait état de milliers de morts d'enfants dans les institutions publiques chinoises. Ces associations humanitaires, religieuses ou juridiques, reconnaissent le problème de surpopulation en Chine et l'autorité de la Chine dans la gestion de sa démographie, tout comme les défenseurs de la politique de l'enfant unique. Elles reprochent néanmoins, ici beaucoup plus activement, le traitement intolérable du gouvernement chinois réservé aux filles en surnombre. Elles en appellent au devoir d'ingérence humanitaire des citoyens du monde, reprochant au discours officiel touchant les liens entre commerce international et promotion des droits humains sa trop profonde timidité, voire son inconséquence crasse, à cause d'enjeux économiques sans jamais aborder les engagements solennels entérinés par les États envers la personne humaine.

Devant le scandale des orphelinats de Chine, deux sons de cloche polarisés se sont donc fait entendre et s'entrechoquent encore : maintenir ou effacer la politique de l'enfant unique, avec des conséquences certaines sur l'abandon de bébés filles. Même avec les yeux de la médiation, la question du bébé chinois demeure donc sans réponse. Elle fait peur, car si le bébé est petit, la question elle-même est immense et fort complexe.

LES PETITES GLANEUSES DE CHINE

«Dans les années trente, quand on partait pour la Chine c'était pour toujours! Au début à Canton, moi j'étais en charge des petites glaneuses. Avec ces sœurs novices, on partait à l'aube avec des paniers en osier ramasser les bébés filles nés dans la nuit. On en trouvait

(...)

(suite)

partout : sous les déchets, dans les rizières, dans les fossés. Plusieurs étaient déjà mortes, d'autres survivaient quelques heures, mais on arrivait à en réchapper d'autres, vous savez. On enterrait celles qui étaient décédées dans un petit cimetière près de l'orphelinat et de la léproserie, puis on faisait notre possible pour s'occuper des vivantes. En 1949, les communistes nous ont accusés d'avoir tué tous ces pauvres enfants. Ils nous ont emprisonnés, puis chassés… Nous n'avions que donné des sépultures décentes à toutes ces petites âmes, vous savez. »

Sœur Gertrude Laforest,
décédée à Montréal en 2001
loin de sa Chine bien-aimée

L'intolérance ethnique : la guerre au berceau

Autres situations : les guerres (la guerre du Vietnam, la guerre de Corée) ont entraîné leurs lots d'orphelins de fait, mais aussi une ribambelle d'orphelins illégitimes, l'ennemi s'y étant aussi donné le rôle de géniteur. Au Vietnam, les Amérasiens, aujourd'hui devenus adultes, sont encore pointés du doigt comme des êtres impurs que personne ne reconnaît. Plus récemment, le génocide rwandais, la guerre des Balkans, enfin l'Afghanistan ont fait des orphelins par milliers, chez les Hutus comme chez les Tutsis, chez les Bosniaques et les musulmans, chez les Pachtounes et les talibans, comme autant de petites morts devant l'intolérance.

La race, la tribu, l'appartenance à une quelconque ethnie a toujours été au centre du problème de l'abandon. Ainsi, alors qu'ils ne constituent que 15 % de la population roumaine, le peuple gitan représente près de la moitié des enfants retrouvés dans les institutions de Bucarest. « Qu'on débarrasse au moins nos campagnes de tous ces gens sans aveu, sans état civil, sans patrie qui terrorisent nos villages et grugent nos paysans », prônait déjà en 1907 un petit journal peu solidaire à la cause du peuple rom. Dans une enquête récente menée auprès de la population gitane de Slovaquie, le tiers des répondants se prétendait sans futur et sans espoir de lendemain. Pas surprenant, dans ces conditions, que leur descendance subisse le même sort.

Les politiques extrêmes : l'exemple roumain

S'il est une image d'Épinal de l'abandon qui risque de traverser le temps, c'est bien celle des petits martyrs roumains. Les causes de l'institutionnalisation d'État en Roumanie, le devenir des enfants carencés, les milliers de morts parmi eux des suites de la malnutrition, de l'hépatite et du sida défrayent encore les manchettes populaires autant que les publications les plus scientifiques sur les effets neurobiologiques délétères de l'horreur au quotidien.

Les politiques pro-natalistes des Ceausescu, farcies de taxes et de punitions pour qui aurait été tenté de ne *pas* se reproduire, ainsi que les interdictions d'avortement, de contraception et de pratique du travail social, du nursing et de la psychologie, auront créé des débordements humains, matériels et psychiques chez des familles déjà précarisées par le chômage, la pauvreté et l'absence de programmes sociaux. À cela, il vous faut ajouter, pour permettre des heures d'ouverture prolongées des mines et des usines, les placements forcés d'enfants, souvent réalisés avec le concours des pédiatres, au sein d'une caricature institutionnelle complexe qui dépasse les limites des imaginations les plus morbides : les « *Casa di copii* » pour les candidats les plus éveillés, puis les « *Leagane* » pour les enfants à problèmes, jusqu'aux centres spécialisés pour irrécupérables, qui n'étaient en fait que des mouroirs déguisés. Lors de la chute du régime en 1989, le monde entier découvre 700 institutions bourrées de 300 000 enfants orphelins ou abandonnés de fait. Depuis lors, l'Europe ne s'est jamais plus sentie pareille.

La cessation de ces politiques contre-nature, des congés maternels prolongés, l'établissement d'un système de soins primaires et d'autres changements de toutes sortes auront raison du pire. Cependant, malgré ses changements d'attitude à l'interne et des conférences internationales lui commandant une réorganisation urgente de sa prise en charge de la petite enfance abandonnée, la Roumanie appauvrie et meurtrie n'a toujours pas résolu dans des limites acceptables les aléas de l'institutionnalisation massive de ses enfants. Étonnamment, pour vous donner la mesure, un des principaux freins à la désinstitutionnalisation est la peur du chômage chez le personnel aguerri des orphelinats.

Des enfants trouvés

> *Endors-toi, dors mon petit maître,*
> *Sans inquiétude et sans crainte*
> *Quoique mon cœur ne dorme pas*
> *Quoique je ne repose pas.*
>
> Gabriela Mistral

L'enfant abandonné est pris en charge soit par les institutions publiques, soit par les temples bouddhistes en Asie ou les congrégations religieuses en Amérique centrale et du Sud. À court ou à long terme, la survie et l'état de santé des orphelins dépendent directement de la qualité des soins prodigués au sein de ces institutions, ainsi que de leur approvisionnement en nourriture et leur fréquentation par un personnel suffisant et compétent.

On appelle généralement « nourrice » la soignante responsable du soin des enfants. Cousine éloignée de l'infirmière, la nourrice est responsable de l'ensemble des besoins de l'enfant : bain, bouffe, discipline, sourire du matin, etc. Le plus souvent, la nourrice est une femme. Elle n'a pas toujours des connaissances très élaborées sur les soins à donner à l'enfant. Ce qu'elle sait, elle l'a appris de sa mère, la transmission de ces connaissances étant essentiellement matriarcale dans plusieurs sociétés.

Les nourrices aiment sincèrement les enfants. Leur travail n'est pas toujours valorisé, les soins ne se monnaient pas bien, leurs effets, pourtant spectaculaires, ne se mesurent qu'à long terme. Certaines nourrices sont à la retraite et choisissent de prendre soin de ces enfants, d'autres ont tout perdu lors d'un conflit ou d'une guerre, et décident maintenant de se consacrer aux orphelins. Les plus jeunes nourrices sont souvent d'anciennes orphelines qui n'ont pas trouvé de travail, de mari ou encore qui ont eu peur de quitter le périmètre des quatre murs sécurisants de l'orphelinat. Soupçonnées d'attirer la poisse sur leur famille qui les ont chassées, beaucoup de nourrices sont en fait des filles-mères ou des femmes seules, venues donner un sens à leur vie sociale à l'orphelinat.

Le ratio soignant/soigné influence directement la qualité et la quantité de soins et d'attentions que peut prodiguer la nourrice. Avec la charge d'un nourrisson, le ratio idéal est de un pour un, ou de un pour deux. Mais dans plusieurs institutions, le budget dérisoire ne permet pas d'embaucher assez de nourrices, ce qui a pour effet d'augmenter le ratio soignant/soigné et d'alourdir la charge de travail. Ainsi, certaines nourrices écopent de la charge de soins de 10, de 15 et même, dans certaines institutions tristes à mourir, de plus de 25 jeunes enfants. Dans une étude récente, menée à l'Hôpital Sainte-Justine et à l'Université du Québec à Montréal, on a pu établir le lien entre la qualité des soins en orphelinat et la condition de santé de l'enfant adopté à l'arrivée. Un nourrisson chouchouté en Corée, au Guatemala ou dans les bras d'une nourrice du Tonkin évoluera sur les plans moteur, cognitif et affectif dans le créneau attendu pour les enfants de son âge. Un autre qui s'est morfondu entre les barreaux de son lit aura quant à lui un retard léger ou considérable à surmonter et ce, à tous les plans : dans sa manière de se retourner sur lui-même, de piquer sa curiosité, enfin dans sa manière de se consoler ou de nous séduire.

L'organisation du travail varie selon les orphelinats et les pays. Ainsi, certaines nourrices travaillent sur des quarts de travail, d'autres vivent à l'orphelinat. Dans de rares mais précieuses situations, la nourrice qui a la responsabilité d'un ou deux enfants emmène ses petits protégés dans sa propre demeure. Ce mode de soins est l'idéal puisqu'il s'agit en fait d'un foyer d'accueil où l'enfant bénéficie de tous les avantages d'une famille. On retrouve de ces familles d'accueil au Vietnam, en Colombie, en Corée du Sud et dans plusieurs provinces chinoises.

La vie à l'orphelinat dépend de l'orphelinat. Certaines institutions, on l'imagine, sont plus excitantes que d'autres et offrent des jouets, des jeux, des activités et même l'école à leurs petits pensionnaires devenus grands. Les plus avant-gardistes enseignent aux adolescents des métiers en vue de faire de leur départ de l'orphelinat, généralement vers l'âge de 16 ans, un départ pour la vie et non une descente dans l'enfer de la rue.

Dans d'autres orphelinats, les orphelins sont si nombreux qu'il faut les coucher à trois ou quatre par berceau. On manque de nourriture, mais il est aussi possible qu'on manque tout simplement de bras pour distribuer la nourriture. L'eau, le savon, l'électricité, le chauffage et les médicaments se font aussi désirer. L'école est éloignée de l'institution, et personne n'est disponible pour y conduire les enfants. Sur place, on ne trouve ni livres, ni télé, ni piscine, ni terrain de jeux. De la bassinette au petit lit étroit, c'est la disette, l'ennui, la maladie. Les nourrices responsables des bébés sont dépassées, les tuteurs des plus grands sont non motivés et non motivants. Les réalités de l'orphelinat ne sont pas étrangères à celles du pays. Difficile de recréer Disney ou Harvard quand le pays est pourri et ses institutions vétustes.

Des enfants retrouvés

Je m'appelle Jean, Jean Batailleur.
Je m'ennuie tant que ça me fait peur.
Je suis orphelin, abandonné
Sous la pleine lune, on m'a trouvé.

Zachary Richard

La grande majorité des enfants perdus ne seront pas trouvés. Ils mourront de faim, des suites d'une infection ou d'un manque d'attention ou d'affection. La grande majorité des enfants trouvés ne seront pas adoptés. Ils grandiront à l'orphelinat et prendront ensuite le chemin de la vie, pour le meilleur ou pour le pire. Enfin, la grande majorité des enfants retrouvés par des familles adoptantes transcenderont leur malheur pour se projeter dans l'avenir. Mais cette transcendance doit être garante du passé.

Dans son livre *The Primal Wound*, la psychologue Nancy Newton-Verrier cite une jeune adoptée : « Avoir été tellement désirée par mes parents adoptants n'efface en rien la souffrance d'avoir été rejetée par ma mère biologique. » Qu'on le veuille ou non, les abandons traumatisent et tout l'amour des nouveaux parents ne peut effacer à lui seul le lourd maillage des pertes et des blessures du passé. L'ignorance de cette réalité risquerait même de causer un fossé émotif entre l'enfant et ses nouveaux parents. À l'opposé, une meilleure compréhension ne pourra que mieux servir à la guérison de la souffrance. Elle facilite un attachement solide entre l'enfant et ses nouveaux parents. Elle permet aussi à tous les intervenants autour de l'enfant, du pédiatre à sa grand-mère, de mieux saisir l'ensemble des facteurs qui peuvent affecter sa santé physique et mentale

L'ALLÉGORIE DU RUBAN

Imaginez la vie d'un enfant. Imaginez ensuite un ruban de soie. Imaginez maintenant que la vie soit un long ruban de soie. Le ruban peut être solide et intact. Le ruban peut également avoir été découpé en petits ou en grands morceaux recollés les uns aux autres.

Un bébé voulu, désiré, fabriqué « maison » dans l'amour, la joie et la jouissance, qui grandit dans le ventre d'une maman heureuse aux côtés d'un papa chaleureux et présent, qui naît à terme suite à un accouchement normal, qui est allaité, soigné et bercé avec tendresse, qui profite du long congé parental de papa ou de maman, puis qui se voit confié à un milieu de garde sûr, chaleureux et stimulant, aura son ruban de vie sans coupures ou déchirures. Que des accidents de vie ou des traumatismes subtils en viennent à tirer très fort sur son ruban, peu importe. Le tissu demeure résistant, solide, tenace, lisse, pas impossible à abîmer, mais très difficile à déchirer.

Un bébé non désiré, que sa maman porte avec détresse et angoisse, qui naît avec un petit poids de naissance au terme d'un accouchement difficile, qu'on abandonne dès qu'il paraît, qui est confié in extremis à un premier milieu de vie, puis parfois à un deuxième, voire à une troisième famille-substitut, puis qui, par l'adoption, est de nouveau arraché à son orphelinat ou à sa famille d'accueil aura droit lui aussi à son ruban, bien sûr, mais à un ruban de vie sectionné à plusieurs reprises. Les petits morceaux sont là, éparpillés, sans utilité apparente. L'enfant conclut qu'il ne vaut pas grand-chose, son estime de lui-même est atteinte et sa confiance envers le monde extérieur, fragilisée. Toutes les explications rationnelles pour rassurer l'enfant sur les raisons, bonnes ou mauvaises, qui ont décidé de son abandon ne l'empêchent pas de vivre intensément des sentiments d'injustice, de rejet et de deuil.

(…)

(suite)

Les enfants abandonnés, puis abandonnés à nouveau, et encore et encore abandonnés, et ultimement adoptés ont tous des rubans de vie coupés par les ruptures ainsi que par une négligence physique et affective. La tâche des intervenants en adoption et celle des parents adoptifs est de tenir compte de cette réalité. Il s'agit de recoller, de rapiécer. Le plan, c'est de rattacher chaque morceau avec des nœuds solides.

Pour que l'allégorie du ruban tienne, il faut que le ruban soit ultimement assez résistant pour permettre de boucler la boucle.

Le malheur n'est pas le mal. Il le devient quand on oublie d'en tenir compte. Oliver Sacks, neurologue, né à Londres et exerçant à l'Albert Einstein College of Medicine à New York, soutient que la maladie, voire l'abandon en ce qui nous concerne, a ceci de paradoxal qu'elle possède un potentiel créateur. « La maladie implique une contraction de la vie, écrira-t-il, mais de telles contractions ne sont pas inéluctables. » Vicissitudes, souffrances et adversité pourraient donc faire place à l'éclosion de pouvoirs, d'évolutions étonnantes et de nouvelles manières de vivre et de grandir, inimaginables en l'absence de malheurs.

Vos enfants ne sont pas ordinaires. Oserions-nous voir chez eux le potentiel créateur de l'abandon à travers l'adoption ?

Lectures suggérées

BERGER, M. *L'enfant et la souffrance de la séparation*. Paris : Dunod, 1997. 170 p.

NEWTON-VERRIER, N. *The Primal Wound*. Baltimore : Gateway Press, 1991. 231 p.

MASSONNET, P. *La Chine en folie. L'héritage de Deng Xiaoping*. Arles : Éditions Philippe Picquier, 1997. 237 p.

TRILLAT, B. *Abandon et Adoption : liens de sang, liens d'amour*. Paris : Éditions Autrement, 1988. 221 p. (Séries Mutations no. 96)

Références

CHICOINE, J.F. « Et le bébé chinois ? » *Paediatric Child Health*, 2001, 6 (5); 273-278.

HINANO GUÉRIN, K. *Institution et pratiques de l'adoption en Chine*. Mémoire de DEA. Paris : Institut National des Langues et Civilisations orientales, 2002. 83 p.

SMITH-GARCIA, T., J.S. BROWN. « The health of children adopted from India ». *Journal of Community Health*, 1989, 14 (4); 227-241.

UNICEF. *La situation des enfants dans le monde. Prendre l'initiative*. Genève : Fonds des Nations Unies pour l'enfance, 2002. 104 p.

UNICEF. *La situation des enfants dans le monde. La petite enfance*. Genève : Fonds des Nations Unies pour l'enfance, 2001. 115 p.

UNICEF. *La situation des enfants dans le monde*. Genève : Fonds des Nations Unies pour l'enfance, 2000. 118 p.

CHAPITRE 2

DES ENFANTS PARTAGÉS

▼

Orphelins à Oulan-Bator
Mongolie, 1999

Néron et Caligula ont été des enfants adoptés. Au moment où César voit son fils adoptif, Marcus Junius Brutus, s'avancer pour le poignarder, il prononce ses dernières paroles : « Toi aussi mon fils. » Au Moyen Âge, puis à la Renaissance, la religion catholique repousse l'idée de l'adoption, de peur de donner du crédit aux grossesses hors mariage. L'Église s'accommode mal de l'adoption car elle préfère garantir elle-même l'éducation religieuse des orphelins. Mais au XIXe siècle, le Code Napoléon permet enfin d'encadrer juridiquement l'adoption, essentiellement pour donner des bâtons de vieillesse et des héritiers à des familles sans progéniture, et non – comme on le souhaite aujourd'hui – pour donner une famille à un enfant qui n'en a pas. Il faut cependant attendre le XXe siècle, le ravage des guerres de 14-18 et de 39-45, celles de Corée et du Vietnam, tout autant que la mondialisation et la reconnaissance internationale des pauvretés ravivées ou émergentes – en Russie, en Inde, à Haïti – pour que l'adoption, d'abord locale, puis internationale, trouve en Occident un regain inégalé depuis Romulus et Remus.

Anthropologie de l'adoption

Dans notre société occidentale, la force des liens de sang, à laquelle se rajoutent les données scientifiques de la génétique, donne une importante prépondérance à la parenté biologique. Généraliser ce principe à l'ensemble des cultures serait faire preuve d'ethnocentrisme…

J.V. de Monléon

La filiation adoptive est un geste d'amour, certes, mais c'est aussi un mouvement du cœur fondamentalement imprégné des valeurs et des croyances culturelles de chacune des sociétés. Certains anthropologues vont même jusqu'à dire que cette filiation est strictement culturelle.

La pratique de l'adoption existe depuis toujours, et dans de nombreuses civilisations. Dans plusieurs tribus africaines, chez les Maoris en Polynésie, ainsi que chez les Inuits au Canada, l'enfant est un joyau appelé à être partagé par une famille élargie. En Afrique, l'enfant appartient à la communauté dès sa conception. Dans un séminaire orchestré par Enfance et familles d'adoption (la plus grande association d'adoptants en France), les intervenants soulignaient à quel point la tradition d'accueil dans la plupart des pays africains, qui permet aux enfants de circuler d'une famille à l'autre, contribuait à réduire le nombre d'enfants abandonnés, nombre par ailleurs croissant. Du point de vue africain, l'adoption n'est pas considérée comme culpabilisante. Plus il y a d'enfants autour de vous, plus on vous respecte.

La Kafala : une tutelle légale

D'autres pays ignorent l'adoption, sans obligatoirement l'interdire : c'est le cas notamment du Tchad et de la Mongolie. Pour leur part, l'Algérie, la Mauritanie, le Pakistan, le Maroc et plusieurs États de droit coranique prohibent l'adoption. L'interdiction repose ici sur l'interprétation de deux versets de la 33e sourate : «Dieu ne loge pas deux cœurs au dedans de l'homme, […] non plus qu'il ne fait de vos fils ceux que vous adoptez.» Par ailleurs, la Tunisie et l'Indonésie sont des exceptions à cet enseignement qu'ils analysent autrement. En pays musulman existe la Kafala, une tutelle légale qui, à défaut d'une véritable filiation parents-enfants, garantit le bien-être de l'enfant et son pouvoir d'hériter, du moins autant que possible dans les circonstances.

L'adoption nationale en Chine : l'adoption à l'envers

On en parle peu mais, étonnamment, la Chine aussi encourage l'adoption nationale de ses enfants pour permettre la transmission des biens familiaux autant que pour poursuivre le fameux culte des ancêtres. Une anthropologue française, Karine Hinano Guérin, a étudié la pratique de l'adoption en Chine dans la famille traditionnelle. Son travail unique, qu'elle nous a transmis de manière privilégiée, nous rappelle que la famille traditionnelle chinoise se base essentiellement sur le culte des ancêtres, plutôt que sur les liens du sang, puisque la mort n'interrompt pas la parenté. Voilà ainsi une première ouverture pour l'adoption. Une fille n'étant pas considérée comme une héritière, seul le fils peut obtenir ce droit. Les familles qui n'ont pas de fils prennent donc plusieurs moyens pour s'assurer de la lignée familiale. Les plus riches s'encombrent parfois d'une concubine pour s'assurer d'une lignée masculine. Toutefois, la rivalité entre épouses et concubines ainsi que l'infanticide des bébés filles font que la concubine n'est pas toujours facile à trouver. Pensez-y, ils sont plus de 108 hommes pour 100 filles! On peut donc procéder à l'adoption d'un fils, le fils d'un des descendants par exemple, le neveu, le fils du frère ou encore le fils biologique issu d'une lignée par alliance, par exemple le fils du frère de la mère. Il est interdit d'adopter un étranger comme fils légitime. Quelle que soit l'évolution du monde, il serait donc surprenant pour l'instant que M. et Mme Wong descendent sur Brest ou sur Tadoussac pour y adopter, à l'internationale, un bébé blanc.

L'adoption nationale en Inde : vers le macrocosme

Dans la communauté hindoue de l'Inde, à l'instar de la Chine ou même du monde inuit, les filles, encore elles, ont longtemps été traditionnellement considérées comme un fardeau pour les familles. Cependant, malgré l'importance du fils dans la continuité spirituelle et matérielle de la lignée, de plus en plus de parents procèdent aujourd'hui à l'adoption nationale de petites filles. Elles sont des milliers à être abandonnées. Au départ, essentiellement adoptées chez elles, puis par la communauté indienne internationale, elle sont de plus en plus nombreuses à se retrouver maintenant dans des familles métissées à l'étranger, tout particulièrement en Ontario, au Canada. Comme le faisait remarquer monsieur Rask Kapoor au sein du séminaire précité, selon la conception indienne, peu importe que les petits soient élevés dans tel ou tel pays, quand un enfant naît il est considéré comme un citoyen du monde. Qu'il soit élevé en Inde ou ailleurs, il n'a qu'à être respectueux de la coutume indienne selon laquelle on doit s'attacher à sa famille et grandir dans l'intégrité. «Nos enfants ne sont pas nos enfants», commentait-il, «ce sont les fils et les filles de la vie, de cette vie qui appelle la vie.»

Difficile d'imaginer, vous en conviendrez, une réflexion plus propice à bâtir dans les années à venir une anthropologie planétaire de l'adoption internationale.

Un cow-boy à Québec

Une fois, un homme de quarante ans, brun, trapu et souriant, avec des bottes en crocodile, une chemise à frange et un chapeau de cow-boy, sorti tout droit d'un épisode télévisé de *Dallas*, déambule le long de la rue St-Jean à Québec. Il sort avec fierté un petit album de photos : on le voit, serrant la main du futur président de son pays, Bill Clinton, lors d'une campagne électorale. Puis il dévisage les passants et se retourne avec émotion pour déclarer, avec un fort accent du Sud : « *For the first time in my life, I look as everybody else. Back home, everybody I know is blond, tall and has blue eyes. I always felt like a misfit.* » Car Bob est bel et bien Américain depuis qu'il a été adopté par un couple d'origine irlandaise venu chercher un bébé québécois, blanc et catholique, à la crèche de la Miséricorde de Québec en 1958. Sa mère biologique ayant refusé des retrouvailles, Bob tenait tout de même à connaître les lieux de sa naissance. Il repartira grandi, pas physiquement, mais émotivement. Cœur de cow-boy !

Démographie de l'adoption

> *Les parents québécois trouvent leurs enfants dans le tiers monde.*
>
> La Presse canadienne

Au cours des années 50, 60 et même 70, des centaines d'enfants canadiens nés de mères célibataires, les « enfants du péché » disait-on, ont été adoptés aux États-Unis, à Puerto Rico, au Venezuela et même outre-mer, en France. Aujourd'hui, dans les pays d'origine, la disponibilité ou non des enfants pour l'adoption internationale est tributaire du poids démographique des taux de natalité, de la mortalité infantile, de la précarité économique, des lois en place et des éventuels candidats adoptants à l'étranger. Constamment, des changements s'opèrent au gré de l'histoire géo-socio-politique du monde. Le baby-boom adoptif des pays d'accueil s'explique de plusieurs manières : baisse du taux de natalité, augmentation du taux d'infertilité, difficultés légales et administratives liées à l'adoption locale, facilitation du processus grâce à l'expérience des organismes ou œuvres d'adoption.

Chaque année, on réalise 16 000 adoptions internationales aux États-Unis, environ 4 000 en France, maintenant 3 000 en Espagne, près de 3 000 en Suède et 2 000 au Canada, dont près de 1 000 seulement au Québec. En 20 ans, 200 000 enfants adoptés auront immigré aux États-Unis et presque autant de parents s'y seront initiés aux joies de la parentalité adoptive. Pour leur part, l'Angleterre et l'Allemagne ne rapportent encore que relativement peu d'adoptions internationales, quelques centaines chacun. Encore une « curiosité » pour l'instant, mais quelques adoptions internationales sont également réalisées entre pays asiatiques, en Malaisie par exemple avec des enfants venus de Thaïlande. En Amérique du Nord, les adoptions sont réalisées principalement en Chine, en Corée, en Russie, en Inde, à Haïti, en Roumanie, au Guatemala, au Vietnam, en Colombie et dans une cinquantaine d'autres pays. Madagascar, l'Éthiopie, le Brésil et quelques pays d'Océanie se rajoutent à la liste des pays d'adoption d'Europe de l'Ouest. Alors que la France rapporte plus de 50 % d'adoption de garçons, trois quarts des enfants adoptés au Canada sont des filles. La moitié des enfants a moins de un an, mais le quart a plus de deux ans. De fait, la tendance à adopter des enfants plus âgés est à la hausse, partout en Amérique du Nord.

Éthique de l'adoption

> *Tu te souviendras que ton fils n'est pas ton fils,*
> *mais le fils de ton temps.*
>
> Attribué à Confucius

Prendre la décision d'adopter un enfant n'est pas une sinécure. Les meilleurs parents vous le diront : la filiation n'est pas un geste ordinaire. Choisir d'adopter va bien au-delà du dernier phénomène social à la mode. Adopter, c'est choisir d'accueillir un enfant et ce, dans des contextes de vie et des conditions d'existence extrêmement variées. L'adoption doit être envisagée comme une stratégie valable pour fonder une famille, et non comme un pis-aller, une voie de garage, un en-cas. Entre les papiers d'immigration, le certificat de bonne santé de l'adoptant, le contrat avec l'œuvre ou l'agence d'adoption, sans oublier l'achat incontournable de la vidéo caméra, les valeurs qui sous-tendent le choix d'adopter en prennent parfois pour leur rhume. Elles sont pourtant une base fondamentale pour garantir la réussite de l'aventure, dans la mesure où la vie et la santé le permettent.

Ces dernières années, au Québec et ailleurs dans le monde, une série de changements légaux et organisationnels ont rendu relativement plus accessible l'adoption internationale. Ainsi, grâce à un processus moins complexe, des couples en situation d'infertilité ou désireux de fonder une famille non traditionnelle ont pu s'engager dans des démarches d'adoption beaucoup plus rapidement qu'ils ne l'auraient fait dans les années 70. Adopter en pleine guerre civile en Amérique centrale ou dans les années suivant le décollage du dernier hélico de l'ancienne Saigon, supposait une volonté de fer et une grande maturité de la part des adoptants. Du fait que les procédures sont maintenant orchestrées à large échelle, la nouvelle génération de parents, malgré ses attentes légitimes et ses souffrances réelles, n'a pas toujours pris le temps de bien réfléchir à toutes les facettes et à toute la profondeur du geste qu'ils s'apprêtent à poser. Ils ne sont pas de moins bons candidats à l'adoption ou de futurs parents moins compétents, mais ils basculent maintenant trop souvent dans la position du consommateur de services, du style averti et vigilant. Les considérations financières inhérentes à l'adoption ne sont pas étrangères à la naissance de cette attitude voulant que les familles en attente soient unilatéralement concernées par leur projet d'adoption et leur futur enfant. Exit tout le reste.

La grossesse adoptive est pourtant collective. Le processus administratif, légal, médical et psychosocial n'est pas sorti d'une boîte de polichinelle uniquement pour embêter les adoptants. Il est le chemin incontournable pour accorder les attentes des uns aux réalités des autres. Les parents adoptants sont des acteurs-clés dans un scénario à tiroirs très complexe, mais leur désir d'enfant, par ailleurs normal et légitime, ne sera pas la valeur la plus importante à considérer pour éclairer la prise de décision.

Le peu d'importance accordée à réfléchir aux valeurs qui soustendent l'adoption fait vivre beaucoup de frustrations inutiles aux futurs parents, ainsi qu'à tous les intervenants qui souhaitent les aider et les guider dans le processus. Question d'harmoniser le discours et de rendre justice aux enfants, nous abordons ici les quelques valeurs fondamentales sur lesquelles parents, professionnels et acteurs sociaux devraient pouvoir s'entendre.

L'intérêt supérieur de l'enfant : l'intérêt du plus faible

La place première de l'enfant est auprès de ses parents biologiques dans son pays d'origine. Ainsi, l'impossible devrait être raisonnablement fait pour maintenir l'enfant dans son milieu, auprès de sa famille biologique, afin qu'il soit élevé dans sa langue et dans sa culture, bref pour qu'il se sente chez lui. Récemment, aux États-Unis, une situation inextricable d'adoption internationale de bébés jumeaux par deux familles adoptives concurrentielles, l'une en Amérique et l'autre en Angleterre, aurait pu ne jamais se produire si les Américains avaient adhéré à ce type de plaidoyer pour l'enfance. Mais au pays de l'oncle Sam, les signatures des conventions internationales supposent aussi d'autres intérêts, jugés à tort comme supérieurs.

Lorsqu'un enfant se retrouve en situation d'abandon, il faut se rappeler qu'il est dans son intérêt (c'est l'intérêt supérieur) de lui trouver une famille permanente, et ainsi de favoriser l'adoption, d'abord dans son pays d'origine, ensuite dans l'espace international. De cette manière, le processus d'adoption se réalise en fonction des besoins de l'enfant. Seront alors pris en considération ses besoins moraux, intellectuels, affectifs et physiques, et, à titre d'exemples, son âge, sa santé, son caractère et son milieu d'origine. On s'assure ainsi de trouver une famille pour un enfant, et non un enfant pour une famille. Ce principe de l'intérêt supérieur de l'enfant est maintenant presque universellement reconnu, quoique pas toujours mis en application. C'est la valeur de référence à partir de laquelle, dans de très nombreux pays, la plupart des lois concernant la protection de l'enfance ont été écrites ou révisées au cours des dernières décennies. Concrètement, cela signifie que les désirs ou les croyances des parents adoptants, même sincères et bien intentionnés, seront toujours subordonnés aux besoins d'un enfant en situation d'abandon.

En adoption internationale, il serait facile de dénaturer cette valeur pour justifier des pratiques peu éthiques. En effet, ne serait-il pas dans l'intérêt supérieur de l'enfant de vivre dans un pays plus riche? Ou encore auprès de parents plus éduqués, plus fortunés et pouvant lui offrir l'université ou d'autres bienfaits impossibles à envisager par ses parents biologiques? Ces interprétations abusives ont malheureusement été faites et se font encore, donnant ainsi bonne conscience à certains parents disposés à brandir ces arguments pour convaincre des parents biologiques de consentir à l'adoption. Des événements malheureux en ont découlé, par exemple des réseaux de bébés à la carte au Guatemala, ou des circuits de revendeurs en Roumanie, enfin de nombreux scandales, souvent horribles, qui ont contribué à donner mauvaise presse à l'adoption internationale.

LES SANS-PAPIERS... LES FAUX PAPIERS

Depuis plusieurs jours, dans un orphelinat du Cambodge, une bénévole d'un organisme d'adoption attend certains papiers pour compléter le dossier de quelques enfants destinés à des familles du Québec. Un adoptant aux allures colonialistes entre fièrement dans l'orphelinat en brandissant plusieurs papiers signés et estampillés «du jour même», dit-il. Curieuse, la bénévole s'approche en disant: «Ce sont des certificats d'abandon?» «Oui, de répondre l'homme.» «Mais les bureaux sont tous fermés aujourd'hui!» Assez hautain, l'homme rétorque: «Vous savez, chère madame, il ne faut pas être naïf, ici, et accepter d'attendre des jours et des jours, comme vous le faites. C'est assez extraordinaire ce que peuvent faire quelques centaines de billets verts et des promesses d'être répondant pour une immigration à l'ouest! Tant pis si c'est plus ou moins légal, de toute façon, cet enfant sera mieux dans la civilisation que dans ce foutu pays.»

La bénévole, rouge de colère, de répondre: «Je plains cet enfant, monsieur, si c'est la façon dont vous traitez les compatriotes de votre future fille et si c'est tout ce que vous pensez de son pays d'origine.»

Le droit de l'enfant à une famille : non le contraire

On ne parle pas du droit, mais bien du privilège d'accueillir un enfant. Ce principe heurte souvent très profondément les futurs adoptants qui se sentent lésés par rapport aux parents biologiques. Dans leur douleur et leur révolte de ne pas pouvoir fonder une famille comme tout le monde, ils réclament parfois le droit à l'enfant. Mais dans le processus d'adoption, il faut plutôt privilégier le respect des droits, des besoins et de l'intérêt de l'enfant, tout en tenant compte des responsabilités des parents biologiques et de celles des parents adoptifs. Adopter, tout comme aimer, risque fort d'être un acte à la fois égoïste et altruiste, procédant du désir *d'avoir* un enfant et du désir de *pouvoir donner* à un enfant. Il faut donc des balises pour que ce désir d'enfant ne devienne pas, pour certains parents, la quête insensée de l'enfant à tout prix, avec toutes les conséquences morbides que cela suppose. En Amérique du Sud, on a pratiqué des césariennes de force sur des mères donneuses afin de garantir la livraison des bêtes humaines à leurs parents adoptifs. Une filiation forcée est sans fondement. Elle est la chronique d'une petite mort annoncée.

Le droit de l'enfant de connaître ses origines : l'appel au drapeau

La connaissance de ses origines et, idéalement, l'amour de celles-ci sont indispensables pour construire l'estime de soi et une identité positive. L'enfant a le droit de connaître son pays, sa culture, son histoire, aussi pénible soit le passé. La recherche des origines n'a pas la même signification pour tous. Très tôt dans leur vie, certains adoptés ressentent ce besoin avec intensité et en font *ipso facto* une quête viscérale. D'autres n'en ressentent pas la nécessité, soit par peur de ce qu'ils trouveraient, soit parce qu'ils n'accordent sincèrement aucune importance à cette démarche. Ce besoin de connaître est trop souvent interprété à tort par les parents adoptants comme un échec. Ils arrivent à croire qu'ils n'auraient pas assez endigué les malheurs du passé, qu'ils pourraient ultimement perdre cette relation privilégiée qu'ils entretiennent avec l'enfant. D'autres parents cherchent ici à protéger l'enfant, à lui éviter de nouvelles souffrances. Trop de parents adoptants minimisent ou évacuent trop facilement le travail qu'ils doivent faire sur eux-mêmes pour intégrer totalement le droit de l'enfant de connaître ses origines afin de l'accueillir avec son passé et ce, tout au long de son développement.

Respecter profondément cette valeur implique que le parent adoptif doit considérer les parents biologiques comme faisant partie de sa famille. Vous ne pouvez pas définitivement évacuer ces fantômes ou minimiser leur rôle dans la vie de l'enfant. L'enfant existait avant votre arrivée en avion. Ignorer cette partie de son histoire, ce serait l'amputer de son identité, de ses racines, des joies et des souffrances qui lui appartiennent. Certains parents éludent la question grâce à la pensée magique : « Je n'y pense pas, je n'en parle pas, donc cela n'existe ni pour moi ni pour mon enfant. Je n'en souffrirai pas et, surtout, mon enfant ne connaîtra aucune souffrance à ce propos. »

LA MÉMOIRE DANS LA PEAU

Lors de l'entrevue préparatoire à une rencontre de retrouvailles avec sa mère biologique, Nathalie, 29 ans, explique ses motivations à la travailleuse sociale : « Vous savez, je ne tiens pas vraiment à avoir une relation affective avec ma mère biologique, mais je veux vraiment comprendre mon histoire. Et puis il y a ces rêves, ces cauchemars, devrais-je dire. Depuis que je suis toute petite, je rêve que je suis seule sur le perron de l'école ou dans les marches de l'église ou dans l'entrée d'un magasin, et j'attends ! Je ne sais pas qui j'attends et pourquoi j'attends, mais personne ne vient jamais me chercher. »

La rencontre se fait la semaine suivante au bureau de l'intervenante où Nathalie attend que sa mère biologique entre pour la rejoindre. Nerveuse et fébrile, la dame, qui a l'air beaucoup plus âgée que ses 47 ans, entre, s'installe et se met à parler très vite dans un flot de paroles qui montent du plus profond d'elle-même, comme une urgence, comme une justification, en s'adressant à la jeune fille sous son nom de naissance : « Tu sais, Sylvie, je voulais te garder, mais je n'avais que 18 ans, et puis

(...)

(suite)

je n'avais pas de travail, et puis j'habitais à la campagne. Alors, je t'ai mise à la Miséricorde, mais je venais te voir tous les dimanches. La religieuse de la pouponnière avait pitié de moi et me laissait te bercer, t'embrasser, et puis je te promettais toujours de revenir le dimanche suivant. Mais tu sais, après trois mois, j'ai manqué d'argent et lorsque je suis revenue quelques semaines plus tard, tu avais été adoptée. Alors, j'ai pleuré, pleuré, pardonne-moi, pardonne-moi... »

Sous le choc et sans mots, Nathalie se met à regarder alternativement sa mère biologique et la travailleuse sociale, en disant: « Mais ce n'est pas possible, je n'avais que trois mois, je n'avais que trois mois... » La travailleuse sociale d'écouter et de dire doucement: « Oui Nathalie, c'est possible. »

Le droit aux origines est si fondamental qu'il fait partie de deux déclarations internationales sur les droits de l'enfant: la *Déclaration universelle relative aux droits de l'enfant*, ratifiée en 1990, et la *Convention de La Haye sur l'adoption internationale*, présentement en cours de ratification dans la plupart des pays concernés par la circulation d'enfants. Cette valeur a pour fondement toutes les connaissances éthiques, médicales et psychosociales sur le développement de l'enfant. Un enfant, aussi petit soit-il, n'est pas, comme déjà entendu de la bouche d'un bureaucrate, « une cassette vierge sur laquelle on peut effacer et réimprimer tout ce que l'on désire ». Un parent faisant fi du caractère fondamental de cette valeur ne pourra pas décoder, comprendre et accueillir toutes les phases normales et nécessaires des deuils vécus par l'enfant au long de sa vie. Un refus de la légitimité des enjeux en cause met carrément en péril la qualité de la relation parent-enfant ainsi que l'imprégnation identitaire au nouveau pays. N'oubliez pas qu'un enfant peut parfaitement s'adapter à une nouvelle famille, sans pour autant s'attacher sainement à ses nouveaux parents et à son nouveau pays. Reconnaître ses parents ou un drapeau n'est pas tout: il faut savoir et pouvoir les défendre.

L'ouverture à un enfant différent : la totale !

Une réelle ouverture à la différence va bien au-delà de la simple tolérance. Tolérer, c'est ne rien dire, sans chercher à connaître ni à comprendre. Tolérer ne suffit pas. Adopter un enfant à l'étranger suppose une réelle générosité, un mouvement intérieur du cœur et des idées. Des parents blancs choisissent d'adopter un enfant blanc en pensant qu'ils n'auront pas à réfléchir aux différences, qu'ils n'auront pas à vivre, à expliquer ou à réagir à des épisodes de racisme ou aux questions de l'enfant sur ses origines. Ils se trompent. Ces parents sont souvent surpris et fort désemparés face aux interrogations légitimes de l'enfant, des questionnements profonds qui vont bien au-delà de la couleur de la peau. Ces parents sont également moins équipés que d'autres pour faire face à la maladie éventuelle d'un enfant hors série, par exemple à la découverte chez lui d'une hépatite B ou d'une dyslexie.

L'INAVOUABLE

Que ce soit dans les jours, les semaines ou les mois qui suivent l'arrivée de l'enfant, plusieurs parents vivent une profonde déception par rapport au petit qui leur a été confié. Il est moins beau qu'espéré, il refuse de tendre les bras, il semble « anormal » dans ses réactions. On craint un retard mental, une maladie grave. La déception en arrive à fragiliser l'estime qu'ils ont de leurs propres compétences. On ne se sent pas à la hauteur, on est déçu des attitudes du conjoint, etc. Mais à qui donc avouer tout cela ? À l'entourage qui y va de ses félicitations ? À la travailleuse sociale qui fait le rapport des progrès pour le jugement du tribunal ?

Les parents adoptants doivent affronter leurs déceptions, ne pas les nier, pour enfin faire le deuil de l'enfant « rêvé » et mieux accueillir l'enfant réel. En parler à un très bon ami, à une très bonne amie ? À l'infirmière qui vaccine l'enfant ? À l'association de parents ? Pourquoi pas ! Comme dans tous les deuils, il y a une phase de négation, de colère, de dépression. Naît ensuite, le plus souvent, le profil d'une certaine sérénité.

«L'adoption internationale est parfois vécue comme un pillage des pays pauvres par les pays riches, voire comme une forme de néo-colonialisme», écrit Jean V. de Monléon dans les *Archives de pédiatrie*. «Cela peut être effectivement le cas si de l'argent entre en jeu ou si des intermédiaires utilisent l'adoption comme un commerce. Mais elle peut aussi être une chance à l'échelle de la planète.» Jean V. de Monléon est un pédiatre dijonnais particulièrement versé dans l'étude anthropologique de l'adoption. Nous en profitons pour le saluer pour sa belle contribution à la connaissance transversale du monde de l'adoption internationale.

Lectures suggérées

ENFANCE ET FAMILLES D'ADOPTION. *Adoption et éthique: éthique et familles, éthique et cultures, éthique et droit*, 2001. Février, no 1.

LAFOND, F. *L'adoption*. Toulouse: Milan. 1999, 63 p. (Essentiels Milan)

OUELLET, F.R. *L'adoption, les acteurs et les enjeux autour de l'enfant*. Québec: Les Presses de l'Université Laval, 1996. 119 p.

PEILLE, F. *Appartenance et filiations*. Paris: ESF, 2000. 171 p. (La vie de l'enfant)

Références

CONFÉRENCE DE LA HAYE DE DROIT INTERNATIONAL PRIVÉ. *17ᵉ session. Acte final*. Édition définitive, 29 mai 1993.

DE MONLÉON, J.V. «Qui sont mes parents? Filiation adoptive en fonction du temps et de l'endroit». *Archives de pédiatrie*, 2000, 7 (5); 529-535.

DE MONLÉON, J.V., B. LAURENT-ATTHALIN, A. HOUZEL. et al. «Prise en charge des enfants adoptés à l'étranger dans les principaux services de pédiatrie français». *Archives de pédiatrie*, 2000, 7 (10); 1127-8.

GAGNON, C.M, *Intervention et adoption internationale*. Recueil de textes. Montréal: Université du Québec à Montréal. Département de travail social, 1997.

GIRARD, M. *La place accordée à l'enfant dans le processus de l'adoption internationale*. Mémoire de maîtrise en éthique. Québec: Université du Québec à Rimouski, 1999. 178 p.

«Humanitarian Aid: Make it worthwhile». *Adoption Medical News*, 1998, IV (4); 1-4.

LEDUC, L. «Adoption internationale: l'UNICEF brosse un portrait inquiétant». *La Presse*, 14 mai 2001. p. A1.

MARTINET, J.P. «L'adoption: le poids de l'histoire». *Le Pédiatre*, 2000, 38 (188); 6-12.

MATHER, M. «Adoption». *British Medical Journal*, 2001, 322 (7302); 1556-1557.

MINISTÈRE DE LA SANTÉ ET DES SERVICES SOCIAUX. *Dessine-moi une famille*. Actes du Colloque Adoption 1994. Montréal: Secrétariat à l'adoption internationale, 1994. 250 p.

OUELLET, F.R., L.R. FRIGAULT. *Les adoptions internatinales au Québec, 1990-1994: analyse des dossiers de suivi d'adoption du Secrétariat à l'adoption internationale*. Québec: Ministère de la Santé et des Services Sociaux, 1996. 60 p.

CHAPITRE 3

LA FAMILLE D'ADOPTION

▼

Regard vers l'avenir
Cuba, 2000

Au Québec, selon les chiffres du Secrétariat à l'adoption internationale, 5% des adoptants ont entre 25 et 29 ans, environ 22% entre 30 et 34 ans, environ 55% ont entre 35 et 39 ans, 12% entre 40 et 44 ans, 5% entre 45 et 49 ans. Il manque des pourcentages, vous avez raison: c'est que la plus jeune personne ayant adopté à l'internationale avait 23 ans et la plus âgée… 80 ans! Voilà pour les chiffres. Donnons-leur maintenant un peu de corps et d'épaisseur: la famille adoptive le mérite bien.

Moteurs de la famille adoptive

> *Mes parents ne me voulaient pas. C'est vrai.*
> *Ils ont mis un ours en peluche vivant dans mon berceau.*
>
> Woody Allen

L'idée de fonder une famille grâce à l'adoption surgit rarement de façon planifiée. Elle germe tranquillement après des événements imprévus de la vie. La prise de décision finale résulte d'un long processus d'adaptation. Toutefois, le manque chronique de renseignements pertinents, l'absence de contrôle sur les aléas administratifs, la durée indéterminée du processus rendent difficile toute planification

Ne cherchez pas non plus du côté de la sagesse populaire et des rites de passage utiles aux grossesses biologiques: ils ne sont d'aucune aide pour les parents potentiels qui cheminent, bon an mal an, dans la décision d'adopter ou non. Ce manque de repères, on s'en doute, entraîne un isolement, beaucoup de souffrances et d'anxiété. Pour toutes ces raisons et bien d'autres, il s'avère donc primordial pour les futurs adoptants de se questionner sur eux-mêmes avant l'adoption. Les croyances ont la couenne dure.

AVANT DE PARTIR EN FAMILLE

- Est-ce que je considère les liens de sang comme primordiaux pour bâtir une famille ?

- Est-ce que j'ai tendance à considérer que seule la femme qui a enfanté est une vraie femme ?

- Est-ce que j'ai peur d'aimer moins un enfant adopté qu'un enfant biologique ?

- Est-ce que je pense que l'adoption est un geste noble essentiellement motivé par la charité ?

- Ai-je entendu des histoires d'enfants adoptés qui m'ont donné une image particulièrement sombre de l'adoption ?

- Est-ce qu'un mariage sans enfant biologique est un mariage que Dieu ou la vie n'a pas béni ?

- L'infertilité est-elle un destin, une punition à ne pas transgresser sous peine d'être encore plus puni ?

- Suis-je assez fort, suis-je assez forte, pour étaler mon infertilité aux yeux du monde ?

- Suis-je capable d'aimer et de soigner un enfant africain, latino, maghrébin ou gitan ?

Soyez conscient que votre vision du monde et vos prises de décisions passent et passeront toujours par le filtre de vos croyances. Vos croyances sont en fait une lunette à travers laquelle vous observez les événements, vivez vos émotions et décidez de vos actions. Ces croyances se sont tranquillement imposées à vous par le biais de votre famille, de la société et de votre éducation, ainsi que par vos lectures, vos expériences de vie, votre religion, votre culture, vos échecs et vos succès. Ces croyances vous aideront ou vous nuiront, mais vous ne pourrez pas ne pas en tenir compte. Tous les parents ayant déjà adopté ont dû, consciemment ou non, faire un peu de ménage dans leurs croyances, des plus simples aux plus secrètes. Car à la différence des parents biologiques, les parents adoptants ont constamment à faire des choix, à décider d'arrêter ou de poursuivre, à se justifier, à se réajuster, à négocier avec eux-mêmes ou avec les autres.

L'infertilité des parents : un deuil peut en cacher un autre

Plusieurs futurs parents choisissent d'adopter après de nombreuses tentatives infructueuses dans les cliniques de fertilité. L'expérience la plus douloureuse, l'infertilité, a parfois un impact très négatif sur leur propre estime. L'infertilité n'est pas qu'un état physique, elle implique d'énormes répercussions tant au niveau psychologique et social que sexuel. Identité sexuelle, estime de soi et sentiment de compétence parentale sont souvent remis en cause par les couples qui doivent surmonter cette pénible épreuve, souvent leur première grande épreuve à deux. Le suivi en clinique de fertilité nécessite temps, énergie et ressources de toutes sortes. Dans les faits, plusieurs couples passent des années en clinique, allant d'un traitement à l'autre, se rendant parfois jusqu'à essayer la fécondation in vitro à plusieurs reprises. Certains se mettent des limites quant au temps, aux méthodes et aux finances consacrées à la reproduction, et décident plus rapidement que d'autres de changer d'option. Toutefois, certains s'acharnent et y laissent parfois leur santé physique et mentale.

Tout au long du suivi en clinique de fertilité, les couples passent par une série de deuils successifs et graduels : deuil d'une parentalité planifiée naturellement, deuil d'être comme tout le monde, deuil d'un enfant né d'un geste d'amour spontané, deuil d'une grossesse intime, deuil de l'intimité sexuelle, deuil du contrôle sur sa vie, deuil d'un enfant ayant les yeux de ses parents, deuil de la grossesse, de l'accouchement, deuil de l'allaitement et, parfois même, jusqu'au deuil d'une vie de famille. Les émotions du deuil sont intenses et difficiles à vivre. Négation, colère, désespoir se succèdent jusqu'à l'étape ultime qui permet de trouver un sens à l'épreuve, question de retrouver une certaine sérénité. C'est toujours une question de sens.

Le handicap des parents : adoption et circonstance

Avis des parents paraplégiques, quadraplégiques ou atteints d'un handicap quelconque : ce n'est pas parce qu'on est cloué dans un fauteuil roulant qu'on ne ressent pas le désir de devenir parent et de fonder une famille. Ainsi donc, l'adoption devient ici un mode de filiation tout désigné. Pour ces couples, le voyage d'adoption demande une très grande préparation. Les pays en voie de développement n'offrant pas toutes les commodités voulues, il n'est malheureusement pas rare que le parent handicapé ne puisse pas participer au voyage. Certains pays hésitent aussi à confier un enfant à un parent handicapé. Quand ils constatent le peu de services spécialisés offerts dans leur propre milieu, ils s'avèrent ensuite incapables de concevoir qu'un parent porteur d'un handicap puisse être autonome financièrement, assurer la sécurité et le développement d'un enfant.

D'autres circonstances particulières sont autant de nouveaux moteurs à l'adoption. La médecine ayant fait de nombreux progrès dans les dernières décennies, des enfants atteints de maladies graves ou chroniques, comme la fibrose kystique ou mucoviscidose, le syndrome Gilles de la Tourette, ainsi que de différents cancers en rémission ont maintenant atteint l'âge d'enfanter. Ne pas vouloir léguer à son enfant un gène maudit, ou encore avoir reçu beaucoup de chimiothérapie, voilà autant de raisons pour se tourner vers une autre option pour fonder leur famille.

Le travail des parents à l'étranger : l'adoption en douce

Par un heureux ou malheureux hasard, des travailleurs humanitaires se découvrent un problème de fertilité lors de leur séjour en terre étrangère et décident alors de profiter de leur présence pour entreprendre sur place des démarches d'adoption qui seront sans doute semées d'embûches. Leur connaissance du pays, le temps dont ils disposent, les contacts qu'ils ont ainsi que leur compréhension de la culture, tout cela les place dans une situation privilégiée par rapport aux parents en attente d'adoption et n'ayant jamais séjourné dans le pays d'origine de leur enfant. L'enfant peut alors vivre une transition plus douce, grâce à une adaptation sur place pendant plusieurs mois, voire plusieurs années, ainsi que le retour à la maison par la suite.

Mais plus souvent qu'autrement, l'infertilité n'est pas le premier motif d'adoption chez les travailleurs à l'étranger. Les témoignages recueillis parlent plutôt d'une idée qui s'impose d'elle-même, au fur et à mesure des liens qui se tissent avec les gens, leur culture et leurs réalités. La motivation de départ est souvent plus altruiste, comme une sorte de prolongement de l'engagement social, du choix de vie. Les parents coopérants connaissent mieux que tout autre le sort réservé aux enfants sans famille. Dans certains pays, ne pas avoir de famille, c'est non seulement ne pas avoir de moyens de subsistance mais aussi ne pas avoir d'identité, de statut, de personnalité ou d'importance sociale.

Néanmoins, ces parents se sentent parfois pris en otage dans des situations où le statut d'adoptabilité de l'enfant reste imprécis : par exemple, la cuisinière qui désire que son fils aille à l'école en France ou au Canada et qui est prête à signer les papiers d'adoption; cet enfant de la rue avec lequel le coopérant a tissé des liens dans le cadre de son travail; la nièce de l'autre qui se retrouve enceinte et qui subit des pressions familiales pour confier bébé en adoption à la femme blanche. Autant de situations uniques et difficiles qui peuvent créer de belles histoires d'amour ou des lendemains de désillusions pour les parents qui ne désiraient pas toujours profondément devenir papa et maman, et qui reviennent maintenant dans leur patrie, leur « chez-eux », dans un tout autre contexte.

L'âge des parents : le dernier métro

Il faut savoir planter ses choux. Ainsi, certains couples décident si tardivement de fonder une famille que la conception biologique d'un enfant est devenue impossible. On évalue la question : la carrière est bien réussie, la retraite s'annonce aisée, le temps à venir paraît écourté, mais élastique. Ces parents ont 55, 60, parfois même 65 ans. Ils se sentent forts et en santé, et ils vous diront qu'ils désirent encore se sentir utiles, donner le meilleur d'eux-mêmes, améliorer la vie d'un enfant. Peut-être même souhaitent-ils laisser quelque chose de vivant. Ils ont certes la maturité, la sagesse, un confort matériel souvent enviable et la disponibilité qu'offre une pré-retraite. Mais ces futurs parents sont invités à réfléchir très sincèrement à l'impact de leur âge sur leurs capacités physiques et sur les années qu'il leur reste pour mener à bien le merveilleux travail qui consiste à élever sainement un enfant. Beaucoup de parents adoptants plus âgés sous-estiment l'endurance physique nécessaire pour prendre soin d'un enfant jour et nuit, pendant des années. Avoir un enfant garde l'esprit en éveil, mais use le corps. La maturité et la sagesse ne peuvent effacer les conséquences physiques et émotives de trois nuits d'insomnie quand bébé est malade ou quand l'adolescente demande qu'on aille la chercher à la disco à quatre heures du matin. L'effet-sandwich est une autre conséquence sous-estimée au moment de l'adoption : lorsqu'on a 55 ans, nos propres parents en ont souvent 80. Avoir à gérer les soins de santé de parents en perte d'autonomie en même temps que les devoirs, les leçons de musique, la pratique de hockey ou de théâtre, ce n'est peut-être pas insurmontable, mais c'est tout un programme !

Le plus grand défi est néanmoins celui de l'impact de l'âge des parents sur le sentiment de sécurité et de stabilité de l'enfant. Aussi attentif et adéquat soit-il, un parent âgé engendre chez son enfant la peur d'être abandonné de nouveau. Tous les enfants du monde ont peur que leurs parents meurent, mais cette peur est encore plus viscérale quand les enfants ont vécu des situations d'abandon. Ces parents d'âge mûr doivent non seulement être particulièrement empathiques face aux émotions de leur enfant, mais ils doivent aussi – plus que tous les autres – élaborer un plan B en nommant des tuteurs plus jeunes que l'enfant connaît déjà. Ils doivent également en parler ouvertement avec l'enfant qui aura ainsi la certitude de ne jamais devoir tomber à nouveau dans le néant, advenant la maladie ou la mort du parent.

L'ouverture des parents : la mondialisation des familles

De plus en plus de familles adoptives sont composées à la fois d'enfants biologiques et d'enfants adoptés. Le choix d'adopter après ou avant de donner naissance à un enfant biologique est alors basé sur toute autre chose que l'infertilité. Il s'agit ouvertement d'un choix philosophique qui consiste à donner une famille à un enfant déjà existant plutôt que d'en fabriquer un autre, « égoïstement ». Ces parents sont motivés par le désir profond d'agrandir leur famille, mais aussi de devenir un modèle réussi d'intégration des races et des cultures. Ils font ainsi un formidable pied de nez à tous les bigots et aux néo-nazis de tout acabit. Plusieurs parents vivent au quotidien et dans l'harmonie l'expérience d'une famille composée à la fois d'enfants biologiques et d'enfants par adoption. Cela révèle un changement de mentalité sociale très positif : l'adoption sort ainsi tranquillement du carcan de la solution à envisager seulement en cas d'infertilité et devient de plus en plus un choix, une façon comme une autre de fonder une famille libre.

Portraits de famille

> *Le président de la compagnie d'automobiles Ford,*
> *désireux d'améliorer son image publique,*
> *commanda à ses scribes un discours sur la famille.*
> *Il finit néanmoins par renoncer à utiliser ce thème,*
> *qui lui paraissait pourtant si simple et si universel,*
> *lorsqu'on l'informa qu'on avait trouvé 92 façons*
> *de décrire ou de définir le concept de famille!*
>
> Entendu de source sûre

Adopter demeure encore une façon marginale de fonder une famille. On s'entend : non pas une façon «anormale», mais une manière tout à fait exceptionnelle d'avoir des enfants. Cela fait des familles adoptives des familles différentes des autres.

Le fait d'adopter un enfant né à l'étranger et, de surcroît, d'une ethnie différente rend la famille d'autant plus visible. Dès les premiers pas en terre d'accueil, les curieux se bousculent au portillon. Malgré les difficultés à vivre et à se justifier au quotidien, les parents adoptifs peuvent décider de voir les aspects positifs de la différence. On ne peut pas demander à tout le monde de saisir tous les enjeux, d'avoir cheminé intérieurement de longues années, d'avoir mûrement réfléchi à l'impact de toutes ces questions indiscrètes. Ainsi, il paraît inutile de se transformer en Don Quichotte ou en prédicateur américain prêt à convertir le monde biologique. Il faut plutôt cibler qui informer en priorité : la famille élargie, les amis, les voisins, les éducateurs de garderie (ou crèche, pour nos amis européens), et les enseignants.

En prenant des moyens directs, mais humoristiques, les parents ont le pouvoir de se protéger et de se sortir habilement des situations les plus choquantes et les plus embarrassantes. Question : «Combien avez-vous payé votre petite Chinoise ?» Réponse : «Trop cher… C'est pourquoi nous lui avons déjà trouvé un emploi pour subvenir à nos besoins.» Il apparaît également du devoir des adoptants d'aider l'enfant à s'outiller pour réagir, se protéger et vivre dans l'harmonie en dehors du cercle de la famille et des amis proches. Question : «Est-ce que tu parles encore chinois ?» Réponse : «J'ai été adopté à six mois ! Toi, est-ce que tu parles encore en bébé de six mois ?»

Au sein de leur vie quotidienne, les parents adoptants se désensibilisent heureusement peu à peu. Par surexposition, doublée d'un amour inconditionnel, ils ne se disent pas tous les matins : «Voici donc trois Caucasiens et deux Asiatiques qui mangent des céréales et boivent du jus d'orange.» Cette forme de «daltonisme» du cœur leur permet de fonctionner normalement dans l'intimité, mais peut leur causer – à l'usage – des difficultés à saisir réellement le vécu de l'enfant lorsqu'il est hors du champ de protection du clan, du cercle des amis et du quartier. «J'ai fini par ne plus parler à mes parents des épisodes de racisme ou des questions indiscrètes que l'on me posait sur mes origines», affirmait Kim, une jeune adulte coréenne adoptée par une famille américaine. «Ils m'aimaient tellement qu'ils ne pouvaient pas s'imaginer que tout le monde ne me voyait pas avec les mêmes yeux qu'eux.» Le regard des autres n'est donc pas une fatalité, plutôt une occasion de rester vigilant.

La famille nucléaire : «papa, maman et moi»

Malgré les bouleversements sociologiques des dernières décennies, le modèle de la famille nucléaire composée d'un papa, d'une maman et de leurs nombreux enfants qui s'aiment pour toujours demeure encore aujourd'hui un idéal à atteindre. Pour plusieurs, cet idéal est incontestable, car il a toujours existé. Pourtant, rien n'est plus faux. Le modèle idéalisé par de nombreuses séries américaines des années 50, comme *Papa a raison*, est une réalité sociologique qui a débuté en Occident avec le début de la révolution industrielle de la fin du XIXe siècle. Auparavant, l'immense majorité de la population vivait à la campagne à l'intérieur d'une unité familiale composée de plusieurs générations : grands-parents, oncles, tantes, enfants jeunes et vieux, employés de ferme, etc., avec les animaux en sus. Ces familles étaient des clans où tous devaient, volontairement ou non, mettre la main à la pâte pour assurer la survie et la sécurité de chacun des membres. Ainsi, les enfants étaient soignés et pris en charge par de nombreux adultes significatifs. Pendant que les parents encore jeunes travaillaient aux champs, c'était au tour des membres plus âgés d'assurer une présence à la maison pour les enfants. Ce modèle a existé et existe toujours chez les Amérindiens ainsi que dans la plupart des sociétés traditionnelles des pays «non occidentaux». L'arrivée massive des gens venus travailler en ville dans les nouvelles usines, et devant vivre dans des logements exigus, a créé cette nouvelle réalité qui veut qu'une famille « idéale » soit composée uniquement de deux parents avec quelques enfants.

Le fait que cette réalité soit relativement nouvelle dans l'histoire de l'humanité ne veut pas dire qu'elle ne soit pas souhaitable et qu'elle n'ait pas ses avantages dans l'éducation des enfants. Certaines cultures trouvent tellement important d'assurer la stabilité et la présence de deux parents pour élever sainement des enfants qu'ils valorisent les mariages arrangés. L'amour entre les conjoints, sans être interdit, devient ici très secondaire par rapport à la permanence de l'unité familiale qui assure le développement optimal des enfants.

En adoption, ce modèle demeure le plus fréquent. L'immense majorité des familles adoptives, 85 % au Québec, se composent d'un papa, d'une maman et d'un ou deux enfants. Dans la mesure où l'enfant est accueilli par deux conjoints désirant profondément s'investir auprès de lui et qui travaillent amoureusement à former une équipe parentale complémentaire, la famille nucléaire a fait ses preuves. Cela ne veut pas dire qu'aucun autre modèle de famille ne peut répondre adéquatement aux besoins d'un enfant, adopté ou non. Mais il ne faut pas tomber dans une démagogie à la mode qui minimise, voire ridiculise cet idéal.

En adoption, la famille nucléaire offre à l'enfant de nombreux avantages. Elle lui offre un milieu de vie stable. L'enfant se sent « ordinaire », « normal », car faisant partie d'un modèle bien accepté socialement. Il est déjà si différent à plusieurs égards que le fait de ne pas avoir la tâche supplémentaire de s'ajuster à un modèle familial hors norme est objectivement un avantage en soi. De plus en plus d'enfants adoptés par des familles hors normes et devenus adultes témoignent de la lourdeur de cette tâche supplémentaire. Ils ne la disent pas insurmontable, mais cela leur a demandé, ainsi qu'à leurs parents, plus de vigilance et plus de travail. La famille nucléaire offre aussi deux modèles sous le même toit, un féminin et un masculin, ce qui aide l'enfant à se construire une identité sexuelle. Les familles monoparentales et homosexuelles peuvent favoriser l'engagement d'un adulte d'un autre sexe et ainsi répondre aux besoins d'un enfant. Dans une famille nucléaire, c'est simplement plus facile. C'est en quelque sorte du prêt-à-servir.

Fait intéressant : l'immense majorité des mères biologiques qui sont engagées dans le choix d'une famille adoptive pour leur enfant, comme à Taiwan par exemple, demandent à ce que celui-ci soit placé dans une famille nucléaire traditionnelle, composée d'un papa et d'une maman. Elles souhaitent bien entendu offrir un idéal qu'elles ne peuvent pas atteindre à ce moment de leur vie, mais elles savent aussi, par expérience ou par instinct, que leur enfant obtiendra ainsi un milieu de vie qui répondra mieux à ses besoins. Qui sommes-nous dans la communauté adoptive pour ignorer leur désir ou pour chercher à les convaincre qu'elles ont tort ?

La mère monoparentale : « maman et moi »

Thuy a une nouvelle famille, un nouveau prénom, un nouveau pays : les Tremblay, Noémie, le Canada. À l'école aussi, Noémie est la petite nouvelle. « Ma famille, c'est ma maman et moi », répond-elle à son institutrice qui s'interroge sur sa filiation. Mais pareille famille est-elle possible ? Comme dit le proverbe anglais, « *the proof of the pudding is in the pudding* ».

Le grand public ignore souvent qu'il est envisageable pour une personne célibataire d'adopter à l'étranger. Au sentiment d'étonnement s'ajoute rapidement une incrédulité de l'entourage, voire des jugements de valeur fondés sur une définition non « revampée » de la cellule familiale. De toute évidence, ce type de famille ne correspond pas aux lots d'images véhiculées par la plupart des sociétés, quoiqu'en dise la conversation du jour sur la place publique ou dans les médias. Pourtant, une famille monoparentale – allons-y d'une lapalissade –, c'est tout simplement une famille composée d'un seul parent. La finalité de l'adoption consiste à donner une famille à un enfant qui n'en a pas. Est-ce que cela implique que la famille en question doit obligatoirement être composée de deux parents ? La capacité d'accueillir un enfant se base avant tout sur des qualités humaines et éducatives. Comprenons-nous : le statut matrimonial ne confère pas nécessairement ces qualités. Alors pourquoi pas un seul parent ? Et compétent avec ça !

La monoparentalité, particulièrement celle des femmes, n'est pas une réalité nouvelle. De fait, les contraintes des guerres laissant derrière elles veuves et orphelins de père ont créé des situations familiales de monoparentalité forcée. De tous temps également, les mères célibataires ont eu leur part de responsabilités familiales, une monoparentalité de fortune en quelque sorte.

Or, la différence entre ces destins et les adoptions mono-parentales est simple. Dans le premier cas, l'autre (le père, si on veut) n'existe plus : envolé, absent ou enterré. Dans le deuxième cas, le père est un non-lieu, n'a jamais existé. Dans les deux situations, le résultat est le même : le manque. Sauf que dans les adoptions monoparentales, ce manque est assumé par choix. La controverse sociale réside justement là, dans le fait que le père est totalement absent – pas de souvenirs, pas de photos, pas de noms, pas d'odeur de pipe – et ce, par choix. Mais, est-ce que la présence des deux parents est indispensable ? Dans un autre registre, que penser de la famille binaire qui va se déchirer ? Qu'est-ce qui demande le plus d'efforts à un enfant qui a déjà vécu l'abandon : assumer le manque ou assumer la perte et, qui plus est, la perte à répétition ?

Bien que peu d'études se soient attardées à l'anxiété des mères issues de cette nouvelle tendance qu'est la mono-parentalité planifiée, on peut mettre de l'avant certains éléments sociologiques. De façon générale, au moment de l'adoption, les femmes qui choisissent de devenir mères sont bien intégrées dans un cadre de vie active, professionnellement et socialement. Elles ne sont pas isolées. Elles peuvent compter sur un réseau social et familial plus ou moins solide, mais où l'enfant trou-vera son référent masculin, un parrain par exemple, ou encore un grand-père ou un ami de la famille. Ces femmes vous diront qu'elles ne voient pas de différence entre les tâches domestiques et éducatives d'une femme avec un conjoint et celle d'une femme célibataire. Malheureusement, les difficultés anéantissent parfois leur beau projet familial. Les futures mères surestiment souvent leurs capacités, leurs capacités à assumer seules. De plus, les pays hôtes offrent souvent à ces mères célibataires des enfants plus âgés ou des enfants dits à particularités. Or, ces enfants nécessitent beaucoup de soins, de travail et d'encadrement. Dans ce contexte, élever seule un enfant implique l'appren-tissage de lourdes responsabilités, sans partenaire avec qui les partager. Bien que l'image masculine se retrouve dans l'entourage, cela ne remplace jamais un père ou un conjoint complice du quotidien. On a beau dire : l'école des femmes est mise en échec par la complexité souvent non appréhendée de la phase post-adoption.

On peut affirmer que de nombreuses femmes ont réfléchi aux raisons qui motivent chez elles une adoption mono-parentale. Malheureusement, un certain nombre d'entre elles adoptent pour de mauvaises raisons. Quand on sonde leur opinion, plusieurs futures mères expriment, parmi les motiva-tions à l'adoption, le sentiment de vide après une carrière bien établie et le besoin de se sentir utiles et aimées. Le danger qui les guette, c'est de s'approprier l'enfant. Quand la présence de l'enfant répond à une détresse de parent, son départ pour l'école ou pour la vie risque d'entraîner des états dépressifs chez sa maman. Au bon moment, et avec tout le temps et les consultations nécessaires, la maman éventuelle doit avoir le courage de se questionner sur ses intentions réelles et sur ce qui motive cette adoption monoparentale.

Pour l'enfant adopté par une mère seule, la question a aussi sa part d'ombre : « Et si tu disparais, maman ? » Le danger pour le parent célibataire consiste à former un couple avec l'enfant ainsi appelé à assumer des responsabilités qui ne sont pas de son âge : le confident, l'ami, ou encore le partenaire absent. Bonjour l'indépendance ! Au jour de la séparation maternelle, l'enfant perd tout, perd trop.

En complément de tout ce qui précède, la monoparentalité cache souvent d'autres réalités familiales, celles-là plus ou moins enfouies. En effet, certains couples homosexuels se tournent vers l'adoption étrangère pour fonder leur famille. Le couple n'étant pas reconnu de façon légale par la très grande majorité des pays, on triche dans le processus et un des membres présente une demande d'adoption comme parent célibataire. Certains couples hétérosexuels qui ne désirent pas se marier procèdent également de la même façon pour satisfaire les exigences des pays d'origine.

Entre les tenants du droit des femmes à se réaliser en tant que mères et les mouvements traditionnels, l'écart est grand et les opinions, nombreuses. Il ne s'agit ni de juger, ni de se taire, ni de regarder les hommes tomber, mais bien de comprendre que cette réalité familiale existe. Pour ces femmes célibataires, trois conseils s'appliquent. Un : bien clarifier ses motivations avant l'adoption. Deux: chercher à établir un réseau de soutien solide sur tous les plans, social, familial et professionnel. Et pour finir, trois: identifier pour l'enfant un référent masculin.

« Ma famille? C'est ma maman et moi. » L'institutrice de Noémie n'est pas surprise de la réponse de sa nouvelle élève. Au Québec, plus de 10 % des femmes qui ont adopté ont réalisé leur projet de vie en tant que célibataire. L'anthropologie des familles est au monde, comme un mouvement. Mais pareille famille est-elle possible? Le cinéaste Werner Herzog a déjà prêté les paroles suivantes à son héros, Fitzcaraldo: « Vous voulez une preuve? Ma preuve c'est que les yeux l'ont vu. »

Le père monoparental: « papa et moi »

Est-ce possible? On n'associe pas souvent paternité et monoparentalité, particulièrement en adoption. Ces hommes célibataires ressemblent pourtant en tous points aux femmes célibataires qui décident d'adopter. La société et les cultures d'aujourd'hui ne sont pas habituées à voir pareille image. On s'entendra néanmoins pour dire que l'homme possède les qualités éducatives et affectives nécessaires pour l'épanouissement d'un enfant et d'une famille. Pinocchio n'était-il pas l'enfant d'un père seul?

Les hommes adoptent plus souvent des enfants plus âgés, adhérant davantage à un genre de tutorat pour aider l'enfant à s'épanouir. Certains hommes font ce choix après un divorce et, en plus de la garde des enfants de ce mariage, décident de compléter la fratrie par l'adoption. D'autres adoptent à la suite d'une expérience de coopération internationale et, tout comme les mères célibataires, certains couples homosexuels parmi eux utilisent la façade du célibat pour adopter un enfant. Ainsi, plusieurs pays d'origine s'apprêtant à confier un enfant à l'étranger exigent que soit notée l'orientation sexuelle de l'adoptant dans l'évaluation psychosociale.

L'homoparentalité: « maman, maman et moi »

Ce n'est pas un secret: l'homophobie appartient à la quasi-totalité des cultures de ce monde. La réprimande face à l'homosexualité s'exprime violemment, physiquement et moralement ou, plus indirectement, dans les faits et gestes du quotidien. En Afghanistan, on lapide les homosexuels.

En Occident, on les congédie. Le dit et le non-dit associent l'homosexuel à la dérive, à la perversion, au mal et, dans le meilleur des cas, à la provocation. Difficile donc, selon cette logique, d'introduire un enfant dans une famille homo-sexuelle. À l'aube de l'année 2002, malgré des lois de plus en plus progressistes, laxistes selon certains, les différents sondages ont révélé qu'au Canada, au Québec, aux États-Unis et en France, l'opinion publique s'oppose à l'adoption d'un enfant par un homosexuel.

La nature imposant son ordre biologique à la culture du vivant, les couples homosexuels se tournent souvent vers une amie ou un ami pour s'assurer d'une progéniture. On devient amant le temps d'un enfant. Quand ce n'est pas l'insémination artificielle avec l'arroseur à dinde et autres machins ! Certains optent plutôt pour une mère vendeuse. Nous ne connaissons pas le nombre exact de parents homosexuels – qu'ils soient en couple hétéro ou homosexuel – mais on estime qu'il y a, aux États-Unis, entre 1 et 9 millions d'enfants ayant au moins un parent homosexuel. Parmi cette marmaille, certains ont été adoptés en bonne et due forme.

Qu'est-ce qui choque, au juste ? Tout ! Mais encore ? Plusieurs craignent que les enfants soient encouragés à devenir homo-sexuels. D'autres affirment que ces parents ne sont en fait que des pédophiles déguisés. Plusieurs croient que les parents de même sexe sont très différents des parents hétérosexuels. Plusieurs prétendent aussi que ces parents homosexuels n'ont pas la stabilité de couple souhaitée. Or, il semble que tout ce qui précède soit faux. Une compilation de données scientifiques sur la question nous conforte dans nos impressions : il n'y a pas de risques répertoriés à court, à moyen ou à long terme chez les enfants issus de familles avec parents de même sexe. Ils ne sont pas différents des autres enfants, sinon pour leur ouverture d'esprit face aux modèles sexuels non traditionnels. Alors, devant cet état de fait, pourquoi ne pas donner aux couples homosexuels le privilège d'adopter ?

C'est ainsi qu'au début de l'année 2002, l'*American Academy of Pediatrics* allait même jusqu'à se positionner en faveur de l'adoption d'enfants par des parents de même sexe. Pour une des premières fois depuis la circoncision, les pédiatres américains s'aventuraient sur un territoire social dépassant celui de l'exercice clinique. Selon leur révision des données scientifiques, il n'y avait pas plus de pédophiles chez les parents homosexuels et pas plus d'homosexuels dans leur progéniture. Il paraît même que les mères lesbiennes s'avéraient plus concernées par l'importance de trouver un référent masculin que les mères hétérosexuelles divorcées.

Pour éviter toute souffrance au sein de la famille, l'identité sexuelle du couple adoptif doit être assumée et les rôles parentaux doivent être clairs. Sans cette mise en lumière de l'identité sexuelle, le couple peut difficilement assumer les nouveaux rôles qui naissent de la filiation. De plus, pour éviter que l'enfant ne se sente marginalisé à l'école, il s'avère essentiel de lui dire la vérité. Bien sûr, il faut savoir *quand* et surtout *comment* le dire, c'est-à-dire dans l'amour et l'affection. Les études s'accordent pour dire qu'il faut renseigner l'enfant le plus tôt possible. Mais comment faire ? C'est simple, en insistant moins sur la sexualité que sur l'amour entre deux personnes.

Les familles adoptives avec parents de même sexe ressentent parfois le besoin de chercher du soutien professionnel. Pourtant, une gêne et un malaise empêchent souvent le couple de consulter ou de parler franchement avec les professionnels du secteur social ou de la santé. En outre, plusieurs professionnels ont, à l'instar de la population générale, des préjugés sur ces nouvelles formes familiales. Encore une peur qui empêche de consulter et de demander de l'aide. Conséquence : ces familles sont souvent isolées. Pourquoi cette gêne ? Parce qu'on n'a pas assumé publiquement son homosexualité ? Pas toujours. Parce qu'on a peur des préjugés ? Sûrement. Pour protéger les enfants de risques d'être encore plus marginalisé ? Certainement. Mais aussi la peur d'avoir à révéler qu'on a menti, transgressé les règles pour arriver à se créer une famille. Tromperies et mensonges acceptables diront certains, puisque c'est dans un but de bonheur pour eux-mêmes et pour l'enfant. Ce qui est acceptable pour l'un ne l'est pas forcément pour l'autre. Ce désir légitime d'enfant ne signifie pas qu'il faille s'affranchir des lois de son propre pays et encore moins tromper consciemment le pays d'origine. Dans ce débat de société, où le choc des valeurs fait encore couler beaucoup d'encre, certains sont tentés par une forme de militantisme du droit à l'enfant. Ils brandissent les mots « discrimination » et « injustice », et ils réclament le droit à la parentalité adoptive. Stratégie du désespoir, disent certains. Mais il s'agit d'une stratégie qui n'est ni efficace, ni réaliste, ni acceptable.

Rappelons-nous : ni les célibataires hommes ou femmes, ni les couples hétérosexuels, ni les couples gais ne peuvent réclamer ce droit à l'adoption d'un enfant né au Québec ou ailleurs dans le monde. L'adoption n'est pas un droit, mais un privilège.

La famille recomposée : «ma famille, c'est un peu compliqué»

«Tu fabules», lance le professeur à Lucas. Celui-ci est perplexe, car il croit avoir bien rédigé son devoir : un beau dessin accompagné d'un texte explicatif sur sa famille. Tout le monde est là, se dit-il : Hervé, qui est le fils du nouveau mari de maman, et Joanne, ma sœur, la fille de ma mère et de mon père qui n'habite plus avec nous, et Lili qu'on est tous allés chercher en Chine l'été dernier pour l'adopter, et il y a aussi Henri le nouveau mari de maman, et maman, et moi-même Lucas. Oui, tout le monde est là. Qu'est-ce qu'il ne comprend pas, ce professeur ?

En adoption, on rencontre fréquemment des familles recomposées. De nombreux couples adoptants sont ainsi formés d'un papa dans la quarantaine, avec des enfants issus d'un mariage précédent, et d'une maman plus jeune, dont c'est la première union, et qui n'a pas d'enfant biologique. La motivation de la conjointe est souvent clairement exprimée : vivre la maternité et avoir un enfant vraiment «en commun» avec son nouveau conjoint. Elle connaît souvent les joies et les peines de vivre à temps partiel avec les enfants de l'autre, mais aussi les limitations affectives inhérentes au rôle de belle-mère. En ce sens, elle a une longueur d'avance sur d'autres mères adoptantes : non seulement elle a acquis des habiletés parentales concrètes, mais elle a aussi vérifié sa capacité à s'attacher à un ou des enfants avec qui elle n'a aucun lien de sang.

Du côté du papa, les motivations sont un peu différentes. De nombreux hommes expriment des regrets face à leur manque d'implication parentale au moment de leur première union. Certains avouent ouvertement que leur vision stéréotypée du papa pourvoyeur, mais très absent, est un des facteurs de l'échec de leur première famille. Certains cèdent au désir légitime de leur nouvelle conjointe de vivre un projet de famille, mais la majorité y voit l'occasion de se « racheter », de faire les choses autrement en accordant à leur rôle de père une priorité en temps et en moyens, plutôt qu'en simple intention.

Phénomène nouveau et touchant, comme c'est le cas dans la plupart des familles adoptives, les papas des familles recomposées sont très souvent des papas très présents, très proches de l'enfant, émotivement et physiquement. Contrairement à leur première expérience où leur femme avait « une longueur d'avance » dans la relation parent-enfant, grâce à la grossesse et à l'allaitement, la parentalité adoptive place les hommes à égalité, tant en ce qui concerne le temps à consacrer à l'enfant que leur capacité égale à en prendre soin et à le nourrir. Libéré de la contrainte qui commande que la mère prenne congé pour se remettre physiquement de l'accouchement, le père adoptant peut tout aussi bien être le parent qui prend congé de son travail. De fait, de plus en plus d'hommes profitent de ce droit et du privilège de pouvoir s'attacher rapidement et profondément au nouvel enfant. Les relations avec les autres enfants sont généralement très bonnes, dans la mesure où le papa continue de s'engager activement auprès d'eux et qu'ils n'ont pas le sentiment négatif d'avoir été remplacés par une petite Chinoise.

Une famille recomposée, après la séparation des parents adoptants, crée une situation beaucoup plus délicate et difficile à vivre. Malheureusement, les enfants adoptés connaissent déjà le sentiment d'abandon, les fragilités d'attachement, les conflits de loyauté. La multiplication des ruptures – encore des changements de milieux de vie, des liens affectifs tissés puis déchirés – affectent et fragilisent tous les enfants adoptés. Les survivants qu'ils sont ont des capacités d'adaptation souvent au-dessus de la moyenne, mais pour ces mêmes raisons, leurs capacités d'attachement paraissent plus limitées. Face à cette nouvelle rupture, leurs capacités à faire confiance à la permanence d'un lien avec un adulte significatif peuvent être brisées à jamais.

C'est pourquoi tout parent adoptant veuf ou séparé de l'autre parent adoptant, qui songe à revivre avec un autre conjoint, avec ou sans enfant, devrait le faire avec beaucoup de gravité et de sérieux. Les enjeux sont très grands. Croire à l'intérêt supérieur de l'enfant prend ici tout son sens et tout son poids. Le nouveau conjoint potentiel doit être mis au courant de ces enjeux et invité activement à ne pas mettre de pression d'attachement sur cet enfant. Cet enfant doit sentir qu'il n'est pas obligé d'aimer ce nouveau conjoint pour ne pas exacerber les nombreux deuils et conflits de loyauté qui ont forgé sa courte vie.

Les adoptions intrafamiliales internationales : la fin de la diaspora

Les gens sont souvent étonnés de voir dans le rapport annuel du Secrétariat à l'adoption internationale du Québec ou de la Mission de l'adoption internationale en France que certains adoptants à l'internationale ont 70 ou 75 ans au moment d'adopter un enfant de quatre ou 12 ans. Erreurs? Folie passagère du psychologue qui a fait l'évaluation? Sénilité du juge?

Non. Dans la plupart des cas, il s'agit de ce qu'on appelle les «adoptions-familles», c'est-à-dire l'adoption légale d'un parent éloigné d'âge mineur par un membre de sa famille élargie dans un nouveau pays. Une tante nouvellement citoyenne canadienne peut ainsi adopter la fille de sa nièce qui vivait au Vietnam et qui vient de décéder en couches et que le père aime mieux voir élever ailleurs. Cette forme d'adoption internationale est assez fréquente dans les communautés chinoise, vietnamienne et indienne. La personne ou le couple de la famille élargie doit se soumettre à une évaluation psychosociale, qui se base généralement sur une prémisse assez favorable, étant donné la nature réunificatrice de cette forme d'adoption. De son côté, l'enfant doit aussi répondre à des critères d'adoptabilité : être orphelin, ou encore que les parents biologiques consentent à cette adoption.

À ce chapitre, certains cas sont dans des zones plutôt grises et s'apparentent davantage à des procédures d'immigration qu'à une adoption telle qu'on la conçoit généralement. Il est parfois plus simple de procéder ainsi pour offrir une meilleure vie à un enfant de notre famille éloignée, restée au pays, plutôt que de passer par le cheminement classique de l'immigration.

La famille élargie : «grand-papa, grand-maman et cie»

On sait aujourd'hui à quel point il est important que les grands-parents s'engagent auprès de leurs petits-enfants, et qu'ils leur témoignent un amour inconditionnel, une grande sagesse et beaucoup de disponibilité. Au-delà des contraintes routinières, la relation grands-parents et petits-enfants en est une de merveilleuse complicité. Il n'y a aucune raison pour que cette qualité relationnelle diminue au sein de la filiation adoptive. En fait, le rôle joué par les grands-parents, dans le soutien aux parents adoptifs, débute dès le processus d'adoption. Il semble que l'approbation des futurs grands-parents au projet d'adoption soit si importante pour les adoptants que certains iraient même jusqu'à ajuster la nature de leur projet, comme le choix du pays d'origine, afin de ne pas heurter certaines sensibilités familiales. Fort heureusement, peu de grands-parents expriment des sentiments racistes.

Les grands-parents adoptifs vivent, par procuration, la souffrance de l'infertilité. D'abord, ils souhaitent qu'une grossesse vienne ultimement combler ce désir d'enfant de leur enfant. Ils accueillent ensuite avec enthousiasme le projet d'adoption, tout en exprimant leurs craintes sur les exigences des procédures et surtout sur la santé de l'enfant à venir. En fait, plusieurs réagissent selon des croyances propres à leur génération. Ainsi, ils ont tendance à surévaluer la primauté des liens du sang et à considérer l'adoption comme un geste noble et charitable, mais tout de même comme un dernier recours pour fonder une famille. Ils ont en tête cette tante qui avait adopté un enfant « à la Crèche St-Vincent-de-Paul », ou ces spéciaux de la BBC sur le trafic d'enfants ou sur les conditions de vie des orphelins roumains ou chinois.

Certes, il y a de malheureuses exceptions, mais une fois l'enfant arrivé, l'immense majorité des grands-parents deviennent actifs et jouent un rôle positif dans la vie de leur petit-fils ou de leur petite-fille. Leur fierté leur donne accès à un cadeau ultime : une modernité des idées et des comportements auxquels ils n'auraient pas eu accès autrement.

La famille éclatée : « ma famille s'est plantée »

La séparation de ses parents est toujours vécue très péniblement par un enfant. Si cet enfant a déjà été abandonné par des adultes significatifs, deux, trois ou quatre fois, s'il est un enfant difficile ou malade à cause de son vécu préadoption, s'il conserve des défis d'attachement, la séparation de ses parents peut être catastrophique. C'est d'ailleurs une des raisons fondamentales qui incitent les intervenants effectuant les évaluations psycho-sociales, ou en France « agréments », à s'assurer de la stabilité des couples adoptants. On doit éviter à un enfant adopté de revivre pour la énième fois le traumatisme qui consiste à être séparé d'un être cher.

Même si ce n'est pas toujours le cas, il ne faut pas sous-estimer que les problèmes de santé ou de comportement d'un enfant adopté sont des facteurs qui précipitent la séparation des parents. Nous touchons ici un sujet presque tabou : oui, l'enfant qui arrive avec de graves problèmes de santé ou des désordres de l'attachement qui le poussent à faire de la triangulation, c'est-à-dire à diviser pour régner, peut provoquer tellement de confusion, de sentiments d'incompétence et de stress que le couple finit par se séparer. Cela est encore plus vrai quand les parents adoptants n'ont pas eu l'occasion d'acquérir des connaissances sur les caractéristiques des enfants adoptés et s'ils se culpabilisent des problèmes vécus par leur enfant.

Secrets de famille

> Doit-on avoir des qualités « spéciales »
> pour devenir parent adoptant ?
> Les parents adoptants ne sont-ils pas
> des parents ordinaires ?
> Des « comme les autres » ?

Malgré leur désarroi face aux visites d'agrément, malgré leur colère et leurs rancœurs face à tel ou tel fonctionnaire technocrate, les parents d'enfants adoptés sont les premiers à admettre que pour adopter, il faut avoir des qualités particu-lières. Ces qualités ne font pas des parents adoptants des gens supérieurs, mais simplement des gens qui ont la volonté et les capacités de développer un potentiel d'attachement hors du commun.

Si les amateurs de sports extrêmes sont capables de se mesurer aux forces de la nature, c'est parce qu'ils sont avant tout capables de courir des risques. De la même manière, devenir parent par adoption c'est accepter que le risque fasse partie intégrante de la vie. Certains parents adoptants ont l'illusion que l'agence ou œuvre d'adoption, de concert avec le médecin de l'ambassade ou de la clinique consultée avec le dossier médical en préadoption, peuvent garantir un enfant en parfaite santé mentale et physique. Plusieurs pensent même que le fait qu'un enfant soit déjà né, pré-cuit en quelque sorte, leur offre plus de garanties que s'ils l'avaient concocté eux-mêmes, avec la recette habituelle de la grossesse biologique.

Avoir des enfants, c'est choisir de courir des risques : le merveilleux risque d'aimer et d'être aimé, avec tout ce que cela suppose de hasards et d'événements incontrôlables. Concrètement, avoir un enfant, c'est croire dans la capacité de croissance et de développement d'un être humain, malgré ses difficultés émotives et ses limites physiques ou intellectuelles. Le dossier médical et la photo du bébé où il arbore un large sourire ne garantissent pas tout, pas plus que l'amour incondi-tionnel n'arrange tout. L'enfant arrive souvent avec une santé physique chancelante, une malnutrition pas possible, mais aussi avec des blessures invisibles, comme des atteintes neurobiologiques, des désordres de l'attachement, des peurs incroyables. Certaines de ces blessures se répareront à force de patience et de tendresse, mais d'autres demeureront perma-nentes et nécessiteront des services spécialisés.

Il faut croire que si on lui en donne l'occasion, chaque être humain a le potentiel de s'épanouir jusqu'à la limite de ses forces et de ses faiblesses. Mais il n'y a pas de garanties. Comme tous les parents du monde, les parents adoptants ont une obligation de moyens et non de résultats. Ils doivent accepter d'accueillir l'enfant tel qu'il est, et faire ensuite l'im-possible pour l'aider à mieux grandir. Toutefois, en parentalité adoptive tout comme en parentalité biologique, il n'y a jamais d'assurance, il n'y a que la vie.

PETIT BRÉVIAIRE À L'INTENTION DE LA FAMILLE ADOPTANTE

Qualités souhaitées

- Avoir de l'énergie physique, de la force morale, de la détermination.
- Pouvoir s'adapter aux imprévus.
- Avoir de l'optimisme, de la patience, de la tolérance.
- Avoir une solide estime de soi, capable de contrer le jugement des autres.
- Avoir un bon contrôle de l'impulsivité, de la colère.
- Disposer d'un réseau pouvant offrir écoute, soutien et un peu de répit.
- Avoir le sens de l'humour (pas obligatoire, mais très aidant).
- Avoir une maturité et une autonomie affective.
- Être capable de faire preuve d'empathie, de compassion.
- Jouir d'une bonne santé physique et mentale.
- Avoir une facilité à s'attacher et à s'engager avec les gens.
- Avoir de la disponibilité.
- Avoir de l'amour pour les enfants, leur univers, leurs contradictions.
- Avoir des valeurs solides, mais aussi une malléabilité de la pensée, une ouverture à l'ajustement.
- Maintenir un équilibre personnel et émotif, malgré ou grâce aux épreuves de la vie.
- Avoir fait le deuil de l'enfant biologique, mais pas le deuil de fonder une famille.

Capacités souhaitées

- Être physiquement capable de toucher, de caresser, de soigner, de nourrir un petit être né d'un autre ventre, avec une autre peau et des cheveux différents.

- Être capable de vivre sous le regard des autres et d'aider son enfant à vivre lui aussi sous le regard des autres.

- Être capable de se gratifier du geste de donner, sans attendre rien en retour.

- Avoir une capacité d'aimer et de donner, mais aussi de prendre soin de soi.

- Avoir la capacité de vivre avec la maladie, petite ou grande, temporaire ou permanente.

Attitudes souhaitées

- Avoir un désir profond et très personnel de devenir parent.

- Pouvoir se renseigner sur les risques en santé mentale et physique chez les enfants adoptés à l'étranger.

- Faire du projet d'adoption et de l'accueil de l'enfant l'ultime priorité, mais pas la seule source de valorisation dans la vie.

- Avoir le désir d'apprendre à son enfant, mais aussi l'humilité d'apprendre de son enfant.

- Avoir une vision positive des différences.

- Avoir une vision chaleureuse, mais aussi très encadrante de l'autorité parentale.

- Avoir une ouverture pour parler à l'enfant de ses origines.

- Avoir un respect, une certaine affection pour la culture du pays d'origine de l'enfant.

Connaissances souhaitées

- Admettre que l'abandon et le vécu préadoption ont pu marquer la santé physique, mais aussi la santé mentale de l'enfant.

- Être capable d'assumer le stress.

- Avoir une bonne connaissance de ses forces et de ses faiblesses, pouvoir les nommer et en rire.

- Connaître les phases du développement normal de l'enfant et les particularités des phases du développement chez les enfants adoptés.
- Avoir une bonne connaissance des émotions liées au deuil.
- Avoir parcouru ce livre au moins une fois !

Peu importe si les qualités et les capacités sont au rendez-vous, un des mythes les plus tenaces chez les non-initiés est celui qui consiste à croire qu'il est sincèrement possible d'aimer un enfant adopté, mais jamais aussi profondément que son propre enfant biologique. Le mythe de la suprématie des liens du sang a la vie dure. Les témoignages les plus sincères des parents adoptants qui essaient d'expliquer le contraire à des non-adoptants sont le plus souvent reçus avec complaisance et incrédulité.

Pourtant, de plus en plus de familles choisissent de fonder leur maisonnée à la fois avec des enfants « faits maison » et des enfants qu'ils adoptent. D'autres encore adoptent après des complications médicales à la première grossesse ou se retrouvent enceintes, contre toute attente, après l'adoption ou pendant le processus. Voici ce que dit la maman d'un enfant biologique et d'une autre petite, celle-là d'origine chinoise : « Je peux au moins dire à mes deux enfants qu'ils ont tous deux été fabriqués en terre chinoise. » Ces parents nous assurent qu'il n'y a aucune différence dans la profondeur, la qualité et la quantité d'amour et d'engagement qu'ils éprouvent entre leurs enfants biologiques et leurs enfants par adoption. Plusieurs témoignent que le processus d'attachement n'opère pas de la même manière, mais qu'une fois acquis, cet attachement devient tout aussi solide et n'a pas de couleur distinctive. Mais dans un monde où la génétique a le haut du pavé, grande est cette solitude des parents appelés à fonder leur famille essentiellement sur l'amour et le social.

Grande également est parfois la solitude des professionnels qui prennent soin de ces enfants. Avec un couple d'adoptants qui revenaient de Taiwan avec deux petites jumelles, il nous est arrivé d'être un peu laconiques :

– Vous ne trouvez pas que c'est beaucoup de travail d'en avoir deux sur les bras?

La réponse n'a pas été triste:

– On ne pouvait faire autrement. Pensez-y, malgré leurs malchances, nos petites jumelles auront au moins le privilège d'entretenir des liens de sang. Pour une famille, vous savez, c'est important, les liens du sang…

Lectures suggérées

LAPLANE, R. «L'adoption des enfants étrangers». *Annales de pédiatrie*, 1989, 36 (3);179-184.

LEMAY, M. *Famille, qu'apportes-tu à l'enfant?* Montréal: Éditions de l'Hôpital Sainte-Justine, 2001. 216 p. (La Collection de l'Hôpital Sainte-Justine pour les parents)

MARTINEAU, M.C. *Les miracles de l'adoption*. Loretteville: Le Dauphin Blanc, 2000. 176 p.

MÉLINA, L. *Raising Adopted Children*. New York : Harper Collins Publishers, 1998. 373 p.

SAINT-JACQUES, M., C. PARENT. *La famille recomposée: une famille composée sur un air différent*. Montréal: Éditions de l'Hôpital Sainte-Justine, 2002. 144 p. (La Collection de l'Hôpital Sainte-Justine pour les parents)

Références

ALARY, J., S. JUTRAS, Y. GAUTHIER et al. *Familles en transformation: Récits de pratique en santé mentale*. Montréal: Gaëtan Morin, 1999. 266 p.

BAUMANN, C. «Adoptive fathers and birthfathers: a study of attitudes». *Child and Adolescent Social Work Journal*, 1999, 15 (5); 373-390.

CLOUTIER, R., L. FILION, H. TIMMERMANS. *Les parents se séparent… pour mieux vivre la crise et aider son enfant*. Montréal: Éditions de l'Hôpital Sainte-Justine, 2001. 164 p. (La Collection de l'Hôpital Sainte-Justine pour les parents)

GOLOMBOK, S. «Adoption by lesbian couples». *British Medical Journal*, 2002, 324 (7351); 1407-1408.

JULIEN, D., M. DUBÉ, I. GAGNON. «Le développement des enfants de parents homosexuels comparé à celui des enfants de parents hétérosexuels». *Revue québécoise de psychologie*, 1994, 15 (3); 135-153.

MORRIER, G. *L'adoption internationale au Québec: profil socio-économique des parents*. Rapport de recherche dans le cours SOC-5010. Atelier de méthode II. Montréal: UQAM, 1990.

Sites Internet

Ces enfants venus de loin ou simplement du Québec
www.quebecadoption.net

Fédération Enfance et Familles d'Adoption France
www.sdv.fr/efa

CHAPITRE 4

LE PROCESSUS D'ADOPTION

▼

En attendant
Roumanie, 2000

Cette étape est incontournable. Il faut y passer. Selon le pays ou la région où vous demeurez, elle change de nom. On parle au Québec d'une «évaluation psychosociale», en France d'un «agrément» et chez les anglo-saxons de «Home Study». Tous ces termes sont synonymes et en appellent tous d'une même étape, fameuse et mal aimée. Le processus est obligatoire, incontournable, et son but est souvent mal compris. Sa seule intention est pourtant d'une grande noblesse: s'assurer que les futurs parents ont les capacités familiales, éducatives et psychologiques pour accueillir un enfant ayant déjà son histoire. L'adoption est un privilège, un acte social avant tout.

Avant de se présenter à son évaluation pour obtenir un droit de passage, qui n'est en aucun cas une bénédiction, le futur parent adoptant doit prendre conscience de son propre cheminement décisionnel.

Cheminement parental avant l'adoption

> Marcel était trop fin pour n'avoir pas bien vite deviné
> qu'il servait en quelque sorte de parure morale
> à M. et Mme Duhausset.
>
> Léon D'Avezan

Nous lançons un appel aux chercheurs en mal de sujets: quel pourcentage de couples découvrant leur infertilité consultent d'abord une équipe médicale? De ce pourcentage, combien entreprennent un suivi en technique de reproduction assistée? Combien commencent alors une réflexion sur l'adoption? Et, finalement, combien se rendent jusqu'au bout du processus à parcourir? Sans chiffres exacts, on peut imaginer que les couples qui persistent et signent jusqu'à la fin de ce long cheminement ne représentent probablement qu'un fort petit pourcentage. Plus intéressant encore, du point de vue psychologique, médical et sociologique, nous devrions étudier les motivations et les circonstances qui poussent certains à poursuivre, alors que d'autres ne vont pas plus loin. Ambivalence face au désir d'enfant? Fragilité du couple? Deuils mal résolus ou, inversement, réinvestissement créatif dans d'autres projets de vie? Nature complexe du processus? Toutes ces questions constituent des pistes de réponses qu'il serait passionnant d'approfondir.

LA PETITE ROUE DES GRANDES DÉCISIONS

Pour vous aider à cheminer dans une grande décision, prenons un exemple: imaginons une roue, une petite roue.

Un des rayons de cette petite roue, c'est votre Moi, c'est vous qui nous lisez: votre cheminement de futur parent commence par vous-même. Ce Moi, ce rayon de la roue, c'est vous et l'évaluation que vous faites de vos propres valeurs, de vos forces, de vos limites, de vos préjugés et de vos désirs. Il faut clarifier vos attentes et la teneur intérieure de votre projet. Il faut vous regarder dans le miroir et vous projeter bien au-delà. En visualisant vos lendemains, il faut vous imaginer dans le bonheur comme dans la déception. Il faut aussi vous questionner honnêtement sur votre capacité de prendre en charge un enfant malade, par exemple un enfant porteur d'une hépatite B chronique, d'une paralysie cérébrale, d'un retard intellectuel ou d'un trouble de comportement incapacitant son expérience scolaire. Il vous faut clarifier vos préférences pour un pays ou une ethnie, en fonction de vos expériences antérieures. Les récits d'une tante missionnaire en Haïti, un voyage en Amérique centrale ou un coup de foudre pour le film *Indochine*, voilà autant d'éléments qui peuvent influencer positivement le choix d'un pays d'origine. Et il faut

encore plus, à commencer par un minimum de connaissances, d'attirance et de curiosité face au peuple et au
pays de naissance de votre futur enfant, question de lui
rendre une image juste et positive de ses origines. Aimer
ce pays plus ou moins inconnu, c'est déjà aimer un peu
l'enfant qui y est né, et c'est surtout former un bagage
formidable pour l'aider à avoir confiance en lui. Il faut
vous sentir capable de le défendre devant l'adversité, il
faut pouvoir l'accompagner, il faut savoir prendre le
temps et pouvoir le faire. Il faut l'aimer pour lui-même,
et non pour compenser la perte ou le désir d'un autre. Il
faut être fait pour cela. Il faut pouvoir se tenir debout.

Un autre rayon de la petite roue, c'est lui ou elle,
conjoint ou conjointe, compagnon ou compagne, époux
ou épouse. Les conjoints ont parfois la certitude d'avoir
le même point de vue sur différents aspects de la vie.
Malheureusement, c'est souvent lors de situations de
crise que le couple prend conscience des divergences
d'opinions et des distances qui les séparent. « Elle veut
des enfants. Je veux un garçon. Nous allons adopter une
petite Chinoise… » Lorsque vous avez clarifié la teneur
de votre cheminement par rapport à vous-même, harmonisez vos attentes avec l'autre. Vous allez devenir une
équipe parentale : votre projet d'adoption doit constituer
un projet commun. Trop souvent, ce projet de famille
repose sur les désirs de l'un plus que de l'autre.

Un autre rayon de la roue, c'est l'autre, l'enfant à venir,
l'essentiel. Rien ne doit être laissé dans l'oubli, ni son
origine ethnique, ni la couleur de sa peau, ni la possibilité
de retrouvailles avec sa famille biologique. Est-ce important qu'il vous ressemble ? Pourquoi ? Est-il souhaitable
qu'il soit jeune ? Vous sentez-vous compétents pour
accueillir un enfant plus âgé ? Actuellement, en matière
de juridiction internationale, il y a un discours de fond
qui tend à interdire le choix du sexe du bébé.

(…)

(suite)

Encore un rayon de la roue: l'environnement. C'est votre famille au sens large. Ce sont vos parents, qui sont appelés à devenir grands-parents. Dans beaucoup de familles, l'arrivée d'un enfant déclenche malheureusement des conflits et des déchirements. L'environnement, c'est aussi la ville où vous demeurez, qui deviendra la ville de cet enfant. Sauriez-vous supporter un enfant noir dans une communauté éloignée des grands centres où il n'y a que des blancs? Connaissez vos forces et vos limites, afin d'évaluer si vous êtes en mesure de faire face aux défis du quotidien, au négativisme, au racisme et à l'intolérance de ceux qui vous sont proches. Ne présumez de rien.

Notre roue contient aussi des exigences, c'est-à-dire tout ce que vous imaginez: les critères d'admission du pays que vous aimeriez choisir, votre âge, les années de mariage, vos revenus ou le nombre d'enfants déjà présents dans la famille, autant de facteurs qui déterminent la décision ultime. Chaque pays n'est pas accessible à tous les modèles familiaux. Ainsi, par exemple, la Chine limitait récemment le nombre de postulantes célibataires.

Un autre rayon: l'abandon, qui est l'incontournable à connaître. De l'abandon, il faudra toujours tenir compte.

Nous arrivons au rayon santé et nous ne le répéterons jamais assez: l'échec en adoption est très souvent lié directement à l'état de santé de l'enfant. On a beau fouiller toutes les forces et les faiblesses des adoptants pour expliquer une filiation malheureuse, il reste tout de même que beaucoup d'enfants à prendre en charge sont, de par leurs conditions de santé physique et mentale, au centre de l'éventualité d'un conflit. Ne manquez jamais une occasion de vous ouvrir à la santé des enfants du monde. La connaissance est toujours la meilleure des alliées.

Pour finir ce tour de roue, il y a l'espace-temps et le grand espace mondial: comprenez que votre chemin se situe dans le temps et au sein d'un échiquier mondial sur lequel vous n'avez aucun contrôle. Bien malin celui qui prétendrait influencer ces deux aspects. Votre cheminement doit en tenir compte. Des délais peuvent survenir dans les démarches administratives au pays d'origine de l'enfant. Ou encore l'enfant peut tomber malade ; par exemple, s'il souffre d'une tuberculose, il verra retardée son entrée dans sa patrie d'adoption. Un pays d'origine peut fermer ses portes pour des raisons politiques, un putsch ou une guerre qui éclate. Il est impératif que ces facteurs, sur lesquels vous n'avez aucune maîtrise, habitent votre réflexion et influencent votre décision.

Tous ces éléments sont reliés et forment l'équivalent d'une roue qui tourne. Rappelez-vous enfin ce secret : il n'y a pas de mal à ne pas adopter.

Au Québec, 90 % des adoptions internationales sont réalisées par l'entremise d'organismes d'adoption accrédités par le Secrétariat à l'adoption internationale (S.A.I.). En France, jusqu'à tout récemment, l'œuvre d'adoption avait un pouvoir discrétionnaire sur l'acceptation des postulants à l'adoption. Pour des raisons philosophiques, religieuses ou éthiques, elle pouvait refuser un couple qui possédait pourtant son agrément (ou évaluation psychosociale) et qui répondait aux exigences du pays d'origine des enfants. Les parents ainsi refusés n'avaient d'autre choix que de se débrouiller seuls pour réaliser leur projet, sans aide et sans l'appui d'une œuvre, bref en passant par le « parcours du combattant ».

Œuvre, organisme ou agence d'adoption, tous ces termes désignent – selon les pays et les lois – une organisation qui a pour mandat de faciliter le processus d'adoption internationale. Ces organisations servent d'intermédiaires entre les enfants adoptables dans leurs pays d'origine et les familles disposées à les adopter dans leurs pays d'accueil. Leur fonctionnement et leur statut légal varient d'un pays d'accueil à l'autre, mais il est souhaitable que leurs opérations évoluent sur un mode non lucratif. Elles sont parfois d'inspiration religieuse ou humanitaire, et très souvent fondées par des parents adoptants désireux d'aider d'autres parents et d'autres enfants. Conformément à la philosophie de la *Convention de la Haye*, elles devraient s'assurer que les coûts de l'adoption sont dans les limites du raisonnable. Ces organismes sont décriés par certains qui prônent l'adoption directe, c'est-à-dire sans intermédiaire, mais fort respectés par d'autres qui y voient l'avantage de ne pas avoir à réinventer le bouton à quatre trous à chaque projet d'adoption. Tout le monde n'est pas compétent en tout.

Au Québec, si l'accréditation du Secrétariat à l'adoption internationale ou d'autres instances gouvernementales rassure les parents sur la légitimité d'un organisme, le choix de celui-ci n'est pas toujours simple. Plusieurs organismes sont autorisés à intervenir dans leur pays et ils fonctionnent selon le nombre de travailleurs rémunérés et de bénévoles. Certains offrent une adoption «clés en main», ce qui comprend non seulement les démarches administratives et légales, mais aussi les arrangements du voyage. D'autres laissent plus de latitude aux parents en ce qui a trait aux arrangements du séjour à l'étranger. Certains existent depuis plus de 20 ans, d'autres sont tout à fait novices dans le domaine. Enfin, il y a des organismes qui, parallèlement à l'adoption, sont engagés directement dans des projets humanitaires auprès d'enfants délaissés. Tout dépend de leur philosophie sur l'abandon et l'adoption. Toutes ces réalités et l'ensemble de ces considérations compliquent parfois le choix des parents.

Il faut donc prendre le temps de vous renseigner auprès de plusieurs sources avant d'arrêter votre choix. Ce qui a parfaitement convenu à votre collègue de travail ne vous convient pas nécessairement. Parlez à des parents adoptants, devenez membre d'une association de parents adoptants, assistez à des soirées d'information. Téléphonez à plusieurs organismes pour connaître les critères des pays où ils font de l'adoption. Renseignez-vous sur la nature de leurs services avant et après l'adoption. Demandez-leur de vous décrire leur philosophie, leur fonctionnement et leurs années d'expérience auprès des enfants, demandez-leur de préciser qui seront les personnes ressources qui vous accompagneront. N'hésitez pas à poser des questions sur le nombre d'enfants adoptés par l'entremise de leurs services et sur les principaux problèmes de santé physique et mentale qu'ils connaissent. Il faut douter très sérieusement d'un organisme qui prétendrait que tous ses enfants sont toujours en parfaite santé à leur arrivée.

N'oubliez pas qu'il faut choisir un organisme d'adoption comme on choisirait un gynécologue ou une sage-femme. Au-delà des bonnes références, il faut que vous vous sentiez accueillis, respectés, informés et accompagnés, selon vos valeurs et vos désirs. Il faut ensuite que vous soyez prêts à faire confiance à leurs connaissances, à leurs conseils et à leurs suggestions. Il vient un moment où, dans cette grande aventure, vous ferez équipe avec l'organisme et les gens qui y travaillent.

L'ADOPTION PLÉNIÈRE

L'adoption, c'est la création d'une filiation entre un parent et un enfant qui sont sans lien de sang. Au Québec, pour réaliser cette filiation, il n'existe que l'adoption plénière qui « efface » toute trace légale et administrative de lien entre l'enfant et ses parents biologiques, tout en confirmant un nouveau lien avec ses parents adoptifs. D'autres pays, comme la France, pratiquent l'adoption plénière, mais de façon concomitante avec l'adoption simple, qui confère un nouveau lien parent-enfant sans briser toutefois le lien de filiation originel entre le parent biologique et son enfant.

Dans une adoption plénière, c'est le jugement d'adoption qui décrète qu'il y a rupture des liens de filiation entre l'enfant et ses parents biologiques. Le jugement prononcé, les parents biologiques n'ont plus ni droits, ni devoirs, ni responsabilités envers l'enfant. Ils n'ont plus droit de regard sur son éducation et sur ses soins. Ils n'ont aucune possibilité de reprendre l'enfant. Tous les droits, devoirs et responsabilités sont transférés entièrement et définitivement aux parents adoptants.

(...)

(suite)

L'enfant peut prendre le ou les noms de famille de ses nouveaux parents et a les mêmes statuts et privilèges que s'il était né biologiquement de ses parents adoptifs. Tous les papiers administratifs, civils et religieux précédents, certificats de naissance tout comme dossiers médicaux, doivent être modifiés, afin que seuls le nom des parents adoptants et les nouveaux noms de l'enfant soient mentionnés.

Intervention psychosociale avant l'adoption

En décrochant le téléphone de son bureau de consultation,
la travailleuse sociale entend:
– Bonjour, on m'a dit que vous connaissiez
bien l'adoption internationale?
– Oui, répond l'intervenante.
– Eh bien, mon épouse et moi voulons adopter un enfant,
peu importe le pays, le sexe ou la couleur, mais on veut savoir
où on peut en avoir un le plus rapidement possible,
le plus jeune et le moins cher possible?
Comme à de multiples reprises dans sa vie professionnelle,
la travailleuse sociale prend alors le temps d'expliquer
et de surprendre ces futurs parents en leur apprenant
qu'ils devront prendre en considération
bien d'autres critères et réalités avant d'arrêter
leur projet d'adoption sur un organisme
ou une œuvre capable de servir leur demande.
Dans son for intérieur, elle n'en pense pas moins:
– Est-ce possible que nous en soyons arrivés là?

L'évaluation psychosociale (ou agrément) fait vivre beaucoup d'anxiété aux futurs parents adoptants. Certains comprennent l'importance de fournir une description honnête et ils acceptent volontiers cette étape, stressante mais nécessaire. Cependant, d'autres s'insurgent, y voyant une intrusion dans leur vie privée, une ingérence inconvenante. Pire encore, ils croient que des résultats potentiellement arbitraires peuvent mettre en péril leur projet d'enfant. «Personne n'interroge les couples qui ont un enfant de leur chair et de leur sang», clament-ils. Cela est vrai. Mais l'enfant adopté, lui, a déjà une histoire de vie fragilisée, il faut donc s'assurer de trouver une famille qui répondra aux besoins de l'enfant et non de trouver un enfant à une famille qui n'en a pas. L'adoption n'est pas un droit, c'est un privilège.

Au Québec, seuls les membres en règle de l'Ordre des travailleurs sociaux ou de l'Ordre des psychologues du Québec peuvent effectuer le travail d'évaluation psychosociale dont le rapport écrit sera vérifié et, dans la plupart des cas, contresigné par une autorité des Centres jeunesse. En France, l'agrément relève de l'Aide à l'Enfance. L'agrément peut être fait en totalité ou en partie par des psychologues, des travailleurs sociaux ou par des psychiatres.

Mais qu'est-ce que tous ces «psys» évaluent, au juste? Comment s'assurent-ils que les postulants peuvent réellement répondre aux besoins physiques, psychiques et sociaux de l'enfant? Autant de questions vagues et angoissantes qui ont incité des associations de parents adoptants au Québec à exiger que les critères de base soient unifiés et préalablement remis aux postulants à l'adoption.

L'ENTREVUE

Un processus d'évaluation psychosociale consiste en une série d'entrevues individuelles, en couple et en famille le cas échéant. Ces entrevues doivent être effectuées au domicile des postulants ainsi qu'au bureau du professionnel. Au cours de ces rencontres, le professionnel doit vérifier les points suivants:

• le cheminement vers un projet d'adoption et les motivations pour entreprendre ce projet;

(...)

- l'histoire personnelle des postulants : une enfance malheureuse ou des difficultés personnelles ne sont pas automatiquement des raisons de refus. Encore faut-il que la personne ait pris les moyens de les surmonter sereinement ;
- la dynamique conjugale : amour, respect, stabilité, scénario de vie commun, habiletés de communication et de résolution de problèmes ne sont pas des garanties absolues pour assurer l'épanouissement du couple, mais c'est un minimum nécessaire pour espérer devenir une équipe parentale efficace ;
- une description de la situation matérielle, sociale, organisationnelle et professionnelle des postulants. Un enfant a le droit à un minimum de confort, de sécurité matérielle et, surtout, a droit à la présence de ses parents, présence non seulement en qualité, mais aussi en quantité ;
- une description des capacités parentales ou du potentiel parental des postulants, afin d'effectuer un meilleur pairage ou apparentement avec l'enfant à venir ;
- l'impact de l'adoption sur le reste de la famille. Les autres enfants ne doivent pas avoir la responsabilité de choisir ou non l'adoption d'un autre enfant, mais leurs réactions doivent être prises en compte ;
- l'absence de problème de santé mentale, de troubles de personnalité, de violence, de consommation problématique de drogue, d'alcool ou de médicaments de prescription ;
- l'absence de casier judiciaire, de signalements retenus à la Direction de la protection de la jeunesse, l'absence de jugement retirant ou restreignant le rôle parental ou l'accès à des enfants déjà existants ;
- l'ouverture à la différence et à l'exploration des enjeux particuliers de la santé physique et mentale des enfants abandonnés.

Certains évaluateurs prennent leur rôle au pied de la lettre : cueillette et analyse des données sur lesquelles ils font une recommandation positive ou négative. Ils n'échangent pas, n'outillent pas, cherchent avec insistance une faille personnelle ou conjugale, parlent beaucoup des problèmes, mais jamais des solutions possibles. D'autres évaluateurs, fort heureusement, ont une vision plus respectueuse et dynamique du processus d'évaluation et voient leur rôle comme celui d'un accompagnateur du couple dans son projet d'adoption. Ils se comportent comme des professionnels qui ont le devoir envers les postulants, non seulement de les évaluer, mais aussi de leur faire connaître les enjeux en cause et de les outiller sur les moyens à prendre en cas de difficultés.

LES ENFANTS À PARTICULARITÉ : PARTICULIER

La démarche d'adoption de certains parents s'inscrit dans une ouverture très particulière. Ces parents sont conscients et prêts à accueillir un enfant dit à particularité, c'est-à-dire un enfant souffrant d'un problème de santé marqué, par exemple un enfant souffrant d'hépatite C, un enfant ayant un handicap physique, un enfant ayant une cardiopathie congénitale nécessitant une intervention chirurgicale ou encore un enfant souffrant d'une thalassémie majeure. Ces parents, du moins cela devrait être incontournable, sont tout à fait conscients des besoins de cet enfant. Ces familles font ce choix en toute connaissance de cause. Voilà donc le point le plus important : connaître et comprendre, dans la mesure du possible, les problèmes de santé de l'enfant qu'on s'apprête à faire sien. L'adoption d'un enfant à particularité n'est pas un geste humanitaire. Il n'est pas question de devenir parrain, mais parent. L'adoption d'un enfant à particularité doit être un geste franc et lucide.

Proposition d'adoption

> *Mes parents attendent un autre enfant,*
> *ça se peut que ce soit un Chinois.*
>
> Line Arsenault

Cette attente interminable, c'est bien ce qui rend le processus si pénible. Ce qui est intolérable, c'est cette absence de contrôle sur les démarches, c'est ce fonctionnaire insaisissable que l'on ne peut étrangler que dans les rêves, c'est aussi cette absence de points de repère due à l'absence de changements physiques. Les parents n'en sont pas à se mettre un oreiller sur le ventre, mais l'attente d'une proposition factuelle venue de l'étranger les dévore littéralement. « C'est comme si on vivait dans des montagnes russes, tantôt ça va, tantôt ça ne va pas », disent-ils souvent. « On a beau se raisonner, rien n'y fait, l'émotion prend vite le dessus. Notre désir d'enfant à tout prix nous rend si vulnérables, si émotifs. » Plusieurs confient qu'ils ont envie de pleurer le matin en se levant, d'autres disent qu'ils sont incapables de voir un couple se balader avec une poussette dans la rue. Leur certitude de voir un jour l'enfant arriver est éclipsée par l'espace-temps qui les sépare du bonheur. Ils en sont même à se questionner sur leurs réelles aptitudes à devenir de bons parents. Et si la travailleuse sociale nous avait mal évalués ?

Enfin, ce coup de fil tant espéré : « Nous avons un enfant pour vous. » En une fraction de seconde, l'enfant imaginaire se transforme en enfant réel, avec son nom, sa date de naissance et, avec un peu de chance, son groupe sanguin. Petite variation d'un pays à l'autre, vous aurez parfois un nom, parfois une photo, très souvent une évaluation médicale difficile à comprendre. Voilà des mois qu'il se fait attendre ce petit, et maintenant il faut répondre très rapidement à cette proposition. Est-ce bien cet enfant-là que vous accueillerez pour la vie ? Est-ce bien celui-là le vôtre ? Le reconnaissez-vous ? C'est alors que les sentiments d'irréalité, de soulagement et de joie se mêlent à l'urgence de prendre une décision.

Dans le milieu de l'adoption, on sous-estime souvent le choc ressenti par le parent et l'importance capitale des décisions qui seront prises à ce moment précis de la vie de l'enfant, du couple et de la famille. D'emblée, on s'attend à ce que la réponse des parents soit automatique, spontanée, remplie de joies et sans ambivalence aucune. Si certaines acceptations sont plus faciles à faire parce qu'elles se pointent au temps opportun et correspondent exactement à l'âge, au sexe et à l'état de santé anticipé dans l'évaluation psychosociale, d'autres s'avèrent beaucoup plus délicates. Il n'est pas rare de voir des parents accuser un mouvement de recul ou devenir soudain ambivalents. Souvent, ce n'est qu'au moment du téléphone que tout le poids de la profondeur de la décision tombe sur les épaules des parents qui saisissent alors que tout le destin d'un enfant est maintenant entre leurs mains. C'est une responsabilité énorme qui leur rappelle l'espace d'un instant leurs forces et leurs limites. C'est la chute du mur de Berlin, c'est le 11 septembre, et c'est un gâteau d'anniversaire réunis dans un même instant. C'est individuel et… planétaire !

LA LOI CANADIENNE NE GARANTIT PAS L'ÉTAT DE SANTÉ

L'adoption internationale est légalement beaucoup plus complexe que l'adoption nationale. Elle nécessite une série de procédures qui doivent tenir compte des lois sur l'adoption, des lois sur la protection de la jeunesse, des lois sur l'immigration et la citoyenneté en vigueur dans le pays d'origine de l'enfant, ainsi que des lois de son pays d'accueil. L'adoption doit aussi être effectuée dans le respect des conventions internationales, comme la *Convention de la Haye*.

Les changements prévus à la loi sur l'immigration canadienne risquent de créer de nouveaux enjeux en matière de santé des enfants. Jusqu'à tout récemment, tous les enfants adoptés à l'étranger devaient se conformer aux lois sur l'immigration en matière de santé. L'obtention du visa d'entrée était conditionnelle à un bilan de santé satisfaisant délivré par des médecins accrédités dans les pays d'origine, puis vérifié par le médecin de l'ambassade ou du haut commissariat. Ce

(…)

(suite)

bilan contenait quelques examens obligatoires, dont un dépistage de la syphilis, mais surtout un examen médical de passage. Ces évaluations n'étaient pas différentes pour un enfant adopté que pour tout autre immigrant arrivant au pays. Ces examens ne garantissaient en rien l'état de santé de l'enfant. La loi sur l'immigration ne se préoccupe pas d'assurer la bonne santé des enfants adoptés. Elle existe entre autres pour s'assurer que les immigrants ne constituent pas une charge trop importante pour le système de santé canadien.

Cette loi continuera de s'appliquer pour tous les enfants nés à l'étranger dont le jugement final d'adoption sera prononcé au Québec et au Canada. Cependant, à la suite de pressions exercées par certains organismes d'adoption et associations de parents, les enfants dont le jugement d'adoption sera prononcé dans le pays d'origine (Russie, Colombie, Haïti, pour n'en nommer que quelques-uns) n'auront plus à subir ces examens. Pourquoi? Parce que le législateur a donné raison aux parents qui considéraient discriminatoire qu'un enfant adopté légalement dans le pays d'origine n'ait pas les mêmes droits et privilèges qu'un enfant biologique né à l'étranger et que ses parents ramènent au pays.

Si cette modification à la loi paraît moralement justifiable, elle inquiète grandement le milieu des intervenants médicaux et sociaux qui travaillent en adoption internationale. Elle laisse au bon jugement des parents et des organismes d'adoption la nécessité ou non de faire passer des examens médicaux avant de choisir d'adopter. Si, bien avant les changements de la loi, certains parents et organismes se souciaient déjà de faire passer des examens complémentaires en plus des examens obligatoires, désormais il sera malheureusement tentant pour d'autres postulants ou organisations de biffer carrément cette étape capitale, pour tenter d'accélérer le processus d'adoption. Comme s'il s'agissait d'une course!

Intervention médicale avant l'adoption

The collecting of many little children under one roof is not good for them, no matter how well managed is the institution.

H.D. Chapin

Jusqu'à récemment, peu de parents en processus d'adoption prenaient la peine d'aller consulter un médecin pour lui demander son avis sur la santé de l'enfant à adopter. Mais de plus en plus d'entre eux souhaitent maintenant le faire. De fait, il s'avère que la demande des parents en attente d'enfant pour des consultations médicales avant l'adoption soit à la hausse, partout en Europe et en Amérique du Nord et ce, dans les cabinets pédiatriques autant que dans les centres spécialisés en adoption internationale. C'est normal, c'est souhaitable, c'est attendu. «Avec les histoires qu'on entend!» vous diront certains parents. Mais il y a plus: en aucun cas le parent adoptant ne devrait être contraint de faire de sa démarche un processus essentiellement caritatif qui, sous prétexte de grandeur d'âme, le priverait de professionnels de la santé aptes à le conseiller et à prendre en charge les délicates questions susceptibles de survenir à tout instant.

En Europe, les œuvres d'adoption et les professionnels de la santé ont longtemps hésité à emboîter le pas, prétextant que l'accueil de l'enfant devait être comme un don de soi à l'autre et que, peu importe la maladie anticipée ou découverte a posteriori, le parent adoptant agréé devait accepter la différence. Le postulat européen a longtemps prétendu, non sans raison, qu'une évaluation sous toutes ses coutures d'un candidat à l'adoption procédait plus de la consommation que de l'ouverture parentale. Au Québec, un groupe de militants contre la «médicalisation» de l'adoption a même vu le jour.

Aux États-Unis, une tout autre attitude aura mené au meilleur et au pire, comme toujours quand il s'agit de faire à l'américaine. Les évaluations médicales des examens physiques et de laboratoire effectués à l'étranger auront permis non seulement d'éclairer des familles adoptantes sur la teneur de leur projet de vie familial, mais également de prévoir une guidance appropriée de la prise en charge des particularités physiques et mentales de l'enfant à accueillir. Par exemple, il faut prévoir ici l'intervention du physiothérapeute, là celle de l'orthophoniste, ou peut-être encore faut-il songer à déménager pour permettre l'accès à un centre de soins ultra-spécialisés. Corollaire négatif à ce qui précède, la recherche de l'enfant parfait, cette course effrénée pour la normalité, est facilitée aux États-Unis, ce qui autorise un immonde marketing de l'adoption, ainsi que des poursuites judiciaires contre les organismes d'adoption et les médecins évaluateurs, advenant une marchandise humaine défectueuse!

En recentrant toutefois l'intérêt de l'évaluation médicale en préadoption sur le point de vue de l'enfant plutôt que sur celui de ses parents, il devient possible alors de contourner judicieusement les impasses morales ou immorales. Il suffit de se rendre compte qu'une évaluation médicale précoce permet l'adoption de candidats qui, autrement, en raison de leurs différents antécédents, n'auraient pas passé le test à l'immigration ou au sein de leur famille potentielle: par exemple, un enfant atteint d'une infection tuberculeuse moins contagieuse qu'il n'y paraît au départ, d'une maladie cardiaque finalement facilement opérable ou encore d'un trouble de comportement envisagé comme un défi par des adoptants éducateurs qui sont outillés pour intervenir positivement dans ce cas. L'évaluation médicale se situe alors dans une sorte de continuum souhaitable avec l'évaluation psychosociale antérieurement réalisée.

L'évaluation médicale en préadoption permet aussi d'éviter des échecs prévisibles, en permettant à des enfants autistiques ou présentant des troubles d'opposition, quasiment impossibles à prendre en charge en dehors d'un cadre institutionnel, de continuer à grandir dans leur patrie d'origine, de ne pas tout perdre en quelque sorte. Selon les études, 2% ou plus des parents adoptants qui auront une distorsion majeure entre l'enfant rêvé et le leur, avec ses caractéristiques physiques, ses limites intellectuelles, ses troubles d'opposition ou d'attachement, abandonneront de nouveau l'enfant adopté aux services sociaux du pays d'accueil. Aux États-Unis, de tels échecs d'adoption ont même conduit à l'infanticide. En bout de ligne, pour beaucoup de familles qui semblent sans frontières, le fait d'adopter un enfant qui n'est ni de sa chair ni de son sang demande des efforts insoupçonnés d'adaptation. Le peu de préparation au rôle de parents fait que certains adoptants ne se sentent finalement pas assez compétents dans leur nouveau rôle. Des problèmes de santé, même mineurs, comme la gale, n'amenuisent pas leur anxiété et leurs peurs de ne pas être à la hauteur. Quant aux problèmes majeurs, souvent ils conduisent directement à la catastrophe. Une intervention préventive, comme l'encadrement médical précoce des parents, apparaît donc dans l'état des choses plus que souhaitable, carrément incontournable.

Si, à l'étude de foyers réalisée par des psychologues ou des travailleurs sociaux, selon les lois des pays d'accueil prévues à cet effet, on ajoute des nouvelles informations sur la santé des orphelins dans les pays d'origine, cela éclaire souvent de réalisme le projet d'adoption des familles venues consulter le médecin : risque relatif de VIH/SIDA au Cambodge, risque du syndrome d'alcoolisation fœtale en Russie, risque de trouble d'attachement lorsqu'il est question d'adopter un grand enfant.

Par ailleurs, l'évaluation particulière d'un candidat à l'adoption à partir d'une documentation médicale écrite, de photos ou de vidéos, s'avère beaucoup plus périlleuse et subtile à réaliser que la simple transmission de connaissances sur le profil géographique de telle ou telle maladie. Il est généralement préférable que cette évaluation se fasse auprès d'un pédiatre ou d'un centre spécialisé en adoption internationale, comme il en existe une trentaine en Amérique du Nord.

La notion de risque : péril en la demeure

On se doute que le rôle du médecin consulté en préadoption ne consiste pas à révéler si l'enfant est bon ou mauvais, mais bien à souligner les meilleurs et les pires scénarios à envisager pour votre famille et à mettre de l'avant vos propres capacités de prendre en charge les points mis en lumière par le dossier médical : par exemple, l'hépatite B, la fissure labio-palatine ou un retard développemental de modéré à sévère.

Dans un même état d'esprit, vous devriez rapidement vous mettre d'accord avec le pédiatre sur la teneur de la consultation. L'évaluation de la paperasse concernant votre enfant potentiel ne devrait en aucun cas être confondue avec la démarche diagnostique qui accompagne l'examen traditionnel. Cette consultation n'est pas événementielle, elle n'a d'autre but que d'ouvrir des pistes, tantôt rassurantes, tantôt inquiétantes.

On en appelle ici à la notion de risque. En opposition avec le caractère réel de l'événement, la notion de risque permet d'avancer l'éventualité que certains faits et gestes surviennent, advenant l'adoption par votre famille de l'enfant proposé dans la documentation. La notion de risque, dit le Petit Robert, fait référence à « l'éventualité d'un événement qui ne dépend pas exclusivement des parties ». Par exemple, si le bébé joufflu et souriant qu'on vous a proposé à l'âge de neuf mois s'avère un jour souffrir de schizophrénie, ce ne sera la faute de personne. Si, par ailleurs, son dossier d'abandon précisait que sa maman biologique était schizophrène, vous pourriez alors en appeler de la notion de risque. En effet, le risque qu'une maman schizophrène transmette la maladie à son enfant est de 5 %. L'enfant adopté a toutes les chances de ne pas souffrir de schizophrénie, mais son risque de développer la maladie est supérieur à la moyenne des autres enfants. Son diagnostic demeure inchangé, mais à la lumière de cette histoire, votre démarche s'éclaire. Elle prend un sens.

Résumant récemment son expérience nord-américaine, le docteur Jerry Ann Jenista du Minnesota (une pionnière de l'intervention médicale précoce auprès de parents adoptants) constate que, à la suite d'une intervention pédiatrique devant des parents candidats à l'adoption d'un enfant d'Europe de l'Est, 40 % d'entre eux choisissent d'attendre une autre proposition d'enfant.

Les risques reliés à l'institutionnalisation : l'incontournable

Si la mère biologique n'avait pas eu de problèmes, elle aurait gardé son bébé pour elle. Si l'institution était un milieu de vie épanouissant pour l'enfant, on l'aurait certainement laissé grandir là. En fait, si l'enfant est ultimement confié à l'adoption internationale, c'est parce que sa situation est mauvaise.

Le parent adoptant ne doit donc pas se surprendre de constater que le passage de l'enfant d'un continent à l'autre lui permet également de transporter dans son bagage cérébral tout un passé de souffrances plus ou moins prégnantes et ce, peu importe l'évaluation de son dossier médical en préadoption. La qualité des soins n'est pas nécessairement en cause. Le risque auquel on fait ici référence est inhérent à l'abandon et à ses conséquences institutionnelles plus ou moins directes : la faim, le froid, les cris, l'air vicié, la solitude, la dépression et tout le reste. Quoiqu'on y fasse, le passé pourra toujours avoir des effets sur l'état de santé de l'enfant. Cela est incontournable.

Les risques reliés au dépistage diagnostique :
une question d'âge

Les risques qu'un enfant soit porteur de telle ou telle maladie sont tributaires d'une série de facteurs qui vont de la géographie aux circonstances de son abandon. À cause de la fréquence de la maladie dans son pays d'origine, un enfant adopté au Mexique, par exemple, risque moins de souffrir d'une hépatite B qu'un autre adopté au Vietnam. À cause des circonstances de la vie, un enfant qui a perdu ses parents de manière accidentelle risque moins de souffrir d'un trouble d'attachement que celui qui n'aura jamais connu de figure aimante. Ces réalités mises à part, le parent qui adopte doit se rendre compte que plusieurs diagnostics handicapants pour l'avenir de l'enfant ne peuvent être faits qu'à des âges plus avancés, souvent même bien après l'arrivée dans le pays d'accueil.

Ainsi, il est impossible que le médecin consulté en pré-adoption garantisse qu'un enfant géorgien de deux mois ne souffrira pas de paralysie cérébrale légère, ce diagnostic ne pouvant être mis de l'avant que vers l'âge de 8 à 15 mois. De la même manière, il est impossible de certifier, chez des nourrissons, l'absence de déficit intellectuel, l'absence éventuelle de déficit de l'attention ou d'autres troubles d'apprentissage. En fait, plusieurs de ces problèmes ne sont repérés qu'au cours de la petite enfance, voire seulement à l'âge scolaire. L'évaluation médicale en préadoption n'est pas un acte divinatoire, c'est un exercice professionnel servant à identifier certaines problèmes, mais pas tous les dangers que court un être humain.

Les risques reliés au poids de naissance : un choix de vie

De tous les risques capables d'influencer le destin d'un enfant adopté, il en est un qui est partagé par tous les enfants du monde : c'est celui du poids de naissance. Un nouveau-né ayant vu le jour à Alger ou à Stockholm est petit parce qu'il est né avant terme ou parce que sa maman et lui ont été mal nourris au cours de la grossesse ou pour ces différentes raisons. Plusieurs des problèmes attribués à l'abandon et à la carence en soins et en affection sont en fait tributaires d'une seule et même réalité : le poids à la naissance. Si l'enfant est frêle, s'il présente un jour un déficit de l'attention, avec ou sans hyperactivité, s'il souffre à l'école de dyslexie, ce sera avant tout à cause de son trop petit poids à la naissance. Cette réalité, pourtant incontournable, est insuffisamment connue des adoptants, voire même des soignants.

Quand vient le temps d'évaluer une proposition préadoption, il faut donc savoir que l'enfant prématuré né à moins de 2 500 g aura son petit lot de problèmes, que le danger qu'il présente un trouble d'apprentissage, par exemple, augmentera s'il est né à moins de 1 500 g et, qui plus est, à moins de 1 000 g. Et ce, quels que soient les bons soins de sa nourrice ! Il faut aussi se rendre compte que si le petit poids s'explique par un retard de croissance intra-utérin, en fait une malnutrition du bébé dans le ventre de sa maman biologique, il y a encore plus de danger qu'il développe un problème de santé. Alors qu'environ 2 % ou 3 % des enfants des pays industrialisés accusent de la malnutrition à la naissance, entre 10 % et 40 % des enfants du monde en développement en souffrent. Voilà de quoi expliquer bien des choses et aider à mieux peser la décision de certains parents.

On le dit trop peu : choisir d'adopter, c'est en quelque sorte courir le risque de devenir délibérément parent d'un enfant prématuré ou de petit poids.

Les risques reliés à la documentation : feux rouges, feux verts

De toutes les évaluations en préadoption, ce sont celles d'Europe de l'Est qui, selon notre expérience, demandent le plus de travail aux équipes professionnelles consultées. De fait, les dossiers antérieurs y contiennent toute une terminologie nosologique inhabituelle pour le médecin occidental : « oligophrenia », « disbacteriosis », « hydrocephalic syndrome », « dysembryogenesis », et une série d'autres exemples qui peuvent paraître surréalistes à n'importe quel excellent médecin.

Aussi, des diagnostics apparemment sérieux y sont avancés et inscrits en bonne et due forme sans tenir compte de la réalité, simplement en raison du contexte social d'abandon. C'est comme si se confondaient maladie sociale et diagnostic médical. Il n'y a pas si longtemps, en Amérique du Nord et en Europe de l'Ouest, la maladie sociale était rapidement emballée sous un diagnostic médical, et c'est malheureusement encore le cas dans plusieurs pays de l'Est. En voici un exemple fréquent : le diagnostic inscrit à tort dans les fiches médicales russes de « perinatal encephalopathia », et retrouvé dans plus de 60 % des propositions d'adoption en Russie, est le plus souvent sans aucun lien avec une maladie cérébrale vérifiable chez l'enfant en question. *Encephalopathia* fait penser à encéphalopathie, terminologie réservée en pédiatrie aux enfants grandement atteints d'une maladie neurologique quelconque. Ainsi, des parents et des consultants moins expérimentés peuvent s'inquiéter à tort et bien inutilement.

Quelques orphelinats fournissent des dossiers en partie factices ou encore retravaillés à propos de certaines informations plus litigieuses, par exemple l'âge de l'enfant. Vous y trouverez même parfois des traces de crayonnage ou de liquide correcteur. Il ne faut pas imaginer un orphelinat comme un paradis des examens périodiques ! La plupart du temps, les examens des médecins des ambassades et les consultations pour opinion diagnostique dans les cliniques médicales privées internationales contribuent à mieux cerner l'état de santé de l'enfant. Plusieurs organismes ou œuvres d'adoption considèrent qu'il est de leur responsabilité de fournir aux parents un portrait détaillé de la situation, avec photos, dossiers médicaux et même vidéos. Ces organismes offrent parfois aux parents de réaliser des épreuves sanguines non prévues par les autorités d'immigration, un test de VIH par exemple, qui n'est pas un pré-requis à l'immigration dans plusieurs pays d'accueil. Nous vous fournissons ici quelques exemples d'éléments historiques ou visuels qui pourraient être autant d'alertes rouges signifiant que l'enfant à adopter est, ou non, un candidat pour l'adoption dite à particularité, une adoption possible donc, mais pas par n'importe qui, ni par n'importe quelle société d'accueil. Va-t-on chercher un enfant de cinq ans dans un pays en développement pour lui greffer un foie en raison d'une hépatite C fulminante ? La question se pose.

FEUX ROUGES

Feux rouges dans l'évaluation du dossier écrit

- Long séjour à l'orphelinat
- Histoire familiale de schizophrénie
- Histoire de consanguinité parentale
- Abus d'alcool chez la mère biologique
- Retard de croissance intra-utérin
- Prématurité < 34 semaines
- Petite tête à la naissance
- Malnutrition périnatale
- Intubation trachéale
- Séjour hospitalier
- Convulsions
- Difficulté aux boires

Feux rouges dans l'évaluation du matériel visuel

- Traits dysmorphiques, syndrome d'alcoolisation fœtale
- Petite tête
- Hypotonie ou raideurs musculaires
- Réflexes pathologiques ou asymétriques
- Auto-stimulation, automutilation
- Peu de réponses à son nom
- Qualité de jeu anormale
- Préférence pour les objets
- Niveau d'activité inapproprié

Librement adapté de : JOHNSON, D. A. « International adoption : Implications for early intervention ». *Infants and Young Children*, 1999, 11(4); 34-45.

Les risques reliés à la culture d'origine : encore des feux

En matière d'adoption internationale, le diagnostic ne peut pas être envisagé selon les critères scientifiques habituels. On a vu que les médecins russes ont leur terminologie, mais ils ont aussi leur pharmacopée, leurs petits dadas, une tendance par exemple à voir des allergies partout et à tolérer des injections médicamenteuses pour les problèmes les plus mineurs. Même état de fait en Roumanie où l'UNICEF rapportait une quantité étonnante d'injections intramusculaires chez les enfants, parfois simplement à cause d'un pic fébrile. Le médecin chinois a aussi sa manière de voir le corps de bébé et insiste pour sa part sur les marques de peau et les doigts surnuméraires, des pathologies culturellement mal acceptées dans la tradition chinoise.

Les risques reliés au dépistage sanguin : preuves à l'appui

« Notre enfant n'a pas l'hépatite B », entend-on dire en consultation de préadoption avec, à l'appui, des preuves ukrainiennes fièrement brandies devant nos yeux d'évaluateurs. Il aurait mieux valu entendre : « À Kiev, quand l'enfant que nous envisageons d'accueillir n'avait que deux mois, ils lui ont fait un dépistage d'hépatite B dans un laboratoire quelconque. » Ainsi les parents, au-delà d'une vision hygiéniste de l'adoption, pourrait mieux saisir la complexité du dépistage sérologique effectué avant l'adoption.

Constatez vous-mêmes. Vous êtes à même de savoir que vous ne connaissez pas ce laboratoire. Il faut donc que votre médecin évaluateur s'informe pour savoir si le travail de ce laboratoire ukrainien est fiable et ce, auprès des médecins des ambassades, des coopérants, des parents déjà passés par là. Vous êtes aussi à même de savoir que l'enfant n'avait que deux mois au moment où était réalisé le test. L'hépatite B se développe en plus de deux à quatre mois, parfois même six mois après la naissance d'une mère porteuse du virus. Il n'est donc pas possible, scientifiquement, du moins pas avec les moyens du bord, de savoir si un nourrisson de deux mois va s'avérer porteur ou non d'hépatite B. Un dépistage compétent à partir de l'âge de quatre mois est déjà une information plus substantielle. Mais encore incomplète ! L'enfant, surtout comme ici en Europe de l'Est, a peut-être acquis la maladie plus tard à l'orphelinat, par injection ou simplement en partageant sa couchette avec un enfant porteur.

Les dépistages habituellement recommandés sont ceux de l'hépatite B, de l'hépatite C, de la syphilis et du VIH. Avant l'âge de six semaines, selon l'état de santé de la mère et les épreuves de laboratoire disponibles, les tests de dépistage de la syphilis congénitale et du VIH sont réalisables avec des résultats tentatifs. Les hépatites mettent un peu plus de temps. Ces résultats doivent être contextualisés. Un enfant né de mère sidéenne doit être réévalué à quelques reprises avant de recevoir un verdict de séronégativité. Les tests sérologiques de pointe ne sont pas partout disponibles. Par exemple, au Vietnam, pour obtenir des analyses fiables plus poussées et capables de diagnostiquer le VIH plus rapidement, il faut actuellement faire des envois à Singapour. D'autres épreuves de laboratoire sont indiquées pour dépister des maladies propres à une ethnie ou à une région du monde, par exemple le dépistage de l'anémie falciforme en Afrique et dans les Caraïbes. Nous reparlerons de ces particularités un peu plus loin dans le livre.

L'ENFANT VULNÉRABLE

« J'avais une nourrice. Puis est venu le jour des prélèvements pour partir à l'étranger. La piqûre n'a pas fait mal. Mais quelques jours plus tard, j'ai perdu ma nourrice. Elle avait peur d'être infectée par ma salive et par mon rhume.

P.S. Je ne suis jamais parti pour l'étranger. »

Il n'est pas dans notre intention de remettre en cause le dépistage préadoption du VIH, bien au contraire. Les conséquences socio-culturelles du diagnostic dans les orphelinats de plusieurs pays du monde sont cependant non négligeables. On appelle *vulnerable child syndrome* l'enfant qui a ainsi été négligé ou mis de côté à cause d'un diagnostic irrecevable pour son entourage.

Cette réalité n'est pas un poids pour la famille adoptante, c'est un poids pour vous, pour nous, pour le monde entier.

Intervention infirmière avant l'adoption

Peu de modèles de rôle existent pour les parents qui réalisent une adoption internationale. Or, au même titre que ceux qui attendent leur enfant et qui, au cours de leur grossesse, bénéficient d'une formation et de rencontres prénatales, les futurs adoptants devraient disposer d'une école de parents axée sur leurs besoins et sur leur réalité d'adoption.

Le futur parent doit se préparer à son nouveau rôle, mais aussi se préparer à accueillir un enfant qui risque d'avoir des besoins plus marqués que la majorité des autres enfants. Les parents adoptants doivent connaître les problèmes de santé potentiels, mais surtout ils doivent savoir qu'il est possible, dans les premiers mois suivant l'adoption, qu'ils aient davantage à devenir soignants que parents. Presque tous les spécialistes en adoption internationale s'entendent là-dessus : au-delà de la santé du nouvel arrivant, c'est le manque de préparation adéquate qui explique les difficultés et plusieurs des échecs en adoption.

Ce sont souvent ces difficultés de la vie quotidienne qui expliquent le grand nombre de familles éclatées, brisées, divorcées chez les adoptants. Dans une étude récente menée à l'Hôpital Sainte-Justine, nous avons été surpris de constater que le taux de séparation et de divorce au cours des trois années qui suivent l'adoption de l'enfant était à peu près équivalent au taux de divorce dans la population en général. En effet chez les couples qui finissent par divorcer, 45 % le font à l'intérieur des trois années qui suivent l'arrivée d'un premier enfant biologique. Il semble donc qu'à ce chapitre, les familles adoptives soient dans la triste norme.

Après tout ce cheminement préparatoire, depuis le désir d'enfant jusqu'à l'embrassement de l'espace mondial, comment expliquer un tel échec ? Pour les mêmes raisons que toutes les autres familles d'abord, et aussi probablement par le manque de préparation à ce qu'il était possible de vivre. Les parents biologiques sont souvent préparés, mais non évalués, les parents adoptants sont évalués, mais très souvent mal préparés.

Il faut aux parents adoptants encore plus de connaissances et de compétences qu'à la majorité des parents biologiques. Grâce aux rencontres préparatoires à l'adoption, avec une infirmière compétente dans la santé des enfants adoptés, les parents peuvent connaître différents aspects de la santé, tant physique que mentale, de l'enfant adopté de l'étranger. C'est par l'information et par la connaissance que le parent gagne le sentiment de contrôler le processus d'adoption. L'information et la connaissance permettent aussi de diminuer les sentiments d'angoisse et d'anxiété reliés à l'attente.

Les parents adoptants, même quand ils sont très connaissants dans plusieurs domaines, doivent tout de même acquérir des notions de base sur les soins à prodiguer à un enfant : changer une couche, préparer un biberon, donner le bain, prendre la température, savoir donner un médicament, et le reste. Ils doivent aussi apprendre les soins dans un contexte de voyage. À quel endroit coucher bébé dans la chambre d'hôtel ? Quels vêtements choisir pour l'enfant ? De quelle façon préparer un biberon dans un avion ? Les adoptants doivent aussi comprendre et anticiper les problèmes de santé reliés au contexte d'abandon et de vie en orphelinat, c'est-à-dire la malnutrition, le retard de croissance, les délais en matière de développement moteur, cognitif, affectif et social, ainsi que les infections. Ils doivent savoir qu'une tache mongolique n'est pas une ecchymose ou une marque de violence, mais bien une particularité ethnique. Les gestes maladroits et l'anxiété palpable du parent n'ont rien pour favoriser la création d'un lien de confiance et d'attachement avec l'enfant. Tout le monde est gauche au début, et c'est avec le temps et surtout la pratique qu'on devient « pro ».

Se préparer à devenir parents, c'est aussi clarifier les rôles de chacun pour éviter qu'un des deux conjoints soit « siphonné » et l'autre, frustré d'être tenu à l'écart de ce qu'il y a à faire. Qui prendra le congé parental ? Qui se lèvera la nuit ? Se préparer, c'est se donner une chance pour mieux vivre la grande rencontre. L'adoption a ceci de particulier qu'elle demande aux parents de s'adapter au nouveau rôle à une vitesse accélérée, et en voyage en plus. Se préparer à devenir parents, c'est préparer ses ressources : trouver un pédiatre, rencontrer l'infirmière en petite enfance pour des conseils pratiques, prévoir les visites de la travailleuse sociale pour les rapports de suivi, dénicher un dentiste pour l'enfant, bref c'est essayer de réinventer le quotidien. C'est aussi prévoir le retour au bercail avec tout ce que cela implique : la fatigue, la parenté qui veut voir l'enfant annoncé, la paperasse à remplir, les consultations médicales. Se préparer, c'est profiter de la période d'attente pour apprendre à connaître le pays et la culture de l'enfant par des livres, des films, des visites au musée, par la musique et, pourquoi pas, les arts martiaux. Se préparer au rôle de parent, c'est apprendre à se faire confiance.

> *Plus tard, j'aimerais avoir des enfants*
> *et ça me plairait beaucoup d'en adopter quelques-uns.*
> *Comme ça, tout simplement parce que je trouve ça beau,*
> *des enfants d'origine étrangère.*

Léa, 16 ans, née à Bogota et adoptée au Québec

Lectures suggérées

DE BÉCHILLON, M., J.J. CHOULOT. *Le guide de l'adoption.* Paris: Odile Jacob. 2001. 271 p.

DORION, H., A. TCHERKASSOV. *Le Russionnaire: petite encyclopédie de toutes les Russies.* Sainte-Foy: Multimondes. 2001. 395 p.

Références

HACK, M., N. BRESLAU., B. WEISSMAN et al. « Effect of very low birth weight and subnormal head size on cognitive abilities at school age ». *New England Journal of Medicine,* 1991. 325 (4); 231-237.

JENNISTA, J.A. « Preadoption review of medical records ». *Pediatric Annals,* 2000. 29 (4); 212-215.

ONTELL, F.K., M. IVANOVIC, D.S. ALBIN et al. « Bone age in children of diverse ethnicity ». *American Journal of Roentgenology,* 1996. 167 (6); 1395-1398.

MARS, A.E., J.E. MAUK, P.W. DOWRICK. « Symptoms of pervasive developmental disorders as observed in prediagnostic home videos of infants and toddlers ». *Journal of Pediatrics,* 1998. 132 (3); 500-504.

MINISTÈRE DE LA SANTÉ ET DES SERVICES SOCIAUX. *L'adoption, un projet de vie: cadre de référence en matière d'adoption au Québec.* Québec: Direction de l'adaptation sociale, 1994. 87 p.

MINISTÈRE DE LA SANTÉ ET DES SERVICES SOCIAUX. *L'évaluation psychosociale: les critères de base.* Montréal: Secrétariat à l'Adoption Internationale, 1990.

CHAPITRE 5

Le voyage d'adoption

▼

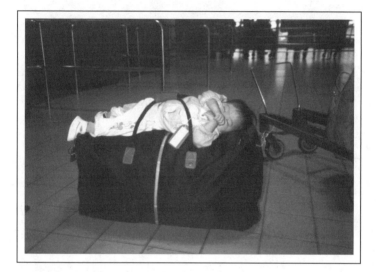

Transit à Anchorage
États-Unis, 1996

Le voyage d'adoption est un voyage particulier. Vous partez deux, vous revenez trois. Vous voyagez en groupe ou en couple, dans des conditions extraordinaires ou difficiles. Pas étonnant alors que le départ tant espéré entraîne un grand stress. On peut être bon parent et mauvais voyageur, ou grand voyageur tout en étant inexpérimenté comme parent. Pour plusieurs familles, le voyage d'adoption est une première incursion en dehors du pays et la destination s'appelle Cambodge, Vietnam, Bélarus, Haïti, Georgie ou Colombie, rien d'ordinaire quoi! Il n'est pas toujours facile de voyager dans ces pays, alors imaginez « accoucher » dans de telles conditions. La clé du succès de votre voyage, c'est donc sa préparation.

Avant de partir

Les parents qui adoptent un enfant à l'étranger doivent devenir des voyageurs s'ils ne l'étaient déjà. La résolution tant attendue de leur infertilité, la longue préparation de leur projet de vie et, pour ne rien vous cacher, leurs débordements émotifs, tout cela risque de les inciter à négliger, au profit du projet d'adoption, les mesures nécessaires et reconnues pour faire face au transit aérien, au décalage horaire, au séjour en pays tropical et autres précautions d'usage. En complément de leur préparation psychologique et sociale à accueillir un enfant, ils doivent respecter les aspects sanitaires de leur voyage, avec l'aide de leur médecin traitant et des professionnels de la médecine des voyages, dans des centres spécialisés à cet effet. Avant leur départ, ils doivent tenir compte de leur état de santé personnel et du pays de destination, afin de déterminer les dangers qu'ils peuvent être amenés à affronter.

La préparation des parents : initiation au voyage

Quelques parents adoptifs sont d'anciens coopérants ou travailleurs à l'étranger. Ils connaissent bien le pays où ils vont adopter. Par contre, plusieurs autres n'ont jamais traversé de frontières inhabituelles, souvent ils n'aiment nullement se déplacer en dehors de leur pays, que ce soit seuls ou en groupe. Chacun a ses forces et ses limites propres : si certaines personnes se sentent parfaitement en sécurité de s'aventurer avec un sac à dos à l'autre bout du monde, d'autres s'imaginent à peine survivre dans un bus non climatisé... Certains pays, comme la Bulgarie ou le Vietnam, exigent deux voyages de la part des parents adoptifs. D'autres expériences d'adoption amènent les parents adoptifs à vivre dans des conditions relativement précaires à l'orphelinat ou dans une pension locale en région rurale. L'hôtellerie locale, les coutumes du pays de leur enfant, les lieux hors circuit qu'ils fréquentent et le climat particulier du pays les amènent souvent à séjourner dans des conditions sanitaires semblables à celles de la population locale. Entre les bus, les triporteurs, les chambres d'hôtel et les cabines d'avion, les premiers échanges avec l'enfant ne se déroulent pas toujours dans un contexte optimal.

Pour bien affronter ces péripéties, il faut d'abord obtenir des informations géopolitiques sur les pays visités et des avis gouvernementaux sur les lieux de destination. Pour cela, on s'adresse aux ambassades, aux consulats, aux agences de voyage, on consulte les publications de l'Organisation mondiale de la santé (OMS) et, au Canada, celles du ministère des Affaires étrangères et du Commerce international (MAECI). Les documents et les passeports doivent être en règle, de même que les rares vaccins obligatoires et les quelques vaccins recommandés.

En principe, les parents doivent recevoir au moins un rappel du vaccin contre la poliomyélite à l'âge adulte, surtout s'ils vont en Inde. Un rappel du vaccin contre la diphtérie et le tétanos complète l'immunisation de base et doit être répété tous les dix ans. La vaccination contre les hépatites A et B est recommandée pour la majorité des voyageurs. Il faut néanmoins insister auprès du parent adoptif pour le vaccin contre l'hépatite B, étant donné que l'enfant à adopter pourrait être porteur chronique de l'hépatite. Entre 2 % et 3 % des enfants adoptés de l'Asie de l'Est et d'Europe de l'Est sont porteurs de l'hépatite B, et risquent de transmettre le virus à leur famille. Plusieurs parents pensent être à l'abri de cette infection. Ils savent qu'elle se transmet par le sang et les liquides biologiques, et ils ne prévoient pas avoir de relations sexuelles avec de nouveaux partenaires. Or, ils oublient qu'à force de tout partager avec un porteur du virus, la salive, la brosse à dents et le reste, l'hépatite B peut finir par faire sa niche. Il apparaît inconcevable de prescrire aux mamans de se priver d'embrasser le petit nouveau, dans l'attente du bilan d'accueil! Selon les saisons, les destinations ou les conditions de séjour, certains bénéficieront également de la vaccination contre la grippe, la typhoïde ou l'infection à méningocoque. La vaccination contre l'influenza n'est pas à négliger. C'est une véritable maladie de voyageurs qui, chaque année, prend naissance en Asie et voyage avec les oiseaux et les avions.

Pour entrer dans plusieurs pays d'Afrique, il faut être immunisé contre la fièvre jaune et obtenir le sceau officiel. Cette vaccination est aussi recommandée pour se rendre dans le bassin amazonien, par exemple pour les adoptions au Brésil. La vaccination contre l'encéphalite japonaise, une autre maladie transmise par les moustiques, convient à ceux qui séjournent plus d'un mois en région rurale à risque, ce qui est rarement le cas en adoption internationale. Les vaccinations contre le choléra et la rage s'avèrent très rarement indiqués. Malgré des immunisations en bonne et due forme, quelques douanes exigent une prise d'antibiotiques dès que vient le moment de franchir la frontière. C'est le cas notamment de Madagascar, qui souhaite ainsi éviter le choléra importé. N'hésitez pas à discuter de toutes ces questions et des actualités en matière d'épidémies avec les infirmières spécialisées en santé des voyageurs.

Il est à conseiller de faire une visite chez le médecin de famille de même que de passer chez le dentiste pour éviter d'avoir à se faire traiter par un arracheur de dents. Les parents qui présentent des problèmes de santé devraient en parler avec leur médecin de famille ou avec l'équipe de consultation pour voyageurs. Ceux qui souffrent d'asthme et qui voyagent à Bangkok ou à Mexico, là où la pollution atmosphérique est très marquée, doivent doublement s'assurer d'avoir dans leur bagage à main leurs inhalateurs et autres médicaments de circonstance. Les parents qui souffrent d'allergies alimentaires doivent toujours voyager, non seulement avec un auto-injecteur d'adrénaline, mais aussi avec la photo de l'allergène en cause, par exemple la photo d'une arachide où il serait inscrit au verso, et dans la langue du pays: «Attention, je suis allergique aux arachides, et je peux en mourir. » Au serveur ensuite de disposer de leur vie !

Tout voyageur devrait transporter avec lui une copie de ses principales prescriptions, par exemple celles des médicaments essentiels et des lunettes. En cas de perte ou d'accident, il est alors plus facile d'obtenir le nécessaire dans une clinique privée américaine ou européenne. Les médicaments supportent mal le froid de la soute à bagage, prévoyez-leur donc une petite place en cabine. Si vous transportez des seringues parce que vous êtes diabétique, assurez-vous d'avoir une lettre signée par un médecin qui vous autorise à les transporter. Laissez les seringues et les aiguilles en soute.

Même si vous aimez les expériences culinaires exotiques, il est possible que les petits plats de la maison finissent par vous manquer, surtout en Europe de l'Est, selon notre expérience du chou et des patates. Pour éviter de piquer les pots à bébé, prévoyez une place dans vos bagages pour ces petites douceurs, sucreries et friandises, pour le café soluble, la poudre à chocolat chaud, les craquelins, etc. Prévoyez de la nourriture sèche, des mélanges de noix et de raisins. Pour ceux qui auraient une réelle aversion pour tout ce qui leur paraît étranger, sachez qu'il est possible d'acheter de la nourriture lyophilisée. Vous retrouverez ces plats nouveau genre, savoureux et variés, dans la plupart des magasins de plein air et d'aventure. Pas de blagues, il existe même un mélange de crème glacée napolitaine qui pourrait bien s'avérer excellente à consommer à Angkor Watt.

Notre ami le docteur Frédéric Sorge nous rapportait récemment que les problèmes de santé auxquels s'exposent les voyageurs sont, par ordre d'incidence décroissante, la diarrhée, les infections respiratoires, les problèmes cutanés, le mal des transports, les conséquences d'accident, le mal des montagnes et, pour finir, la fièvre. Par conséquent, les parents doivent, dans la mesure du possible et à l'instar des voyageurs modèles, tenir compte des recommandations d'usage par rapport aux mesures d'hygiène, à la prévention des maladies transmises par l'eau, la nourriture, les moustiques et, enfin, à la protection solaire et environnementale. Les caractéristiques particulières du voyage d'adoption, qui confinent généralement les familles aux grandes villes et aux chambres d'hôtel, font que la prescription d'antipaludéens s'avère rarement nécessaire, sauf pour des destinations comme Haïti, l'Afrique subéquatoriale, Madagascar et l'Inde, et ce, même en ville. Selon la destination et les contre-indications, le médecin aura prescrit, en plus de l'usage de répulsifs, de la chloroquine, de la méfloquine ou de l'ato-vaquone-proguanil. La prescription d'une antibiothérapie de présomption, avec de la ciprofloxacine ou de l'azithromycine, s'avère également incontournable au cas où une diarrhée du voyageur s'attaquerait à un parent déjà vulnérable, chargé de stress et d'émotion. Ainsi, advenant l'émission de plus de trois selles liquides par jour, surtout en présence de fièvre, le parent adoptant ne doit pas hésiter un seul instant à s'autotraiter.

LES TROUSSES DE VOYAGE (Listes non exhaustives)

Trousse de documents

- Passeports
- Visas
- Photos récentes d'identité
- Billets d'avion
- Tickets de bagages
- Cartes d'embarquement
- Argent de poche en monnaie locale
- Cartes de visite
- Cartes d'identification professionnelle
- Cartes de grand voyageur
- Agenda de poche
- Réservations d'hôtel et autres réservations
- Documents spéciaux
- Documents relatifs à l'adoption
- Permis de conduire international
- Plan ou guide de la destination
- Liste des mots d'usage courant
- Papier et stylo
- Calculatrice

(...)

(suite)

- Plusieurs photocopies des passeports et des documents officiels
- Documents d'assurances
- Chèques de voyageurs
- Photocopies des chèques de voyageurs
- Porte-monnaie sécuritaire
- Devises étrangères
- Dollars américains en petites coupures
- Cartes de crédit et de guichet automatique
- Enveloppes hydrofuges
- Carnet de santé
- Carnet de vaccination internationale (certificat de vaccination contre la fièvre jaune ou exemption de vaccination)
- Exigences locales de vaccination (fièvre jaune le plus souvent)
- Preuve de vaccination et prise d'antibiotiques à l'arrivée (à Madagascar)
- Copie du dossier médical des parents
- Identification des conditions de santé (bracelet Medic-Alert®, etc.)
- Photographies des aliments allergènes (arachides, poisson, etc.)
- Prescriptions (médicaments essentiels, lunettes ou lentilles cornéennes, etc.)
- Test de VIH au besoin
- Lettre d'un médecin autorisant le transport de seringues (dans la soute), le transport des médicaments (avec soi)
- Carnet d'adresses et de numéros de téléphone de ses proches amis ou de sa famille, de son organisme d'adoption, de son pays d'origine, de son consulat, de son ambassade, des services médicaux à l'étranger, de sa compagnie d'assurances ou d'assistance-voyage

Trousse de base

- Compresses stériles
- Ruban adhésif
- Pansements
- Diachylons ou sparadrap
- Épingles de sûreté
- Ciseaux
- Canif ou couteau multi-usages (à enregistrer en soute)
- Élastiques
- Épingles à linge (pinces)
- Linge de toilette ou débarbouillette
- Ruban à mesurer
- Fil, aiguilles, boutons
- Cadenas et clés
- Lampe de poche
- Piles alcalines de rechange
- Adaptateur électrique
- Lotion solaire contre les UVB (avec FPS > 15) et contre les UVA (avec benzophénones, Parsol 1789® ou Mexoryl®).
- Lunettes de soleil UV 400 teintées en gris
- Chapeau à large bord ou casquette
- Répulsif contre les insectes pour adultes contenant plus de 24 % de DEET
- Insecticides du type perméthrine à 0,5 % ou deltamethrine
- Moustiquaires imprégnées de perméthrine
- Serpentins incandescents à la pyréméthamine
- Diffuseurs d'insecticide
- Bouteille d'eau
- Iode : comprimés d'iode ou 2 à 4 gouttes de teinture d'iode à 2 % par litre, pour traiter l'eau de boisson
- Filtres / purificateurs pour filtrer et traiter l'eau de boisson
- Nourriture de survie riche en hydrates de carbone ou lyophilisée

(…)

(suite)

- Tasse en métal
- Bougies
- Lampe frontale et pile
- Vêtements adaptés en fibres synthétiques de type polyester, polypropylène, chlorofibre (GoreTex®, etc.) et fibres naturelles type laine ou coton
- Gants
- Souliers de marche
- Coussinets autocollants
- Papier de toilette
- Assainisseur à mains (type Purell ®)

Trousse de toilette

- Dentifrice
- Brosse à dents
- Cure-dents
- Soie dentaire
- Savon doux (non irritant)
- Boîte à savon
- Shampooing/Revitalisant
- Gel pour cheveux
- Maquillage
- Antisudorifique
- Coton-tiges
- Ouate
- Rasoir
- Crème à raser
- Mouchoirs de papier
- Réveille-matin
- Parfum ou eau de toilette à éviter en région tropicale
- Lotion hydratante
- Miroir de poche
- Gel ou vaporisateur nasal
- Larmes artificielles

- Coussin cervical
- Cache-yeux
- Gomme à mâcher
- Verres correcteurs ou lentilles cornéennes
- Étuis et liquides nécessaires aux verres ou lentilles
- Lunettes correctrices ou lentilles cornéennes de rechange
- Réserve de serviettes sanitaires
- Bas soutien

Trousse de médicaments

- Acétaminophène ou paracétamol
- Décongestionnant topique
- Sachets de poudre liquide réhydratation
- Antiacide
- Antibiotique topique
- Crème fongicide
- Fluconazole (en cas de vaginite)
- Anti-inflammatoire non stéroïdien (contre la dysménorrhée, pour soulager et traiter les douleurs et blessures musculo-squelettiques modérées)
- Antibiotiques à large spectre de type ciprofloxacine ou clarithromycine ou azithromycine en cas de diarrhée du voyageur, d'infection urinaire ou d'infection respiratoire, ou pour d'autres types d'infection
- Hydrocortisone topique à 1 %
- Scabicide topique
- Acétate d'aluminium (en cas d'inflammation cutanée)
- Antipaludéens (chloroquine, malarone, tétracycline, etc..)
- Antihistaminiques
- Adrénaline auto-injectable (si allergie avec anaphylaxie)
- Médicaments contre le mal des transports
- Acétazolamide, pour prévenir ou traiter le mal des montagnes (à la Paz, par exemple)
- Anxiolytiques, sédatifs
- Corticostéroïde ophtalmique

(...)

(suite)

- Prednisone (en cas de dermatite de contact sévère, d'allergie sévère ou de mal des montagnes avec insuffisance respiratoire)
- Narcotiques de type acétaminophène/codéine ou mépéridine (en cas d'entorse et de fracture)
- Médication habituelle

En traversant la rue, dans les transports en commun, surtout dans les pays qui battent des records statistiques en matière d'accidents de la route, comme l'Inde, le Guatemala et le Pérou, les parents doivent tenir compte des traumatismes qui, pour eux comme pour d'autres, constituent la première cause de mortalité en voyage. Prévoyez donc avant le départ des assurances et un plan d'assistance-voyage en cas de nécessité de rapatriement.

L'équipement pour bébé: le voyageur virtuel

Les préparatifs du voyage d'adoption ont la particularité d'imposer le transport des petites affaires personnelles d'un voyageur virtuel que l'on ne connaît généralement pas, sinon par une fiche technique, une photographie ou un vidéo… et encore. Néanmoins, l'enfant qui attend à l'autre bout du monde a besoin de vêtements pour voyager, ainsi que de nourriture et d'équipements de base que les parents doivent trimbaler avec eux.

Quels vêtements prévoir? Pensez en fonction de l'âge et de la saison. À Beijing, il fait froid l'hiver: il faut donc envisager des vêtements chauds. Visez une taille plus grande plutôt qu'une taille plus petite. Quelle sorte de lait pour bébé faut-il se procurer? Des préparations lactées pour nourrissons, tout simplement: contrairement à la croyance populaire, l'orphelin chinois est généralement nourri au lait de vache, pas au soja. Les préparations diététiques pour nourrissons, avec ou sans lactose, mais avec fer ajouté, sont donc parfaitement adaptées. Et quelle quantité? Peut-on trouver du lait pour bébé et des couches jetables une fois sur place? Dans la plupart des grandes villes d'Asie, vous trouverez ce qu'il faut pour bébé, du lait, des couches (hors de prix, mais jetables), des vêtements, des grandes marques, des petits pots de nourriture pour bébé, des poussettes (pas cher). Pensez-y, il y a des millions de personnes qui vivent à Beijing, eux aussi ont des bébés. Ils ont même un peu tendance à les gâter. Vous pouvez donc acheter la poussette-parapluie sur place et même la laisser au guide après votre départ (pour faciliter le circuit des prochains parents).

D'autres destinations obligent à s'équiper un peu plus. Un sac porte-bébé, acheté avant le départ, est néanmoins un incontournable : il faut le choisir avec beaucoup d'attention. Quelques compagnies aériennes commencent à exiger qu'on transporte les jeunes enfants dans des sièges d'auto accrédités pour le voyage aérien. De toute manière, les parents sont invités à partager ces questions avec d'autres parents, avec l'organisme d'adoption, avec les associations de parents adoptifs, ainsi qu'avec leur futur pédiatre ou médecin de famille.

En l'absence de services médicaux appropriés à l'étranger, les parents seront aussi appelés à agir comme premiers soignants s'il y a des infections respiratoires, digestives ou cutanées chez l'enfant qui sort tout juste de l'orphelinat. À cet effet, ils devraient se faire prescrire une trousse médicale adaptée aux besoins de l'adoption internationale, avec poire nasale en cas de rhume, lotion scabicide en cas de gale, et antibiotiques à large spectre en cas de fièvre inquiétante. On pourra même y prévoir des médicaments et des suppléments alimentaires, en fonction des problèmes de santé identifiés au dossier de préadoption. On évaluera de façon approximative le poids de l'enfant, selon son âge, de manière à ajuster les doses à prévoir.

TROUSSE D'ADOPTION INTERNATIONALE (liste non exhaustive)

- Préparation ou aliment lacté pour nourrissons, avec ou sans lactose (dans des sacs pré-remplis de mesures de lait)
- Eau et jus
- Biberons et porte-biberons

(…)

(suite)

- Tétines et suces (sucettes)
- Verre à bec
- Bouteilles thermos
- Nourriture : petits pots aux carottes, aux pommes ou aux coings, des bananes, de la viande, des céréales, des biscuits
- Ustensiles pour bébé/bols/savon à vaisselle
- Broyeur portatif
- Anneau de dentition
- Vêtements de saison
- Chapeau
- Couverture et piqué
- Sac pour vêtements souillés
- Couches lavables et jetables
- Sac à couches
- Lingettes
- Assainisseur à mains
- Eau de Javel 5 à 7% pour fabriquer une solution maison (15 ml d'eau de Javel/litre d'eau) pour désinfecter la surface des jouets ou la chambre à coucher
- Jouets
- Porte-bébé
- Poussette
- Siège de sécurité (auto/avion)
- Poire nasale
- Sérum physiologique
- Thermomètre et gelée de pétrole (vaseline)
- Acétaminophène ou paracétamol en gouttes, en liquide ou en suppositoire (en cas de fièvre ou de douleur)
- Lotion hydratante
- Éosine solution ou oxyde de zinc (en prévention de la dermatite de couche ou comme écran solaire chez les nourrissons)

- En cas de diarrhée :
  solution toute prête :
  Gastrolyte® ou Adiaril, ou Pédialyte®, ou GES 45®
  ou solution salée-sucrée :
  1 litre d'eau
  2 à 3 c. à soupe de sucre
  1/2 à 1 c. à thé (à café) de sel
  ou solution de jus et d'eau :
  2/3 d'eau
  1/3 de jus non sucré
  1 c. à thé (à café) de sel

- Antibioprophylaxie ou antibiothérapie adaptée, n'ayant pas à être réfrigérée : une suspension de trimetropin sulfaméthoxazole (T.M.S.) (conservée dans un contenant opaque, pour traiter la diarrhée du voyageur ou en prévention des infections d'oreille ou urinaires) ; une suspension de T.M.S., ou de clarithromycine, ou d'azithromycine ou d'amoxicilline acide clavulinique (en cas d'infection présumée de nature ORL, respiratoire ou généralisée) ; une suspension d'azithromycine ou de clarithromycine (pour traiter certaines diarrhées du voyageur)
- Lotion scabicide contre la gale : benzoate de benzyle ou perméthrine 5 %
- Seringue graduée (pour mesurer la médication)
- Supplément de fer
- Vitamines
- Eau et boissons désaltérantes (en raison du besoin hydrique accru)
- Sac à dos avec crayons, papiers, jeux, livres, jouets, cassettes, baladeur, toutous, jeux de patience sans piles, doudou
- Identification épinglée sur la blouse de l'enfant
- Fruits séchés

L'accompagnateur : le chaînon marquant

Certaines situations compliquent le voyage : les exigences du travail de l'un des deux parents, la préoccupation de ne pas « abandonner » les autres enfants de la famille, une maladie temporaire ou un handicap physique d'un des deux conjoints, un projet d'adoption par un parent célibataire. En pareil cas, un parent doit entreprendre seul le voyage à l'étranger. Ce parent peut alors être tenté de demander à un proche, à une grand-mère, au futur parrain ou à une très bonne amie de l'accompagner. Ce n'est pas l'idéal. Pourtant, être seul à l'autre bout du monde pour prendre soin d'un bébé, remplir les formulaires légaux et suivre les étapes administratives de l'adoption, c'est encore moins la joie. Pour éviter les conflits à l'étranger, le rôle de l'accompagnateur doit être clair, bien avant de partir. Secrètement, certains rêvent de voyager ou espèrent tant être aimés de cet enfant qu'ils ne veulent pas perdre une telle occasion.

Toutefois, malgré ses immenses bonheurs, un voyage d'adoption n'est ni une période de vacances ni une partie de plaisir. L'unique objectif de ce voyage doit être le bien-être de l'enfant. Un accompagnateur doit donc être en excellente santé et avoir une personnalité autonome pour ne pas devenir une préoccupation supplémentaire pour le parent adoptant. Cette personne doit aussi comprendre que son rôle en est un de soutien « logistique » : transporter les bagages, aller chercher de la nourriture et des médicaments, s'occuper des billets d'avion et des papiers à l'ambassade, et le reste. Le but, c'est que le parent devienne rapidement l'unique soignant aux yeux de l'enfant.

L'accompagnateur doit saisir les enjeux de l'attachement parent-enfant, respecter l'intimité nécessaire à ce lien et mettre de côté son désir, même s'il est légitime, de devenir un adulte significatif pour cet enfant. Il pourrait bien y avoir un ordre nécessaire dans le processus d'attachement : d'abord le ou les parents adoptants, ensuite les autres enfants de la famille, puis les membres de la famille élargie, incluant les amis intimes. Cet ordre est totalement inconnu pour l'enfant ayant vécu en orphelinat : pour lui, un soignant est un soignant, et ça s'arrête là.

Et si l'enfant s'attachait plus à l'ami ou à la grand-maman ? Il risquerait de subir un nouveau sentiment de rejet, une énième rupture affective lors du retour à la maison, au moment de faire

connaissance avec l'autre parent demeuré au pays. « Quoi ?
Encore quelqu'un ? » Le choix de l'accompagnateur doit donc
être pris très au sérieux.

La marmaille en voyage : l'âge de raison

Les futurs frères et sœurs du petit adopté ne sont pas de
« simples accompagnateurs ». Ils deviendront des acteurs intimes
pendant tout le reste de la vie de l'enfant. Est-il absolument
nécessaire qu'ils soient présents dès les premiers instants ? Il faut
se donner des objectifs précis et réalistes avant de prendre la
décision de se rendre avec eux à l'autre bout du monde.

Certains facteurs doivent influencer cette décision, à commencer par l'âge des enfants appelés à se rendre à l'étranger.
Le voyage d'adoption est un « accouchement symbolique »,
durant lequel les parents doivent être totalement disponibles
pour le nouvel enfant. Un minimum d'autonomie de la fratrie
voyageuse est donc plus que souhaitable. Si votre enfant est un
enfant « facile », vous pouvez tenter l'expérience. Mais certains
enfants « parfaits » peuvent néanmoins se transformer temporairement en « petits monstres » dès l'arrivée d'un rival dans la
famille. Vous sentez-vous capable de gérer une telle situation
dans la banlieue de Bogota ? Difficile de discipliner l'un
pendant qu'on adopte l'autre ! En fait, le ou les autres enfants
devraient avoir au moins six ou sept ans pour accompagner
un parent adoptant, afin d'être aptes à comprendre rationnelle-
ment les enjeux du voyage d'adoption.

Si vous avez décidé d'emmener votre enfant parce qu'il a un
caractère difficile, accaparant, exigeant, et que vous craignez ses
réactions parce que vous vous sentez coupable de votre absence,
vous avez fait un choix qui risque de faire plusieurs perdants.
Vous ne pourrez pas répondre à ses besoins habituels ni aux
risques inhérents au séjour à l'étranger : « Tu ne manges et tu ne
bois rien d'autre que ce que maman et papa t'offrent. Tu pour-
rais être malade si tu désobéis. » Vous ne pourrez pas offrir au
nouvel enfant tout le temps et toute l'attention qu'il faut pour
amortir le choc de son passage de la nourrice à vos bras. Enfin,
vous ne pourrez même pas répondre de façon minimale à vos
propres besoins de voyageur.

Vous devrez aussi faire face à la jalousie. Les enjeux symboliques et émotifs ne sont pas les mêmes si les enfants ont été

adoptés ou «fait maison». Un enfant biologique n'a normalement pas d'ancrage post-traumatique d'abandon. S'il est assez
grand et bien préparé, accompagner ses parents pour aller
chercher la petite sœur ou le petit frère ne suscite pas une peur
irrationnelle d'être abandonné de nouveau. Mais un enfant
adopté, même totalement adapté et attaché, est fragile quand
on le force à replonger dans ses souvenirs. Les odeurs typiques
de l'orphelinat, les sons d'une ville chaude, humide et bruyante
peuvent replonger un enfant, même adopté très jeune, dans
une série de «flash-back» émotifs très envahissants. Surtout si
l'enfant a moins de six ou sept ans. Il ne possède pas encore
les outils verbaux ni la pensée rationnelle qui lui permettraient
d'exprimer ce qu'il vit et de ne pas céder à la panique. Êtes-vous
disposés à «tester» cette théorie? Serez-vous capable de décoder
et de rassurer votre enfant s'il vit des choses difficiles tout en
soignant la gale du nouveau bébé?

L'enfant plus âgé, adopté depuis plusieurs années, pourrait
bien mieux profiter du voyage d'adoption. Aller chercher frérot
ou sœurette peut devenir une merveilleuse occasion de saisir ce
qui lui est arrivé à lui-même, et cela peut l'aider à passer du
fantasme à la réalité, et le valoriser dans son rôle d'aîné. On a
rapporté plusieurs histoires fort touchantes dans ce sens. Si vous
allez chercher un jeune bébé, la présence d'un autre enfant ne
fera aucune différence pour lui. Par contre, si l'enfant adopté a
plus de 15 ou 18 mois, la présence d'un autre enfant peut être
extrêmement facilitante. Voir ses nouveaux parents prendre soin
d'un autre enfant le rassurera instinctivement. Habitué d'être avec
des petits camarades d'orphelinat, il cherchera même souvent
à créer le premier contact physique ou émotif avec cet autre
enfant et ce, avant même de vous «gratifier» de son attention. Le
premier sourire, voire le premier repas sera pris en confiance s'il
est à proximité d'un autre «comme lui». Il est fascinant de voir
qu'au-delà de la langue ou des coutumes, deux enfants étrangers
peuvent jouer ensemble sans la moindre difficulté. L'enfant plus
vieux devient alors un formidable agent d'apprivoisement et de
normalisation pour le nouveau venu.

L'âge mis à part, les parents devront tenir compte de la durée
du séjour. Celle-ci est très variable d'un pays à l'autre: deux
semaines en Chine, plus d'un mois en Colombie. L'adoption
par l'entremise d'un organisme d'adoption ou d'une œuvre de

charité fait en sorte qu'une grande partie des formalités a souvent été réglée avant le départ et on connaît les délais habituels. Cependant, une adoption par contact privé peut impliquer des semaines, souvent des mois, avec parfois plus d'un aller retour. Toutes ces réalités influencent profondément la motivation à amener ou non les autres enfants.

L'escorte : bébé aller simple

La majorité des pays d'origine exigent des parents qu'ils se déplacent pour venir chercher leur enfant. Cependant, tous ne fonctionnent pas de cette façon. Certains pays comme la Corée, Taiwan et même Haïti permettent ou encouragent fortement les futurs parents à utiliser les services d'une escorte, c'est-à-dire à embaucher une personne qui accompagnera l'enfant dans son voyage.

Du point de vue de l'enfant, une escorte n'est pas souhaitable, à moins bien sûr que l'escorte soit la soignante, la nourrice, la mère d'accueil ou un bénévole de l'agence, bref une personne que l'enfant connaît bien. Effectivement, pour l'enfant, il n'est nullement souhaitable de passer 24, 48 ou 72 heures avec une nouvelle personne qui s'apprête à rompre encore une fois ce pont nouvellement dressé. Du point de vue du parent, il n'est guère plus agréable d'assister à la réception de l'enfant à l'aéroport, et à sa livraison (osons-nous dire) pour rendre compte de l'ordinaire de la situation. Car derrière les ballons, la musique, les cris de joie et les déclics d'appareils-photo, tous et chacun vous épient, consciemment ou non. Comme réagissez-vous ? Comment vous regarde l'enfant ? Le bonheur serait-il au rendez-vous ? Voilà des questions triviales et des observations qui sont tout sauf profondes et qui n'ont aucune importance dans le lien intime qui s'apprête à se créer entre vous et l'enfant.

Pendant le séjour

Chronique d'une naissance annoncée...

Vous êtes invités à limiter vos activités au maximum pendant les 48 heures qui suivent votre arrivée. Toute une journée pour vous rendre au Vietnam, autant pour Madagascar ! Il faut vous reposer du voyage, humidifier vos yeux et vos narines, tenir compte du décalage horaire. Il faut vous acclimater à la nouvelle pression barométrique, à la chaleur, à la lourdeur de l'air, enfin au bruit harassant des klaxons et des mobylettes, des chiens et des poules. Il faut vous faire à ce nouveau venti-lateur, à ce nouveau matelas et à ce groupe de parents venus, tout comme vous, chercher un enfant. L'acclimatation du parent adoptant, c'est en quelque sorte l'antichambre de la rencontre annoncée.

La grande rencontre : qui êtes-vous ?

Ce moment-là, les parents l'ont rêvé et vu des centaines, voire des milliers de fois au ralenti. Mais voilà, la réalité n'a rien à voir avec l'image cinématographique qu'ils ont projetée dans leur tête. Pour de nombreux parents, la rencontre n'a pas lieu au moment où ils l'auraient souhaité, ni à l'endroit où ils l'auraient souhaité : dans l'autobus, dans le hall de l'hôtel, au restaurant, dans le bureau du notaire, dans l'ascenseur ou encore à l'orphe-linat. Le bébé hurle, la maman pleure et papa est aux prises avec la caméra-vidéo qui n'arrive plus à démarrer.

C'est un choc, tant pour le parent que pour l'enfant. Personne ne lui a parlé de vous, personne ne lui a offert une proposition d'adoption de parents occidentaux, personne ne lui a offert une photo de votre tête et personne ne lui a expliqué la fonction d'une maman et d'un papa dans la vie.

« Qui êtes-vous ? Que me voulez-vous ? »

On s'analyse, on s'étudie. Il faut du temps. L'enfant ne vous connaît pas encore, mais la transition de l'orphelinat à une famille aimante est pour lui un passage soulageant. Hier, le décubitus dorsal, les contraintes physiques, la faim, la pauvreté des contacts humains, aujourd'hui, les petits oignons ! Ses expériences, bonnes ou mauvaises, ainsi que son tempérament influenceront positivement ou négativement son autonomie ou la persistance de certains de ces écarts comportementaux. Les nouveaux parents devront s'ajuster aux troubles de l'ali-mentation et de sommeil ainsi qu'aux colères, et contenir leur inquiétude au sein des murs de leur chambre d'hôtel. Ou encore, au besoin, la partager avec d'autres parents, en faisant la navette d'une chambre à l'autre. Apportez un beau pyjama : vous risquez d'être vus dans cette tenue !

Si l'enfant sort des bras d'une nourrice et a pris l'habitude de dormir avec elle, il risque de pleurer aussitôt qu'on le pose par terre, ce qui n'est guère attendu ou réconfortant pour le nouveau parent inexpérimenté. La confiance en soi est d'autant plus ébranlée que l'enfant commence parfois à se familiariser avec un seul des parents. L'autre ne devrait pourtant pas en prendre ombrage : il ne s'agit que de familiarisation, d'une toute première étape qui n'annonce en rien la suite. L'émotion est bien réelle, et les deux parents sont vraiment contents d'en être enfin arrivés là, mais c'est un mythe de penser qu'un enfant s'attache instantanément à un parent ou un parent à un enfant. L'enfant met des jours voire des mois et des années à approfondir le lien qui l'unit à ses parents adoptifs.

Certains parents découvrent que l'enfant qu'on aura prévu pour eux est trisomique, hydrocéphale ou atteint d'une méningite aiguë. Dans leur chambre d'hôtel au bout du monde, ils ressentent alors une solitude sans bornes. Ils risquent de revenir au pays sans enfant ou avec un enfant aux besoins particuliers et dont l'évolution à long terme est impossible à prévoir. Une fois passées les premières inquiétudes relatives à l'état de carence extrême dans lequel ils rencontrent l'enfant, la plupart des parents ont néanmoins l'occasion de retrouver leurs esprits, à mesure que l'enfant progresse sur le plan moteur, dans son éveil et ses comportements. Mais leur solitude et leur anxiété sont parfois bien réelles. En situation d'urgence, on consultera, selon les pays et les régions, un médecin recommandé par l'ambassade, par les coopérants ou encore par l'*International Association for Medical Assistance to Travellers* (IAMAT). Les parents adoptants sont actuellement défavorisés par rapport à d'autres voyageurs en ce qui concerne les entreprises d'assistance-voyage qui sont généralement prêtes à s'intéresser à eux, mais qui ont parfois du mal à emboîter le pas pour offrir une couverture appropriée à l'enfant nouvellement adopté. Seules certaines mutuelles sont assez progressistes pour s'aventurer dans l'adoption internationale.

Le choc culturel : dans le décor

Tous les voyageurs, expérimentés ou non, vivent un choc culturel. En fonction de leur personnalité et de leurs expériences antérieures, certains le vivent plus intensément que d'autres. Le choc culturel, c'est cette angoisse de ne plus se retrouver dans un cadre de référence connu, c'est cette sensation de ne pas pouvoir se fondre dans le décor où l'on vient d'être peint. La différence culturelle est souvent excitante, amusante, mais déstabilisante aussi quelquefois. Les connaissances générales, les bonnes habitudes de santé, l'ouverture sur la culture du pays d'adoption sont autant d'éléments qui facilitent la perméabilité du parent au nouveau monde auquel il s'initie. Par ailleurs, certains parents ressentent un choc dévastateur. Pour mieux vivre cet instant difficile, il faut faire preuve de relativisme culturel, comme disait un vieux coopérant, mettre en perspective et contextualiser les petits et les grands événements du voyage.

Il y a le choc indicible de voir la nourrice qui ne veut pas se séparer de l'enfant… de votre enfant. Elle est là, en chair et en os, devant vous, et elle pleure. Vous avez l'impression de lui arracher l'enfant. En fait, c'est exactement ça, vous lui arrachez, il n'y a pas d'autres mots. Certaines nourrices se montrent compréhensives, ouvertes et chaleureuses. Malgré leur chagrin, elles savent être présentes. À défaut de parler votre langue, elles vous sourient. Pour d'autres nourrices, le chagrin est trop grand. Elles peuvent même paraître fermes, autoritaires et dures envers vous. N'oubliez pas que dans plusieurs sociétés, il est interdit de montrer ses émotions. Pour avoir travaillé avec les nourrices, pour avoir enseigné à plusieurs d'entre elles les soins de base à donner à l'enfant, nous savons à quel point elles aiment votre enfant et le soignent du mieux qu'elles le peuvent. Toujours, elles auront une pensée pour votre famille. La plupart d'entre elles aimeraient sincèrement communiquer avec vous. Si vous bénéficiez des services d'un interprète, prenez le temps de lui poser des questions sur l'enfant, sur sa routine, sur ce qu'il aime, sur ses talents… et surtout prenez le temps de la remercier pour son drôle de métier.

Certains parents ont la chance de visiter l'orphelinat, d'autres non. Les orphelins qui s'accrochent à vous risquent de vous perturber longtemps. Ils ne demandent pas le Pérou: «Pourquoi pas moi? Je sais marcher et courir et je peux même laver la vaisselle!» L'expérience humanitaire de terrain s'accommode mal de la démarche individuelle de parentalité. Vous pourrez vous impliquer éventuellement dans des projets humanitaires, c'est même souhaitable, par exemple dans des projets qui toucheront directement l'orphelinat. Mais veillez à distinguer l'humanitaire et l'adoption.

Enfin, le choc peut aussi être causé par la présence de vos compatriotes. Souvent plusieurs adoptions se concrétisent en même temps. Ainsi, les organismes d'adoption organisent souvent un voyage de groupe. La dynamique du groupe n'est pas toujours facile à tolérer. Les parents sont fatigués et des conflits surviennent parfois. Les plus rationnels intériorisent tout à outrance. Les plus impulsifs ne se contentent pas toujours de claquer une porte. Certains choisissent de rester à l'écart du groupe, d'autres se comportent comme une minorité visible et vivent comme une tribu, sans se lâcher. Nous avons connu des parents adoptants qui vivaient, mangeaient, buvaient, signaient des papiers et changeaient des couches pendant des semaines sans sortir de leur chambre à coucher, ou si peu. Nous en avons même surpris quelques-uns, à une rencontre de préadoption organisée par une agence d'adoption, qui s'échangeaient des adresses de resto de poulet livré à domicile à Ho Chi Minh Ville. Qu'est-ce qu'on n'inventerait pas pour ne pas sortir!

La prévention en voyage: hygiène de l'adoptant

S'il veut prévenir la maladie en voyage, le nomade novice doit respecter quelques «pensez-y bien» dans des centaines de petites attitudes; mais quand le parent a l'habitude du voyage, tout cela devient une manière courante de se comporter à l'étranger ou en zone tropicale. Certains conseils de séjour que nous vous rappelons ici concernent tout particulièrement le voyage d'adoption où vous devrez faire bon usage de tout ce que vous avez transporté dans vos bagages.

N'y allez pas avec le dos de la cuillère avec l'assainisseur à mains: on reconnaît de plus en plus ses vertus dans les publications médicales! Comme le meilleur moyen de prévenir les infections demeure le lavage des mains, et que l'eau et le savon ne sont pas toujours disponibles en voyage, l'assainisseur à mains peut donc vous sauver bien des petits ennuis. L'alcool à mains a fait son apparition sur le marché nord-américain et européen depuis relativement peu de temps. Si son utilisation au cours des activités quotidiennes tarde encore à être popularisée, son usage à des fins préventives est de mieux en mieux reconnu pour prévenir les infections dans les milieux hospitaliers. Comme le savon ou les produits désinfectants, l'alcool agit contre les bactéries – streptocoques, staphylocoques, salmonellas, shigellas, etc. Mais plus encore que ces produits, l'alcool à 60 %, et même à plus de 70 %, s'avère un excellent agent virucide, un tueur de virus si vous préférez. L'alcool à bonne concentration est meilleur que le savon traditionnel pour prévenir les diarrhées et plusieurs infections respiratoires virales, pas toutes car cela n'empêche pas la transmission par voie aérienne, goutellettes et éternuements. Dans la vie de tous les jours, ces solutions alcoolisées ont l'avantage de pouvoir être utilisées autant de fois qu'on le désire. Non seulement ces produits encouragent et multiplient les occasions de se laver les mains, mais ils permettent de le faire sans serviette, sans papier et même sans eau, ce qui en fait un outil essentiel pour les parents adoptants et pour les enfants adoptés quand vient l'heure de changer de couche et de débarbouiller ici et là.

Pour l'hygiène et les soins de bébé, utilisez un savon et un shampooing doux et non parfumé que vous aurez glissé dans vos trousses adaptées. Les vêtements de bébé doivent être lavés avec un savon à linge pour vêtements délicats. Les produits commerciaux ordinaires risquent de laisser des résidus sur les vêtements et de causer ainsi des démangeaisons à un enfant à la peau déjà abîmée. Certains parents nettoient les surfaces de la chambre d'hôtel avec une solution d'eau javellisée : c'est une question de circonstance et de tolérance aux microbes.

Pour ce qui est de l'eau bouillie, une minute suffit. Par conséquent, on peut consommer sans problème du thé, du café, de l'eau embouteillée, des boissons gazeuses et de la bière. Quatre gouttes d'une solution iodée à 5 % dans un litre d'eau de carafe viendront aussi à bout de la majorité des parasites, des bactéries et des virus qui vivent dans les robinets du monde en développement. Cependant, il ne faut pas abuser de cette eau iodée avec le jeune adopté. On lui préférera l'eau en bouteille, sinon un filtre contre les parasites et parfois contre les bactéries ; grâce à une membrane iodée, on purifiera l'eau contaminée par les virus. Si vous avez un biberon à faire et que vous n'avez aucune possibilité d'avoir de l'eau purifiée (situation exceptionnelle, on s'entend), vous pouvez toujours utiliser l'eau du pays : l'enfant en a déjà ingurgité.

En présence de fièvre prolongée ou devant un mauvais état général de l'enfant, une grosse toux ou une gastro-entérite persistante, et en l'absence de ressources médicales compétentes ou de confiance, le parent ne doit pas hésiter à utiliser un antibiotique qu'il a transporté avec lui.

Les mesures de protection contre les insectes ne doivent pas être prises à la légère. Des millions de décès dans le monde sont reliés aux piqûres d'arthropodes. En France, le paludisme atteignait en 1999 près de 7 000 voyageurs de retour d'une destination intertropicale. Partout en Asie de l'Est et en Amérique du Sud, la fièvre dengue est en train d'étendre son territoire, transmise par un moustique Aedes, qui est différent de l'anophèle véhiculant la malaria. D'une part il faudra être fidèle au médicament antipaludique que vous vous serez fait prescrire au besoin, pour l'Afrique par exemple, et d'autre part il faudra user des mesures de protection contre les piqûres de moustique. Un répulsif cutané à base de DEET à 24 % (plus ou moins) est absolument recommandé pour certaines destinations. Il faut l'utiliser de deux à trois fois par jour au besoin, étant donné qu'à cette concentration la durée de cette protection est d'environ six heures. Si les antipaludéens ne sont pas à recommander chez l'enfant tout nouvellement adopté, les répulsifs pour le tourisme en famille dans le pays d'origine sont tout à fait recommandables. Pour les enfants, on utilise simplement une plus faible concentration de DEET et on en applique plus souvent sans crainte d'absorption excessive.

Les études ont démontré l'importance d'appliquer de la crème solaire avant l'âge de 18 ans où 80 % du capital-soleil est déjà réalisé. Avec un chapeau, une casquette et, au besoin (par exemple, c'est inutile à Moscou l'hiver), un peu de lotion solaire avec protection UVA – avec du Mexoryl® ou du Parsol® – et UVB avec un facteur de protection de 30, l'enfant de plus de six mois fera ses premières expériences occidentales.

En l'absence d'un berceau convenable, il est plus sûr de faire dormir les enfants de moins d'un an par terre, dans une petite piscine gonflable ou même dans un tiroir de commode réaménagé pour la circonstance. Dormir avec eux dans le lit de la chambre d'hôtel ou sur un divan moelleux risque de les asphyxier, surtout quand ils ont moins de six mois. Le partage du lit avec un adulte extrêmement fatigué, comme l'est souvent le parent adoptant, doit être évité, d'autant plus quand les réactions d'éveil de l'adulte sont déjà perturbées par ses nouvelles fonctions parentales.

Les chambres d'hôtel ne sont pas conçues pour les enfants. On y trouve des balcons invitant à la défenestration. Au Vietnam, des thermos d'eau bouillante destinés à faire du thé ont causé des brûlures chez des enfants qui allaient ensuite devenir nos patients.

Au retour

Vous vous inquiétez déjà du décalage horaire, mais c'est à tort, si vous nous le permettez. Il va falloir passer par là, d'autant plus qu'ici la science ne vous sera pas d'un grand secours. Le décalage horaire se traduit par des troubles de sommeil et une baisse générale de l'énergie ; pas l'idéal donc avec un nouveau bébé dans les bras qui, sans connaître un iota aux fuseaux horaire, est déjà lui aussi en train de les expérimenter. Pour se remettre du décalage horaire, il faut compter environ une heure par jour de fuseaux traversés, pour vous comme pour le bébé. Les enfants récupèrent habituellement plus rapidement que les adultes, mais d'autres raisons de s'éveiller ou de s'endormir caractérisent l'enfant adopté. Nous les aborderons au chapitre des sommeils difficiles. Les somnifères pour les adultes, les régimes mathématiques d'ombre et de lumière normalement conseillés aux voyageurs qui veulent éviter la fatigue due au décalage horaire, rien de cela n'est envisageable si l'enfant crie, s'agite ou déborde de vitalité.

Aux effets du décalage horaire s'associent également les effets du décalage environnemental. Ne cherchez pas cette notion ailleurs, vous ne la trouverez pas, nous venons de l'inventer pour illustrer un problème essentiel à souligner. Au retour, les amis, la famille, du monde, beaucoup de monde se sentiront appelés ou interpellés par votre nouvelle cellule familiale. Croyez-nous : vous aurez tôt fait de regretter la chambre exiguë où vous viviez en couple votre vie isolée du monde avec le seul « objet » de votre amour que vous aviez décidé de transporter sur votre île : l'enfant adopté.

Le vol d'avion : retour vers le futur

Ce sera la croix et la bannière pour trouver dans l'avion la place qui vous revient. Nous disons bien « qui vous revient ». Pour toutes sortes de raisons, allant de la politique de prix aux réservations de prestige, la place, la meilleure place, avec de l'espace devant, n'est pas toujours disponible pour les familles et leurs enfants. Elle est généralement cédée à un voyageur d'affaires bien lové dans son oreiller gonflable, bandeau sur les yeux, pantoufles au pied. Durant le voyage, l'enfant de moins de deux ans est habituellement assis sur ses parents.

Apportez avec vous de l'eau, des couches, de la nourriture pour bébé ou de quoi divertir l'enfant plus grand. La plupart des avions peuvent facilement chauffer les biberons dans un adaptateur prévu à cet effet. Les mesures de poudre de préparation lactée pour nourrissons, dans des sacs-biberons individuels, paraissent commodes et à privilégier. Aussitôt que l'enfant a soif, il ne reste qu'à verser la quantité d'eau requise.

LES FESSES À L'AIR

« Après un Phomn Penh-Singapour et un Singapour-Tokyo, nous étions depuis dix heures dans le vol Tokyo-Chicago. Notre petit Jérôme, 18 mois, n'avait pas dormi, il n'arrêtait pas de bouger et, surtout (oh ! offense suprême pour les trop gentilles agentes de bord de Japan Air Lines), il refusait catégoriquement de mettre une couche ! Il fallait me voir, épuisée et hystérique, courir et crier après lui dans les allées avec ma *Pampers* dans les mains, sous le regard horrifié des passagers nippons. Je te jure, s'il y avait eu un téléphone direct pour la Direction de la protection de la jeunesse dans l'avion, ils faisaient tous un signalement à mon sujet ! Et en japonais à part cela. »

Lyse, maman québécoise
d'un petit khmer aux si jolies fesses !

Nous ne sommes pas de l'école qui planifie systématiquement de droguer le bébé pour adoucir son voyage et les oreilles des autres passagers. Si l'enfant est extrêmement agité, s'il a besoin d'un peu d'aide technologique pour enfin s'assoupir, il n'y a par ailleurs pas de mal à utiliser de une à trois doses de certains sirops antihistaminiques à base de diphenhydramine (Benadryl®) selon la durée du parcours.

Le décollage et surtout l'atterrissage font mal aux oreilles des bébés. Les grands transporteurs sont pressurisés, mais il existe tout de même un petit jeu de pression entre la haute altitude et le sol. Il y a une différence de pression entre la cabine et le niveau de la mer, la pression dans la cabine équivalant à celle qui existe à environ 2 500 m d'altitude. Cette différence de pression, vous l'harmonisez comme adulte en avalant ou « en envoyant de l'air dans vos oreilles », comme on dit, ce qu'est incapable de faire le jeune enfant. Laissez-le pleurer, cela lui permet d'équilibrer un peu son mal. Vous pouvez aussi lui offrir un biberon, mais sans le forcer à boire.

L'arrivée à l'aéroport : la civilisation

L'arrivée à l'aéroport peut faire vivre beaucoup d'insécurité à l'enfant. La famille et les amis sont tous là en grand nombre, quand ce ne sont pas les médias appelés pour transmettre la bonne nouvelle de la journée. Pour les parents adoptants, la famille élargie et les amis intimes sont à la fois une grande source de soutien et une grande source de stress. Une grossesse adoptive n'offre pas les repères attendus, ce qui rend les membres de la famille souvent mal à l'aise et maladroits. Pour éviter leurs débordements, légitimes mais inutiles, gardez l'enfant dans vos bras et demandez à la famille de ne pas le prendre. Il faut tenir compte des besoins de l'enfant. Il y a une hiérarchie à respecter dans l'attachement. On imagine d'ici la tête frustrée de la mamma italienne en attente d'un petit-fils russe ! Difficile donc de dire aux grands-parents d'être euphoriques, mais de ne pas enlacer bébé. Fatigué ou pas fatigué, il est de votre responsabilité de protéger cet enfant, LE VÔTRE, et de faire en sorte qu'il se sente en sécurité. Si la tâche est trop difficile, vous pourrez toujours dire que vous avez lu un excellent livre sur l'adoption dans lequel il est suggéré d'être « un peu sauvage » au retour.

VOUS ÊTES ADOPTÉ EN TANZANIE

Votre nom est Julie ou Simon, et vous avez 14 mois. La Direction de la protection de la jeunesse du Québec vous a déclaré adoptable, car votre mère n'a pas les capacités nécessaires pour assurer votre sécurité et votre développement. Les travailleurs sociaux vous cherchent une famille adoptive québécoise depuis six mois, mais sans succès. Une famille tanzanienne accepte de vous adopter, car ils ont toujours rêvé d'avoir un enfant blanc : ils sont si mignons !

Vous prenez l'avion avec une escorte et arrivez très fatigué, 20 heures plus tard, à l'aéroport de Dar Es-Salam, pour y découvrir enfin votre nouvelle famille. Deux dames en robe longue de couleur mauve s'approchent avec un homme en robe longue de couleur orange. Ils ont la peau très très noire et les dents très très blanches. Et ils n'ont pas de cheveux ! Ils ont de grands bijoux autour du cou et dans leurs longues oreilles. Avec eux, il y a quatre enfants avec la peau aussi noire et les dents aussi blanches... Que pensez-vous d'eux ?

L'escorte qui parle français doit repartir par le même avion et vous laisse là. Quelles sont vos émotions ? À l'aéroport, une foule bruyante composée de toute la tribu massaï chante, danse et fait de la musique pour vous accueillir. Êtes-vous touché et heureux ? Plusieurs personnes que vous ne connaissez pas, des enfants, des personnes âgées, des adultes, viennent près de vous, vous touchent, vous parlent. Comment vous sentez-vous ? Quelles sont les réactions de votre corps ? Avez-vous envie de rire ? De pleurer ? De vous laisser faire ? De vous sauver ? De dormir ? De vomir ? Les nouvelles mamans et le nouveau papa vous parlent en massaï. Comment savez-vous s'ils sont gentils ou non ? Comment comprenez-vous ce qu'ils veulent que vous fassiez ? Le soir même, ils vous servent un plat typique : l'engurma, une bouillie composée de haricots avec une tasse de sang de vache bien chaud. Quelle est votre réaction ? (…)

(suite)

La première nuit, on vous fait dormir dans leur maison, nommée « enyang », sur un tapis à même le sol. Il y a des bruits inconnus qui viennent de la savane, il fait très chaud et très noir. Comment dormez-vous ? Le lendemain matin, une de vos nouvelles mamans jette votre T-shirt et vos pantalons. Elle vous habille avec une robe massaï nommée « rubeka », vous rase les cheveux et vous met un joli bijou de tête, comme vos frères et sœurs. Êtes-vous reconnaissant et vous trouvez-vous beau ?

Quelques jours plus tard, une personne parlant français vous demande si vous êtes enfin heureux d'avoir une nouvelle famille : que lui répondez-vous ?

Lectures suggérées

CAUMES, E. *La santé des voyageurs*. Paris : Flammarion, 2001. 182 p.

CHICOINE, J.F., P. GERMAIN. « Adoption internationale : le voyage qui dure la vie ». *Réservation santé*, 2001, 5 (4) ; 2 p.

CHAPITRE 6

LE BILAN DE SANTÉ
À L'ARRIVÉE

▼

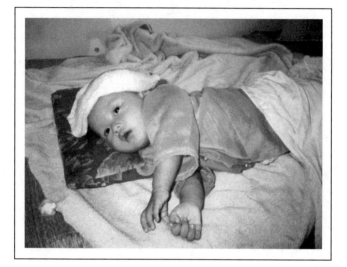

Palu à Hanoi
Vietnam, 1997

Les parents adoptants consultent maintenant de plus en plus. Une étude américaine datant des années 90 rapporte qu'après leur arrivée au pays, un peu moins de 50% des enfants adoptés étaient conduits auprès d'un médecin pour un bilan de santé d'arrivée. Ce n'était pas beaucoup et c'était trop espérer des effets salvateurs de l'amour sur l'adaptation et le devenir de l'enfant nouvellement arrivé. Il faut bien le dire: beaucoup d'enfants adoptés débarquent dans leur pays d'accueil malades, mal nourris ou avec un certain de retard dans leurs acquisitions. Plusieurs chercheurs ont déjà démontré que l'examen clinique permet de diagnostiquer un trouble médical non suspecté chez 29% à 63% des enfants adoptés et qu'un dépistage sanguin hématologique, sérologique et biochimique pourrait être utile dans environ 80% des cas. Alors, pourquoi se priver d'un bilan de santé et même d'un bilan extensif si cela s'impose? Pourquoi priver l'enfant de cette consultation médicale? Le parent adoptant ne doit pas craindre de découvrir le pire: le meilleur est à venir.

On devrait faire passer un examen de santé à l'enfant adopté dans les deux semaines suivant son arrivée. Cette première évaluation en terre d'accueil permet de soulager les quelques inquiétudes des parents adoptants ou, au contraire, de mettre en relief des diagnostics passés sous silence. Cet examen permet en l'occurrence d'établir des bases objectives qui permettront de suivre ensuite les progrès de l'enfant.

Il est essentiel que les deux parents se présentent à la visite. Le papa, la maman et le médecin doivent être sur la même longueur d'ondes. D'une visite à l'autre, l'infirmière et le médecin sont à même de constater le bonheur ou les difficultés familiales, la prise de poids et de taille, la bonne croissance du périmètre crânien, ainsi que la progression des acquisitions motrices et intellectuelles de l'enfant. Il suffit parfois de deux mois d'amour, de stimulation et de nourriture pour qu'apparaissent des progrès fulgurants qui dissipent les pires inquiétudes. À l'opposé, une deuxième et une troisième visite confirment parfois un problème permanent, ce qui nécessite une investigation plus complexe et un redoublement d'attention dans la prise en charge.

Recherche d'antécédents

> *Tout individu est le produit de ses caractéristiques biologiques et des caractéristiques de son milieu de vie.*
>
> Michel Duyme

L'abandon d'un enfant a son contexte, sa réalité, ses effets et ses conséquences, qui influencent directement son avenir, ainsi que le travail de l'équipe soignante appelée à le prendre en charge. Un enfant qui a connu la guerre en Bosnie ou qui a vu mourir ses parents sous la machette de l'ennemi au Rwanda n'exige pas les mêmes soins que la petite Chinoise qui a connu les murs de l'orphelinat ou la petite *restavek* d'Haïti forgée aux tâches domestiques. L'histoire sociale de l'enfant, ses épisodes de maladie, bref tous les éléments de sa courte existence en sa terre d'origine aideront l'équipe à dépister, à prévenir et à traiter d'éventuels problèmes de santé.

La qualité des informations transmises par le pays d'origine aux adoptants est extrêmement variable ; d'une incroyable pauvreté en Géorgie ou en Ukraine par exemple, elle s'avère extrêmement riche, fiable et professionnelle dans les dossiers coréens. Les parents peuvent aussi obtenir de précieuses informations auprès de la nourrice qui s'est occupée de l'enfant. Celle-ci garde souvent secrètement des photos, des poèmes en rapport avec l'évolution du petit et connaît parfaitement sa routine de soins. Souvent gênée et craintive d'offenser les nouveaux parents, elle n'ose pas donner ces informations qu'à tort elle croit futiles. Le fait de demander gentiment et respectueusement à la nourrice ce qu'elle connaît du bébé s'avère non seulement utile pour le petit, mais aussi très valorisant et gratifiant pour cette nourrice. De plus, celle-ci est souvent en possession du carnet de vaccination ou de santé de l'enfant. Elle pourrait avoir le souhait de le garder en souvenir.

Les antécédents de la famille biologique, tout comme les antécédents personnels de l'enfant, sont habituellement colligés dans le dossier médical de l'orphelinat, parfois même, par exemple en cas de données pertinentes sur la tuberculose dans le dossier des autorités d'immigration. Pour mieux préparer leurs questions concernant l'impact éventuel de son passé sur la santé de l'enfant, les parents peuvent eux-mêmes regrouper ou faire traduire les points essentiels des documents à explorer lors du questionnaire médical. Les renseignements obtenus dans les orphelinats chinois laissent plusieurs cases vides, alors que celles des dossiers indiens ou coréens dépassent largement les lignes.

QUELQUES INFORMATIONS PRÉCIEUSES

Naissance de l'enfant

1. Durée de la grossesse : _____

2. Prématurité : ❏ oui   ❏ non

3. Type d'accouchement : ❏ vaginal   ❏ césarienne

4. Complications lors de l'accouchement : _____

   _____

5. Poids à la naissance : _____ g

   Si < 2 500 g : petit poids de naissance

   Si < 1 500 g : très petit poids de naissance

6. Apgar à la naissance : _____

Données sur la mère biologique

1. Âge de la mère : _____

2. Problèmes de santé physique : _____

3. Problèmes de santé mentale : _____

4. Consommation d'alcool durant la grossesse : _____
   Quantité approximative : _____

5. Consommation de drogues durant la grossesse : ____
   Substances et quantité : _____

                                                    (...)

(suite)

6. Usage de tabac durant la grossesse : _____
   Quantité approximative : _____

7. Maternités antérieures :
   nombre de grossesses : _____
   nombre d'avortements : _____
   nombre d'enfants nés à terme : _____
   où sont les autres enfants ? _____

8. Raisons probables d'abandon : _____

9. Données sur le père biologique : _____

Contexte de vie de l'enfant

1. Âge à l'abandon : _____

2. Âge à l'arrivée à l'orphelinat : _____

3. Orphelinat ou foyer d'accueil : _____

4. Nombre de milieux de vie différents : _____

5. Ratio nourrice/bébé : _____

6. Nombre de nourrices qui se sont occupées de bébé :
   _____

7. Anecdotes particulières : _____
   (exemple : l'enfant semblait avoir un surnom, toutes
   les nourrices semblaient le connaître, etc.)

Histoire sociale de l'enfant

Selon les dossiers : _____

Selon le directeur de l'orphelinat : _____

Selon la nourrice : _____

Santé de l'enfant _____

L'enfant a-t-il été malade ? _____

L'enfant a-t-il reçu des médicaments à l'orphelinat ? ____

L'enfant a-t-il été hospitalisé ? _____

Pendant combien de jours ? _____

L'enfant a-t-il reçu des médicaments à l'hôpital ? _____

Vaccinations reçues : _____

Carnet de santé : _____

Examen médical à l'étranger

Dépistage : hépatite B, hépatite C, VIH, syphilis, radiographie pulmonaire, etc.: _____

Poids, taille, périmètre crânien : _____

Maladies ou handicaps : _____

Voyage d'adoption : _____

Durée du voyage : _____

Date de rencontre avec l'enfant : _____

En cas d'absence de voyage, qui a escorté l'enfant ? _____

_____

Afin de mieux connaître la famille de l'enfant, l'infirmière de la consultation multidisciplinaire spécialisée en adoption internationale établit un génogramme, en quelque sorte un arbre généalogique de la famille d'accueil, pour connaître la place de l'enfant et savoir ainsi qui vit avec lui. Par exemple, Juliette, adoptée de Colombie, est la deuxième enfant adoptée de la famille et elle vit avec ses parents, sa grande sœur de cinq ans et sa grand-mère. L'infirmière peut ainsi évaluer les besoins d'enseignement quant aux soins de base de la famille et s'assurer des soins appropriés en cas de problème. Ainsi, si Juliette s'avérait porteuse chronique d'hépatite B, il faudrait aussi vacciner la grand-mère. Cet arbre généalogique constitue un aperçu initial des nouveaux antécédents sociaux de l'enfant adopté.

Histoire et examen

Chaque enfant est différent,
chaque parent est différent,
chaque maladie ou problème de comportement
est quelque peu différent des autres.

Dr. Benjamin Spock

La consultation s'amorce généralement par des questions ouvertes allant de votre résistance au décalage horaire jusqu'à vos principales préoccupations face à la santé de l'enfant. C'est l'occasion idéale de vous défaire de vos principales inquiétudes, dont le médecin devra tenir compte avec une attention particulière. Des exemples : l'enfant regarde toujours vers la droite, il a fait de la fièvre toute la nuit, il ne bouge pas son bras gauche, il se frappe la tête sur le plancher en réaction à la moindre frustration, il se gave de lait jusqu'à en vomir.

L'interrogatoire devient ensuite plus précis. Le médecin explore systématiquement les symptômes susceptibles de le mettre sur la piste d'un problème quelconque ou, au contraire, de le rassurer sur les capacités de l'enfant à se développer et à s'adapter. Est-ce qu'il mange bien ? A-t-il fait de la diarrhée ? Reste-t-il assis sans aide ? Est-ce qu'il réagit de façon disproportionnée à des événements banals, par des pleurs ou des colères ? Se referme-t-il totalement sur lui-même quand il a peur ou qu'il est triste ?

Le médecin observe l'état général de l'enfant, son éveil, son état de nutrition. Inutile de souligner ici les mesures primordiales de la taille et du poids, qui guideront l'examinateur dans l'appréciation de l'état nutritionnel ainsi que de la carence affective, dans la recherche d'une éventuelle falsification sur son âge. L'examen de l'enfant est ensuite réalisé en fonction des priorités identifiées à l'interrogatoire et selon une séquence propre à l'exercice de la pédiatrie. Si l'enfant est calme, on en profite pour ausculter son cœur, puis ses poumons. L'auscultation pulmonaire est d'autant plus importante qu'une majorité de nouveaux arrivants se présentent avec des rhumes, de la toux, des bronchites. On procède ensuite à l'examen de l'abdomen pour rechercher une masse et pour vérifier la grosseur du foie et de la rate. Parfois, chez les ex-orphelins, la rate a temporairement augmenté de volume, en partie à cause du nombre d'infections qu'ils ont eues.

La suite de l'examen se déroule habituellement de la tête aux pieds. L'air de rien, le médecin ne se contente pas ici de palper, de toucher et d'introduire un spéculum ici ou un abaisse-langue là ; il observe également l'enfant, sa manière de pleurer et de se consoler. Pour tout dire, il vous observe aussi, vous et votre manière d'aller au-devant de l'enfant, de le tenir.

Outre la mesure du périmètre crânien, le médecin vérifie sur la tête du bébé les sutures crâniennes et les fontanelles. Chez l'enfant adopté, cette étape de l'examen prend une importance particulière. Souvent, en raison de la malnutrition, la tête n'a pas la grosseur attendue. Sa forme est également influencée par sa position dans le lit de l'orphelinat.

Le médecin examine ensuite les paupières et les yeux. Heureusement, il détecte rarement des problèmes à la cornée ou des cataractes, ces opacités du cristallin qui accompagnent plusieurs maladies congénitales. Plus souvent, il est à même de diagnostiquer du strabisme, une déviation oculaire passée jusqu'alors inaperçue ou encore tout juste mentionnée entre deux lignes dans le dossier médical du pays d'origine. Le médecin explore ensuite les oreilles, le nez, la bouche, et même le fond de la gorge. Il s'intéresse à la mobilité du cou, cherchant un torticolis congénital qui aurait été négligé. Il porte attention aux dimensions de la thyroïde et à celles des ganglions de cette région.

Partout la peau attire l'attention de l'examinateur : sa sécheresse, ses taches dites de vin, ses signes d'infection, ses marques de violence. Décidément, la peau de l'enfant adopté est un véritable journal intime du passé du bébé.

Chez le garçon, on vérifie le prépuce. Quand il est trop serré, on parle de phimosis. Les anomalies de l'urètre, le conduit qui livre l'urine de la vessie vers l'extérieur, s'appellent pour leur part épispadias ou hypospadias. Les testicules, bien sûr, doivent être au nombre de deux. Chez la fillette, on vérifie l'anatomie locale, particulièrement la fusion ou non des petites lèvres, en évaluant avec soin si elles s'écartent normalement. On recherche également la présence de sévices sexuels antérieurs.

L'examen des hanches recherche notamment une luxation congénitale. Une asymétrie du pli des fesses ou une jambe plus courte que l'autre sont des signes d'appel. Le médecin porte aussi une attention particulière aux pieds, à leurs déviations éventuelles. Des arches affaissées, qu'on appelle souvent «pieds plats», sont normales jusqu'à l'âge de cinq ou six ans.

En cours de route, et en fin de course, le médecin effectue les examens neurologique et développemental. Il vérifie la facilité qu'a l'enfant de se mouvoir et note sa sensibilité, ses réflexes, sa souplesse; il recherche certaines anomalies, parfois reliées à la grande prématurité. Le développement psychomoteur n'est pas toujours facile à évaluer avec précision à cette première visite. Tout en tenant compte que l'enfant a déjà souffert de graves carences nutritionnelles, le médecin s'intéresse tout de même avec rigueur à son développement moteur, à son éveil, au développement de son langage, à son autonomie. Cela pourra lui permettre de mieux apprécier les progrès ultérieurs.

Lorsque, au terme de l'examen, le jeune enfant se précipite sur le médecin en l'entourant de ses bras et en le couvrant d'une affection apparente, il ne faut pas sauter aux conclusions et y voir une affection sociale. Les enfants carencés sur le plan affectif ont tant souffert. À défaut de s'ancrer profondément dans une relation intime avec leurs parents, ils cherchent parfois à s'attacher, l'espace d'un instant, à la dernière personne qui leur aura souri, qui les aura touchés. Et pourquoi pas le docteur? Tout l'examen médical doit être imprégné de cette prise de conscience, de cette réalité.

LA LIGNE DE VIE

Établir la ligne de vie de l'enfant s'avère essentiel pour mieux comprendre ses réactions. Cette ligne de vie est composée de la série de milieux où l'enfant a habité avant son adoption. De cette façon, il est plus facile de visualiser le nombre de ruptures auxquelles l'enfant a dû faire face et de mesurer l'importance du temps qu'il faudra lui consacrer pour qu'il s'accroche à sa nouvelle famille.

La ligne de vie de Léa, par exemple, n'est pas ordinaire. Pourtant, ses nouveaux parents ont l'impression de ne rien savoir du vécu préadoption de leur nouvelle recrue, une petite fille adoptée à l'âge de 15 mois en Chine. Mais à y regarder de plus près, ils sont pourtant en possession d'une information essentielle. Ils savent que Léa a été trouvée à la porte d'un poste de police, dans une région isolée, et que son âge a alors été estimé à environ trois semaines. En attendant que les responsables de l'orphelinat le plus proche viennent la chercher, c'est l'épouse du chef de police qui a pris soin de la petite pendant quelque temps. Léa a vécu ensuite à l'orphelinat pendant huit mois, puis on l'a placée en famille d'accueil où elle est demeurée jusqu'à l'arrivée de ses nouveaux parents, quatre mois plus tard. L'essentiel est là: la ligne de vie révèle que les parents adoptifs sont en fait le cinquième milieu de vie de Léa, qui a survécu à au moins quatre ruptures, peut-être plus si on tient compte qu'elle a eu droit à deux ou trois nourrices différentes à l'orphelinat. Ce n'est pas rien.

Prélèvements sanguins

Quel que soit son état de santé à son arrivée, et peu importe que l'enfant ait ou non subi des tests de dépistage à l'étranger, il faut effectuer ou refaire des prélèvements sanguins chez ce nouvel arrivant, y compris le dépistage du VIH/SIDA. Il est vrai que certains tests obtenus à l'étranger paraissent tout à fait convenables, mais d'autres ne sont absolument pas fiables (on le sait par expérience). Les examens recommandés, par exemple le dépistage des hépatites B ou C, conviennent à tous les enfants. À noter que des passés chargés d'hospitalisations ou d'injections intramusculaires répétées, pratiques courantes dans les orphelinats d'Europe de l'Est, rendent encore plus impératives ces analyses de routine.

Il faut également s'interroger sur d'autres maladies, selon la provenance de l'enfant. Ainsi, pour mieux décider des prélèvements à faire ou à ne pas faire, les professionnels qui prennent en charge le petit doivent tenir compte des données de surveillance épidémiologique de l'Organisation mondiale de la santé (OMS) et bien comprendre la cartographie géopolitique internationale. De bonnes connaissances en ethnomédecine et dans les manières de faire à l'étranger permettent une analyse plus judicieuse des maladies à anticiper. Par exemple, il faut suspecter le paludisme chez un enfant qui vient de Madagascar, mais pas chez le petit Moldave. Autre exemple : on retrouve souvent chez les petits orphelins venus de Corée ou de Taïwan des anémies par manque de fer, ce qu'on explique par leur petit poids à la naissance. Grâce à la modernité des unités de néonatalogie, ces bébés sont sauvés là-bas avec la même détermination qu'en Europe de l'Ouest ou en Amérique.

DÉPISTAGES SANGUINS ET AUTRES SUGGÉRÉS À TITRE INDICATIF

Chez la majorité des patients	Au besoin
• Numération formule sanguine	• Fer sérique, albumine, créatinine, bilan phosphocalcique • Électrophorèse de l'hémoglobine • Dépistage du déficit en G6PD • Test de falciformation
• Hépatite B : AgHBs, anti-AgHBs, anti-AgHBc • Syphilis : VDRL ou RPR (épreuves non spécifiques) • Hépatite C : anti-VHC (RIBA) • VIH : Élisa	• Transaminases (ALT, AST), bilan hépatique plus exhaustif • Syphilis : (épreuves spécifiques) • Hépatite C : RNA (PCR) • Autres sérologies • VIH : PCR ou culture virale

	• Plombémie
• Examen parasitologique des selles • Intradermo-réaction à la tuberculine dite épreuve de Mantoux (à l'arrivée, puis trois à six mois après)	• Culture de selles (coproculture) • Recherche de paludisme • Analyse et culture d'urine • Radiographie thoracique • Âge osseux pour les filles de plus de 3 ou 4 ans (suivant l'arrivée ou si incertitude sur l'âge)
• Dépistage génétique (hypothyroïdie, phénylcétonurie) pour les enfants de moins de 18 mois	• TSH, T3, T4 • Audiologie, ophtalmologie, médecine dentaire

Intradermo-réaction à la tuberculine

La tuberculose bat son plein partout dans le monde en développement. Les nourrices chargées de soigner les enfants dans les orphelinats ou encore les membres d'une famille d'accueil peuvent transmettre la maladie à l'enfant. Il s'avère donc important de tester l'enfant adopté à son arrivée au pays grâce à une intradermo-réaction à la tuberculine. Ce test tuberculinique, aussi connu sous le nom d'épreuve de Mantoux ou de test cutané tuberculinique ou de PPD (*Protein Purified Derivative*), permet de savoir si l'enfant a été antérieurement mis en contact avec la bactérie de la tuberculose. À ce jour, il n'y a pas encore de tests sanguins qui permettent de connaître ce statut, mais des recherches sont présentement en cours à ce propos. Idéalement, le PPD devrait être pratiqué trois mois après l'arrivée de l'enfant.

Le test tuberculinique consiste en l'injection d'un liquide en intradermique, c'est-à-dire à la surface de la peau. Cela a pour effet de créer un petit renflement local. C'est comme si on demandait au corps de nous relater son expérience antérieure avec la bactérie de la tuberculose. Le corps prend alors de deux à trois jours pour repenser sa vie. La réponse du corps se fait à l'endroit même de l'injection, sous forme d'une induration. À ce moment-là, un professionnel de la santé peut effectuer la lecture du test, c'est-à-dire mesurer le diamètre de l'induration à l'aide d'une réglette et d'un stylo à bille. La technique paraît simple, mais elle nécessite un œil avisé pour bien mesurer et ce, particulièrement sur une peau pigmentée. Nombreux sont les parents qui se sont aventurés dans l'interprétation de ce test et qui se sont trompés.

Toute induration de plus de 10 millimètres peut être considérée comme positive, à moins que le BCG, le vaccin contre la tuberculose, n'ait été administré au cours de l'année qui précède, comme c'est souvent le cas avec les nourrissons venus de Corée, de Chine ou de la plupart des autres régions du monde. Une réaction de cinq millimètres est considérée comme positive, selon le contexte d'exposition, par exemple le contact prolongé avec une nourrice au Vietnam. On devrait faire une seconde intradermo-réaction si la première a été effectuée dans les trois premiers mois après l'arrivée de l'enfant.

Le fait que l'épreuve tuberculinique s'avère positive n'indique pas nécessairement que l'enfant est tuberculeux, mais qu'il a été en contact avec la maladie. On parle alors de tuberculose-infection ou de tuberculose latente. Cette tuberculose-infection est présente, selon les chercheurs, chez 2 % à 19 % des enfants adoptés. À l'aide de médicaments, on prévient facilement le développement de la maladie, d'où l'importance d'un dépistage adéquat. En cas de réaction positive, on effectue une radiographie des poumons. La radiographie du poumon est normale en cas de tuberculose latente. À ce stade, l'enfant n'est pas contagieux. Quand on détecte par radiographie une pneumonie ou des ganglions, on effectue d'autres tests pour savoir si l'infection tuberculeuse est devenue maladie. Il est très rare qu'un jeune enfant soit contagieux et qu'il transmette la maladie, même s'il est porteur d'une tuberculose active. Aux États-Unis, on a récemment découvert une tuberculose active chez un enfant adopté des Îles Marshall, deux ans après son arrivée en territoire américain; sur les 276 contacts identifiés dans sa famille et à l'école, 56 présentaient un PPD positif (20 %), une proportion tout à fait inhabituelle en Amérique du nord. Vivement le dépistage !

Dépistage génétique

Le dépistage génétique permet de déceler précocement des maladies héréditaires incurables mais soignables, au point de permettre un développement tout à fait normal du nouveau-né atteint, au moyen d'un régime alimentaire ou par l'apport de médicaments. Une goutte de sang, prélevée par une simple piqûre dans le talon et répandue ensuite sur un papier buvard, permet de faire en quelques jours un diagnostic précoce d'une maladie génétique : phénylcétonurie, hypothyroïdie congénitale et, selon les régions du monde où ces maladies sévissent, la tyrosinémie (qui existe surtout au Canada) et la galactosémie (que l'on retrouve beaucoup aux États-Unis). La plupart des pays d'Europe de l'Ouest ainsi que le Canada, les États-Unis, et la Corée du Sud pratiquent le dépistage génétique, au contraire de la majorité des pays en développement d'où sont issus nos enfants adoptés.

Comme la phénylcétonurie non traitée entraîne avec le temps des lésions définitives des cellules cérébrales et l'hypothyroïdie congénitale, un retard de développement marqué, il est recommandé d'offrir au nouvel arrivant un dépistage approprié du même type que s'il était né dans son pays d'accueil. Chez les nouveaux adoptés de moins de 18 mois, il est d'usage d'inclure dans le bilan d'accueil des épreuves génétiques pratiquées en bonne et due forme. Sur plus de 10 000 prélèvements effectués à l'Hôpital Sainte-Justine au cours de la dernière décennie auprès d'enfants adoptés, aucun n'a révélé une telle maladie. On s'entend toutefois pour continuer le dépistage. Il suffit d'une fois…

Évaluation dentaire

Décidément la bouche de l'enfant adopté est un petit journal de bord de son passé : on y voit des caries, des dents cassées, de l'émail imparfait en raison de l'utilisation de médicaments inappropriés pour l'âge, tel que la tétracycline. Ainsi, l'évaluation dentaire s'avère primordiale dans le bilan de santé du nouvel arrivant. À moins d'un abcès aigu, la visite chez le dentiste peut évidemment attendre, mais elle ne doit pas pour autant être négligée, surtout avec les enfants plus âgés qui n'ont jamais eu droit à un examen buccal en bonne et due forme.

L'âge de l'éruption dentaire est le même pour toutes les populations de la Terre. Au deuxième mois de vie intra-utérine, avec le développement de la mâchoire se forme un ensemble de vingt dents qu'on appelle dents temporaires ou, plus communément, dents de lait. La qualité des dents primaires d'un enfant adopté est donc tributaire de l'état nutritionnel de sa mère biologique. La calcification des dents, par exemple, se fait autour du quatrième mois de grossesse, avant même la filiation d'origine ! Par ailleurs, l'éruption varie beaucoup dans le temps. Les dents antérieures ou incisives apparaissent généralement entre le sixième et le douzième mois de vie. À côté des incisives se trouvent les canines qui font éruption entre le 10e et le 16e mois. Derrière les canines, on trouve les molaires. Les quatre premières molaires apparaissent généralement entre 10 et 16 mois, les quatre autres entre 20 et 30 mois. Les aliments sont sectionnés avec les incisives frontales, broyés par les canines et réduits en substances digérables par les molaires. C'est curieux à dire, mais si un déficit nutritionnel peut troubler la qualité de l'éruption dentaire, il ne modifie toutefois pas la chronologie de la poussée des dents. Inutile donc pour le parent adoptant de s'inquiéter de l'absence de dents chez son rejeton. Cela ne suggère en rien une carence inconnue ou antérieure. Certains bébés naissent avec des dents, d'autres n'en ont toujours pas à leur premier anniversaire.

La fameuse dent dite « de sept ans », qui apparaît en fait avant ou après selon les enfants, est la première d'un ensemble de 32 dents, plus grandes et permanentes, qui remplacent les dents de lait lorsque la mâchoire arrive à maturité. Dans une moindre mesure que les dents temporaires, la qualité de certaines de ces dents aura été influencée par la malnutrition maternelle. La malnutrition dans les premières années de vie, surtout la première année à l'orphelinat, a ici une influence directe sur la santé de la denture et sur la résistance à la carie. Des déficits vitaminiques en A et en C, mais surtout un déficit en vitamine D, comme on en observe chez tant d'enfants adoptés ayant souffert de rachitisme, auront ainsi une influence néfaste et à plus long terme sur la dentition de l'enfant.

Le nettoyage des premières dents se fait avec une débarbouillette ou un gant de toilette humide. Par la suite, lorsque plusieurs dents prennent place, il est recommandé d'utiliser une petite brosse à dents à poils souples. Économisez sur le dentifrice, il en faut très peu ! Le dentifrice avec fluor protège la santé dentaire. Il est préférable de faire cracher le bébé plutôt que de le voir avaler le contenu. Si vous habitez dans une région où l'eau ne contient pas assez de fluor, vous pouvez offrir des suppléments médicamenteux à l'enfant. Ils sont très efficaces pour prévenir la carie. Toujours avec la même intention, on évitera de tremper les sucettes dans une substance sucrée et on n'habituera pas l'enfant à dormir avec un biberon, même si cela contribue à alléger la tâche du parent adoptif, dépassé par l'ampleur des troubles de sommeil du nouvel arrivant. Pour s'assurer de la bonne santé dentaire, il faut aussi vérifier la qualité des aliments offerts à l'enfant, par exemple veiller à ce qu'il se nourrisse de bonnes sources de calcium ou de vitamine D selon le cas, comme les produits laitiers, le soja, les légumineuses, le brocoli et les amandes.

Des dents surnuméraires, des dents incrustées dans l'os et des irrégularités dans l'ordre d'apparition des dents peuvent entraîner un mauvais alignement dentaire, ce qui conduira le parent adoptant à passer du dentiste à l'orthodontiste. Ce dernier rendra compte des différences ethniques dans l'anatomie des mâchoires et des gencives. Les dents des Africains, des Coréens et des Indiens sont plus proéminentes sous la lèvre supérieure, ce qui ne veut pas dire pour autant qu'il faille intervenir en chirurgie pour s'ajuster à l'esthétique occidentale.

Évaluation auditive

Un enfant sur 1 000 est sourd à la naissance. De multiples raisons expliquent cette déficience, mais on peut déjà retenir que les facteurs génétiques comptent pour la moitié des déficits auditifs. On peut mentionner d'autres explications à la surdité congénitale, d'autant plus qu'elles risquent d'être souvent en cause chez les orphelins des pays en développement : utilisation de médicaments inappropriés pendant la grossesse de la mère biologique, prématurité, syphilis ou rubéole congénitale et, enfin, syndrome de l'alcoolisation fœtale, qui n'est pas un diagnostic rare dans la Fédération de Russie et dans plusieurs pays de l'ex-Union Soviétique.

On est en droit d'espérer d'un tout jeune bébé, adopté par exemple de Corée du Sud ou de Georgie, qu'il réagisse mal aux bruits intenses ou à la voix humaine. On s'attendra également à ce qu'il bouge ou s'éveille, vers l'âge de trois ou quatre mois, lorsque quelqu'un parle dans son entourage ou lorsqu'il entend un éternuement ou un claquement de mains. À l'âge de sept mois, il devrait tourner la tête lorsque vous l'appelez. Lui parler beaucoup, lui fredonner des chansons, lui parler de ses jouets et faire des jeux avec lui, jouer « à bravo » lorsqu'il réussit une prouesse, voilà autant d'activités qui stimuleront son développement et vous permettront de détecter une éventuelle perte de l'ouïe. Le médecin responsable du bilan de santé pourra alors s'enquérir rapidement de la participation active d'un oto-rhino-laryngologiste et d'un audiologiste. Il est capital d'intervenir dès les premiers soupçons. L'ensemble du système nerveux responsable de la perception des sons, de leur localisation aussi bien que de leur compréhension, se développe de façon optimale dans les premiers mois de la vie. Il semble que l'horloge biologique soit programmée pour qu'au-delà d'un certain âge, la maturation se fasse plus lentement et de façon incomplète. Les retards accumulés deviennent ensuite de plus en plus difficiles à combler. Une baisse auditive bilatérale, même légère, peut prendre des proportions désastreuses chez un enfant qui n'a pas encore maîtrisé le langage.

Son absence de réaction à votre voix ou à un bruit quelconque, son manque d'intérêt pour les choses et les êtres, sa manière d'être seul au monde s'explique généralement chez l'enfant adopté par un manque de stimulations, de figures aimantes, par une dénutrition, une infection, bref par de mauvaises conditions d'existence à l'orphelinat. Souvent un déficit intellectuel, une dépression, un syndrome génétique sont également en cause, mais parmi tous les diagnostics possibles, s'il en est un qu'il ne faut pas négliger, c'est bien la surdité. Parents et médecins ne doivent en aucun cas omettre la possibilité qu'une perte de l'ouïe soit à l'origine ou contribue au retard constaté chez le nouvel adopté. Ou bien le problème était déjà présent à la naissance, ou bien les difficultés à entendre se sont développées par la suite. Dans les pays industrialisés, un enfant sur dix développe un problème auditif à un moment ou à un autre de son enfance. Encore une fois, l'orphelin semble ici plus à risque, du fait qu'on aura peut être mal soigné sa méningite ou pas du tout traité ses otites à répétition.

À l'Hôpital Sainte-Justine, nous avons reçu de nombreux enfants thaïlandais adoptés dans des orphelinats de Bangkok entre l'âge de deux et cinq ans. Malgré leur grand âge, leur santé physique et psychologique était excellente. Seulement, si vous aviez vu leurs oreilles ! Des tympans remaniés, des tympans perforés, dévorés par l'infection, des otites pétantes !

Le rôle de l'audiologiste s'avère primordial dans l'évaluation du degré et du genre de troubles auditifs, ainsi que dans les recommandations pour la réadaptation. Chez les enfants de six mois à deux ans, l'audiologiste utilise l'audiométrie par renforcement pour son évaluation. Il s'agit de déterminer le seuil auditif de l'enfant à certains fréquences sonores en lui présentant, au moment où on lui fait entendre un son, différents jouets ou personnages qu'il sera appelé à rechercher par la suite. On enregistre parfois des seuils aussi bas que 20 décibels. À partir de deux ans, l'audiométrie par conditionnement est d'usage. L'attention de l'enfant est maintenue en intégrant un jeu quelconque au test auditif. L'audiogramme se pratique dès l'âge de quatre ans.

Dans l'évaluation de tout problème auditif, l'oto-rhino-laryngologiste intervient également pour procéder à un examen méticuleux de la gorge, du nez, des oreilles et, au besoin, à des analyses spécialisées, une tomodensitométrie des os autour des oreilles, des épreuves sanguines destinées à mieux parfaire l'évaluation génétique, etc. Face à une surdité notoire et au retard de la parole qui y est associé, l'enfant devra être pris en charge par une équipe multidisciplinaire. Devrait-on intervenir sur son tympan par chirurgie ? Devrait-on lui proposer un implant cochléaire ?

L'orthophoniste intervient également en tête de liste pour remédier, autant que possible, aux retards accumulés. Dans le contexte de l'adoption internationale où tant de facteurs peuvent expliquer la méconnaissance du langage, il faut choisir un ou une orthophoniste exceptionnel : ce professionnel constitue la pierre angulaire du nouveau départ. Une position privilégiée en classe et une aide technologique à l'audition renforcent chez l'enfant la réadaptation et permettent une meilleure scolarisation et plus d'estime de soi. Le bonheur d'entendre ou de communiquer est aussi celui d'être entendu. Malgré les pleurs et les cris, on n'a pas idée du silence d'un orphelinat : c'est le silence des agneaux.

Mise à jour de la vaccination

La mise à jour du calendrier de vaccination d'un enfant adopté doit se faire en fonction des recommandations vaccinales du pays d'accueil et des vaccinations déjà reçues par l'enfant, attestées par ses documents personnels. Grâce au programme élargi de vaccination de l'Organisation mondiale de la santé (OMS), une majorité d'orphelins auront déjà bénéficié de quelques vaccins prioritaires. La plupart auront reçu le BCG, vaccin contre la tuberculose. Plusieurs auront reçu le vaccin contre l'hépatite B. Mais rarement ces enfants auront été vaccinés contre les oreillons et la rubéole, car ce ne sont pas là des vaccins régulièrement administrés dans les pays en développement.

PROGRAMME ÉLARGI DE VACCINATION DE L'OMS

Âge	Vaccins	Vaccin contre l'hépatite B [2]	
		Schéma A	Schéma B
Naissance	BCG, VPO# 0	HB 1	
6 semaines	DTC#1, VPO#1	HB 2	HB 1
10 semaines	DTC#2, VPO#2		HB 2
14 semaines	DTC#3, VPO#3	HB 3	HB 3
9 mois	Rougeole, Fièvre jaune[1]		

VPO : vaccin anti-poliomyélitique oral

DTC : vaccin contre la diphtérie, le tétanos, la coqueluche

HB : vaccin contre l'hépatite B

1. Dans les pays à risque de fièvre jaune.
2. Le schéma A est recommandé dans les pays où le virus de l'hépatite B est très souvent transmis à la naissance, par exemple en Thaïlande. Le schéma B est utilisé dans les pays où la transmission périnatale du virus est moins fréquente, par exemple au Bénin.

En raison de programmes privés ou nationaux, les enfants coréens, colombiens ou guatémaltèques auront reçu, en plus, des vaccins contre l'*Haemophilus influenzae* de type B, parfois même contre la varicelle, selon les infrastructures financières et médicales de leurs orphelinats respectifs. Après une traduction appropriée, les vaccinations antérieures administrées dans le pays d'origine doivent être inscrites dans le carnet de santé du pays d'accueil, de manière à mieux permettre l'arrimage des unes avec les autres. Des difficultés d'ordre linguistique peuvent survenir. Comme le faisait remarquer la pédiatre française Nicole Guérin, un H et un B peuvent évoquer pour un médecin la composante *Haemophilus influenzae*, alors que dans de nombreux pays cette vaccination est inconnue et que ces deux lettres correspondent en fait à la vaccination contre l'hépatite B. Aussi, certains noms de maladies sont identifiables, certains autres sont impossibles à reconnaître.

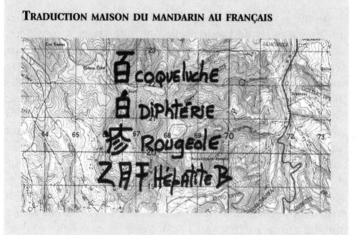

TRADUCTION MAISON DU MANDARIN AU FRANÇAIS

Pour compléter l'immunisation de l'enfant, on doit entreprendre un programme de vaccination modifié, souvent accéléré, par rapport au programme habituellement offert aux enfants du Québec ou d'Europe de l'Ouest. On retardera la vaccination en cas de graves problèmes de santé, devant la suspicion d'un VIH ou face à un certain degré de malnutrition. Au Canada, aux États-Unis et en France, les vaccinations courantes visent à prévenir la diphtérie, la coqueluche, le tétanos, l'infection à *Haemophilus influenzae*, l'hépatite B, la rougeole, la rubéole, les oreillons ainsi que la poliomyélite et, depuis tout récemment au Québec, le méningocoque de type C. Aux États-Unis, dans le programme d'immunisation recommandé, on administre aussi le vaccin contre la varicelle et, dans certains États de l'Ouest, le vaccin contre l'hépatite A. En France, on administre de routine le vaccin contre la tuberculose.

Contrairement à certaines idées transmises, notamment par les pédiatres américains, les vaccins utilisés dans le monde en développement sont de bonne qualité, bien conservés et administrés efficacement. Généralement, il n'est donc pas nécessaire de recommencer à zéro les immunisations lorsqu'un document certifie que les vaccinations ont été faites. D'ailleurs, une prise de sang peut confirmer que l'enfant a déjà été immunisé contre l'hépatite B s'il présente au dépistage sanguin des anticorps appelés anti-AgHBs.

Même si toutes les doses de vaccins requises sont inscrites sur les certificats de vaccination, l'attitude visant à considérer comme valables les vaccins reçus dans certains pays du monde s'est assombrie à cause de données sur la qualité de la protection immunitaire d'enfants adoptés en Hollande et aux États-Unis, et venus d'Europe de l'Est et de République populaire de Chine. Les taux de protection rapportés étant alors nettement inférieurs à ceux qui étaient attendus, plusieurs médecins ont par la suite recommandé aux parents adoptants d'ignorer le carnet d'origine et de revacciner d'emblée leurs protégés. Cette attitude nous paraissant excessive, surtout en présence de données de recherche relativement modestes, nous avons plutôt pris l'habitude d'adapter individuellement nos décisions sur les immunisations à réitérer ou à respecter et ce, dans l'attente d'un nouvel éclairage scientifique. Nous reprenons l'immunisation à zéro quand un enfant vient d'un orphelinat russe, là où il risque d'avoir connu de dures conditions d'existence qui supposent des conditions de conservation ou d'administration inappropriées pour les vaccins. Par ailleurs, si l'enfant a été immunisé en bonne et due forme en Corée, en Colombie ou même dans plusieurs institutions chinoises de Canton ou du Guangxi, nous respectons ses injections passées.

Toutefois, en l'absence de document du pays d'origine ou de cicatrice vaccinale signifiant un BCG antérieur, ou devant un carnet étranger apparemment rempli à la sauvette, nous considérons l'enfant comme n'ayant reçu aucune vaccination. Il faut alors débuter ou réitérer aussitôt que possible tout le programme vaccinal. C'est une situation à laquelle il faut s'astreindre: on multipliera les piqûres, mais les inconvénients s'arrêtent habituellement là.

Les principaux vaccins recommandés au sein des programmes d'immunisation de base des pays d'accueil méritent qu'on s'y attarde. Ces recommandations sont susceptibles de varier dans les prochaines années en fonction des données épidémiologiques et des coûts reliés aux programmes de santé publique. Au moment d'écrire ces lignes, le vaccin de la varicelle et celui contre le pneumocoque conjugué sont régulièrement administrés aux États-Unis, mais pas encore en France ni dans la plupart des provinces canadienne, malgré une documentation scientifique établie.

Le vaccin contre la diphtérie: à l'est d'Éden

La diphtérie est causée par le *Corynebacterium diphteriae*, un microbe qui se loge dans les voies respiratoires. Il y provoque la formation de fausses membranes grisâtres qui peuvent littéralement tapisser la gorge, nuisant ainsi à la respiration au point de causer une asphyxie fatale. Le microbe a aussi le malheur de produire une toxine qui voyage dans le sang de la personne infectée pour y attaquer plusieurs organes, le cœur en particulier, ce qui n'arrange en rien l'oxygénation. La prévention est relativement facile, car le vaccin est très efficace sans toutefois être dangereux. Depuis longtemps, aux États-Unis, on rapporte moins de cinq cas par année. D'ailleurs, partout dans le monde industrialisé, la diphtérie est à un bas niveau. Un relâchement de l'immunisation causerait néanmoins de nouvelles épidémies, comme cela s'est produit dans les années 90, depuis Moscou jusqu'en Europe de l'Est et en Asie centrale. La diphtérie s'y était propulsée à des taux semblables à ceux qui sévissaient en Russie dans les années 50, et cela à cause d'une mauvaise conservation des vaccins, de doses inadéquates, d'absence de doses de rappel et d'une pauvreté croissante, sans compter les guerres internes et les déplacements de milliers de réfugiés. Jusqu'à ce que le tir soit rétabli, la maladie a migré vers l'Europe de l'Ouest, en passant par la Pologne et la Hongrie.

Aucun enfant adopté atteint de diphtérie n'a été rapporté dans les écrits médicaux, mais il faut prendre soin d'éviter cette possibilité en vaccinant les nouveaux arrivants, surtout quand ils viennent de l'Est. Les vaccins déjà reçus dans les pays d'origine de l'ex-Union soviétique et de la Fédération de Russie ont des efficacités controversées. À la clinique de pédiatrie internationale de l'Hôpital Sainte-Justine, nous les répétons jusqu'à preuve du contraire. Le D du DCT ou du DCaT-Polio-Hib, selon le vaccin administré, se donne à deux, quatre, six et 18 mois avec un rappel entre quatre et six ans et, idéalement, un autre rappel tous les dix ans, au même moment que le tétanos, cette fois sous l'appellation dT.

Le vaccin contre la coqueluche : nouveau genre

La coqueluche est une maladie pénible qui dure de deux à quatre mois. Elle est causée par un microbe qui n'infecte que les humains : le *Bordetella pertussis*. Ce microbe s'attaque de plein fouet aux voies respiratoires. Après un rhume en apparence ordinaire, la toux monte en crescendo. Les quintes qui ressemblent, lorsque l'enfant reprend sa respiration, à une sorte de chant du coq – d'où le « coq » de « coqueluche » – se font de plus en plus intenses et se terminent souvent par des vomissements. Dès leur naissance, les bébés sont à risque parce qu'ils ne reçoivent pas de leur mère des anticorps protecteurs, contrairement à la rougeole par exemple, contre laquelle les enfants sont protégés dès les premiers mois de leur vie. L'immunité entraînée par le vaccin et par la maladie est imparfaite et de courte durée, et l'on retrouve facilement des éclosions de *Bordetella pertussis* chez les enfants plus âgés, les adolescents, les adultes et, de plus en plus souvent, chez des personnes âgées. Bien que manifeste, la symptomatologie n'est jamais aussi sévère à l'âge de raison que chez les bébés de moins de six mois, chez qui elle peut conduire à une déshydratation, à une surinfection bronchique et même à un arrêt respiratoire, éventuellement responsable d'un manque d'oxygène au cerveau. On estime qu'annuellement, environ 60 millions de cas de coqueluche dans le monde entraînent dans leur sillon un demi-million de décès. Il y a quelques années, ce sont les Pays-Bas qui en prenaient pour leur rhume. De fait, la maladie se rencontre partout sur la planète et à tout âge, mais surtout chez les enfants de un à cinq ans.

L'unique vaccin anti-coquelucheux dont on disposait jusqu'à récemment n'était pas aussi efficace que d'autres vaccins : environ 70 % de protection seulement et ce, chez les enfants recevant au moins trois doses, le tout avec un effet à moyen terme sur cinq ou dix ans. Également, les réactions vaccinales étaient fréquentes et plus intenses que celles entraînées par d'autres vaccins : fièvre, convulsions avec fièvre, hypotonie transitoire, etc. Depuis quelques années, on a donc mis au point un nouveau vaccin contre la coqueluche, dit « vaccin acellulaire ». On ne sait pas encore s'il entraîne une meilleure protection à long terme, mais on est déjà fous de joie de constater à quel point il cause peu de réactions secondaires quand on le compare au vaccin précédent. Une meilleure acceptation des doses subséquentes, par des familles désormais plus disposées à l'utiliser sur leur bébé, permet aussi de mieux compléter la couverture vaccinale.

On imagine qu'il est difficile de retracer une histoire de coqueluche à l'orphelinat. On reconnaîtra cependant que l'enfant adopté n'est pas plus à risque qu'un autre pour ce qui est de cette maladie. Via les politiques nationales ou les programmes d'immunisation de l'OMS, le C pour coqueluche, et le Ca pour coqueluche acellulaire, font dorénavant partie intégrante des calendriers de base des enfants du monde, au sein des vaccins trivalents DCT ou DCaT ou pentavalents DCaT – Polio-Hib, administrés à deux, quatre, six mois et entre quatre et six ans. Dans les semaines qui suivent son arrivée au pays, on complète l'immunité de l'enfant adopté, comme on le fait avec n'importe quel autre, ou on répète ses vaccins quand on doute de leur administration ou encore de leur bonne conservation à l'étranger.

Le vaccin contre le tétanos : sus au bacille !

Le tétanos est causé par le bacille tétanique, dont la spécialité est d'infecter les plaies profondes. Cette bactérie est présente naturellement dans les sols poussiéreux et contaminés par les selles, humaines ou animales. Une fois enfoncé dans les tissus, le tétanos devient redoutable, car il cause des spasmes musculaires douloureux généralisés et souvent un décès. Dans les pays en développement, les nouveau-nés ont toujours été très à risque, principalement à cause du manque de propreté dans les pratiques d'accouchement et de soins du cordon, notamment en regard de l'utilisation de pansements non stériles ou du nombre d'accouchements à domicile. Grâce à des organismes comme l'UNICEF, le problème tend maintenant à s'amenuiser. On a fourni des lames de rasoir propres, des alèses de plastique et du savon. On a révisé les habitudes de nettoyage du cordon avec de la bouse de vache ou du beurre clarifié. On a élargi la vaccination des mères et des enfants, on l'a étendue à de plus en plus de groupes.

Chez l'enfant plus âgé, le tétanos pénètre dans l'organisme à l'occasion d'une blessure avec un clou ou un bout de bois. C'est pourquoi tous et chacun, petits ou grands, adoptés ou non, doivent être blindés contre le bacille tétanique. Un vaccin très efficace et absolument sans danger existe depuis très longtemps. Il se donne habituellement dès l'âge de deux mois. Il est ensuite administré à quatre mois, à six mois, autour de 18 mois, puis enfin entre quatre et six ans. Le vaccin peut s'administrer seul, ou avec les vaccins antidiphtérique et anti-coquelucheux, comme dans la routine du programme d'immunisation universelle, ou même en compagnie des vaccins contre la polio et l'*Haemophilus influenzae*, comme cela est d'usage dans les calendriers européen et nord-américain sous l'appellation DaCT-polio-Hib. Selon le cas ou le pays d'origine, on débutera ou on complétera la vaccination antitétanique de l'enfant adopté. Un rappel sous forme de dt devrait être administré aux dix ans, surtout si vous vous apprêtez à voyager avec l'enfant.

La vaccination contre l'*Haemophilus influenzae*: du retard

L'*Haemophilus influenzae* de type B est une des principales causes de méningite bactérienne dans le monde et un grand responsable d'autres types d'infections, comme l'épiglottite, la pneumonie ou l'arthrite d'origine infectieuse. Avant l'introduction des vaccins conjugués contre l'*Haemophilus influenzae*, on dénombrait chaque année au Canada environ 2 000 cas d'infection à *Hæmophilus*. Depuis le vaccin, la maladie y a chuté de 99 %.

Il s'avère essentiel de vacciner tous les nourrissons à partir de deux mois. Comme le vaccin est relativement peu disponible dans les pays en développement, il faut s'en préoccuper pour chaque nouvel arrivant. Par exemple, de nombreux enfants correctement vaccinés selon le programme d'immunisation universelle de l'Organisation mondiale de la santé n'auront néanmoins toutefois pas été immunisés contre l'*Haemophilus*. Un rattrapage vaccinal s'impose alors en toute priorité.

La vaccination contre la poliomyélite : l'Inde et ailleurs

En Inde, dans les marchés de Delhi, de Madras ou de Srinagar, on voit encore, à condition de vouloir voir, des enfants qui rampent sur le ventre, plaqués par terre par la souffrance et la maladie. Ces enfants sont atteints de poliomyélite, une infection virale qui les colle au plancher en envahissant les cellules de la moelle épinière responsable de l'influx nerveux dispensé aux plus gros muscles des bras, des jambes et du tronc. Pour la plupart des individus, dans 90 % à 95 % des cas, la poliomyélite est une maladie bénigne, souvent imperceptible. Mais chez certaines de ces victimes, la polio se manifeste par une méningite accompagnée de paralysie, dite « flasque », des membres et des muscles de la respiration. Ces faiblesses musculaires totales ou partielles peuvent régresser ou devenir permanentes environ 1 fois sur 250. Des traitements orthopédiques permettent de corriger partiellement les dégâts commis par l'infection. La kinésithérapie et la physiothérapie permettent également d'en amenuiser les difformités. Or, c'est encore trop peu quand on pense que la vaccination aurait pu tout éviter. En effet, dans quelque 70 pays du monde en développement, tout spécialement en Inde qui compte plus de la moitié des 100 000 nouveaux cas annuels de par le monde, la poliomyélite continue à l'heure actuelle de rendre malade, de paralyser et même de tuer.

Au Canada, qu'on se rassure, la dernière grande épidémie remonte à 1959. Jusqu'alors le virus sévissait de manière récurrente, à tous les deux ou quatre ans, à la fin de l'été et en automne. Heureusement, la vaccination devait nuire à cette horrible programmation. Dès 1955, on administrait le premier vaccin, le Salk. Le second, le Sabin, le premier vaccin vivant oral de la planète, allait suivre son prédécesseur en 1958. À cause de son coût concurrentiel et de sa très grande facilité d'absorption – par la bouche au lieu de la seringue –, le Sabin allait devenir le vaccin le plus utilisé, en Amérique comme en Asie. Son pouvoir de contagion, à la manière d'une gastro-entérite, redoublait son efficacité, tant et si bien que les épidémiologistes de l'Organisation mondiale de la santé allait y voir pour notre petite planète la possibilité d'une éradication complète de la poliomyélite. Cet espoir n'est pas encore vain, quoique le chemin pour y arriver soit plus long que souhaité. Aux États-Unis, le dernier cas de polio date de 1979. Dans toutes les Amériques, on n'avait répertorié aucun cas de polio depuis 1991, quand une flambée récente se déclara à Haïti et en République dominicaine. Mais tous les espoirs ne sont pas perdus. Le programme d'immunisation universelle, doublé des journées nationales de vaccination dans les pays les plus à risque, permettront sans doute d'éradiquer la poliomyélite partout sur la Terre.

Malgré la très grande efficacité du vaccin vivant Sabin, de plus en plus de pays industrialisés, dont les États-Unis et le Canada, utilisent maintenant pour la vaccination des bébés un nouveau vaccin tué IPV, administré dans une même seringue que les vaccins de routine contre la diphtérie, la coqueluche, le tétanos et l'infection à *Haemophilus influenzae*. La crainte d'une paralysie vaccinale, très rare (une ou deux fois sur un à deux millions de doses), justifie tout de même l'administration du vaccin tué dans les pays développés, alors qu'au Sud ou à l'Est, on continue judicieusement d'utiliser le vaccin vivant pour mieux assurer l'éradication future de la maladie. Ainsi, l'enfant adopté immunisé dans son pays d'origine a généralement reçu des doses de vaccin oral contre la polio. Le pédiatre vous recommandera au besoin de compléter l'immunisation de votre bébé par le vaccin tué administré par voie intramusculaire à deux, quatre, six et 18 mois, entre quatre ans et six ans, ainsi qu'aux dix ans pour les grands voyageurs parmi vous. Comme un enfant qui arrive de l'étranger, d'Haïti ou d'Inde par exemple, est susceptible de transmettre la souche sauvage ou vaccinale de la polio, il est également préférable de veiller à la bonne immunisation de votre famille adoptive avant d'accueillir le petit dernier.

À notre connaissance, on a adopté quelques enfants à particularité, avec des séquelles de poliomyélite, au Vietnam, en Inde et sur le continent africain. Ces enfants, comme des centaines de milliers d'autres, n'avaient pas eu la chance d'être vaccinés. L'immunisation universelle a ses succès et ses ratés. Pour le vaccinateur empreint d'ayurvedisme, d'une incarnation à l'autre, la somme des succès et des insuccès s'appelle le karma.

Le vaccin contre la rougeole : contre la tueuse

La rougeole est une maladie très contagieuse, à laquelle presque personne n'échapperait si ce n'était de la vaccination. La maladie est causée par un virus qui se manifeste surtout par des signes respiratoires – beaucoup d'encombrement nasal, des laryngites, des otites, de la toux et même des pneumonies – et une éruption généralisée caractéristique qui fait la réputation de la rougeole. La fièvre est toujours présente, elle peut même être très élevée. De fait, la rougeole n'est pas qu'une maladie banale avec des boutons et de la toux. Cette maladie rend souvent très malade et peut, 1 à 2 fois sur 1 000, se compliquer d'une encéphalite qui risque d'être mortelle ou d'imprimer sa marque indélébile dans le cerveau des enfants, avec des séquelles qui persisteront toute leur vie durant. Environ 1 personne sur 10 000 décède des suites de la rougeole. Cette proportion est plus grande chez les enfants mal nourris qui souffrent d'un déficit en vitamine A, une vitamine que l'on retrouve pourtant abondamment dans les carottes et dans le foie de veau, par exemple. La carence en vitamine A affaiblit la résistance des enfants à la maladie.

Le vaccin contre la rougeole est très efficace. Quoiqu'on en dise, ses effets secondaires sont rares et sans gravité : une complication majeure sur deux à trois millions de doses. Contrairement aux opinions diffusées dans les médias ces dernières années, on n'a établi aucun lien scientifique entre la vaccination contre la rougeole et l'autisme. Quatre-vingt-quinze pour cent des enfants développent des anticorps protecteurs contre la maladie après une seule dose de vaccin ; quatre-vint-dix-neuf pour cent après le rappel. Aux États-Unis, le nombre de cas est passé de 500 000 par an, dans les années soixante, à moins de 100 déclarations de rougeole en 1999. On retrouve encore une majorité d'infections en Haïti, en République dominicaine, et même tout récemment au Brésil. Dans plusieurs pays du monde en développement, en Afrique surtout, la rougeole est encore une des principales tueuses d'enfants, avec la malaria, le sida et la gastro-entérite.

Le programme d'immunisation universelle de l'Organisation mondiale de la santé prévoit de vacciner les enfants très tôt contre la rougeole, vers l'âge de neuf mois. Dans plusieurs des pays d'origine où l'enfant aura été adopté après l'âge de un an, le vaccin de la rougeole aura donc déjà été administré. On recommande néanmoins de donner deux doses du vaccin après l'âge de un an, que l'enfant ait été ou non vacciné avant cet âge. Au Québec, la première dose, à donner ou à redonner selon le cas, est administrée vers l'âge de un an, avec le vaccin de la rubéole et des oreillons : c'est le vaccin RRO. Le rappel est donné vers l'âge de 18 mois. Dans d'autres provinces canadiennes, aux États-Unis ou en France, la dose de rappel se donne plutôt vers quatre ou six ans. L'important est de donner deux doses après l'âge de un an pour être certain de protéger le plus d'enfants possible. En effet, il suffit de quelques personnes contagieuses pour qu'une éclosion de rougeole revienne en force. Le parent adoptant ne doit pas s'inquiéter de voir son enfant recevoir en tout trois doses de vaccin anti-rougeoleux. La seule remarque qui s'impose au chapitre des inquiétudes vise à recommander de retarder l'administration du vaccin en présence d'une malnutrition modérée ou sévère chez le nouvel arrivant. Une éclosion de rougeole ayant été récemment rapportée au cours d'une adoption internationale, toute la famille adoptive doit être bien immunisée.

Le vaccin contre la rubéole : grosso modo

La rubéole est une maladie contagieuse caractérisée par de la fièvre, une augmentation du volume des ganglions dans le cou et une éruption discrète sur le corps. Des douleurs articulaires peuvent également survenir, mais grosso modo, la maladie est si bénigne qu'une à deux personnes sur quatre n'ont aucun symptôme. On s'inquiète de la rubéole parce qu'elle est suscep-tible de causer, chez une femme enceinte, des malformations congénitales sévères, surtout dans les premiers mois de grossesse : une atteinte du système nerveux central, des cataractes, une maladie cardiaque. Ainsi, on vaccinera les enfants contre la rubéole en même temps que la rougeole et les oreil-lons, entre 12 et 15 mois, avec un rappel dans les mois et les années qui suivent. Le vaccin donne peu de réactions, parfois un peu de fièvre, une fois sur 20 une légère éruption avec des douleurs articulaires. En Occident, son administration est un des grands jalons de la vaccination et a permis une chute draco-nienne de la rubéole congénitale. Rarement les enfants adoptés auront été vaccinés contre la rubéole dans leur pays d'origine.

Le vaccin contre les oreillons : dans la foulée

L'infection par le virus des oreillons entraîne une tuméfaction douloureuse des parotides, ces glandes salivaires situées juste en-dessous des oreilles. Normalement, les parotides sont plutôt discrètes et exercent simplement leurs fonctions digestives. Mais quand elles s'infectent, elles prennent des proportions énormes, ce qui donne à l'enfant des allures de hamster. L'infection, passagère et relativement douce, s'accompagne de fièvre et de fatigue. Une atteinte des testicules est possible, et une stérilité peut s'ensuivre. Une méningite survient dans 10 % des cas, mais il s'agit alors d'une méningite sur le mode mineur, le plus souvent sans complications : rien à voir avec la gravité des méningites à pneumocoque ou à méningocoque. On rapporte néanmoins une surdité partielle directement causée par l'infection et qui régresse le plus souvent avec le temps, mais pas toujours. Ainsi, il ne faut pas perdre de vue qu'avant l'ère de la vaccination, les oreillons étaient une grande cause de surdité en Europe et en Amérique du Nord. Jusqu'à l'apparition du vaccin en 1967, la majorité des citoyens faisaient leurs oreillons. Aux États-Unis, par exemple, la fréquence était d'environ 200 000 cas par an ; depuis l'immunisation, on y rapporte seulement autour de 1 500 cas par an. En France, où la vaccination contre les oreillons n'est pas toujours appliquée, cette maladie atteint encore des mentions statistiques assez généreuses. Mais dans les pays en développement, où le vaccin n'est absolument pas administré sur une base régulière et où la maladie trouve peu d'obstacles, les oreillons s'avèrent à l'origine d'un certain nombre de cas de surdité inexpliqués chez les enfants.

Jusqu'à preuve du contraire, l'enfant adopté n'a donc pas été vacciné contre cette maladie dans son pays d'origine. Le vaccin qu'il doit recevoir s'administre à 12 mois, avec l'immunisation contre la rougeole et la rubéole : le RRO ou le ROR. On administre une dose de rappel à 18 mois au Québec, et à quatre ou cinq ans en France et aux États-Unis.

Le vaccin contre l'hépatite B : vers l'universel

Parmi les modes possibles de transmission de l'hépatite B chez les enfants adoptés arrivés en terre d'accueil, on retient d'abord les contacts sexuels et l'utilisation de drogues injectables. Vacciner préventivement les nouveaux arrivants sert donc surtout à mieux préparer leur adolescence. Le vaccin contre l'hépatite B s'avère également incontournable dans la préparation d'un voyage à l'étranger, comme celui qui conduira notre jeune adopté vers des vacances ou dans sa terre d'origine à la recherche d'un petit frère ou d'une petite sœur, sinon beaucoup plus tard à la quête de ses propres origines. Sous le même toit qu'un enfant porteur d'hépatite B, ou à la garderie avec des enfants porteurs du virus, l'enfant trouvera également dans le vaccin une protection incontournable.

Si, à ses prélèvements sanguins, le nourrisson ou l'enfant adopté plus âgé et nouvellement arrivé ne présente ni anticorps, témoignant d'une hépatite B ancienne ou d'une vaccination antérieure, ni non plus la maladie chronique déjà acquise, on pourra procéder à la vaccination avec une des formulations disponibles dans le pays d'accueil, généralement en deux ou trois doses.

Le vaccin contre la varicelle: 1995

La varicelle est une maladie virale très contagieuse qui provoque une éruption typique, constituée de vésicules translucides qui crèvent et deviennent bientôt croûteuses. Difficile de passer inaperçu : quelques dizaines à quelques centaines de cloques prurigineuses s'étendent du tronc jusqu'à l'ensemble du corps, de la plante des pieds à la paume des mains, en passant par la vulve, la tête, l'intérieur des oreilles, le voile du palais voire le blanc de l'œil. La fièvre est absente, sinon légère. Chez les enfants, les complications sévères sont réputées rares. Cependant, on en rapporte de plus en plus fréquemment, en raison des surinfections cutanées des lésions qui sont accueillantes pour les bactéries de type streptocoque ou staphylocoque. Un adolescent, un jeune adulte ou un enfant traité pour une maladie grave par des immunosuppresseurs ou de la cortisone peut même subir de redoutables complications varicelleuses.

La varicelle guérie, on pourrait croire que le virus s'essouffle enfin ou se contente de se répandre ailleurs. Ce serait mal connaître le comportement de l'herpès zoster qui se loge secrètement dans les ganglions proches de la moelle épinière. Des années après la varicelle, à l'occasion d'une baisse de résistance ou simplement avec l'âge, le virus peut sortir de sa somnolence et causer le zona. L'éruption se localise alors à quelques racines nerveuses et en profite parfois pour créer des douleurs épouvantables.

En Amérique et en Europe, la varicelle est démocratique : à moins d'être vaccinés, presque tous les gens s'infectent, la plupart avant l'âge de dix ans, surtout en hiver ou au début du printemps. La varicelle est beaucoup plus rare dans les pays tropicaux, au Mexique, en Amérique centrale ou du Sud, en Afrique et en Asie. Là-bas, seulement de 20 à 30 % de la population s'infecte. Ainsi donc, les personnes en bonne santé les plus à risque de contracter une varicelle sévère sont les jeunes immigrants ou réfugiés qui transitent au nord ou à l'ouest. Dans ce contexte, les enfants adoptés d'une dizaine d'années ou plus pourraient bien souffrir d'une varicelle carabinée.

En 1995, on a commercialisé un vaccin pour prévenir la varicelle. Jusqu'à preuve du contraire, ce vaccin est efficace et sans danger. Il se donne en une seule dose, vers 12 à 15 mois, ou en deux doses chez les plus de 13 ans pour qui la réaction immunitaire est déjà moins primesautière. Il peut causer quelques lésions localisées de varicelle à l'occasion. Aux États-Unis, le vaccin contre la varicelle est administré dans le cadre du calendrier régulier d'immunisation des enfants, mais pas encore au Canada, ni dans la plupart des pays d'Europe.

L'enfant adopté aura rarement contracté la varicelle ou été vacciné contre cette maladie dans son pays d'origine. Cependant, les enfants sont vaccinés contre la varicelle en Colombie, dans certains orphelinats privés, mais l'habitude est loin d'être généralisée dans le monde, compte tenu que le vaccin est plutôt coûteux et qu'il n'est pas une priorité au sein des pays en développement. On pourra donc vacciner l'enfant adopté dans son pays d'accueil. Peu importe qu'il ait fait ou non de la varicelle, on peut sans crainte administrer le vaccin. Le fait d'éviter une maladie banale prend également de l'importance chez les enfants africains, haïtiens ou hindi à la peau noire ou foncée, chez qui l'herpès zoster laisse de petites traces de son passage.

Le vaccin BCG : en Europe

Il n'est pas indiqué de discuter ici des intérêts ou non de la vaccination avec le BCG. Nous prenons simplement la peine d'en faire un paragraphe puisque l'administration routinière du vaccin est prescrite dans plusieurs pays de la francophonie.

Au Québec, d'où nous écrivons notre livre, le vaccin est administré dans certaines communautés inuits et amérindiennes, et chez les enfants de moins de quatre ans qui devront séjourner pendant une longue période dans les pays en développement, en prévention des formes sévères de la maladie, dont la méningite et la tuberculose dite miliaire.

La plupart des enfants adoptés auront toutefois été déjà immunisés dans leur pays d'origine, selon les recommandations de l'Organisation mondiale de la santé. Une cicatrice sur le bras ou l'avant-bras témoignera d'ailleurs de cette immunisation antérieure. Parfois, la région du vaccin est encore tout enflammée. C'est normal, on appelle cela une BCGite, c'est-à-dire une reconnaissance immunitaire du vaccin par le corps de l'enfant. Le plus souvent, sans traitement, le problème s'estompe dans les quelques mois qui suivent l'arrivée du petit nouveau.

Le vaccin contre le méningocoque: du nouveau

On disposait déjà d'un vaccin contre les méningocoques de type A, C, Y et W135. Il était cependant de courte efficacité et inefficace avant l'âge de deux ans, âge où les méningococcémies sont fréquentes. Depuis un peu plus d'un an, un nouveau vaccin antiméningococcique peut être donné très jeune, mais ne touche que le méningocoque du groupe C, responsable des dernières éclosions en Amérique. Il est maintenant recommandé et inclus depuis novembre 2002 dans le calendrier régulier d'immunisation du Québec. On le recommande à l'âge de un an, en même temps que le vaccin contre la rougeole, la rubéole et les oreillons, que l'enfant ait reçu ou non un vaccin dans son pays d'origine, par exemple en Chine où une formulation nationale est régulièrement administrée aux enfants contre le méningocoque.

Le vaccin contre le pneumocoque:
moins cher que les couches

Comme nous espérons que le vaccin contre le pneumocoque devienne accessible pour tous les nourrissons canadiens et européens, nous lui dédions ici ce petit aparté autour des méningites et des couches. Le rapport entre les deux?

D'abord, on trouve dans la nature plus de sortes de méningites que de marques de couches jetables: les méningites virales,

les bactériennes et d'autres encore. Contre les méningites bactériennes, il existe heureusement plusieurs formulations vaccinales capables de protéger les petits. Dans la dernière décennie, le vaccin contre l'*Haemophilus influenzae* de type B a été offert au sein du calendrier d'immunisation avec, pour résultat, un méga succès: la méningite à *Haemophilus influenzae* de type B a quasiment disparu des hôpitaux pédiatriques. Plus récemment, le Québec débutait, auprès des moins de 20 ans, une campagne d'immunisation contre le méningocoque de type C, une autre infection foudroyante responsable d'infections microbiennes dans le sang, sur la peau, ainsi que dans les méninges. Une troisième sorte de méningite bactérienne, la méningite à pneumocoque, fait pourtant plus de ravages chez les moins de deux ans, et dans une moindre mesure chez les moins de cinq ans, particulièrement chez ceux qui fréquentent une garderie. Contre cette infection dite à *pneumo* qui ne fait malheureusement pas les manchettes des médias et qui est également responsable d'otites et de pneumonies, il existe pourtant un nouveau vaccin, très bon, mais plutôt cher, et qui se donne dès l'âge de deux mois. Il faut y songer sérieusement pour protéger les enfants, adoptés ou non. Comparez pour voir: on dépenserait en dollars canadiens 2 400 dollars en couches jetables dans les cinq premières années de notre progéniture. Le vaccin contre le pneumocoque est dix fois moins cher et il ne protège pas que les fesses: il protège la vie.

Le vaccin contre l'influenza: de plus en plus

Les enfants comme les adultes sont affectés par le virus de l'influenza, responsable de la grippe. Le taux d'hospitalisation des enfants pour cause d'influenza est au moins aussi important que celui des personnes âgées. L'influenza a aussi un impact significatif sur l'absentéisme scolaire. Depuis longtemps, les enfants et jeunes à risque de six mois à 18 ans, porteurs de maladies cardiaques ou pulmonaires chroniques ou d'hémoglobinopathies, sont vaccinés contre l'influenza. Les recommandations nord-américaines tendent maintenant à élargir les indications et à encourager l'immunisation de tous les enfants de six mois à deux ans ou qui vivent dans une maisonnée avec un enfant de moins de deux ans.

Prise en charge et suivi

> *Vous n'allez pas tous apprendre et recevoir la nouvelle*
> *de la même manière. Certains d'entre vous ont adopté*
> *leur enfant en connaissance de cause, en le sachant malade.*
> *Il s'agit maintenant pour vous d'apprendre à assumer*
> *et à gérer sa maladie ou son handicap au quotidien...*
>
> Marielle de Bénichon et Jean-Jacques Choulot

Les parents adoptants apprennent à connaître et à prendre en charge les éléments importants du suivi médical; et même les enfants nouvellement arrivés connaissent leur cas, selon leur âge et, au besoin, avec l'aide d'un interprète. Tout ce qui a été précédemment identifié détermine les consultations subséquentes, pour des raisons de santé ou de routine, les consultants à faire intervenir, les spécialistes médicaux ou paramédicaux des équipes multidisciplinaires, ainsi que les besoins particuliers en alimentation, en traitement des infections et en soutien au développement. Dans les prochains chapitres, nous en rendrons compte aussi raisonnablement que possible.

MAMAN N'A PAS «ADOPTÉ» SON ENFANT

Chantal est la toute nouvelle maman adoptive de Catherine, une petite de 18 mois d'origine haïtienne, arrivée au Québec il y a trois mois, et assez malade merci: malnutrition, parasites intestinaux, impétigo, gale, sans compter les rhumes et les bronchites à répétition. Bref, les visites chez le pédiatre à l'hôpital et au CLSC ont meublé allègrement le début de son congé parental. Cependant, Catherine et ses parents ont de la chance, car ils habitent la région du Bas-Saint-Laurent, une des premières régions du Québec à avoir pris l'initiative de coordonner les efforts des organismes d'adoption, des services sociaux et des services de santé, pour offrir des services intégrés en périnatalité aux enfants de l'adoption internationale.

Anne-Marie, l'infirmière en périnatalité du CLSC, en est à sa quatrième visite à domicile pour peser Catherine. Elle connaît bien Chantal et sa fille, car c'est elle qui effectue la vaccination de la petite.

Assise à la table de la cuisine, Anne-Marie écoute Chantal décrire comment les choses vont mieux depuis que Catherine dort à peu près des nuits normales, depuis aussi qu'elle accepte de se laisser prendre, embrasser et bercer. Il y a de la fatigue et de l'émotion dans la voix de la maman qui regarde furtivement la petite jouer par terre avec une bouteille de ketchup. Attentive et perspicace, Anne-Marie dit à Chantal : « Je suis si heureuse d'entendre que ça va mieux avec ta fille. Tu y a mis beaucoup d'énergie et de temps et je sais que cela n'a pas été facile. Alors imagine-toi comment cela sera extraordinaire quand tu commenceras à l'aimer vraiment... » Bouche bée, Chantal regarde l'infirmière, se met à pleurer, et lui dit : « Comment sais-tu que je ne l'aime pas encore ? Je ne l'ai dit à personne ! »

Débute alors un long entretien où l'infirmière accueille les émotions contradictoires de la jeune maman, qui se sent enfin « normale » de ne pas être encore totalement attachée et certaine de ses sentiments envers sa fille. C'est aussi l'occasion pour l'infirmière d'expliquer à Chantal certaines techniques qui favoriseront un attachement mutuel et sain.

Références

CHICOINE, J.F., L. CHICOINE, P. GERMAIN. « Adoption internationale : contexte de la visite médicale en post-adoption ». *Le Clinicien*, 1998, 13 (8); 68-91.

CHOULOT, J.J., J.M. BRODIER, H. BOUCHER. « Adoption internationale : évaluation de l'état de santé des enfants ». *La Revue du Pédiatre*, 1994, (2); 58-60.

DE MONLÉON, J.V. «Adoption à l'étranger: les risques médicaux». *La revue du praticien. Médecine générale*, 2000, (493); 557-562.

HOSTETTER, M., D. JOHNSON. «International adoption. An introduction for physicians». *American Journal of Diseases of Children*, 1989, 143 (3); 325-332.

JOHNSON, D. «Long-term medical issues in international adoptees». *Pediatric Annals*, 2000, 29 (4); 234-241.

MILLER, L. «Caring for internationally adopted children». *New England Journal of Medicine*, 1999, 341 (20); 1539-1540.

MILLER, L.C. «Immunization status of internationally adopted children». *Pediatrics*, 1999, 108 (4); 1050-1051.

MITCHELL, M., J.A. JENISTA. «Health care of internationally adopted child». *Journal of Pediatric Health Care*, 1997, 11 (2); 51-60.

NICHOLSON, A., B. M. FRANCIS, E.K. MULHOLLAND et al. «Health screening of international adoptees». *Medical Journal of Australia*, 1992, 156 (6); 377-379.

SCHULPEN, T.W.J., A.H.J. VAN SEVENTER, H.C. RUMKER et al. «Immunization status of children adopted from China». *Lancet*, 2001, 358 (9299); 2131-2132.

Chapitre 7

L'état nutritionnel de l'enfant

▼

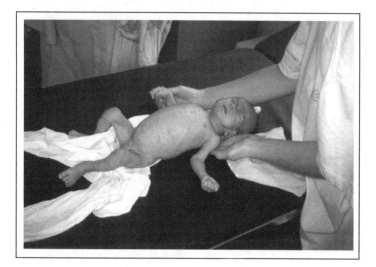

Malnutrition protéino-énergétique
Vietnam, 1998

Les questions des nouveaux parents tournent souvent autour de l'alimentation et des assiettées à prévoir pour faire grossir le petit nouveau. Cette polarisation alimentaire n'est pas gratuite. Son apparence générale, ses proportions, la présence ou non d'un gros ventre, la qualité de sa peau ainsi que l'évaluation anthropométrique, c'est-à-dire les mesures attentives de son poids, de sa taille et de son périmètre crânien, sont au centre de l'examen de santé du nouvel arrivant. L'enfant mal nourri ne se développe pas comme il le devrait, à la fois sur le plan moteur, intellectuel, du langage, et même sur le plan social. L'enfant mal nourri est plus susceptible qu'un autre de s'infecter. Enfin, l'enfant mal nourri paraît moins attachant qu'un autre. Les parents savent que ce n'est qu'une question de temps. C'est pourquoi, avec l'appui de professionnels compétents, ils sont les mieux placés pour inverser la machine catabolique et remettre la nourriture au menu de la journée.

Carences alimentaires en protéines et en énergie

> À tous les repas pris en commun,
> nous invitons la liberté à s'asseoir.
> La place demeure vide, mais le couvert est mis.
>
> René Char

Un enfant est jugé mal nourri lorsque ses besoins en protéines et en énergie ne sont pas comblés par son alimentation. Malgré toutes les conventions internationales visant à protéger les droits des enfants, un sur deux ou trois et même un sur deux souffre de malnutrition en Afrique et en Asie, tandis qu'environ un sur dix en souffre également en Europe de l'Est. Cette malnutrition dite protéino-énergétique est reconnue comme primaire lorsqu'elle est explicable par un apport insuffisant de lait et de nourriture, comme c'est souvent le cas chez les orphelins des pays en développement. Il faut voir le garde-manger des institutions! Les stocks sont limités, les apports saisonniers. Le lait des biberons est dilué. La nourriture solide est distribuée dans un grand bol communautaire avec une seule cuillère pour laquelle il faut se battre, à moins de passer son tour.

Par ailleurs, on parle de malnutrition protéino-énergétique secondaire lorsque la perte de poids ou la croissance insuffisante s'expliquent par une condition médicale de l'enfant ou une maladie intercurrente, par exemple une infestation par des parasites. Pour combattre une infection, l'enfant a besoin de plus de calories, et plus encore quand la maladie cause de la diarrhée et une malabsorption. Dès l'âge de six mois, il va donc se mettre à perdre du poids en raison de toute une gamme de parasitoses possible.

Chez l'enfant venu d'une famille d'accueil attentive, par exemple d'Amérique centrale ou du Sud, on ne découvre le plus souvent aucun déficit alimentaire probant. Mais chez l'orphelin aux prises avec des conditions de vie difficiles, les deux types de malnutrition coexistent et contribuent à la perte plus ou moins sévère en kilos et en centimètres normalement attendus que le parent adoptant inquiet sera à même de constater dès ses premiers moments avec l'adopté:

– Regarde comme il est maigre! Regarde comme il est minuscule! Regarde comme son ventre paraît gros en comparaison de ses petits bras! J'espère qu'il va s'en sortir...

Tout est là, tout a été dit... ou presque. Détaillons un petit peu.

L'insuffisance pondérale: «regarde comme il est maigre»

Oui, le bébé est maigre. Un manque de calories entraîne une insuffisance de poids visible à l'œil nu ou sur la réglette du pèse-bébé. La circonférence des bras tient entre deux doigts d'adulte, celle des cuisses n'est guère plus grosse. Pour qualifier la perte de poids plus ou moins sévère, la maigreur excessive, les Anglo-Saxons emploient le terme *wasting*, signifiant la malnutrition aiguë. Il n'y a pas de *wasting*, par exemple, si l'enfant pèse le poids qui convient à sa taille. C'est le cas notamment avec les enfants venus des familles d'accueil du Vietnam ou de Corée ou même chez les enfants institutionnalisés venus d'Amérique centrale ou d'Amérique du Sud que les nourrices gâtent de *frijoles*, de tortillas et de légumes de toutes sortes. Un calcul, qui met directement en relation le poids et la taille de l'enfant, permet de situer l'enfant sur l'échelle nutritionnelle de Waterlow. Si le bébé pèse en deçà de nos attentes par rapport à sa taille, on parle alors de *wasting* léger, modéré ou encore sévère, comme c'est souvent le cas avec les enfants venus d'Inde, d'Haïti ou du continent africain. Une malnutrition protéino-énergétique sévère porte aussi le nom de marasme.

Une étude effectuée à l'Hôpital Sainte-Justine de Montréal, à la fin des années 90, a permis de démontrer, parmi un groupe de 808 Chinoises adoptées, que le quart d'entre elles souffraient de maigreur excessive à leur arrivée, ce qui n'est guère surprenant compte tenu du taux national de malnutrition dans la population chinoise. Le poids du nouvel arrivant est un indicateur de l'attention de sa nourrice, de la qualité de l'orphelinat, de la quantité de nourriture qu'on y retrouve, des éclosions de gastro-entérites qui y sont survenues et du pourcentage de malnutrition dans la population locale. D'autres études ont également permis de démontrer que le quart des nouveaux arrivants de Roumanie souffraient de maigreur excessive, ce qui témoigne ici de mauvaises conditions d'existence dans les institutions, le taux national d'insuffisance pondérale dans la population d'enfants roumains étant bien en deçà de ces chiffres.

L'insuffisance staturale: «regarde comme il est minuscule»

Oui, le bébé est minuscule. De fait, toute l'appréciation nutritionnelle de l'enfant adopté ne se situe pas dans le simple constat qu'il est maigre, mais également dans la constatation anthropométrique que sa taille est petite. La malnutrition chronique affecte donc non seulement le poids, mais aussi la taille du nourrisson, de l'enfant puis éventuellement celle de l'adolescent ou du jeune adulte. En raison d'une malnu-trition prolongée, les enfants des pays en développement, et ceux des orphelinats dans la foulée, présentent donc une taille inférieure à celle de leur potentiel génétique. À bien observer ces enfants – on en choisit un à l'âge de un an par exemple –, on s'aperçoit que leurs membres paraissent courts en proportion de leur tête ou de leur thorax. Certains parents parlent de bébés «schtroumpfs» ou de bébés «hobbits», termes auxquels on préférera l'expression consacrée de «nanisme nutritionnel».

Pour caractériser l'effet de la malnutrition chronique, selon l'âge de l'enfant à l'arrivée dans son pays d'adoption, les Anglo-Saxons utilisent le terme *stunting* signifiant la malnutrition chronique aussi appelée émaciation. Le calcul du *stunting* s'effectue grâce au rapport mathématique taille/âge, également qualifié de léger, de modéré ou de sévère, selon l'importance de la perte de poids causée par la malnutrition. Il n'y a pas de *stunting* ou d'émaciation si l'enfant mesure la taille moyenne attendue pour son âge, avec les variations attendues de la normalité du plus petit au plus grand. Un enfant thaïlandais âgé de deux, trois ou quatre ans, élevé dans de bonnes conditions dans son orphelinat de Bangkok, peut donc se retrouver dans les bras de ses parents sans souffrir de *stunting*. Un jeune Cambodgien affamé peut néanmoins présenter du *stunting* dès l'âge de dix mois.

Dans l'étude réalisée auprès de 808 Chinoises examinées à l'Hôpital Sainte-Justine à la fin des années 90, plus de 50% d'entre elles présentaient un *stunting* de léger à sévère à leur arrivée. Les fillettes en provenance des provinces pauvres, comme le Hunan, présentaient des états d'émaciation relativement plus avancée que celles des provinces plus riches, comme le Jiangsu. Un calcul détaillé a ainsi permis de nous rendre compte que l'état nutritionnel des Chinoises à leur arrivée au Québec était directement tributaire du produit national brut des régions dont elles étaient issues. L'importance de la malnutrition chronique a également été soulevée dans de nombreuses études auprès des enfants de Roumanie où l'insuffisance de taille, chez trois enfants adoptés sur quatre, tranchait littéralement avec celle rapportée dans la population locale d'enfants de 13 à 24 mois qui n'étaient affectés qu'une à deux fois sur dix. L'état de santé de son pays d'origine et l'état de santé de l'institution qui en avait la charge influencent donc la taille de votre enfant à l'arrivée dans son pays d'accueil.

Le kwashiorkor : « regarde comme son ventre paraît gros »

Il paraît gros, mais il est maigre. En fait, il est plein d'eau. Le principe en est un de vases communicants. Quand, en raison de la malnutrition, les protéines viennent à manquer dans le sang, l'eau qui ne trouve plus son intérêt à diluer le milieu sanguin se transvide aussitôt au sein de la paroi abdominale pour donner cette apparence de gros ventre. Ce type de malnutrition appelé du nom africain de kwashiorkor, voulant dire « enfant ayant été abandonné », se rencontre parfois chez des enfants très peu carencés en termes de quantité d'aliments. Le kwashiorkor est plus une affaire de mauvaise qualité d'aliments, de biberons d'eau et de farine, sans espoir d'aliments comme les œufs ou la viande au menu. L'apparence clinique d'un enfant souffrant de kwashiorkor est tout à fait caractéristique. Ses cheveux sont orangés, friables, sa peau est sèche, son regard est léthargique. Son développement moteur et son éveil sont retardés.

Plusieurs enfants adoptés en Afrique subsaharienne, à Madagascar et à Haïti sont confiés à des parents adoptants avec un kwashiorkor établi ou en voie de résolution. Des trésors de patience sont alors nécessaires. Ces enfants sont lents à faire manger. Il faut tout écraser, les œufs, le foie de poulet. Même s'ils sont profondément affamés, ils font rouler la nourriture dans leur bouche. Toutefois, avec l'appui d'une équipe multidisciplinaire formée du médecin, de l'infirmière et de la nutritionniste, la plupart des enfants retrouvent graduellement leurs forces, de la couleur dans leurs cheveux et une nouvelle peau douce.

Les effets à long terme : « j'espère qu'il va s'en sortir »

Le cerveau se développe en grande partie avant l'âge de trois ans. En 36 mois seulement, comme en faisait état l'UNICEF dans un récent rapport sur la santé des enfants du monde, un enfant développe sa capacité à penser, à parler, à apprendre et à raisonner. À cause de ses effets délétères sur la croissance des jeunes cerveaux, la malnutrition qui sévit sur la planète va affecter le devenir intellectuel et social des adultes en herbe. Mais dans quelle mesure ? Et chez quel enfant en particulier ?

Plusieurs recherches s'intéressant aux effets à long terme de la malnutrition ont effectivement pointé du doigt les effets pervers des carences nutritives sur le développement du jeune enfant. Une étude importante réalisée à la Barbade rapportait que les enfants mal nourris en bas âge présentaient plus de retards intellectuels, plus de problèmes d'apprentissage scolaire et plus de problèmes d'estime de soi que ceux qui avaient mangé à leur faim. Un élément important mis en relief dans ce travail concernait la fréquence des déficits d'attention avec ou sans hyperactivité chez les enfants ayant souffert de malnutrition. Les problèmes fréquents d'hyperactivité chez les enfants adoptés seraient-ils dans une certaine mesure en relation avec leurs carences alimentaires passées? Une autre étude réalisée aux États-Unis, celle-là auprès d'enfants adoptés en Corée, a également mis de l'avant des déficits intellectuels à l'âge scolaire chez ceux qui avaient subi de la malnutrition manifeste avant leurs deux ans.

D'autres recherches ont cependant souligné l'extraordinaire plasticité du cerveau et sa capacité étonnante de récupérer après l'adversité. Il appert que malgré une malnutrition grave, plusieurs enfants évolueraient par la suite sans que rien n'y paraisse sur leurs capacités. Voilà donc une bonne nouvelle pour les parents adoptants forcés de tenir compte de la maigreur indésirable de leur nouvelle recrue. Une malnutrition apparue après la naissance, c'est-à-dire sans rapport avec un retard de croissance intra-utérin, ou encore une malnutrition corrigée avant que l'enfant n'atteigne ses deux ou trois ans s'avérait donc de bon augure pour la récupération. Une majorité d'orphelins ayant plutôt perdu des plumes en institution entre l'âge de six et douze mois, et repris ensuite du poil de la bête dans les bras de leurs parents adoptants avant l'âge de deux ans, on est donc en droit d'espérer le meilleur pour leur développement cérébral. Par ailleurs, le devenir des enfants plus âgés paraît plus problématique quand la croissance de la tête semble avoir souffert de la faim sur de longues périodes.

Carences alimentaires en minéraux et en vitamines

En fait, parler de malnutrition protéino-énergique pour désigner l'insuffisance de poids ou le petit format du nouvel arrivant est un raccourci. Au manque de protéines et d'aliments riches en gras ou en sucres va s'associer un apport insuffisant en minéraux comme le fer, le zinc et l'iode ainsi qu'un manque de vitamines, surtout A ou D. La carence en fer, par exemple, entraîne de l'anémie, le déficit en vitamine D, du rachitisme, et ainsi de suite selon les caprices de la biologie humaine. Tout autant que les protéines et les calories, ces minéraux et ces vitamines essentiels au corps de l'enfant doivent être fournis soit par les aliments, soit par supplémentations. La nature le veut ainsi. Mais elle n'est pas généreuse de la même façon partout. Selon son pays d'origine, son âge à l'adoption et la qualité des soins et des aliments qu'il aura reçus, le petit orphelin n'aura manqué de rien ou, au contraire, aura été privé d'un ou de plusieurs de ces nutriments pourtant essentiels à sa santé. Nous détaillons ici les principaux.

L'anémie ferriprive : trop de thé, de farines et de dilutions

De tous les minéraux qui viennent à manquer, tout spécialement chez les enfants nés prématurément ou avec un petit poids de naissance d'une maman mal nourrie, privés du sein maternel, puis enfin élevés à l'orphelinat entre des dizaines d'autres à partager biberons et assiettes de fortune, il faut certainement citer le fer. Le fer est aussi un élément essentiel à la formation de l'hémoglobine, un pigment rouge responsable du transport de l'oxygène partout dans l'organisme. Dans un contexte de malnutrition, un taux abaissé d'hémoglobine est appellé anémie ferriprive.

Un bébé adopté né d'une mère anémique risque de manquer de fer et, du fait même, de ne pas fabriquer suffisamment de molécules d'hémoglobine. Un enfant nourri au lait dilué et à l'eau bouillie coupée de farine, au bouillon trop clair ou au thé, risque évidemment de se trouver déficient en fer puis finalement anémique à cause d'un manque de fer alimentaire.

On se rappellera que le fer se retrouve majoritairement dans la viande et dans les œufs, ainsi que dans les légumes verts, les légumineuses et les grains entiers des céréales, des aliments dont sont privés les enfants des orphelinats, autant sinon plus que leurs frères et sœurs de la ville ou de la campagne. Il faut reconnaître que la déficience en fer est le problème nutritionnel le plus répandu dans le monde. Il se rencontre chez des millions d'enfants des pays industrialisés, alors imaginez sa présence dans les pays affamés ! Il n'est donc pas étonnant de retrouver une anémie de gravité variable chez certains nouveaux arrivants. La nourriture disponible, les attentions d'une famille d'accueil, l'âge de l'enfant au moment de son adoption sont parmi les facteurs qui expliquent la présence ou non d'une anémie nutritionnelle. Alors que seulement 3 % des enfants coréens bien alimentés dans leur famille d'accueil sont anémiques, 60 % des nouveaux arrivants de la Fédération de Russie le sont.

Un peu d'anémie donne peu de signes cliniques. Pour sa part, une anémie plus sévère, et surtout plus prolongée, peut expliquer la pâleur de l'enfant adopté, sa trop grande passivité, voire une partie de ses retards développementaux. À court terme tout au moins, la déficience en fer risque de nuire à l'intelligence.

Le rôle du médecin consiste à diagnostiquer l'anémie par manque de fer et à la distinguer des autres causes d'anémie pouvant affecter l'enfant adopté. C'est qu'il ne faut pas tout mettre sur le compte de l'alimentation! La découverte d'une anémie par manque de fer peut aussi s'expliquer par l'infestation parasitaire qui vient ainsi compliquer le déficit déjà créé par la privation alimentaire. Le parasite entraîne des microhémorragies digestives capables d'envenimer l'anémie déjà constatée.

Une diminution de l'hémoglobine peut également être causée par un trait héréditaire ayant conduit à des caractéristiques sanguines originales, en tout cas bien différentes de celles de la majorité des humains. Ces caractéristiques donnent le change pour une anémie ferriprive. Les maladies de l'hémoglobine sont, sinon fatales en bas âge, sévères ou au contraire tout à fait inoffensives pour le futur de l'enfant adopté. Avant de conclure à une anémie causée par un manque de fer dans l'alimentation, le médecin responsable du bilan d'accueil de l'enfant aura donc à tenir compte de son berceau géographique et ethnique à l'origine de maladies de l'hémoglobine telles la thalassémie ou la drépanocytose (anémie falciforme). Comme l'écrivait le professeur Jean Bernard, « l'homme est en mouvement, mais le sang de cet homme…, ce sang reste immobile. » Une anémie en apparence nutritionnelle peut donc être affaire de descendance plutôt que de déficience ou les deux.

Néanmoins, chez la majorité des enfants adoptés, l'anémie trouve son explication dans le manque de fer alimentaire. Après avoir effectué les prélèvements appropriés, le médecin prescrira au besoin du fer à votre enfant, sous forme médicamenteuse, en général pour une période de trois mois. Il ne vous faudra pas pour autant négliger le fer contenu dans l'assiette de foie de poulet, dans l'humus libanais, dans le filet de poisson, dans la bonne recette de chili ou dans l'omelette improvisée. Il vous faudra aussi éviter les excès de lait et laitages et les débordements de jus. La jeune marmaille ainsi trop rassasiée manque ensuite d'appétit pour les aliments solides riches en fer. Par exemple, un demi-litre de lait entier par jour est amplement suffisant pour un enfant de 18 mois.

La carence en iode: le vrai sens du crétin

Un développement physique et mental normal exige que la glande thyroïde reçoive de l'iode, son huile à moteur en quelque sorte, sa dose. Grâce à l'iodation du sel de table, environ 70% des populations du monde sont maintenant protégées contre la carence en iode. Des millions d'autres, notamment les habitants des Andes, de l'Himalaya ou de certaines chaînes montagneuses de l'Asie du Sud-Est risquent par ailleurs de manquer d'iode ou de souffrir gravement de son absence. Les signes et les symptômes phares de la carence en iode donnent une maladie, l'hypothyroïdie. Les enfants carencés dans leur vie intra-utérine ou en bas âge présentent un nanisme et une déficience intellectuelle (crétinisme). Des problèmes d'audition, de langage et une démarche tout à fait particulière font aussi partie du tableau du crétin. Plusieurs enfants sont facilement repérables, d'autres qui présentent des formes frustes ou allégées passent presque inaperçus.

La plupart des enfants mal nourris ont manqué de protéines, de graisses, de sucre, de fer, etc., mais pas d'iode. Ainsi, ce problème n'est pas majeur en adoption internationale. Dans certains pays à faible niveau d'iodation, le déficit congénital en iode est néanmoins au nombre des hypothèses expliquant un retard intellectuel chez l'enfant adopté. Le lien causal reste par ailleurs impossible à prouver. C'est qu'en médecine, deux éléments – par exemple les montagnes reculées du Yunnan et le retard intellectuel d'une petite fille adoptée en Chine – peuvent être associés sans nécessairement entretenir un rapport explicatif de cause à effet. Ainsi, devant la découverte d'une faiblesse des membres inférieurs, d'un nanisme ou d'une surdimutité, un déficit iodé à l'origine du problème demeure possible, probable, mais toujours incertain. Aucune analyse de laboratoire ne permet de le confirmer. Aucun supplément alimentaire ne permet de reprendre le temps perdu. Poissons et sel de table sont toutefois garants de l'avenir. Ils conviennent à l'enfant adopté comme à tous les enfants du monde.

La carence en vitamine A : du beurre

La carence en vitamine A accroît la vulnérabilité des enfants aux infections, particulièrement les infections qui touchent l'arbre respiratoire comme la bronchite, la bronchiolite et – on oublie trop souvent son impact respiratoire – la rougeole. C'est que la vitamine A joue un rôle de leader dans le fonctionnement du système immunitaire. Elle protège l'intégrité des cellules de la peau, des yeux, du tube digestif et des voies respiratoires, du nez jusqu'aux poumons. Des dizaines de millions d'enfants dans le monde se retrouvent carencés en vitamine A pour avoir été privés chroniquement de foie, de beurre, de papayes, de lait de vache entier ou encore de légumes à feuilles vert foncé. Cette déficience vitaminique explique également la xérophtalmie, une manifestation grave du déficit pouvant conduire à la cécité. Heureusement, avec le secours des grandes organisations humanitaires, on arrive à combler cette déficience en leur distribuant des suppléments sous forme de capsules.

Certains enfants adoptés souffrant de malnutrition sévère peuvent tout de même souffrir d'une carence en vitamine A, par exemple les enfants venus d'Haïti ou d'Éthiopie. Le déficit pourrait expliquer pourquoi ces enfants adoptés sont si souvent atteints, parallèlement à leur malnutrition, d'une infection respiratoire à la traîne. Le dosage sanguin n'étant pas toujours facile à obtenir ou à interpréter, il pourrait être d'emblée nécessaire de prescrire, en plus de la bonne chère, des suppléments par voie buccale ou intramusculaire. Un examen ophtalmologique peut s'avérer indiqué.

Parents et pédiatres devraient ici se concerter pour remettre à plus tard la vaccination antirougeoleuse. Un enfant ragaillardi par le beurre et le foie de poulet risquera moins les réactions vaccinales adverses de nature respiratoire que peut entraîner la carence en vitamine A.

Le rachitisme : les jambes croches

Le rachitisme est une maladie des os en croissance causée par une intrication subtile de déficits en minéraux, notamment en calcium et en phosphore, et en hormones orchestrées par la vitamine D. Une partie de la vitamine D nécessaire à la croissance est d'origine alimentaire et l'autre partie est produite par la peau ensoleillée. La vitamine D est essentielle à la santé osseuse et à la bonne gestion du calcium dans l'organisme. Un manque de vitamine D provoque du rachitisme sur les os en croissance et de l'ostéoporose sur les os matures. Partout dans le monde, le rachitisme signe sa présence, au nord parce que les enfants sont privés du soleil nécessaire à sa production, au sud pour les mêmes raisons, puisqu'on y couvre les enfants de la tête au pied. Dans les pays industrialisés, le lait enrichi, au Canada par exemple, ou les suppléments, en Europe, permettront, en l'absence d'un ensoleillement satisfaisant, de conférer une certaine protection contre la maladie. Dans les orphelinats des pays comme le Bélarus, l'Ukraine, la Fédération de Russie, ainsi que dans les institutions chinoises, les enfants sont dépendants d'injections vitaminiques qu'ils reçoivent malheureusement sur des bases trop irrégulières. Ainsi entre 5 et 10 % des enfants adoptés en pays étrangers se présentent à leur examen de santé avec des signes aigus ou anciens de rachitisme.

Chez l'enfant, le rachitisme affecte, à différents degrés, la croissance de la tête au tronc, le tonus des muscles, ainsi que la charpente osseuse des bras et des jambes. De mois en mois, à mesure que le petit corps carencé tente de faire un peu d'os avec trop peu de calcium et de vitamine D, se succèdent différents signes : une fontanelle très élargie, un bombement du front dit « en nodule de perroquet », un aplatissement de la tête, une déformation du thorax et de la colonne vertébrale, des côtes proéminentes formant un chapelet costal, un élargissement des poignets, une courbure des jambes et un signe classique qui se voit à l'œil : des genoux qui louchent. Les enfants adoptés rachitiques ne sont généralement pas maigres : il faut du corps pour que l'enfant souffre du déficit en vitamine D. Les parents adoptants sont très souvent interpellés par la transpiration étonnante de la tête de ces bébés. Des analyses sanguines et des radiographies osseuses viennent appuyer le diagnostic clinique.

En l'absence d'un rachitisme sévère entraînant une baisse de calcium sanguin et des convulsions, situation rare chez l'enfant adopté mais qui nécessite une hospitalisation, une supplémentation orale en vitamine D, 4 000 à 5 000 unités internationales par jour pendant un à deux mois, permet de résoudre le rachitisme carentiel, à condition que les parents adoptants soient très fidèles à la prescription. Une prescription de suppléments de calcium accompagnera souvent celle de vitamine D pour favoriser la reminéralisation de l'os. Rarement, des déformations osseuses de la cage thoracique ou d'autres os de la charpente nécessitent une intervention chirurgicale.

Réalimentation du jeune arrivant

« *Mange bébé, mange…* »

Les parents adoptants, à l'instar de tous les bons parents, appréhendent souvent le moment du repas de bébé : pour des raisons pratiques, parce qu'ils hésitent sur le type d'aliments à offrir à l'enfant en fonction de son âge et pour des raisons techniques, parce qu'ils n'osent pas trop s'avouer incapables de bien préparer un biberon. À ces contraintes relativement sympathiques, s'ajoutent chez les nouveaux parents d'un enfant adopté à l'étranger, des doutes, voire des inquiétudes manifestes qui en appellent à tout un bagage de connaissances non traditionnelles. Pour des raisons essentiellement théoriques, les appréhensions légitimes des adoptants prennent ici des dimensions qui dépassent largement la liste d'épicerie.

Comment contrer les effets de la malnutrition ? Comment savoir si l'enfant a déjà mangé des œufs ou du poisson ? Comment s'assurer qu'il reçoit les quantités nécessaires pour grossir ? Autant de questions auxquelles on peut apporter quelques réponses qui devront être complétées par le pédiatre, le médecin, l'infirmière en adoption ou la diététicienne consultés.

Le lait pour nourrissons : B, A, Ba

Contrairement à une croyance répandue, il n'est pas nécessaire de continuer à donner le lait avec lequel l'enfant a été habitué à son orphelinat. On connaît trop mal les normes locales de production de lait pour bébé, par exemple en Chine où les étiquettes se multiplient. Les bébés adoptés s'adaptent très bien aux grandes marques de préparations lactées en vente au magasin du coin: Nestlé Bon Départ®, Similac®, Nidal®, Enfalac®, etc. Elles sont conçues pour eux, comme pour les autres bébés qui n'ont pas la chance d'être allaités. À l'étranger, vous pourriez les avoir transportées de chez vous pour éviter les pannes sèches, mais vous pourriez tout aussi bien vous en procurer au supermarché à Beijing ou en pleine rue dans la plupart des petites villes et villages du monde. Toutes les marques s'équivalent: l'essentiel est d'offrir au petit nouveau un lait spécialisé pour nourrisson enrichi en fer. Le format en poudre s'avère plus économique et surtout plus utile en voyage. Qu'il s'agisse d'un lait en poudre ou encore d'un lait concentré, il vous faudra le diluer selon le mode d'emploi, à l'étranger avec de l'eau bouillie ou embouteillée, de retour à domicile, comme vous voudrez, sans problèmes avec l'eau du robinet. Prenez soin de suivre les instructions du fabricant: même si les laits se valent, leurs présentations diffèrent d'une marque à l'autre. Pour éviter la confusion, le fabricant offre, dans chaque boîte, une cuillère à mesurer. En voyage, il n'y a aucun mal à offrir le lait à la température de la pièce, c'est simplement plus difficile de bien y mixer la poudre. Évitez cependant de le laisser traîner plus d'une heure ou deux.

Les laits à base de soja n'offrent pas d'avantages particuliers. Pour des raisons allégoriques, plusieurs parents adoptants demeurent encore convaincus que les orphelines chinoises sont alimentées au lait de soja. C'est mal connaître le peuple chinois qui préfère vendre une bonne partie de sa production de fèves aux Californiens. Les enfants des orphelinats chinois sont nourris au lait de vache, parfois avec des préparations lactées artisanales, parfois avec des griffes connues, selon les provinces et les orphelinats. Les Chinois ne se gênent pas pour ajouter un œuf cru à la préparation ou des légumes ou du bouillon ou encore du thé, comme le font aussi les Vietnamiens. Au même titre que les préparations pour nourrisson sans lactose, les laits pour nourrisson à base de soja s'avèrent néanmoins utiles en présence de diarrhée chez le jeune adopté, mais ils n'offrent aucun avantage sur les préparations lactées sans lactose. En cas de selles liquides et fréquentes, la digestion du lactose, le sucre du lait, ne se fait pas comme à l'habitude. Il suffit donc de transporter avec soi une ou deux boîtes de ces poudres sans lactose qu'on utilisera au besoin, en cas de problème médical compliquant la réalimentation.

De 0 à 12 mois, l'enfant boit environ 100 ml/kg/ 24 heures en 4 à 8 fois. Nous vous fournissons les quantités suivantes à titre de référence.

Petit guide du biberon

Âge	Nombre de biberons par jour	Quantité par biberon
I mois	6 à 8	60 à 125 ml
I à 3 mois	5 à 6	150 à 210 ml
3 à 7 mois	5 à 6	180 à 240 ml
8 à 12 mois	3 à 4	180 à 240 ml

Vers l'âge de un an ou un peu plus, on peut offrir à l'enfant du lait de vache entier. Les laits 2 % ou écrémés sont à éviter à cet âge. Ils ne sont pas assez gras. Le cerveau du petit adopté, surtout s'il a souffert de malnutrition, a besoin de toute une série de graisses essentielles retrouvées dans le lait, les produits laitiers, ainsi que dans les huiles d'olive ou de colza qu'on peut ajouter au menu pour donner une belle texture à ses purées.

Les aliments solides : l'âge de la cuillère

Plusieurs bébés ont été nourris longtemps avec le biberon. Ils peuvent donc hésiter à profiter de la texture des aliments solides. D'autres, notamment ceux qui souffrent de kwashiorkor, sont passifs et difficiles à réalimenter. La réalimentation rapide est parfois non souhaitable selon l'état de santé de l'enfant. Certains seront même effrayés par la petite cuillère. Mais comme la grande majorité d'entre eux sont affamés, ils se laissent finalement séduire, et par les morceaux et par les joies de l'activité. «Piano, piano», disent les Italiens. Tout doux, tout doux. Les parents doivent faire preuve de patience, relativiser leur idée de la course en avant et laisser le temps faire son œuvre.

Il est bon de suivre les recommandations nord-américaines ou européennes concernant l'introduction des aliments solides, nouveauté par nouveauté, sans toutefois céder à la rigidité de certains calendriers indigestes. C'est habituellement vers quatre mois, ou quatre mois et demi, que commence l'introduction des aliments solides chez les bébés qui n'ont pas eu la chance d'être allaités. Avant cet âge, non seulement le nourrisson n'est pas prêt pour les solides, mais le risque de développer des allergies est plus élevé. Le bébé découvrira donc dans l'ordre ses premières céréales, ses premières cuillerées de légumes et de compotes de fruits, le jaune d'œuf et les viandes, le fromage, le yaourt, enfin le tofu, les légumineuses et les abats. L'ordre d'introduction des solides n'est qu'un guide et ne repose pas sur des bases scientifiques. On peut donc improviser et se sentir libre d'inverser l'ordre des céréales, des fruits et des légumes. Finalement on offrira le blanc d'œuf à son premier anniversaire ou même seulement vers un an et demi, avec le poisson et les fruits de mer, encore avec la bonne intention de prévenir quelques allergies.

L'attitude face à la malnutrition est une recette toute simple : il faut donner à manger à l'enfant, ne pas avoir peur de le désarticuler en lui offrant des aliments variés qui conviennent à son âge. Trop de parents attendent le retour au bercail pour initier le nourrisson à de nouveaux aliments. De peur de lui nuire, certains préfèrent lui offrir jusqu'à deux litres de lait par jour en attendant l'avis du pédiatre ! Nous avons de petites nouvelles pour eux : le pédiatre n'a pas d'avis sur la question. Ici le seul avis qui compte est celui du bébé et IL A FAIM.

Dans l'étude menée à l'Hôpital Sainte-Justine auprès de 808 Chinoises, il s'est avéré que la prise pondérale des enfants en malnutrition dans les mois suivant leur arrivée était de trois fois supérieure à celle des enfants nord-américains du même âge. Il apparaît donc important, dès le territoire d'adoption et dans les mois qui suivent le retour de l'enfant, de varier et de multiplier les repas pour combler les carences instituées. À moins, encore une fois, que l'enfant soit atteint de kwashiorkor, comme pourrait l'être le petit Africain ou le petit des Caraïbes, la quantité de nourriture qu'il est capable d'ingurgiter est si impressionnante qu'elle réussit même à inquiéter les grands-parents. Il faut parfois prévoir six repas par jour. Dans l'année qui suit l'adoption, c'est toutefois l'inquiétude contraire qui risque d'amener les parents adoptants à consulter : l'appétit de bébé s'est tellement calmé qu'il en est arrivé à se nourrir comme un enfant normal, c'est-à-dire de presque rien. Les parents adoptants ont quelquefois du mal à se contenter d'un peu d'ordinaire. Qu'ils se concentrent sur leur travail de parents, autrement dit qu'ils se soucient de la qualité des aliments, et l'enfant se chargera du reste. C'est lui, et lui seul, qui décide des quantités. Le gain de poids fera l'objet d'une surveillance lors de la visite médicale.

Les suppléments vitaminiques : enfin utiles

Contrairement à la plupart des autres nourrissons de leur âge, les enfants mal nourris pourraient bien bénéficier d'une supplémentation de vitamines, en doses quotidiennes. Certains doivent aussi prendre des suppléments de fer, de vitamine D ou de calcium. Par ailleurs, un enfant normalement nourri, s'il vient par exemple de Colombie ou de Corée du Sud, n'a pas à consommer plus de vitamines que n'importe quel autre enfant. Le seul élément dont on doit tenir compte, c'est le fluor qui, selon la consommation d'eau du robinet, fluorée ou non, peut faire l'objet d'une supplémentation régulière dès l'âge de six mois.

Les allergies alimentaires : nids d'hirondelle et beurre d'arachide

En présence d'un enfant mal nourri, la crainte de le voir développer des allergies alimentaires doit être relayée au second plan. La priorité est de donner à manger à l'enfant. Ainsi, un nourrisson de dix mois qui arrive de Chine, du Bélarus ou de Taiwan ne devrait pas avoir à repartir à zéro avec la purée de carottes et la cuillerée de banane, sous prétexte de lui éviter des allergies éventuelles. Après quelques jours, on devrait déjà lui avoir donné de la viande, du fromage frais, bref tout ce qui convient à son âge. On se rappellera que de nombreux enfants asiatiques auront déjà consommé des œufs très tôt. On retiendra également que la presque totalité des dossiers antérieurs des enfants russes font mention de plusieurs allergies alimentaires obscures qui rendent la programmation alimentaire totalement ingérable. Le mieux donc, c'est de prendre un nouveau départ et de veiller à ce que l'enfant grossisse.

Quelques études anglaises ont rapporté une fréquence accrue de dermatite atopique du nourrisson chez des enfants des Caraïbes. Plusieurs recherches ont également démontré que la fréquence chez l'ensemble des enfants asiatiques était deux fois supérieure à celle des enfants caucasiens blancs. Tous les eczémas ne s'expliquent pas par des allergies alimentaires. Dans nos explications, il faut aussi tenir compte de la génétique, du statut socio-économique et d'autres facteurs. Mais le fait que les Chinois, par exemple, introduisent rapidement du blanc d'œuf dans le biberon de leur progéniture n'est peut-être pas étranger au développement des petites peaux sèches constatées chez tant d'enfants adoptés.

Il est rare qu'un enfant adopté développe une réaction sévère de la peau ou de l'appareil respiratoire après avoir consommé un nouvel aliment. Quand on les compare encore une fois aux enfants occidentaux, on remarque que les enfants chinois présentent moins d'allergies aux arachides et plus de réactions au poisson. À Singapour, on a même constaté une prépondérance d'allergies aux nids d'hirondelle, une denrée de luxe souvent apprêtée en soupe et dont raffolent les Chinois. Comme quoi on est ce qu'on mange et on est allergique à ce qu'on est!

Il ne faudrait pas passer sous silence le fait que de nombreux parents hésitent à offrir certains aliments à leurs enfants en raison de leurs propres aversions alimentaires. Souvent, ce ne sont pas les enfants, mais bien les parents qui sont réticents au tofu, aux fèves rouges et aux pois chiches. L'adoption internationale leur fournit pourtant une merveilleuse occasion de découvrir de nouveaux aliments et de nouvelles manières d'apprêter ou de consommer ceux qu'ils ont déjà apprivoisés. Saviez-vous qu'à Séoul les tomates se consomment au dessert? N'est-ce pas là une histoire étonnante à raconter à son enfant adopté en Corée?

Top Ten des joies alimentaires (suggestions)
- Le fromage caciocavallo grillé, en Roumanie
- Les accras de morue, à Haïti
- La citrouille au lait condensé, en Thaïlande
- Les raviolis avec du vinaigre, en Chine du Nord

(...)

(suite)

- Le crabe à carapace molle, au Vietnam
- Les avocats en dessert, au Chili
- Le *saag paneer*, en Inde
- Le lait de jument, en Mongolie
- Le jus de goyave, au Salvador
- La pizza *all dressed*, livrée à domicile le soir du retour du voyage d'adoption...

Alimentation des plus grands

Les bonnes habitudes alimentaires de la famille conviennent à tous les grands enfants et à tous les pré-adolescents nouvellement adoptés. Certains ont conservé les nourritures affectives de leur pays d'origine, souvent une passion pour les piments et les épices par exemple, mais d'autres vont systématiquement repousser le bol de riz. Leur taille finale sera ultimement affectée s'ils ont été mal nourris sur de très longues périodes. Enfin, mis à table, certains d'entre eux pourraient maintenant paraître bien en chair et trapus.

L'intolérance au lactose : l'enzyme est au monde

De toutes les réalités alimentaires propres aux origines ethniques, il en est une qui paraît incontournable à aborder, et c'est l'intolérance au lactose, un problème mondial. Il ne s'agit pas à proprement parler d'une maladie, simplement d'une caractéristique apte à compliquer la bonne digestion du sucre naturel du lait et à faire beaucoup parler d'elle.

Le lait de tous les mammifères contient du lactose. Le lait maternel en contient plus encore que le lait de vache ou le lait de chèvre. Le lactose est fait de glucose et de galactose, deux sucres étroitement liés ensemble. Pour les scinder et permettre leur absorption dans l'organisme, l'intestin doit disposer d'une enzyme appelée lactase. Chez tous les mammifères, l'activité de cette lactase est maximale chez le nouveau-né, de manière à permettre une bonne absorption du lait maternel. Dès le sevrage, la capacité de produire de la lactase va toutefois en diminuant, peu importe l'espèce, chez l'homme autant que chez la baleine. Dès l'âge de deux ou trois ans, l'activité lactasique accroît même sa vitesse de disparition, pour se fixer chez un Bruxellois ou un New-Yorkais de 10 à 20 ans par exemple, à environ 20 % du taux mesuré chez le nouveau-né. Cette activité enzymatique est amplement suffisante pour permettre à la plupart des Européens du Nord-Ouest et à leurs descendants d'Amérique du Nord une consommation débridée de lait et de tous les produits lactés imaginables.

Mais la situation est tout autre pour la plupart des habitants de la planète. Il y a bien des exceptions, par exemple chez les Masaïs du Kenya, une tribu se délectant de lait de vache, ou dans la population mongole, un peuple se délectant plutôt de lait de jument. Toutefois, la baisse de lactase est draconienne chez 85 % des Noirs et des Amérindiens, et chez 90 % des Asiatiques. Les adultes d'origine hébraïque et espagnole ont aussi bien peu de lactase dans le ventre. Méditerranéens, Africains, Asiatiques, ils sont facilement les deux tiers des habitants du monde à devoir tôt ou tard modérer leur apport en lactose pour éviter des flatulences abdominales ! On les dit « intolérants », mais c'est beaucoup dire et c'est en mettre un peu trop. Ils sont plutôt « moins tolérants » ou « mal tolérants », et peuvent souvent sans problème digérer un petit verre de lait au repas et une certaine quantité de produits laitiers : on pense tout particulièrement aux fromages. Preuves à l'appui : le *Baskins Robin* d'Hanoi qui fait la joie de toutes les générations de Vietnamiens et les étonnants fabricants de *Dulce de leche*, pour le plaisir des Argentins, partout dans Buenos Aires.

L'intolérance au lactose de l'enfant adopté ne diffère pas de son profil mondial. La croyance selon laquelle le bébé chinois ou africain souffrirait d'une intolérance congénitale au lactose est non fondée. Comme tous les enfants du monde, le petit orphelin est programmé pour digérer le lait. Ainsi, il apparaît inutile de lui offrir d'emblée un lait sans lactose ou un lait de soja dans l'espoir de lui éviter quelque obscur problème. Vers l'âge de trois ans, tout particulièrement chez les jeunes Thaïlandais, ou un peu plus tard autour de la rentrée scolaire, quelques maux de ventre ou même un peu de diarrhée pourraient trouver là une explication à la baisse accélérée de lactase.

Mais il ne faudrait ni sauter à des conclusions trop hâtives ni prendre des mesures draconiennes qui enlèveraient toute possibilité d'avenir aux produits laitiers.

On peut prescrire des épreuves de laboratoire relativement faciles à effectuer pour prouver le diagnostic de carence en lactase chez un enfant dont les origines ethniques et l'histoire des petits problèmes paraissent révélatrices. Le plus caractéristique de ces tests permet de mesurer la libération d'hydrogène respiratoire après l'ingestion de lactose par la bouche. Mais le plus souvent, ces analyses ne s'avèrent pas nécessaires.

Il n'apparaît effectivement pas judicieux de s'acharner à prouver un tel phénomène planétaire. Si votre enfant adopté à l'étranger semble souffrir de sa consommation lactée, le mieux, avec l'avis du médecin, c'est de le priver de lait et de produits laitiers pendant une période de deux à quatre semaines et d'observer une amélioration (ou non) de ses symptômes. On peut offrir d'autres sources acceptables de calcium, les boissons de soja enrichies de calcium, des suppléments et même des amandes ou du brocoli, quoique la quantité se devrait d'être assez imposante. Advenant une intolérance au lactose relativement manifeste, on devrait encourager la consommation de yaourt, de lait fermenté ou de fromage cheddar, qui contiennent moins de lactose ou un lactose mieux digéré. La plupart des fromages fermes et plusieurs laitages sont fort bien tolérés. Les parents peuvent aussi continuer à donner du lait, en petite quantité, ou encore acheter en pharmacie de petits enzymes lactasiques, produits de la levure, disponibles sous forme de comprimés à ajouter dans le lait. Du lait déjà traité à faible teneur en lactose (Lactaid®) est également disponible en épicerie. Toutes les possibilités sont bonnes.

Certains enfants auront plus de difficultés que d'autres. Advenant une persistance des symptômes malgré d'infimes quantités de lait, il faudra songer à puiser un peu plus rigoureusement dans tous les équivalents calciques, et même dans les sardines.

Les parents adoptants adorent ça.

Références

BROWN, J.L., L.P. SHERMAN. «Policy implications of new scientific knowledge». *American Institute of Nutrition*, 1995, (125); 2281S-2284S.

CHICOINE, J.F., I. BLANQUAERT, L. CHICOINE et al. «Bilan de santé de 808 chinoises nouvellement adoptées au Québec». *Archives de pédiatrie*, 1999, 6 (suppl. 2); 544s.

«Idiodine and adopted Chinese children». *Adoption Medical News*, II, 1996, (6); 1-2

LIEN, N.M., K.M. KNARIG, M. WINICK. «Early malnutrition and "late" adoption: a study of their effects on the development of Korean orphans adopted into American families». *American Journal of Clinical Nutrition*, 1977, 30 (10); 1734-1739.

OZKAN, H., N. OLGUN, E. SASMAZ et al. «Nutrition, immunity, and infections: T lymphocyte subpopulations in protein-energy malnutrition». *Journal of Tropical Pediatrics*, 1993, 39 (4); 257-260.

UNICEF. *La situation des enfants dans le monde: regards sur la nutrition*. Genève: Fonds des Nations Unies pour l'enfance, 1998. 104 p.

WATERLOW, J.C. «Classification and definition of protein-calorie malnutrition». *British Medical Journal*, 1972, 3 (826); 566-569.

WINICK, M., K.M. KATCHAUDURIAN, R.C. HARRIS. «Malnutrition and environmental enrichment by early adoption». *Science*, 1975, 190 (4220); 1173-1175.

CHAPITRE 8

LA CROISSANCE DE L'ENFANT

▼

Sœurs à Zanzibar
Tanzanie, 1990

Les données anthropométriques sont riches de renseignements pour l'équipe soignante de l'enfant. Le poids, la taille et le périmètre crânien dévoilent les indices de croissance et de nutrition, et laissent un peu présager du développement moteur de l'enfant. Ces données anthropométriques représentent plus qu'une information ponctuelle dans le temps. Elles permettent de calculer des rapports mathématiques, le poids par rapport à la taille, ainsi que la taille par rapport à l'âge, ce qui révèle la malnutrition récente ou chronique de l'enfant nouvellement arrivé. Elles permettent aussi de suivre intelligemment l'évolution de la croissance du nouvel arrivant. « Deux poids, deux mesures », a-t-on l'habitude de dire en consultation pédiatrique. C'est que, quel que soit l'endroit où l'enfant se situe sur sa courbe de croissance, souvent bien en dessous des normes au début, il faut voir sa taille, son poids et son tour de tête comme un film continu, et non comme une carte postale venant de Suisse. Mille excuses aux Suisses, mais tout le monde a compris, eux les premiers.

Suivi de croissance

Les courbes de croissance servent à apprécier l'évolution du poids, de la taille et du périmètre crânien dans le temps. Étant donné que la croissance d'une fille est différente de la croissance d'un garçon, il existe donc deux chartes. Les courbes de croissance sont faites à partir de l'évaluation de milliers d'enfants. Les percentiles permettent de situer l'enfant par rapport aux autres enfants de son âge. Contrairement à ce que plusieurs pensent, l'enfant au 5e percentile est normal, « dans sa courbe », comme on dit.

Il existe plusieurs courbes de croissance dans le monde : des courbes chinoises, cambodgiennes, vietnamiennes. Bien qu'elles soient fort intéressantes d'un point de vue ethnomédical, nous ne recommandons pas de les utiliser. La plupart de ces courbes ont été développées à partir de populations d'enfants mal nourris. Les attentes en matière de prise de poids et de taille y sont insuffisantes par rapport aux standards occidentaux. Les courbes de croissance nord-américaines sont imparfaites et ne tiennent pas compte de la multiethnicité des populations, mais il n'en demeure pas moins qu'elles donnent une mesure plus juste de la situation. Pour leur part, les pédiatres européens utilisent comme référence les courbes européennes, ce qui donne encore une fois une évaluation plus adéquate du profil de croissance espérée.

Jusqu'à l'âge de deux ans, la taille de l'enfant est mesurée en position couchée: c'est en quelque sorte une mesure de longueur. Après l'âge de deux ans, on peut mesurer la taille debout: c'est une véritable mesure de hauteur. Dans les deux cas, il faut utiliser une toise particulière. Lors de la pesée, l'enfant doit être complètement déshabillé et ce, au moins jusqu'à l'âge de deux ans, pour obtenir la donnée la plus juste possible. Le poids est une donnée extrêmement importante en adoption internationale, compte tenu de toutes les malnutritions constatées au bilan d'accueil. Le poids est aussi une donnée primordiale pour l'exercice de la pédiatrie en général: en effet, les dosages des médicaments sont toujours calculés en fonction du poids de l'enfant.

Le périmètre crânien est la mesure du contour de la tête. C'est un indice tellement révélateur. Il se mesure avec une technique plus précise que pour le choix d'une casquette: malgré les apparences, nul ne peut s'improviser arpenteur de tête. Le périmètre crânien informe sur la bonne ou la mauvaise croissance de la matière cérébrale. Comme pour la taille et le poids, le pédiatre dispose de mesures comparatives colligées sur une courbe de croissance. Dès la naissance, un enfant souffrant de malnutrition fœtale peut présenter un périmètre crânien inférieur à la norme. Un périmètre crânien qui grandirait insuffisamment pourrait également s'expliquer par des raisons génétiques, nutritionnelles ou encore parce que les os du crâne se seraient soudés trop rapidement. Pour permettre l'accouchement, les os de la tête ne sont effectivement pas soudés à la naissance et ils sont reliés ensemble par des membranes appelées fontanelles. La fontanelle antérieure se ferme en moyenne vers l'âge de 18 mois, parfois avant, vers 12 mois. Si les os se soudent trop vite, il n'y a

alors plus de place pour que le cerveau grandisse. Les conséquences d'une petite tête, appelée microcéphalie, peuvent être
très graves. À l'inverse, une hydrocéphalie non corrigée par un
chirurgien s'accompagnera pour sa part d'une augmentation
inquiétante du périmètre crânien.

La platycéphalie : l'intelligence n'a pas de forme

Une conséquence possible de la position du sommeil sur le
dos est la platycéphalie positionnelle, mieux connue sous le
nom de «tête aplatie». Cette platycéphalie peut se produire
lorsque la tête du nourrisson demeure toujours dans la même
position quand il dort. Comme les os du crâne des bébés sont
très mous, la simple force de gravité peut déformer la région de
la tête accolée au matelas. Imaginez la situation chez l'enfant
adopté qui aura passé de longues heures en position couchée à
l'orphelinat! D'autant que, s'il est asiatique, il sera platycéphale
d'avance, par la génétique.

Il faut bien réaliser qu'une nuque arrondie n'est qu'une
coquetterie d'Occidental, «de nez pointu» comme disent les
Chinois. Pour votre information, au XIXe siècle, le terme
«mongol» a été accolé aux enfants trisomiques qui, en raison
d'un des stigmates de leur syndrome, partagent avec les enfants
asiatiques une même tête bien aplatie. Dans le même état
d'esprit, le concept de supériorité de la race a malheureusement
longtemps été associé à des formes de tête. On pensait notamment que les têtes arrondies étaient plus intelligentes et moins
barbares que les têtes plates. Ces reliquats du passé, secrètement
ancrés, n'ont donc pas lieu d'être encouragés. Même si plusieurs
adoptants s'en préoccupent, les particularités naturelles du crâne
ou ses déformations éventuelles en raison de la position de
sommeil ne sont en rien nuisibles à la croissance cérébrale et au
développement psychomoteur de l'enfant. Le seul indice que
nous révèle une tête particulièrement aplatie chez un enfant tout
frais sorti de l'orphelinat en est un de carence en soins et de temps
prolongé en position dorsale dans un berceau. On peut même
voir là une bonne nouvelle et une triste explication, bien qu'en-
courageante, à un retard psychomoteur qui peut se récupérer.

Quoiqu'il en soit, caucasien ou pas, abandonné ou non, une
partie de l'aplatissement crânien disparaît spontanément quand
on laisse le bébé un certain temps en position ventrale pendant

ses heures d'éveil, qu'on prend soin d'alterner la position de sommeil aux deux bouts de la couchette, ce qui a pour conséquence de varier subtilement l'appui de sa tête – on appelle ça le « contre-positionnement ». Les parents peuvent également placer un mobile du côté du lit où ils veulent encourager le bébé à regarder. À mesure que l'enfant avance en âge au moment de son adoption, l'aplatissement de la tête devient de plus en plus permanent et les questions d'esthétique, de grandeur de chapeau, etc. sont de plus en plus soutenues. Trait génétique ou signe de privation à l'orphelinat, la tête aplatie est en quelque sorte la concrétisation physique de la filiation d'origine.

La plagiocéphalie : esthétique de l'adopté

À la platycéphalie, s'associe parfois une plagiocéphalie – encore quelque chose, vous dites-vous ! La plagiocéphalie fait référence à la déformation de la tête sur le côté. L'oreille paraît écartée, mais en fait c'est le crâne qui y est sous-développé. Quand on regarde le dessus de la tête de l'enfant, la déformation est plus évidente. C'est aussi un signe de carence institutionnelle qui s'amenuise toutefois substantiellement quand l'enfant n'est pas trop âgé au moment de son adoption, par exemple si ses fontanelles sont encore ouvertes. Certains plasticiens vont même jusqu'à suggérer des casques adaptés pour refaçonner la forme de la tête. Dans une majorité de cas, le simple fait de repositionner l'enfant ou d'interagir avec lui du côté controlatéral améliore substantiellement l'esthétique de l'adopté.

Retards de croissance

Plus que toute autre réalité médicale, le retard de croissance affecte l'enfant nouvellement adopté. De fait, près d'un enfant sur deux, à sa première visite médicale, démontre une taille sous le 5e percentile de croissance. C'est beaucoup.

Les diagnostics de retard de croissance intra-utérin et de malnutrition protéino-énergétique chronique expliquent la majeure partie de ces petites tailles. Il suffit souvent d'à peine quelques mois d'une nourriture riche et variée pour que la courbe de croissance prenne enfin une tangente positive. L'enfant de 18 mois, par exemple, commence par prendre du poids, s'arrondit au point d'inquiéter ses parents lipophobes, puis finit par pousser, s'allonger et grimper dans ses percentiles.

Au manque de calories on associe aussi le manque d'attention, comme facteur explicatif à la petite taille. Certains enfants délaissés ont tellement souffert qu'ils ont arrêté de grandir et de grossir. Cette impressionnante influence de l'affectif sur le physique s'appelle le nanisme psycho-affectif. Vous rappelez-vous cet enfant du *Tambour*, le roman de l'Allemand Günter Grass ? Abandonné à son propre sort, il provoquait le monde avec sa grande petitesse. On explique le nanisme psycho-affectif, en partie du moins, par un déficit en hormone de croissance. La récupération, à l'aide de quelques bons repas, est absolument spectaculaire lorsque l'enfant se retrouve dans un milieu aimant, stimulant et chaleureux.

En guise d'explication à une petite taille qui persiste, rappelons-nous la possibilité que l'enfant soit petit en raison de facteurs génétiques, ethniques, environnementaux ou médicaux. Les enfants haïtiens, somaliens ou originaires de Chine du Nord sont en moyenne beaucoup plus grands que ceux venus d'Asie du Sud-Est ou des provinces chinoises du Guangdong ou du Hunan. Les Chinois du Nord, qui sont plutôt grands, font décidément mentir l'expression «petite chinoise» et se moquent d'ailleurs des Cantonnais au sud, en les taxant de «*peanuts*».

Des mois et des années plus tard, la majorité des enfants adoptés auront gagné leurs jalons : des percentiles de croissance tout à fait comparables à ceux des enfants qui n'ont pas souffert autant qu'eux.

Les prématurés et les petits poids : faire le poids

Un petit poids de naissance est défini par un poids de moins de 2 500 g à la naissance. Ce petit poids s'explique soit par une naissance prématurée, soit par un retard de croissance intra-utérin, soit par les deux. On parle de prématurité lorsque la naissance survient avant la 37ᵉ semaine de grossesse. Dans les pays en développement, les infections, la malnutrition de la maman, ses difficiles conditions de vie dans la rizière en Asie ou à la recherche d'eau potable en Afrique expliquent la grande fréquence des naissances prématurées. Le stress de porter un enfant illégitime est également un facteur contributif à la naissance avant terme en Corée, en Colombie, au Guatemala. L'alcool, la consommation de drogues ou de cigarettes par une mère biologique déjà fragilisée par l'anémie et la disette en général contribuent pour leur part à expliquer l'insuffisance de poids et de taille constatée chez de nombreux nouveau-nés dits «hypotrophiques», et ayant beaucoup souffert dans le ventre de leur maman biologique.

Le fait que le jeune adopté, dont on ne connaît pas toujours les antécédents, soit maigre et émacié s'explique souvent par son poids de naissance. La croissance d'un petit poids prend des mois, voire des années, à rejoindre un enfant né à plus de 2 500 g. Règle générale, il faut se donner deux ans pour que l'enfant prématuré regagne sa courbe et parfois plus, des années encore, s'il y a malnutrition fœtale associée. Un certain nombre de ces enfants souffrent aussi de paralysie cérébrale, de retard intellectuel, d'épilepsie, de troubles d'apprentissage et de troubles de comportement.

Un enfant avec un très petit poids de naissance a besoin de soins, d'alimentation par intra-veineuse, d'oxygène, etc. pour avoir davantage de chances de survivre. Si l'enfant abandonné à 1 500 g a toutefois réussi à survivre sans autre intervention que la nature dans un caniveau, on peut supposer qu'il est déjà du nombre des survivants et transporte en lui l'augure d'un bon pronostic. À l'opposé, d'autres enfants adoptés de petit poids ont parfois eu droit à des services de néonatalogie moderne et partagent ainsi les mêmes risques que les enfants de petit poids de naissance nés à Neuilly ou à Outremont. En Corée ou encore à Taiwan, on possède effectivement l'équipement et la technologie médicale nécessaire pour sauver les enfants avec la même détermination que dans les unités de néonatalogie d'Amérique du Nord ou de l'Europe de l'Ouest.

La microcéphalie : *bigger is better*

Le bébé humain est le plus vulnérable des mammifères à sa naissance : 85 % de ses fonctions cérébrales ne sont pas fonctionnelles lorsqu'il sort du ventre de sa maman. Son cerveau a un potentiel absolument formidable, mais ce potentiel dépend entièrement de ce qui lui arrive par la suite. Pour faire une histoire courte, la masse du cerveau du bébé humain est multipliée par trois à quatre ans et par quatre à l'âge adulte. Les trois quarts de la croissance du cerveau se font en dehors de l'utérus !

Primordial à savoir: la croissance du cerveau n'est pas liée à une multiplication des cellules cérébrales qu'on appelle des neurones. En fait, la quantité de neurones qu'un petit être humain aura dans sa vie est déjà prédéterminée au moment de sa naissance. Ça pourrait bien changer un jour, mais jusqu'à présent, les cellules nerveuses sont les seules à ne pas pouvoir se reproduire. Les connexions entre les neurones, ces « lignes de transmission d'information » nommées axones, se branchent aux récepteurs des neurones, les dendrites, afin d'augmenter tranquillement le volume du cerveau. Si on comparait les neurones à des villes isolées, on pourrait dire que c'est le nombre de chemins, de routes, de ponts et d'autoroutes qui se développent et s'entrecroisent entre chaque neurone qui font augmenter la taille du cerveau. Ces connexions sont appelées synapses. On estime qu'entre 0 et 12 mois, le cerveau d'un bébé fabrique près de trois milliards de nouvelles connexions synaptiques à la seconde.

« *Bigger is better* », résumait le pédiatre américain Dana Johnson, un grand érudit de l'adoption en Europe de l'Est. La découverte d'une microcéphalie, une tête dont le petit format est classé sous le 3e ou le 5e percentile de croissance (selon la définition utilisée par le pédiatre), est une grande source d'inquiétude: il y a effectivement risque de retard intellectuel à cause d'un développement insuffisant du cerveau. Les causes de la microcéphalie sont nombreuses: des infections congénitales, de la malnutrition, du manque de stimulation affective. Ses effets sur le développement moteur, sur l'éveil, sur le langage et sur l'adaptation sociale de l'enfant sont potentiellement dévastateurs. Plus petite est la tête, plus grave risque d'être le déficit, plus il faudra s'attendre à différents troubles neurobiologiques ou neurodéveloppementaux associés.

En raison d'une institutionnalisation prolongée et de leur âge avancé au moment de l'adoption, le tiers des enfants venus d'Europe de l'Est et adoptés aux États-Unis présentent une tête sous le 5e percentile à l'arrivée. Quand l'enfant est adopté avant l'âge de deux ou trois ans, la récupération anthropométrique est impressionnante. En effet, les facultés intellectuelles sont d'abord déterminées par des facteurs génétiques. Les dommages cérébraux causés par l'environnement et la malnutrition peuvent diminuer le potentiel cognitif, mais le processus peut aussi être inversé avec l'avènement d'un environnement stimulant. L'entourage positif et aimant de la famille d'accueil ou d'adoption diminue donc les dangers, à court et à long terme. Sur la courbe de croissance, la tête grossit à une vitesse de rattrapage impressionnante. C'est drôle à dire, mais il faut bien l'assumer : la quantité d'amour et de nourriture donnée à l'enfant adopté se chiffre ainsi quasiment comme un exercice comptable. C'est une des découvertes fascinantes de tous les praticiens qui œuvrent en adoption internationale.

L'amour et les bons soins ne peuvent pas « effacer » les liaisons déjà existantes dans le cerveau de votre enfant. L'amour et les bons soins peuvent par contre favoriser la création de nou-velles routes entre les cellules existantes. L'amour et les bons soins ne peuvent pas non plus « re-fabriquer » des neurones qui auraient « disparu » à défaut d'être sollicités. On pourrait dire qu'il existe une sorte de sélection naturelle des neurones : ceux qui resteraient trop longtemps sans être utilisés disparaissent à jamais...

En l'absence de récupération sur la courbe (entendre par-là que la tête demeure sous les courbes de croissance), les effets sur le développement intellectuel et les apprentissages ne sont pas obligatoirement nocifs. L'âge gestationnel, le poids de naissance, l'évolution de la courbe de croissance, la présence de nouveaux dangers ont probablement une meilleure valeur prédictive qu'une mesure isolée du périmètre crânien. Mais règle générale, surtout en présence d'autres diagnostics associés (comme une petite tête dès la naissance, ou la rubéole con-génitale, ou le syndrome d'alcoolisation fœtale), si un enfant est privé d'affection et de nourriture pendant longtemps et que sa tête ne grossit pas, il risque fort d'avoir des troubles développementaux au cours de sa petite enfance, et même toute sa vie durant. Si le problème perdure, le danger aug-mente. Ainsi, certains enfants adoptés tardivement, à trois ou quatre ans, auraient eu un bien meilleur pronostic s'ils avaient eu la chance de se trouver une famille avant leur 12 ou 18 mois.

Un chantier de construction

Imaginez un bocal en verre transparent sur une table. Ce bocal est symboliquement le cerveau de votre enfant.

À votre arrivée dans sa vie, l'enfant a déjà « quatre disquettes » au fond du bocal, où sont imprimées des informations que personne ne connaît. Ces disquettes sont là pour toujours. On ne peut pas, comme dans un ordinateur, les retirer, les reformater et en introduire de nouvelles. Faisons l'inventaire du contenu de chacune de ces disquettes :

Disquette n° 1 : de la matière première, une quantité suffisante de neurones

Au départ, il est nécessaire d'avoir une certaine quantité et une certaine qualité de neurones. Les neurones peuvent être comparés à un amoncellement de planches en bois, de poches de ciment, de fenêtres, d'isolants, de tuiles, de fils électriques et de tuyaux trouvés sur le chantier de construction d'une maison. Ces matériaux ont tout le potentiel nécessaire pour se transformer en une belle grande maison, mais ils ne sont pas encore placés et organisés de la bonne façon. Comme parent adoptant, vous espérez naturellement que tous les matériaux sont là, dès le départ. La quantité et la qualité de ces matériaux ont été déterminées par certains facteurs dont le bagage génétique, l'alimentation de la mère biologique durant la grossesse, la présence ou non de blessures neurologiques comme une paralysie cérébrale, la présence ou non dans l'organisme de substances comme l'alcool, les drogues, le plomb, ou enfin la prématurité ou le petit poids à la naissance.

Disquette n° 2 : une stimulation sensorielle adéquate

Pour s'arrimer ensemble, les neurones ont besoin d'être stimulés. Ces stimulations seront « ressenties » par les neurones grâce aux événements extérieurs qui interpelleront

(…)

(suite)

les cinq sens du bébé: le toucher, la vue, l'odorat, le goût et l'audition. Théoriquement, si on enlevait totalement ces sens, aucune connexion ne serait possible. La quantité de stimulations perçues par chacun des sens est déterminante puisque ces informations sensorielles créent une série de réactions en chaîne exponentielle. Un bébé qu'on ne touche pas, à qui on ne parle pas, qui ne voit qu'un plafond blanc pendant des mois, qui ne goûte ou ne sent qu'une seule sorte de nourriture ne développe pas les mêmes connexions qu'un enfant très stimulé. Il faut aussi tenir compte de la qualité de ces stimulations: caresser un bébé en le regardant tendrement dans les yeux pendant qu'on lui chante une berceuse ne fabrique pas les mêmes connexions que si un adulte lui change la couche brusquement, en lui parlant fort et en lui faisant des yeux méchants.

Disquette n° 3 : l'investissement affectif d'un adulte

Seuls les regards, les encouragements verbaux, la présence chaleureuse et rassurante d'un adulte significatif et stable motivent un enfant à entrer en relation avec l'univers extérieur. L'adulte lui sert de miroir, et c'est par son reflet dans le regard adulte que l'enfant prend d'abord conscience qu'il est un être séparé des autres objets qui l'entourent, qu'il est unique, important et capable d'apprendre des choses. L'approbation, le plaisir et l'excitation causés par une maman, un papa ou une nounou qui encouragent l'enfant de deux ou trois mois à saisir un joli hochet de couleur, motivent son cerveau à fabriquer les réseaux qui lui permettront de maîtriser les mouvements de sa main. On peut entourer le nourrisson de mille jolis jouets, si personne ne l'encourage ou ne lui apprend comment, pourquoi, et avec qui s'en servir, rien ne se passera d'intéressant dans son cerveau en développement.

Disquette n° 4 : un milieu stable, sans violence ni stress

Quand le cerveau d'un bébé est élevé dans la négligence, la violence, les changements de personnes significatives, le froid, la faim ou la douleur liée à une maladie, il produit une plus grande quantité d'une hormone de stress appelée «cortisol». Normalement, cette hormone est sécrétée en situation de danger ou de stress ponctuel. Cependant, quand le cerveau d'un enfant produit cette hormone en trop grande quantité et de façon trop continue, il semble alors perdre sa capacité à bien moduler la réponse aux stress normaux de la vie. Ce «dérèglement» de la quantité de cortisol est souvent temporaire. Ainsi la majorité des enfants placés dans un milieu sécuritaire et chaleureux reprennent un niveau de sécrétion de cortisol normal. Par contre, chez quelques-uns, il semble que ce dérèglement demeure plus ou moins permanent, ce qui les rend vulnérables à toutes les situations de stress dans leur vie future.

Aucun parent adoptant ne peut extraire et reformater les informations imprimées sur ces quatre disquettes par le vécu préadoption de l'enfant. Par contre, tous les parents adoptants peuvent et doivent ajouter d'autres informations sur ces disquettes. Ils doivent aussi ajouter, au fur et à mesure de leur nouvelle vie avec l'enfant, des dizaines et des dizaines de toutes nouvelles disquettes dans le «bocal en verre», qui est le cerveau de leur enfant. Sans effacer les bonnes et moins bonnes informations déjà enregistrées, l'enfant aura désormais accès à une multitude de nouvelles connexions au cours de sa vie.

Puberté précoce

L'âge de la ménarche, c'est-à-dire des premières règles, diffère d'un pays à l'autre. Dans certains pays en développement, les petites filles pauvres et mal nourries débutent leurs menstruations plus tardivement que les bien nanties d'Amérique. C'est comme si le niveau confortable de croissance et de nutrition envoyait un signal aux intrications hormonales de la puberté pour avertir que la petite fille est prête à passer à une autre étape de sa vie.

La puberté semble également accélérée chez les fillettes adoptées, particulièrement pour celles qui avaient plus de trois ou quatre ans au moment de leur adoption. Une erreur sur l'âge peut expliquer cet état de fait, mais selon plusieurs auteurs, des explications contributives hormonales et d'apport alimentaire s'imposent, en plus des facteurs ethniques. En France et en Italie, on a suivi de près de nombreuses petites filles ayant leurs règles à sept ou huit ans. On a donc pu constater qu'elles avaient été adoptées tardivement et très rapidement bien nourries. Leur puberté s'en serait trouvée accélérée. Mais attention : pas leur thélarche, le développement des seins, mais bien leur ménarche, le vrai déclenchement pubertaire. La poussée des seins peut effectivement survenir bien des années avant la puberté et n'annonce en rien le déclenchement hâtif. Les petites filles dont il est ici question souffraient d'une véritable puberté précoce.

Comme les filles arrêtent de grandir environ deux ans après les premières menstruations et qu'il y a en plus toutes les difficultés psychologiques attendues, la taille finale insuffisante est ici un argument majeur pour ne pas négliger le problème, cela commande absolument une référence en endocrinologie.

On n'a pas décrit de puberté précoce chez les garçons adoptés de l'étranger. Une radiographie du poignet prise lors du bilan d'accueil à l'arrivée d'un jeune adopté de plus de trois ou quatre ans permet de revoir les antécédents, au cas où surviendrait un problème de poussée de croissance.

Incertitudes sur l'âge

En raison des observations sur son allure, sa croissance et son développement, l'âge de l'enfant doit parfois être sérieusement remis en cause. Dans une trentaine de pays, plus de la moitié des bébés ne sont pas déclarés à la naissance, davantage encore quand il est question d'un enfant abandonné ou issu d'une minorité ethnique. On bafoue ainsi leur identité fondamentale.

L'enfant trouvé à la porte d'un orphelinat ou sur le quai d'une gare n'est pas marqué au fer rouge de sa date de naissance. En Chine, au Vietnam, comme au Cambodge, la date de naissance de l'enfant trouvé est déterminée de façon assez aléatoire : ce sera le jour de son arrivée à l'orphelinat, ou le jour de la fête nationale, ou encore la date anniversaire du directeur de l'institution. D'autres orphelinats abaissent l'âge et faussent les papiers de l'enfant, simplement pour mieux servir la demande des adoptants pour de jeunes bébés et pour donner une chance à certains enfants d'avoir une famille. En Haïti, en Colombie, on est parfois allé jusqu'à créer de fausses fratries pour faire adopter des enfants plus âgés qui, autrement, auraient déjà passé leur tour. En Chine aussi, des parents se sont vus confier un enfant différent de celui qu'ils étaient venus chercher, sous prétexte que le premier était décédé, ce qui est bien possible, mais sans que ne soient changés ni le dossier médical ni les visas ou même la photo de passeport.

Cassandre est grande

Lorsque Cécile s'aperçut que sa fille Cassandre avait ses premières règles à l'âge de huit ans, elle dut se rendre à l'évidence : ses premières impressions sur elle étaient donc fondées.

« Lorsqu'elle est arrivée d'Haïti à trois ans et demi, elle était petite et délicate, mais d'une maturité surprenante. Elle balayait sa chambre, plaçait ses pantoufles sous son lit et pliait son pyjama tous les matins. Plus tard, elle a commencé à nous raconter des histoires d'une précision étonnante sur son orphelinat. Mon mari et moi avions vraiment l'impression qu'elle était beaucoup plus vieille que ce que les papiers affirmaient. Mais nous avons alors décidé avec notre pédiatre de ne pas investiguer davantage. Cela nous laissait un an et demi avant qu'elle soit obligée de fréquenter l'école. Je suis certaine qu'à cette époque ce fut un réel avantage pour son adaptation, vous savez le langage, l'attachement et tout. Mais là, c'est toute une autre galère, car elle a ses premières règles. Elle se sent maintenant à part et bizarre, même si elle réussit très bien à l'école. »

La majorité des erreurs d'âge, prouvées ou soupçonnées, se chiffrent en termes de mois et n'ont pas vraiment de conséquences. Cependant, des décalages d'un an ou deux entre l'âge déclaré et les âges statural, osseux, dentaire et psycho-développemental méritent une attention particulière, en raison des conséquences potentielles sur les réalités de l'enfant: groupe d'âge à la garderie, niveau de scolarisation attendu, fausse puberté précoce, etc. Le nanisme nutritionnel et psycho-affectif affectant grandement la taille de l'enfant à son arrivée, il vaut mieux réévaluer l'enfant à quelques reprises sur des mois et des années avant de préciser plus adéquatement son âge réel. Malgré les pressions de certaines structures en place, il faut se donner une période de transition d'au moins une année avant de procéder le plus scientifiquement possible à un changement d'âge légal, surtout en présence d'une malnutrition manifeste ou d'un abandon extrême. Cela est très important: on attend au moins une année! Seront appelés à se prononcer les gardiennes et les éducatrices, le dentiste, le radiologiste, le pédiatre et le psychologue. Le juge disposera ensuite du professionnalisme et des bonnes intentions de tout ce beau monde.

CASSANDRE EST PETITE

« Elle a marché à 23 mois, monsieur le juge… C'est en avance! Je faisais toujours mon petit calcul intérieur en lui retranchant un an d'âge! Onze mois pour marcher, quand vous avez passé des mois en orphelinat, c'est extra! »

La maman de cette Cassandre-ci a toujours prétendu que sa petite, adoptée à 20 mois dans le Hunan, avait des mois et des mois de moins que l'âge déclaré. Elle n'arrivait pas à croire que cette enfant, si bien proportionnée et si éveillée, puisse souffrir d'une carence quelconque. En transcrivant l'année de naissance de l'enfant d'un papier à l'autre, puis à un autre, depuis le calendrier de Chine jusqu'à celui de l'Occident, un fonctionnaire aura donc fait une erreur, assez fréquente jusqu'à tout récemment d'ailleurs, et ajouté dans sa paperasse une année de vie à un enfant de dix mois!

Heureusement, il y a une justice. Après avoir consulté les documents professionnels du pédiatre préconisant un changement d'âge, le juge donne raison à la maman de Cassandre : sa fille gardera la même date de naissance, mais avec un an en moins. Le juge connaît bien ces problèmes d'erreur sur l'âge : sa fille aussi s'appelle Cassandre, et elle est passablement grande... Mais ça, c'est une autre histoire.

Lectures suggérées

INSTITUT CANADIEN DE LA SANTÉ INFANTILE. *Les premières années durent toute la vie : la recherche sur le cerveau et le développement sain de votre enfant.* Ottawa : Institut Canadien de la Santé Infantile, 1998. 12 p.

Références

BUREAU, J., C. MAURAGE, M. BRÉMOND et al. « L'enfant adopté d'origine étrangère en France ». Analyse de 68 observations sur 12 ans au CHU de Tours. *Archives de pédiatrie*, 1999, 6 (10); 1053-1058.

CHICOINE, J.F. « Adoption étrangère : le point de vue du pédiatre ». *Médecine Thérapeutique Pédiatrie*, 2001, 4 (5); 342-357.

MALETIC NEUZIL, K., W.C. GRUBER, F. CHYTILL et al. « Serum vitamin A levels in respiratory syncytial virus infection ». *Journal of Pediatrics*, 1994, 124 (3); 433-436.

MELSEN, B., A. WENZEL, T. MILECTIC et al. « Dental and skeletal maturity in adoptive children : assessments at arrival and after one year in the admitting country ». *Annals of Human Biology*, 1986, 13 (2); 153-159.

PROOS, L.A., Y. HOFVANDER, K. WENNQVIST et al. « A longitudinal study on anthropometric and clinical development of Indian children adopted in Sweden. I. Clinical and anthropometric condition at arrival ». *Upsala Journal of Medical Sciences*, 1992, (97); 79-92.

Proos, L.A., Y. Hofvander, K. Wennqvist et al. «A longitudinal study on anthropometric and clinical development of Indian children adopted in Sweden. II. Growth, morbidity and development during two years after arrival in Sweden». *Upsala Journal of Medical Sciences*, 1992, (97): 93-106.

Tanners, J., D. Osbman, F. Babbage et al. «Tanner-Whitehouse bone age reference values for North American children». *Journal of Pediatrics*, 1997, 131 (1); 34-40.

Virdis, R., M.E. Street, M. Zampolli et al. «Precocious puberty in girls adopted from developing countries». *Archives of Disease in Childhood*, 1998, 78 (1); 152-154.

Wyatt, D.T., M.D. Simms, S.M. Horwitz. «Widespread growth retardation and variable growth recovery in foster children in the first year after initial placement». *Archives of Pediatrics and Adolescent Medicine*, 1997, 151 (8); 813-816.

CHAPITRE 9

LES INFECTIONS DE L'ENFANT

▼

Partage
Chine, 1998

« Pas d'hépatite, pas de syphilis, pas d'etc. » Des parents adoptaient en Haïti pour la cinquième fois et tombaient des nues, l'autre jour, en entendant le pédiatre leur annoncer que leur petit garçon était non seulement en bonne santé, mais aussi qu'il n'était porteur d'aucun microbe. En effet, rares sont les nouveaux arrivés qui ne souffrent pas d'une quelconque infection, mineure le plus souvent, mais parfois sévère.

Déjà à l'étranger ou en transit, vous aurez peut-être administré à bébé des antibiotiques pour traiter une otite ou une pneumonie, ou encore des scabicides contre une gale suspectée. Le médecin, au moment où il reçoit l'enfant, est à même d'apprécier si celui-ci mérite un traitement complémentaire au vôtre, par exemple à base d'antibiotiques, mieux adapté à la condition. Il doit aussi savoir qu'une histoire de fièvre chez l'enfant adopté en Afrique ou en Inde oblige à envisager la possibilité d'un diagnostic de paludisme (malaria). Un enfant adopté est d'abord un migrant, quel que soit son état de santé. En l'absence d'infection aiguë ou d'analyse sanguine obtenue chez lui, dans son pays d'origine, son médecin doit également lui prescrire un bilan sérologique ou microbiologique susceptible de dépister des infections chroniques.

Devant la réticence de certains parents à obtenir ces analyses en postadoption et devant l'absence de concertation, dans plusieurs pays d'adoption, sur l'intérêt des analyses à obtenir chez l'enfant nouvellement arrivé, plusieurs enfants porteurs d'hépatite B chronique ou de tuberculose ne sont jamais dépistés, avec toutes les conséquences que cela suppose.

Infections congénitales et périnatales

Des infections congénitales s'attaquent à tous les fœtus du monde. Elles ont pour nom cytomégalovirus, rubéole, toxoplasmose, syphilis, et des centaines d'autres appellations.

Ces infections sont souvent inoffensives, mais elles se trouvent parfois à l'origine d'avortements prématurés et de naissances avant terme. Ainsi, elles peuvent expliquer le petit poids de naissance de l'enfant adopté, une surdité, des cataractes, un retard moteur ou intellectuel. Parmi ces infections, la maladie parasitaire pourtant bénigne qu'est la toxoplasmose peut, lorsqu'elle atteint la mère enceinte, infecter directement le fœtus et lui causer du tort au cerveau et aux yeux. Il n'existe pas de données concernant la fréquence de la toxoplasmose congénitale chez les enfants adoptés et rien ne permet de supposer qu'ils en souffriraient plus particulièrement. D'autres agressions infectieuses sont possibles, comme celle provoquée par le cytomégalovirus, une infection congénitale qui se retrouve vraisemblablement autant en Occident qu'ailleurs.

La rubéole congénitale : succès à l'ouest

Il en va autrement de la rubéole congénitale, qu'on a d'ailleurs observé chez de rares nouveaux arrivants à l'Hôpital Sainte-Justine. Dans les années d'épidémie, autour de 1964, la rubéole provoquait, seulement aux États-Unis, des malformations congénitales chez plus de 20 000 enfants. En 2001, seulement 19 cas de rubéole congénitale y étaient rapportés, et pour une bonne raison : la vaccination. Or, cette vaccination anti-rubéoleuse n'est pas disponible dans la plupart des pays en développement, où des atteintes sévères aux yeux, au cœur et au cerveau chez les nouveau-nés s'expliquent aisément par des rubéoles survenues dans les premiers mois de grossesse. La découverte d'une cataracte ou de certaines maladies cardiaques chez un enfant adopté sont des pistes diagnostiques. Comme l'enfant infecté excrète longtemps le virus, il est souhaitable que les mères adoptives, qui risquent de faire face à ce problème, obtiennent une preuve d'immunité dans l'éventualité d'une grossesse.

La syphilis congénitale : la petite petite vérole

La syphilis, que l'histoire des libertinages reconnaît sous le nom de «petite vérole», est une maladie terrible, sournoise, causée par une bactérie de la famille des spirochètes : le tréponème pâle ou *Treponema pallidum*. L'infection atteint les hommes et les femmes en se propageant via le sperme, la salive, le sang et les sécrétions vaginales, habituellement au cours d'un rapport sexuel génital, anal ou oral avec une personne infectée. La première manifestation de la maladie est une lésion qui apparaît à l'endroit où trois semaines auparavant la bactérie pénétrait dans l'organisme. «Un bouton sur le pénis», entend-on en consultation, et qu'on appelle plus scientifiquement le «chancre syphilitique», auquel s'associe un ganglion non douloureux dans le territoire correspondant, en l'occurrence dans la région inguinale. D'un stade à l'autre, la maladie évolue ensuite chez l'adulte et provoque des éruptions en l'absence de traitement à la pénicilline. Pour sa part, la transmission du tréponème de la mère infectée à son fœtus se fait par l'intermédiaire du placenta, à n'importe quel stade de la grossesse, bien que les lésions n'apparaissent que vers le quatrième ou le cinquième mois de gestation. Incorrectement traité (ou pas du tout) avant la 16e semaine de gestation, la syphilis fœtale risque d'aboutir à la mort du fœtus, à un faible poids de naissance, à la prématurité, à la mort du nouveau-né à sa naissance ou, comme on en retrouve chez certains enfants adoptés, à une syphilis congénitale non létale mais extrêmement sournoise. Une petite mort annoncée en quelque sorte…

Plusieurs pays connaissent actuellement une recrudescence de la syphilis. Cette maladie passe souvent inaperçue chez les hommes et les femmes infectés, ainsi que chez leurs partenaires, parce que les lésions primaires – acquises par transmission sexuelle – se localisent notamment dans la bouche; de son côté, la femme infectée peut ne pas se rendre compte qu'elle a des chancres dans la région génitale. L'impact est majeur pour la progéniture. La fréquence de la syphilis chez les jeunes femmes russes en âge d'enfanter est de cinq fois supérieure à celle de la population générale en Russie, qui est déjà comparativement beaucoup plus élevée qu'en Europe de l'Ouest ou en Amérique du Nord. En fait, sur 100 000 femmes de 18 et 19 ans, 1 321 sont infectées, et sur 100 000 personnes âgées de 20 à 29 ans, 916 hommes et 919 femmes seraient porteurs de syphilis (contre 2 sur 100 000 dans la population générale des pays occidentaux). C'est une différence énorme, extrêmement inquiétante pour les enfants à naître.

Moins de 1 % des enfants adoptés à l'étranger ont été infectés par le *Tréponema pallidum* au cours de leur vie fœtale ou plus tard, à leur naissance. Une naissance prématurée, de petit poids, un écoulement nasal prolongé, un gros foie, une grosse rate à l'examen physique, une inflammation des os ou des cartilages à la radiographie, enfin une éruption cutanée sur le tronc, tous ces signes ou symptômes peuvent caractériser l'enfant atteint de la forme précoce de syphilis congénitale, apparente dans les quelques mois ou au cours des deux années suivant sa naissance. Mais le plus souvent, et c'est ce qui complique le diagnostic, l'enfant infecté ne présente aucune anomalie décelable.

Qu'une syphilis antérieure de l'enfant ou de sa mère biologique soit mentionnée ou non à la lecture du dossier de l'enfant adopté, une épreuve diagnostique sérologique non spécifique, de type *automated reagin test* (ART) ou *venerial diseases* (VDRL) ou encore *rapid plasma reagin* (RPR), s'avérera impérative à obtenir, particulièrement si l'enfant origine d'Éthiopie, du Bélarus ou de Russie, où les auteurs ont rapporté des diagnostics de syphilis congénitale chez les jeunes adoptés. Devant une présomption de syphilis dans l'histoire de l'enfant, aux examens ou à l'épreuve de dépistage sanguin, on complétera le bilan d'accueil par des épreuves de labo dites «tréponémateuses», plus spécialisées que les précédentes, par absorption (FTA-ABS) ou micro-agglutination, en plus des examens appropriés, notamment une ponction lombaire ou une radiographie des os longs.

On recommande de traiter tous les enfants à risque avec de la pénicilline, intraveineuse ou dans un muscle, même s'il est fait mention d'une antibiothérapie antérieure, chez la mère ou chez l'enfant, dans le pays d'origine. La maladie est trop dangereuse pour qu'on lui laisse une quelconque chance. Négliger de documenter la maladie ou ne pas faire soigner l'enfant avec de la pénicilline parentérale risquerait de conduire à la forme tardive de la maladie, avec ses caractéristiques : inflammation récurrente des enveloppes osseuses, problèmes oculaires, dents particulières dites de Hutchinson, surdité grandissante et, surtout, retard mental évident à mesure que passent les deux premières années. Une prise en charge précoce améliore substantiellement le pronostic.

LA MAMAN ADOPTANTE EST ENCEINTE

Si l'infection congénitale à cytomégalovirus n'est pas une menace particulière pour la santé de l'enfant en adoption internationale, il risque par contre de causer des infections dans sa famille. Qu'il ait acquis la maladie de manière congénitale ou, comme c'est le plus souvent le cas, après la naissance, l'enfant adopté risque ici de cesser d'être non pas le contaminé mais plutôt le contaminant.

Il n'y a pas lieu de paniquer : les parents, les frères et les sœurs d'adoption se sortent généralement indemnes de la contamination virale. En effet, les séquelles sont si rares qu'on ne parlerait pas de l'infection à cytomégalovirus si ce n'était de ceci : l'infection peut toucher le fœtus. Contre toute attente, entre 10 % et 15 % des mères adoptives jugées « infertiles » vivent une grossesse dans les premières années qui suivent l'adoption. Plusieurs mères d'adoption choisissent également d'adopter sans que soit en cause l'infertilité du couple. Ainsi donc, une infection transmise de l'enfant nouvellement adopté à sa maman enceinte devient une menace, rare mais potentielle, qui fait du cytomégalovirus un sujet malheureusement incontournable. Quelques cas ont été rapportés chez des mamans américaines.

Le cytomégalovirus ou CMV, appelé aussi herpès type V, est tout ce qu'il y a de plus commun malgré les multiples facettes de ses appellations. Il appartient à la grande famille des virus herpès dans laquelle on trouve aussi des virus plus célèbres, comme ceux de la varicelle et de la mononucléose. Le CMV est présent partout dans le monde, mais avec une fréquence accrue dans les pays en développement, en Inde par exemple, ou au sein des populations défavorisées sur le plan socio-économique. Ces dernières années, l'infection a eu tendance à se démocratiser et à s'incruster dans tous les pays du Nord, ainsi qu'au sein de toutes les couches sociales. L'infection varie également avec l'âge, la parité, les comportements

(...)

(suite)

sexuels et les contacts professionnels. Ainsi, les personnes les plus exposées sont celles qui sont en contact constant avec un sujet qui excrète massivement le virus, comme les jeunes enfants : on pense ici aux travailleurs en garderie ou à l'orphelinat et aux enseignants à la petite école. À mesure qu'ils avancent en âge, de 50 % à 90 % des adultes européens et nord-américains présentent, à l'analyse de leur sang, des traces d'infections antérieures au CMV qui sont passées plus ou moins inaperçues.

La contamination se fait simplement par contact avec des sécrétions infectées provenant de la salive, des urines, des sécrétions génitales, nasales et même via le sang et, plus rarement, par transfusion. Les objets contaminés – jouets, cuillères, baguettes – peuvent également transmettre le virus, capable d'y survivre pendant plusieurs heures.

Chose étonnante pour un virus éventuellement capable du pire, neuf infections sur dix ne donnent aucun symptôme. En fait, la plupart des adultes seront quittes pour une symptomatologie pseudo-grippale avec fièvre, pharyngite et douleurs musculaires. Les plus malades d'entre eux souffriront d'un syndrome ressemblant à s'y méprendre à celui de la mononucléose : fatigue, ganglions volumineux à l'examen et même hépatite. Après l'infection initiale s'installe une période de latence très prolongée ou permanente et... imperceptible. Rarement le virus dormant va se réactiver, mais cela arrive lors d'un trouble immunitaire grave, par exemple lors d'une leucémie, un VIH, une transfusion, une transplantation d'organe. Ainsi donc, dans le contexte de l'adoption internationale, c'est la capacité du virus à infecter le fœtus de la mère adoptante enceinte qui fait du CMV un problème tout à fait particulier.

Le virus provoque une destruction cellulaire du tissu cérébral du bébé en croissance, ce qui peut entraîner des séquelles neurologiques sévères et permanentes : un retard mental, de la surdité, de la cécité. Cette complication risque de survenir surtout chez les mères qui s'infectent durant leur grossesse; environ 3 % des grossesses aux États-Unis, de 0,5 % à 2 % en France. Une rechute d'une infection antérieure chez la mère enceinte peut aussi, mais beaucoup moins souvent, causer une atteinte fœtale. Le bébé adopté n'est donc pas obligatoirement en cause.

Pourquoi les mères adoptives seraient-elles plus à risque que les autres mamans ? D'abord parce qu'elles en sont souvent à leur premier enfant, ce qui les a privées d'un contact préalable avec le virus. Dans une famille biologique par exemple, la mère la plus à risque est celle qui en est à sa deuxième grossesse quand le premier fréquente la garderie d'où il lui rapporte l'infection. Entre 25 % et 50 % des enfants qui fréquentent une garderie sont porteurs du virus et, à l'instar de ceux-ci, les enfants adoptés ayant acquis très tôt l'infection à l'orphelinat sont de gros transmetteurs de l'infection. C'est ce qui expliquerait également le risque accru des mamans adoptives appelées à manipuler les vêtements, la salive, les selles d'un bébé jeune mais pas moins grand excréteur du virus. On peut néanmoins espérer que les mères adoptives plus âgées ou qui ont l'expérience des jeunes enfants aient déjà acquis l'infection et risquent moins de contracter le CMV.

Il n'y a malheureusement pas de traitement valable, sinon le support au jour le jour d'une famille aimante et des équipes professionnelles de physiothérapeutes, de neurologues et ainsi de suite. La prévention devient donc essentielle, mais imprécise à réaliser. C'est qu'il n'y a pas de vaccin valable disponible. Selon certaines études, parmi les enfants adoptés en pays étranger, presque un sur deux pourrait transmettre l'infection. Il faut donc redoubler de prudence lorsqu'on manipule les couches souillées et les jouets de bébé. Il faut multiplier les lavages de mains avec du savon ou, mieux encore, avec les solutions alcoolisées (de type Purell ®) qui sont d'excellents tueurs de virus.

(...)

(suite)

Certaines mères adoptives qui ont la possibilité de devenir enceintes ou pour qui la cause de l'infertilité aura été jugée médicalement inexplicable, se seront fait prescrire un dépistage d'anticorps anti-CMV, au même titre que pour les anticorps de la rubéole afin de connaître leur taux de protection contre une infection éventuelle. En ce qui a trait au CMV, il n'y a malheureusement pas de consensus médical sur l'utilité de cette mesure jugée encore complexe. Si les anticorps sont positifs, il n'y pas de problème et peu de risques qu'une infection antérieure au CMV se réactive pendant la grossesse. Sinon, attention : il y a tout lieu de croire que l'enfant nouvellement adopté pourrait transmettre le CMV. Mais attention : Comment ? Où ? Et jusqu'à quand ?

Par des prélèvements de l'urine et d'autres types d'analyses, on peut rechercher le cytomégalovirus chez l'enfant adopté, mais l'expérience ne s'avère pas utile. Le virus est si fréquent chez ces enfants, au même titre qu'il est prévalent chez les enfants fréquentant une garderie, qu'il vaut mieux considérer qu'il est potentiellement présent plutôt que de s'astreindre à signaler sa présence.

À la clinique de santé internationale de l'Hôpital Sainte-Justine, plusieurs infections à CMV ont été transmises à des parents adoptants ayant souffert de symptômes mononucléosiques et même de jaunisses. Mais à notre connaissance, aucun de nos parents n'a subi de séquelles à long terme et on n'a rapporté aucune infection congénitale chez des mères adoptives. Aux États-Unis, par ailleurs, on a découvert quelques infections fœtales dans un contexte familial d'adoption, ce qui explique les raisons pour lesquelles on parle ici, et en ces termes, du CMV. Dans la mesure du possible, une femme enceinte devrait toujours élever ses standards d'hygiène en se lavant plus fréquemment les mains, en portant attention à son alimentation et en évitant les contacts entre sa bouche et les sécrétions d'un enfant... peu importe qui il est !

Infections et infestations de la peau

C'est par la peau que s'établit le premier contact avec bébé. Certains psychiatres vont même jusqu'à affirmer que toucher, embrasser ou mordiller la peau du bébé nouvellement adopté serait un équivalent de l'allaitement maternel, un moyen par ailleurs extraordinairement bénéfique pour créer des liens d'attachement. Mais lorsque la gale et les excoriations s'emparent de la moindre parcelle de peau, la caresse devient hésitante...

Les problèmes de peau sont très fréquents en adoption internationale. Ainsi, la plupart des enfants ont la peau sèche à leur arrivée. Mais c'est sans parler de tout le reste. Les conditions de vie à l'orphelinat, l'habitude qui consiste à emmailloter un bébé de la tête aux pieds malgré la chaleur tropicale, les déficits vitaminiques, les conditions d'hygiène, bref les raisons sont multiples pour expliquer la détresse des nouveaux parents confrontés à tel ou tel bobo accroché à l'objet de leur rêves.

L'impétigo : ici ou ailleurs

L'impétigo est une infection superficielle de la peau pouvant survenir à tout âge, dans tous les pays, sous tous les climats. De nature généralement bénigne, l'infection affecte surtout les enfants, particulièrement quand ils vivent en groupe, à l'école, à la garderie ou à l'orphelinat. L'absence ou l'insuffisance d'hygiène quotidienne est un facteur favorisant, de même que les lésions causées par les brûlures, les coupures, l'eczéma et les piqûres d'insectes. La gale, dont souffrent de nombreux orphelins, est également un facteur déterminant à l'origine de plusieurs surinfections de la peau. Imaginez : il fait 40 °C, c'est humide, on vous a enveloppé de plusieurs couches de vêtements, vous êtes couvert de parasites microscopiques et, c'est normal, vous vous grattez avec vos petits doigts sales... Difficile de faire mieux pour que s'installe une bonne petite infection !

On reconnaît deux formes d'impétigo, qui ont d'ailleurs des allures assez différentes. L'impétigo bulleux, causé par une bactérie du nom de staphylocoque doré, survient surtout chez les nourrissons et se caractérise par de grosses cloques, qui s'installent surtout dans la région fessière. L'autre impétigo, causé par des bactéries de types staphylocoque ou streptocoque, n'a pas les mêmes préférences et se retrouve allègrement un peu partout sur la peau. Il est fait de petites vésicules qui se transforment en croûtes mielleuses et jaunâtres, outrageantes et peu appétissantes. C'est de cette nature d'impétigo que souffrent le plus souvent les enfants confiés aux parents adoptants.

Dès les premiers jours, les nouveaux parents qui auront le flair de dépister des bulles ou des croûtes surinfectées peuvent donc amenuiser le problème d'abord en tenant bien propre les lésions avec de l'eau et du savon. Il ne faut pas hésiter à frictionner les lésions croûteuses avec un linge humide. On doit également s'occuper de l'eczéma ou de la gale, souvent à la base de l'infection. Un antibiotique topique, comme la mupirocine (Bactroban®) ou la bacitracine (Baciguent®) s'avérera utile, d'où l'intérêt avant le départ pour l'étranger d'avoir apporté un tel médicament dans la trousse de bébé. Les cas les plus sévères, qui peuvent s'accompagner d'une scarlatine ou de lésions étendues sur un bras ou sur une jambe, bénéficieront également d'un antibiotique par la bouche, que le parent n'hésitera pas à administrer lui-même en l'absence de médecins ou d'infirmières sur place.

Dans les sociétés tribales, le *medicine man* était la personne désignée pour soigner la population. En transit à l'étranger, le père et la mère de l'enfant nouvellement adopté deviennent en quelque sorte des *medicine men* de fortune. Soigner un bébé, son propre bébé, celui qu'on vient tout juste de connaître, demande une grande confiance en soi pour le parent adoptant. Cette confiance est souhaitable et nécessaire.

La gale : le pain et la bête de l'adoption

La gale est une infestation de la peau qui affecte les enfants et les adultes de toutes les races, de tous les continents et, contrairement à ce qui est véhiculé par l'opinion populaire, de toutes les couches socio-économiques. La maladie se soigne facilement dans la mesure où elle est bien diagnostiquée. Elle est extrêmement fréquente en adoption internationale, tellement que certains parents adoptants finissent par en voir partout, souvent à tort, mais parfois à raison.

La gale est causée par une mite à quatre paires de pattes, pratiquement impossible à voir à l'œil nu et qui répond au joli nom de *Sarcoptes scabei*. Elle se propage le plus souvent à l'orphelinat par contact direct avec la peau, et très facilement d'un lit à l'autre. La transmission est d'autant plus facile que le nombre de parasites est élevé. Mais *Sarcoptes scabei* peut survivre jusqu'à 36 heures en dehors de son hôte humain, ce qui rend tout à fait possible la transmission indirecte par les vêtements et la literie, bref par tout ce qui est tissu dans l'institution.

Ce sont surtout les mites femelles qui se retrouvent sur la peau infestée et qui transmettent la maladie en creusant un véritable tunnel pour aller y pondre leurs œufs, mais aussi pour s'y nourrir et produire des déjections fécales qui sont les grandes responsables de l'inflammation et des démangeaisons causées par la gale. Ces lignes courtes et tortueuses observées sur les doigts, la peau et un peu partout sur l'enfant sont, en fait, les traces du caca de la petite bête! Les démangeaisons secondaires à la gale commencent trois à quatre semaines après l'infestation.

La gale atteint facilement un enfant adopté sur dix, selon les auteurs et notre propre expérience. Chez les jeunes enfants, la gale prend toutes les formes possibles et imaginables. Elle peut avoir l'allure d'un eczéma, de l'urticaire, de petites bulles. Elle se présente souvent sous la forme de nodules diffus sur tout le corps, parfois un peu plus brunâtres, surtout dans la région des aisselles. Une caractéristique pédiatrique est la présence de petites cloques en plus sur les mains ou les pieds. Contrairement à l'eczéma, la peau est suintante : c'est que la gale aime vivre à la chaleur! Mais comme avec l'eczéma, on en trouve parfois au visage.

Pendant longtemps, on a traité la gale avec une substance appelée lindane. Le scabicide qui est maintenant le plus utilisé est néanmoins la perméthrine à 5 % (Nix®), disponible en crème ou en lotion, plus facile à appliquer. Il est important que les parents adoptants transportent ce produit avec eux à l'étranger, de manière à l'utiliser le plus tôt possible chez l'enfant. On applique le produit sur un bébé bien lavé, en exerçant un petit massage circulaire. Il est important d'en étendre partout, dans tous les replis, autour du nombril, même sur la tête, contrairement à ce qu'on préconise chez l'adulte. On laisse reposer entre 12 et 14 heures. Le lendemain, on nettoie le tout, les vêtements, les draps et le bébé y compris. Plus de neuf fois sur dix, les mites sont tuées par une seule application du produit. Parfois, un deuxième traitement est nécessaire une semaine plus tard. Certains parents ont appliqué jusqu'à 10 ou 15 traitements chez leur bébé, ce qui est décapant et inutile. Il est important de comprendre que les nodules peuvent prendre des semaines à disparaître, voire des mois. Leur présence n'indique en rien que la gale est encore là. Une crème à base de cortisone est parfois utile en traitement adjuvant. Même débarrassés de la gale, les enfants continuent de se gratter pendant des jours et des semaines. On se calme.

En cas de contagion, les parents peuvent se traiter eux-mêmes. La gale inquiète et gâche inutilement le voyage d'adoption de nombreux parents. Une fois le bébé traité, et parfois eux aussi par-dessus le marché, ils doivent passer à autre chose. Répéter *ad nauseam* les traitements ne fait qu'assécher la peau de bébé et lui donner une mauvaise impression de votre médecine.

Le *Tinea capitis* : le goût des champignons

La teigne est une infection du cuir chevelu causée par des champignons microscopiques. L'infestation est favorisée par la promiscuité et la malpropreté. Elle est acquise par contact direct avec une personne ou un animal infecté. L'infection a également ses préférences raciales, car elle s'attaque surtout aux enfants de race noire, rarement avant leurs quatre ans et encore plus rarement après le début de leur puberté. La tête d'un jeune orphelin d'Afrique ou des Caraïbes est un habitacle idéal pour ces champignons.

Le sine qua non du diagnostic est la perte de cheveux, localisée autour d'une zone de peau à vif et bordée de cheveux cassés. La peau est rouge, squameuse. Une lésion circulaire en rejoint une autre. La plaque inflammatoire généreuse ainsi formée porte le nom de kérion. Ici les démangeaisons sont intenses, il y a souvent surinfection secondaire par grattage avec les petites mains sales. Le traitement local ou par la bouche, généralement avec un médicament appelé griséosulfine, est efficace mais de longue durée, facilement de quatre à huit semaines. Par expérience, vous pouvez nous croire, le parent adoptant trouve le temps long, mais l'enfant, lui, y trouve son plaisir car la griséosulfine, pour exercer son plein effet, doit être avalée avec un corps gras comme… de la crème glacée !

La dermatite du siège : les fesses à l'Occident

Souvent, l'enfant adopté ne portait pas de couches dans son pays d'origine. La dermatite du siège, qu'elle soit irritative ou causée par une surinfection à champignons nommée candida, est un effet de nos habitudes occidentales. Certains de ces éry-thèmes fessiers nécessitent l'application de crèmes contre les champignons. Mais pour prévenir ou traiter la grande majorité des rougeurs aux fesses, il faut simplement garder le siège bien propre et bien sec, en le lavant à l'eau tiède avec un savon doux et en l'asséchant. On peut utiliser ensuite de la vaseline ou une crème à base d'oxyde de zinc, comme le Zincofax® ou la base Glaxal®, ou même de l'huile d'olive. Il est préférable d'éponger plutôt que de frotter le siège, et autant que possible, de laisser bébé les fesses à l'air... à l'orientale!

La pédiculose du cuir chevelu: un tête-à-tête

La pédiculose est une infestation du cuir chevelu par le pou de tête, un insecte gris de la taille d'un grain de sésame, dont la nourriture préférée est le sang humain. Le pou dépose ses œufs à la racine des cheveux et derrière les oreilles, en raison des conditions idéales de température qu'il y trouve. L'infestation se manifeste principalement par des démangeaisons, parfois associées à des écorchures ou à des infections bactériennes du cuir chevelu. L'être humain est le seul réservoir de cette infesta-tion plutôt bénigne. La transmission se fait surtout par contacts directs avec des personnes infectées, d'un enfant à l'autre à l'orphelinat, surtout quand les petits dorment tête-à-tête dans un même lit, collés l'un sur l'autre.

Le parent adoptant qui découvre des poux chez le nouvel arrivant en est quitte pour le traitement habituel. Parmi les recettes, après un shampooing ordinaire on assèche légèrement les cheveux, puis on applique un médicament contenant de la perméthrine (Nix®), en prenant bien soin d'étendre le produit le plus possible sur l'ensemble du cuir chevelu. On laisse agir de 10 à 20 minutes, on rince, et on répète le processus une semaine plus tard. Il n'y a pas de quoi s'arracher les cheveux, d'autant plus que ce n'est pas tous les jours que l'on découvre des poux chez les enfants adoptés.

La *Larva migrans*: sous la peau

L'infection n'est pas courante chez les enfants adoptés, mais on en retrouve chez les plus âgés d'entre eux, quand ils viennent des zones tropicales, d'Afrique ou des Caraïbes. De fait, le *Larva migrans* est une parasitose des pays chauds. Afin de se reproduire, la petite bête infecte les chiens et arrive à se faire trimbaler jusque dans les selles de l'animal, que l'on ne ramasse pas plus dans les rues de Ouagadougou que sur les trottoirs parisiens. Quand l'enfant passe par là, en jouant dans le sable infecté ou sur le terreau boueux qui borde son institution, il risque malencontreusement d'être à son tour contaminé.

Le *Larva migrans* n'est pas un parasite naturel de l'être humain. Il entre par la peau des pieds et des fesses, laisse une petite plaque rouge à sa porte d'entrée et se cherche ensuite désespérément un chemin sous la peau à une vitesse de 1 à 2 cm par jour. À l'examen, on constate le sillon tortueux laissé par la larve égarée sous la peau d'un être humain plutôt que sous la peau d'un animal. Les lésions, qu'on se rassure, disparaissent en quelques semaines, le temps que la bête meure. Parfois l'enfant se plaindra de picotements et de brûlures locales. On recommande un médicament appelé mébendazole en suspension topique dans de la vaseline, qu'on administre localement et qui s'avère extrêmement efficace. De toutes manières, l'infestation finit toujours par guérir, sans laisser de séquelles. Elle est sans conséquences.

Infections respiratoires

La fréquence des rhino-sinusites, otites moyennes, bronchio-lites et autres infections des voies respiratoires constatées chez l'enfant adopté s'explique en bonne partie par ses conditions de vie en orphelinat. La contagion est à son comble au sein d'une population d'enfants institutionnalisés en bas âge et, qui plus est, en l'absence de mesures d'hygiène, de savon, d'eau courante et de personnel soignant en nombre suffisant. Pour sa part, une alimentation prolongée au biberon en position sur le dos favorise l'apparition d'otites moyennes, avec ou sans perfora-tions des tympans. Autre facteur non négligeable : la mauvaise qualité de l'air en Asie, entre autres en Chine à cause du chauffage à la lignite, un charbon de mauvaise qualité qui sature l'air ambiant d'une fine poussière opaque.

La plupart de ces infections se traitent bien, même en terri-toire d'adoption, avec un antibiotique de présomption que le parent aura pris soin d'apporter avec lui. Très peu d'enfants nécessitent une hospitalisation au retour, par exemple pour traiter une pneumonie sévère. Toutefois, certains enfants voient leur arrivée retardée en raison d'infections plus graves comme la tuberculose.

Les rhumes : deux sur trois

Bien que fréquemment observées dans les orphelinats à cause des conditions locales de vie, de promiscuité, d'hygiène et d'alimentation, la plupart des infections des voies respiratoires supérieures qu'on y retrouve sont virales et sans gravité. On peut dire, sans exagérer, que deux enfants sur trois à leur adoption ont le nez encombré, avec plus ou moins de sécrétions, plus ou moins de toux secondaire, avec ou sans fièvre. Il est important de bien dégager le nez de l'enfant enrhumé, surtout des plus petits qui ne respirent pas encore par la bouche. Un nourrisson respire par la bouche entre l'âge de six et neuf mois, alors ima-ginez si son nez est bloqué, à quel point cela peut être difficile pour lui de respirer et de bien boire ! Pour améliorer la situa-tion, vous pouvez lui instiller des gouttes de solution saline vendues sur le marché, au Canada sous le nom de Salinex® par exemple, ou encore fabriquer vous-même la petite potion nasale. La recette est toute simple : 1 cuillerée à thé (à café) de sel (5 ml) pour 1 litre d'eau. Instillez ces gouttes-maison dans les narines, sans hésiter sur la quantité, puis aspirez de nouveau tout le liquide et les sécrétions avec une poire nasale. Comme cette poire vous sera utile, ne l'oubliez pas en préparant vos bagages. Elle vous servira dans la chambre d'hôtel, dans l'avion et longtemps après le retour. Ordinairement, la fièvre qui accompagne le rhume ne dure pas très longtemps. Si elle est élevée ou se prolonge deux ou trois jours, il est possible qu'elle témoigne d'une infection secondaire de la partie intérieure de l'oreille, la fameuse otite moyenne.

LE SIGNE DE QUELQUE CHOSE

La fièvre est une hausse de la température du corps à un degré anormal. La fièvre n'est ni un diagnostic ni une maladie, c'est le signe de quelque chose : l'organisme

(…)

(suite)

réagit, et cela s'avère utile à la santé. On ne doit donc ni traiter la fièvre ni l'abolir coûte que coûte. Elle n'est pas là par hasard. Elle sert à combattre les infections. C'est pourquoi elle accompagne la plupart des maladies infectieuses. On doit néanmoins tenter de la faire diminuer si elle est trop élevée, si elle incommode l'enfant ou si elle le rend irritable.

La sensation de chaleur éprouvée en mettant sa main sur le front de l'enfant n'est pas une mesure fiable pour évaluer la situation. Il faut utiliser un thermomètre pour bien connaître la température corporelle. Plusieurs parents adoptants ont la hantise de prendre la température de l'enfant. Certains préfèrent même prendre la température dans l'oreille, avec un thermomètre spécial. Ce n'est pas une mauvaise idée, mais la mesure la plus fiable reste la prise de température rectale. C'est la meilleure manière de prendre la température d'un enfant de moins de cinq ans. On installe le bébé sur le dos. Après avoir trempé un thermomètre rectal à mercure dans l'eau froide ou l'avoir enduit de vaseline, on l'insère doucement dans le rectum jusqu'à une profondeur de trois centimètres environ pendant deux minutes. Les nouveaux thermomètres digitaux sont rapides et précis. En cas de doute, demandez à l'infirmière de vous montrer comment procéder lors de votre prochaine visite médicale et ce, même si l'enfant se porte bien : c'est le meilleur moment pour apprendre. On peut utiliser la voie buccale chez les enfants de cinq ans. La température axillaire est moins précise. Pour sa part, la température auriculaire trouve de plus en plus d'adeptes, mais plusieurs facteurs risquent de fausser les résultats, comme la présence de cérumen dans le conduit auditif externe.

On parle de fièvre lorsque la température rectale s'élève au-dessus de 38,5 °C. Utilisez de l'acétaminophène (paracétamol) ou de l'ibubrofène. Il est déconseillé de donner de l'aspirine à un enfant à cause du risque de syndrome de Reye. On trouve l'acétaminophène sous forme de gouttes, de sirop (pour les enfants plus âgés), de comprimés croquables (aussi pour les enfants plus âgés) et de suppositoires. L'administration par voie rectale est utile si l'enfant vomit.

Il faut calculer la dose en fonction du poids de l'enfant et non de son âge. Habituellement, pour l'acétaminophène, on donne de 10 mg à 15 mg par kilo et par dose. Par exemple, on peut donner une dose entre 100 et 150 mg à un enfant qui pèse 10 kilos. On administre les doses à toutes les 4 à 6 heures d'intervalle, selon les besoins de l'enfant.

L'enfant doit boire plus fréquemment pour diminuer les risques de déshydratation causés par la fièvre. Il doit être vêtu légèrement : couche, camisole, chaussettes. La température de la pièce ne doit pas être trop élevée. Il est inutile de donner des bains d'eau froide.

La tuberculose : faire l'histoire

La tuberculose, terreur de bien des générations, est une maladie causée par le *Mycobacterium Tuberculosis*. Elle se transmet par de fines gouttelettes qui voyagent dans l'air, d'une personne malade à une personne saine. En général, elle atteint les poumons, mais l'infection peut aussi atteindre d'autres organes, comme les reins, les ganglions, le larynx, les os et les méninges. On peut distinguer deux phases à la maladie : la première est une phase latente qu'on appelle primo-infection. À ce stade, la personne n'est pas contagieuse et ne présente aucun symptôme. La bactérie est endormie et peut rester là des semaines, des mois, voire des années avant de se réveiller et de provoquer une infection grave. Ce réveil, causé très souvent par l'affaiblissement du système immunitaire, entraîne chez l'individu la deuxième phase de la maladie, la phase active. À noter que la progression rapide d'un stade à l'autre est encore plus accélérée chez l'enfant.

La tuberculose active ou encore tuberculose-maladie se présente alors sans symptômes ou avec des symptômes de fièvre, de toux, de sueurs nocturnes, de perte d'appétit, de perte de poids, de fatigue et d'expectorations accompagnées de sang et de douleurs thoraciques. La forme dite « miliaire », qui touche l'ensemble du tissu pulmonaire, est particulièrement à craindre chez les enfants de moins de cinq ans. À ce stade de la maladie, la personne est souvent très contagieuse, mais cela est moins vrai chez les enfants en bas âge que chez les adolescents et les adultes.

D'un point de vue épidémiologique, la tuberculose demeure un problème de santé publique à l'échelle planétaire. Tous les continents sont touchés par cette maladie infectieuse. Son diagnostic s'avère souvent difficile à poser dans plusieurs pays en voie de développement. Le tableau clinique oriente parfois le clinicien, privé de méthodes diagnostiques et de laboratoires adéquats, vers un tout autre diagnostic : de l'asthme, des pneumonies à répétition, etc. Les légendes et les croyances entourant la maladie sont également fort nombreuses, ce qui complique souvent le dépistage et les traitements ailleurs dans le monde et chez les populations migrantes. Malgré le chic, la sensualité et l'érotisme qu'ont pu lui conférer les histoires de nombreux films, romans et opéras, la tuberculose est perçue comme une maladie honteuse dans la plupart des sociétés : maladie de pauvres, maladie maudite, maladie surnaturelle due à son pouvoir de transmission aérienne. La personne malade est souvent pointée du doigt, chassée de son milieu.

Les nourrices chargées de soigner les enfants dans les orphelinats ou encore les membres d'une famille d'accueil peuvent transmettre l'infection à l'enfant. La plupart du temps, lorsqu'un enfant est infecté, c'est le signe qu'un adulte est malade dans son environnement. Ainsi, il s'avère important de tester l'enfant adopté à son retour au pays, grâce à un test de dépistage appelé intraderma-réaction à la tuberculine ou test cutané tuberculinique ou PPD (pour *Purified Protein Derivative*) qui permet de savoir si la personne a été antérieurement en contact avec la bactérie de la tuberculose. À ce jour, il n'y a pas de tests sanguins qui permettent de le savoir. Des recherches sont présentement en cours à ce propos.

Une primo-infection ou tuberculose-infection ou tuberculose latente, découverte assez fréquente chez l'enfant adopté, doit être traitée par l'isoniazide durant neuf mois. La plupart du temps, les parents s'en tirent avec un sirop ou des comprimés à donner pendant une certaine période. C'est décidément un moindre mal quand on songe à tout ce que la tuberculose peut apporter de souffrances. La prise en charge d'une tuberculose active est une toute autre histoire.

Ont été adoptés, en pleine période de tuberculose active, des enfants venus d'Afrique, des Caraïbes, d'Asie du Sud-Est et de la Fédération de Russie, où la tuberculose affiche de 10 à 20 fois la prévalence des pays de l'Ouest. Plus exactement, on a retrouvé ces tuberculoses-maladies chez des enfants haïtiens, russes, vietnamiens et, en France, chez 8 % des enfants adoptés du continent africain. Plusieurs médicaments, un suivi médical et de la santé publique s'avèrent nécessaires. La tuberculose multirésistante aux antibiotiques couramment utilisés n'a pas encore été décrite chez l'enfant adopté, mais compte tenu de son augmentation dans plusieurs régions du globe, le consultant en infectiologie ou en pneumologie devront être extrêmement vigilants sur la question.

Infections digestives

La gastro-entérite : salée, sucrée

La diarrhée aiguë est une infection du tube digestif qui sévit partout dans le monde. Elle s'accompagne ou non de vomissements : cela donne gastro pour gastrite, entérite pour diarrhée et gastro-entérite pour les deux. En Amérique du Nord, cette maladie survient surtout l'hiver ; elle est le plus souvent bénigne et causée par des virus. Les bactéries entraînant des symptômes plus graves peuvent également expliquer sa présence, surtout l'été. La fréquence de ces diarrhées bactériennes est beaucoup plus élevée dans les pays chauds et dans les régions où l'hygiène est moins rigoureuse, ce qui est souvent le cas dans les pays d'origine des enfants adoptés. Elles ont pour nom *Campylobacter jejuni*, *Salmonella* et *Shigella*. De retour au pays, il est tout indiqué d'effectuer des cultures de selles pour rechercher ces bactéries, mais au cours des premières semaines, certains parents devront eux-mêmes amorcer le traitement de la diarrhée de leur enfant, surtout s'il est jeune, déshydraté ou qu'il présente assez de symptômes. Ils se rappelleront alors les quelques principes suivants.

Puisque l'infection perturbe les fonctions normales du petit intestin, elle empêche la digestion optimale du sucre contenu dans le lait, que l'on connaît sous le nom de «lactose». On évitera donc de faire boire à l'enfant les préparations lactées habituelles ou du lait de vache. Les préparations lactées à base de soja, comme le Nursoy®, ou sans lactose comme le Similac LF® ou l'Alactamil®, s'avèrent donc idéales pour les nourrissons. Les enfants plus vieux devront également, de façon temporaire, éviter le lait de vache, le beurre et la crème glacée, mais ils pourront continuer de consommer du yaourt et des fromages à pâte ferme, qui contiennent relativement peu de lactose.

La diarrhée empêche également l'absorption adéquate de l'eau et de certains éléments minéraux. Comme les enfants ont proportionnellement besoin d'une plus grande quantité de liquide que les adultes et que leurs réserves sont notamment moins grandes, il devient donc primordial pour les parents de veiller à leur hydratation en augmentant leur apport en eau au moyen d'une solution toute prête ou à fabriquer sur place.

SOLUTIONS RÉHYDRATANTES

Solution toute prête
Pédialyte®, Gastrolyte®, Lytren®

Solution salée-sucrée
1 litre d'eau + 2 à 3 c. à table de sucre + 1/2 à 1 c. à thé (à café) de sel

Solution de jus et d'eau
2/3 d'eau + 1/3 de jus non sucré + 1/2 à 1 c. à thé (à café) de sel

---

Les solutions de maintien de l'hydratation conviennent à tous les enfants. Pour une période de quelques heures, elles peuvent remplacer toute forme d'alimentation. Si l'enfant ne vomit pas, on lui en offre à volonté toutes les 30 minutes pour compenser les pertes engendrées par les selles. S'il vomit, c'est un peu plus compliqué, on lui en offre à la cuillère, de 5 à 30 ml, à une fréquence de deux à dix minutes. Lorsque les vomissements s'atténuent, l'enfant peut enfin boire de plus grandes quantités, donc moins souvent. Quoiqu'il en soit, le jeûne ne doit pas être prolongé au-delà de six à douze heures, surtout chez un enfant plus ou moins déjà mal nourri. Au nourrisson, on offrira en quantité graduelle les préparations lactées à base de soja ou de lait sans lactose, en plus des solutions de maintien de l'hydratation. Ceux qui mangent déjà des solides et les plus grands peuvent consommer des aliments comme le riz, les céréales, les légumes et les fruits. En déplacement, le parent adoptant peut faire preuve d'imagination en utilisant les produits locaux : les tortillas en Amérique centrale, les galettes de riz en Chine, la semoule au Moyen-Orient.

Les produits anti-diarrhéiques comme l'Imodium®, qui agissent en paralysant l'intestin et qui s'avèrent très utiles aux adultes pour de brèves périodes, sont absolument nuisibles et contre-indiqués chez les enfants : ils empêchent leur système digestif de fonctionner naturellement. Si la diarrhée persiste ou est accompagnée de fièvre ou de sang dans les selles ou d'un mauvais état de santé général, le parent doit se sentir absolument libre d'utiliser les médicaments de présomption qui lui auront été prescrits par son médecin avant le départ pour l'étranger. Ces antibiotiques ont pour nom trimétroprime sulfaméthoxazole, céfixime ou azitromycine. Ils permettent de lutter directement contre les bactéries citées un peu plus haut.

Quelques parents adoptants pourraient contracter sur le tas l'infection transmise par leur nouveau rejeton. À leur tour, ils pourront ainsi utiliser le médicament antibiotique de présomption glissé dans la trousse de voyage, ou encore consulter leur médecin à leur retour dans leur patrie pour des cultures de selles et une prise en charge en bonne et due forme.

L'hépatite A : une jaunisse de passage

Le virus de l'hépatite A se transmet surtout par voie fécale-orale, c'est-à-dire par l'ingestion d'eau ou d'aliments contaminés par les selles d'une personne infectée. Dans le monde en développement, les enfants sont souvent beaucoup plus jeunes que dans les pays industrialisés quand ils contractent l'hépatite A. À l'Ouest et au Nord, on voit l'hépatite A dans des milieux de garde, l'été dans les camps de vacances ou chez certains groupes à risque plus élevé : les usagers de drogues intraveineuses, les voyageurs, surtout les amateurs non vaccinés d'aventures hors circuit, ainsi que dans les populations homosexuelles.

Après une période d'incubation de deux à six semaines, l'infection ne cause à peu près pas de symptômes chez la majorité des enfants, mais une jaunisse carabinée chez les adolescents et les adultes. L'urine est foncée et les selles sont pâles. L'hépatite A ne laisse pas d'état porteur, l'infection guérit le plus souvent spontanément. Il n'y a pas de traitement spécifique. Quelques personnes plus âgées et celles qui sont déjà porteuses d'une hépatite B peuvent mourir d'une forme d'hépatite dite fulminante.

La recherche d'une hépatite A antérieure chez l'enfant adopté n'est pas considérée comme prioritaire par les médecins américains. Mais leurs confrères italiens ont une opinion différente car ils ont rapporté plusieurs cas d'éclosions d'hépatite A chez des familles adoptantes qui venaient d'accueillir un enfant de l'étranger. Une majorité de familles adoptantes auraient donc avantage à se faire vacciner d'une manière élargie contre l'hépatite A, avant l'arrivée de l'enfant, en raison des contacts étroits qu'ils auront avec le petit nouveau, qu'ils aillent à l'étranger ou qu'ils utilisent les services d'une escorte. Lors du bilan d'accueil, le médecin peut aussi obtenir un dosage d'anticorps chez l'enfant adopté, de façon à savoir s'il est utile de le vacciner lui aussi. Si l'enfant vomit ou souffre de jaunisse, il y a lieu de chercher activement l'hépatite A. Et la B. Et la C. Et on s'arrête là pour l'instant.

L'*Helicobacter pylori* : une hélice à deux faces

L'*Helicobacter pylori* est le grand responsable des ulcères de l'estomac et du duodénum. Pour expliquer ces pathologies digestives, le café, le stress, les épices et le terrain génétique sont maintenant bons deuxièmes. On aborde ici le sujet parce que certains enfants adoptés à l'étranger souffrent parfois de l'*Helicobacter*, ou encore restent longtemps porteurs de cette bactérie en forme d'hélice et au tempérament pas ordinaire. En effet, l'*Helicobacter* s'avère autant capable de signaler dramatiquement sa présence par une inflammation de l'estomac que de s'installer peinard dans la paroi de l'estomac, sans jamais faire de mal à personne.

La répartition mondiale de l'infection n'est pas uniforme, mais on retiendra qu'elle est impressionnante. Partout sur le globe, l'*Helicobacter* se contracte par voie orale, la plupart du temps par contact direct, la salive par exemple, ou par contact indirect avec un porteur. Les conditions sanitaires, la promiscuité, la pauvreté auront donc une influence directe sur la fréquence des transmissions. Ainsi, dans les pays industrialisés d'Amérique et d'Europe, de 30 % à 40 % des adultes sont infectés, tandis que certaines études rapportent de 70 % à 90 % d'infections au Brésil et en Colombie, de 56 % jusqu'à 96 % en Afrique sud-équatoriale et en Chine du Nord. Dans ces régions du monde où l'*Helicobacter pylori* sévit particulièrement, de 10 % à 15 % des personnes infectées auront un jour un ulcère d'estomac et de 1 % à 2 %, un cancer de l'estomac. Si vous faites un calcul rapide, cela fait des dizaines de milliers de malades. Cela n'est pas rien, surtout pour une bactérie dont on connaissait à peine l'existence lorsque l'homme posait son premier pas sur la Lune.

Cette infection est encore méconnue chez les enfants. On considère actuellement qu'elle n'est pas courante mais qu'elle augmente avec l'âge. Chez les moins de cinq ans, on parle d'un taux d'infection autour de 10 % en Espagne, de 3,5 % en France, de 8 % à Taïwan et de 23 % en Chine. Par contre, dès l'âge de dix ans on dépiste l'infection chez la moitié des enfants des pays en développement. Compte tenu de son jeune âge à l'adoption, le nouvel arrivant a généralement évité l'infection. C'est ce qui explique, en partie, que le dépistage de l'*Helicobacter pylori* n'est pas recommandé dans le bilan de routine effectué en adoption internationale. Au besoin, le médecin traitant de l'enfant s'interrogera sur l'origine du problème si l'enfant ou l'adolescent antérieurement adopté en pays étranger présente des douleurs digestives chroniques, des régurgitations ou des vomissements sanglants. Le diagnostic d'une infection à *Helicobacter pylori* se fait grâce à une prise de sang avec la recherche d'anticorps, d'un test respiratoire (eh oui, respiratoire, c'est étonnant mais c'est comme cela), ou d'une biopsie de l'estomac. Le traitement, quand il est nécessaire, consiste en la prise d'antibiotiques appropriés et d'antiacides. Le succès de ce traitement n'empêche pas les récidives.

Infestations entériques

Il est préférable de se tenir éloigné du parasite. Larousse le décrit comme «un organisme qui vit aux dépens d'un autre, lui portant préjudice sans le détruire». Le parasite est une bestiole microscopique ou visible à l'œil nu, selon l'espèce, qui emprunte les voies cutanées, digestives, pulmonaires et sanguines de l'être humain pour survivre, pour se reproduire, bref pour y faire sa vie.

Chez les adultes aussi bien que chez les enfants, le parasite est présent au Nord comme au Sud, de Oslo à Tananarive. Sa virulence dépend de la famille à laquelle il appartient et de l'état de santé de la personne qu'il infecte. Souvent son passage est sans conséquences, parfois il est mortel. Chez les habitants du Sud ou de l'Est, le parasite se fait plus ou moins virulent et plus ou moins contaminant, selon l'hygiène et l'accès à l'eau potable, selon la qualité de la plomberie ou la cohabitation étroite avec la faune. Il aime bien prospérer dans les groupes qui vivent en vase clos, comme les garderies; ainsi il triomphe dans les orphelinats du monde en développement. D'après des dizaines d'études réalisées aux États-Unis, en France, en Australie et au Canada, et selon leur âge, leur pays d'origine et leur examen de santé à l'adoption, entre 15% et 55% des enfants adoptés en pays étrangers s'avèrent porteurs d'une parasitose intestinale.

Un enfant adopté au-delà de l'âge de 6 à 12 mois risque plus qu'un jeune nourrisson d'avoir une infestation parasitaire. Un bambin issu d'un orphelinat philippin est plus à risque d'infestation parasitaire qu'un bébé venu d'une famille d'accueil en Corée du Sud. Enfin, la découverte d'une insuffisance pondérale marquée chez un nouvel arrivant doit orienter le diagnostic, non seulement vers un manque d'apport en nourriture, mais également sur la coexistence d'une infestation parasitaire. Une diarrhée chronique chez un enfant venu d'Haïti, d'Éthiopie ou de Roumanie doit également mettre les parents et le médecin sur la piste du parasite. Notez que des recherches effectuées dans des orphelinats thaïlandais et chez les *minores carentes* de la rue au Brésil ont montré qu'une infection parasitaire pouvait, à elle seule, expliquer des retards d'apprentissage chez les enfants.

Pour ce faire, une prise de sang démontrant la prépondérance d'un type de cellules appelées «éosinophiles» et des recherches d'anticorps contre le parasite dans le sérum contribuent à établir le diagnostic. C'est cependant la mise en évidence du parasite lors de la recherche microbiologique dans les selles qui signe le plus souvent le diagnostic. Plusieurs échantillons s'avèrent souvent nécessaires pour parfaire l'investigation du petit malade et pour préciser le type de famille de parasites auquel on a affaire, question de mieux préparer la riposte.

Blastocytis hominis : un protozoaire commun

Difficile de parler de famille de parasites sans débuter par une vraie grande famille d'attaquants : les protozoaires. Par ailleurs, il est inutile de se faire du mauvais sang : malgré leurs racines latines et leurs noms à sensation, la plupart des protozoaires retrouvés dans les selles de l'enfant adopté n'affectent en rien sa croissance et son développement. De fait, plusieurs espèces sont dites non pathogènes, c'est-à-dire inoffensives pour la santé de l'enfant. Parmi celles-ci, mentionnons l'*Entamoeba coli*, l'*Iodamœba butschili*, le *Chilomastix mesnili*, l'*Endolimax nana*, le *Trichomonas hominis*, l'*Enteromonas hominis* ainsi que le *Blastocystis hominis*, un classique dans le genre, qui n'est généralement responsable d'aucune symptomatologie. Ainsi, en adoption internationale, une recherche de parasites dans les selles ne doit pas être accueillie a priori comme une nouvelle inquiétante. Avec un bon dictionnaire médical, un bon médecin et un peu d'épistémologie, le parent adoptant en sera généralement quitte pour un peu d'anxiété, sans plus.

Dientamoeba fragilis : le protozoaire pas ordinaire

Par contre, d'autres protozoaires aux noms aussi complexes que les précédents nécessitent un ou plusieurs traitements antiparasitaires. On pense ici au *Dientamoeba fragilis*, à l'*Entamoeba histolytica* et au *Giardia lambia*, certainement le protozoaire le plus connu de par le monde, du simple fait qu'il parasite autant les campeurs du dimanche que les orphelins de Bucarest.

Le *Dientamoeba fragilis*, qu'on peut tenir responsable de diarrhée et de pertes de poids chez le nouvel arrivant, cédera au traitement antiparasitaire sans laisser de séquelles. Pour leur part, *Entamoeba histolytica* et *Giardia lamblia* méritent quelques interventions supplémentaires. C'est pourquoi nous leur consacrons chacun une petite section à part.

Entamoeba histolytica : retour sur le capitaine Kirk

Rappelez-vous cet épisode de la série de télé *Star Trek*, quand le vaisseau spatial « Entreprise » était avalé par une gigantesque amibe spatiale. Comme à son habitude, le capitaine Kirk avait dû redoubler d'efforts pour sauver Spock et le reste de son équipage. Il en va de même pour 10 % de la population mondiale, aux prises avec de réelles attaques amibiennes causées par un protozoaire du nom d'*Entamoeba histolytica*. Cette amibiase ou amœbose est liée au manque d'hygiène, à l'absence d'eau potable, aux petites mains sales et aux mouches qui se posent malencontreusement sur le peu de nourriture disponible dans les pays en développement. On retrouve cette amibe surtout dans les pays chauds, en Afrique sub-équatoriale, au Mexique, en Inde et en Amérique du Sud, où elle élit domicile dans le gros intestin des adultes et des enfants qu'elle infecte.

L'*Entamoeba histolytica* n'a été rapportée qu'à quelques reprises chez des enfants adoptés. Des formes apparentées non dangereuses dites «dispar» ne causent pas de symptômes. Les formes pathogènes créent néanmoins une diarrhée sanglante. Il faut retenir qu'une fois sur vingt, le parasite se loge également dans d'autres tissus et souvent dans le foie, son organe de prédilection. Chez les enfants adoptés comme chez les enfants du Sud ou des populations migrantes, on ne retrace pas facilement l'*Entamœba histolytica*. Avant d'établir un diagnostic, on doit effectuer à quelques reprises des recherches de parasites dans les selles et d'anticorps dans le sérum, ainsi que des échographies du foie. Le traitement antiparasitaire est possible, mais plus laborieux qu'avec d'autres espèces de parasites. Le capitaine Kirk, pour sa part, s'en était tiré avec une bombe antimatière.

Giardia Lambia: la diarrhée des tsars

La giardiase ou lambiase est une infection causée par un parasite microscopique du nom de *Giardia Lambia*. L'infection est extrêmement répandue dans le monde. Elle sévit particulièrement dans les régions chaudes, mais on la retrouve également dans le Nord, avec des taux record de reproduction en Europe de l'Est, ce qui a d'ailleurs valu à la diarrhée causée par *Giardia* le sobriquet impérial de «diarrhée de Leningrad». Dans les pays industrialisés, au Canada autant qu'en Belgique, la giardiase s'avère aussi la grande responsable des diarrhées parasitaires chez les enfants des garderies.

Certains enfants adoptés sont porteurs de giardiase sans toutefois en souffrir. Le bilan d'accueil de l'enfant nouvellement arrivé doit toujours prévoir la recherche systématique de parasites dans les selles. Croyez-nous, cela vaut la peine! Un ou deux enfants sur quatre, en provenance de Roumanie, d'Ukraine ou de la Fédération de Russie, se révèlent porteurs de *Giardia lambia* dans leur tube digestif. Si plusieurs sont asymptomatiques, environ le tiers des enfants porteurs de *Giardia* présentent néanmoins des symptômes: des douleurs au ventre, des diarrhées intermittentes, mais pas forcément violentes. Les signes peuvent disparaître spontanément en quelques semaines, mais ils peuvent tout aussi bien passer à la chronicité. L'émission de cinq selles par jour, pâteuses, molles, souvent granulées, dites en «bouse», peut entraîner chez le nouvel arrivant une véritable malabsorption. À l'examen de santé, on note une perte de poids, une insuffisance pondérale.

Le diagnostic se fait au laboratoire par la recherche de kystes dans un échantillon de selles. Parfois, d'autres analyses plus poussées s'avèrent nécessaires. L'infection est si fréquente que plusieurs médecins entreprennent de soigner la giardiase avant même de l'avoir isolée au laboratoire. Un médicament du nom de Métronidazole® s'avère une thérapie de choix avec un taux de succès de 80% à 95%, ce qui est assez bon. À cause de son goût métallique, les enfants ont du mal à apprécier la médication, avec raison d'ailleurs. L'ajout de chocolat liquide ou de sucre d'érable permet de faciliter l'entreprise. Devant l'échec du traitement, on envisagera d'autres antiparasitaires.

Une fois le traitement entrepris, l'enfant adopté infecté par le *Giardia* ne doit pas être privé de visites ou de contact avec ses amis de la garderie, où entre 20% et 30% des enfants sont normalement déjà porteurs de giardiase. Les mesures d'hygiène doivent néanmoins être redoublées, notamment le lavage des mains. L'infection, une fois résolue, ne laisse pas de séquelles.

Ascaris lumbricoides: le roi ver

En matière de parasitoses essentielles à considérer en adoption internationale, l'autre incontournable est la famille des nématodes. On y retrouve des organismes comme l'*Ascaris lumbricoides*, qui infecte un enfant adopté sur dix. L'ascaridiase est la parasitose la plus répandue dans le monde. Elle est particulièrement présente en Chine et aux Philippines. Et croyez-nous, lorsqu'apparaît le ver, dans la baignoire familiale ou au cours d'une fête d'anniversaire, par l'anus ou dans les selles, ou même par le nez de la petite Chinoise nouvellement arrivée, l'affaire fait vraiment sensation.

L'ascaris, c'est décidément le ver fait roi. Gros ver plutôt élastique, la femelle doit bien faire une vingtaine de centimètres. Il a quelque chose du ver de terre, mais sa couleur est blanche rosée. Généralement, l'enfant ou l'adulte infecté avale les œufs du lombric dans la nourriture contaminée. Par l'action des sucs digestifs, les œufs libèrent ensuite les larves. Avant de se transformer en vers adultes et matures, ces larves transitent par le poumon. À ce stade, le diagnostic est difficile à faire. L'ascaris étant un ver migrateur, il passe ensuite du poumon au tube digestif, où il peut causer des obstructions intestinales, une appendicite, un blocage du foie ou du pancréas. Dans l'intestin, l'infection peut être asymptomatique ou causer une légère malabsorption. Ces troubles digestifs peuvent aggraver la déficience en vitamine A dont souffrent certains enfants. Le diagnostic se fait finalement par la recherche d'œufs dans les selles. Le traitement dure deux ou trois jours et il est très efficace. Il faut simplement que les parents se fassent une raison : quelques heures, quelques jours après les comprimés, le rectum évacue un ou des vers… morts.

L'ankylostomose : une anémie sans bon sens

On sait que 90 % des enfants âgés de neuf ans et qui habitent dans les pays chauds et humides sont infestés avec *Necator Americanus* ou *Ankylostoma Duodenale*, les parasites de la famille des nématodes responsables d'une maladie qu'on appelle l'ankylostomose. L'organisme pénètre la peau de l'enfant par la plante des pieds, transite ensuite vers ses poumons où il peut causer des lésions pour se loger finalement dans le duodénum, la partie la plus haute de l'intestin.

L'histoire habituelle en adoption internationale est celle d'un enfant qui souffre de malnutrition modérée. On lui découvre alors une anémie par manque de fer. Pourquoi manque-t-il de fer ? Pour deux raisons. La première saute aux yeux : il n'a pas eu assez à manger et manque d'aliments riches en fer. La seconde raison pour expliquer son anémie est imputable à la présence d'ankylostomes dans son intestin. De fait, *Necator* et *Ankylostoma* causent des micro-hémorragies qui aggravent la perte digestive de fer causée par la pénurie alimentaire. La solution? L'utilisation d'un antiparasitaire qui, associé à un peu de supplément de fer, contribue à rétablir la normalité de l'hémoglobine. Rappelons qu'un enfant anémique ne réalise pas son plein potentiel de développement.

Strongyloïdes stercoralis: anguillulose et cie

L'anguillulose est une maladie parasitaire très répandue dans les pays tropicaux. On la retrouve aussi bien en Amérique du Sud et en Afrique qu'en Asie du Sud-Est. L'anguillulose est causée par un organisme dont on aimerait ne pas avoir à prononcer le nom: *Strongyloïdes stercoralis*. *Stercolaris* pour «stercoral», et stercoral pour «relatif aux excréments». Ainsi, au lieu de parler d'anguillulose, certains praticiens parlent de strongyloidase, ce qui n'améliore en rien cette infection qu'on aurait tort de négliger.

La larve adulte pénètre la peau, comme dans le cas de l'ankylostomose. L'enfant l'attrape par exemple en marchant pieds nus. La larve est ensuite transportée vers les poumons où elle quitte enfin la circulation sanguine pour être ensuite avalée. Le périple n'est pas banal. La destination finale est le tube digestif, au niveau de l'anus. La strongyloidase s'y porte si bien qu'elle en profite pour y faire des petits, qu'on appelle *Larva currens* et qui, à leur tour, pénètrent la peau de la région anale. La strongyloidase et sa progéniture ont le potentiel de créer un pareil cirque pendant près de 40 ans, souvent sans que personne ne s'en aperçoive. Le malheur est que le petit manège peut s'accompagner de douleurs abdominales et pire encore d'une infestation massive, quand l'enfant infecté reçoit des médicaments qui dépriment son immunité: des doses massives de cortisone, par exemple, pour venir à bout d'une sévère crise d'asthme.

Du fait qu'elle implique des contraintes de laboratoire pour le microbiologiste, l'anguillulose est sous-diagnostiquée chez les enfants adoptés. À l'Hôpital Sainte-Justine, à force de recherches parasitaires répétées dans les selles et de recherche d'anticorps dans le sang, nous avons fini par la dépister chez des arrivants d'Haïti, du Cambodge ou de Thaïlande. Ainsi votre médecin généraliste ou le pédiatre de votre enfant devrait être alerté lorsque la numération de la formule sanguine de bébé se présente avec beaucoup d'éosinophiles. Heureusement, la maladie cède avec un traitement antiparasitaire relativement facile à appliquer.

Trichuris trichura : l'impromptue des tropiques

La trichocéphalose est une infection parasitaire intestinale causée par un organisme de la famille des nématodes appelé *Trichuris Trichura*. Quoique plus rare chez l'enfant adopté, on trouve souvent *Trichuris* aux côtés d'*Ascaris*. L'enfant venu d'un pays tropical aura été contaminé, encore une fois, par la nourriture souillée ou, plus directement et plus simplement, en ingérant un peu de terre à l'orphelinat. Le plus souvent, les symptômes sont mineurs, mais une infestation massive peut être tenue responsable d'une anémie et d'une insuffisance pondérale. Le *Trichuris* a également la mauvaise habitude de provoquer un prolapsus rectal, qu'on pourrait décrire comme une sortie impromptue du muscle du rectum à l'extérieur de l'anus. Un examen parasitologique des selles confirme le diagnostic. Le traitement antiparasitaire est efficace, le rectum reprend sa place et, au grand bonheur des parents, l'histoire s'arrête là.

Les oxyures : avoir des vers

Dans le langage courant, le fait d'«avoir des vers» fait référence à la présence d'oxyures aux alentours de l'anus. Ces vers, encore de la famille des nématodes, portent aussi le nom d'*Enterobius Vermicularis*. La contamination se fait par l'intermédiaire des aliments ou des ongles infectés par les œufs. Après l'absorption des cocos microscopiques, le ver femelle finit par éclore et parcourt ensuite tout le tube digestif pour y déposer à son tour des œufs autour de l'anus. Ainsi de nouveaux vers naissent : ils ont l'apparence de petits filaments blancs. Les enfants infectés se plaignent de démangeaisons anales. S'ensuit un sommeil perturbé, de la fatigue et de l'agitation à l'école. Il devient alors difficile de faire la part des choses. Qu'est-ce qui est dû au ver et qu'est-ce qui est attribuable à la condition de l'enfant? On ne peut tout de même pas imputer l'ensemble des échecs scolaires aux oxyures !

L'infestation a la particularité de se retrouver autant chez les écoliers de Finlande ou du Québec que chez les nouveaux adoptés de Colombie ou de Roumanie. Elle n'est donc pas exclusive à l'adoption internationale. Les parents peuvent faire le diagnostic à l'œil nu, la nuit au moyen d'une lampe de poche permettant d'éclairer les vers qui grouillent autour de l'anus de l'enfant. Pour confirmer la présence d'oxyures digestifs ou vulvaires, il existe aussi un test appelé «*scotch tape test*», que les parents peuvent pratiquer selon les indications de bricolage du médecin. L'affection est bénigne et le traitement, très efficace, à condition d'y aller d'un peu de prévention : changer le linge, la literie, nettoyer les jouets, tenir les ongles propres. Il faut insister sur le port du pyjama pour empêcher que l'enfant se gratte et se réinfecte. Retenez que l'oxyurose est insignifiante, mais tenace.

La cysticercose : des convulsions chez l'enfant

Mentionnons également les parasitoses qui appartiennent aux familles des trématodes et des cestodes, responsables du ver solitaire, du kyste hydatique ou d'une maladie nommée cysticercose. La cysticercose peut expliquer des convulsions chez un enfant adopté dans une région à risque, par exemple en Haïti. La plupart du temps, ces parasitoses, découvertes plus rarement en adoption internationale, demandent l'intervention d'un microbiologiste, d'un parasitologue. C'est ici que la médecine de l'enfant adopté se confond avec celle du tropicologiste, surtout si l'enfant vient de pays lointains comme Madagascar ou l'Éthiopie. Au bout du compte, le parent adoptant doit retenir une chose essentielle : il est rarissime que les traitements antiparasitaires échouent. Avec le temps, le courage et la patience, ces infections aux noms hallucinants finissent par passer sans laisser trop de mauvais souvenirs.

Infections vectorielles

Le paludisme (malaria), transmis par ces moustiques femelles qui piquent le soir dans les orphelinats camerounais ou haïtiens, n'a été que rarement rapporté chez les nouveaux petits arrivants. Pourtant, il est tout à fait possible de se trouver confronté à cette maladie. En zone d'endémie palustre, même si l'enfant natif est théoriquement immun contre le paludisme, il n'en risque pas moins de faire un accès grave, à cause de son jeune âge et de son état immunitaire souvent affaibli par les carences nutritionnelles. Il faut être vigilant et, devant toute fièvre de l'enfant, penser au paludisme en ayant recours immédiatement au médecin et à des frottis sanguins. Si le *plasmodium* pathogène responsable du paludisme est confirmé, on donnera un traitement de réserve de méfloquine, de quinine et de clindamycine, apporté dans la trousse à pharmacie, selon la prescription médicale. Dans le Sud-Est asiatique et en Afrique, l'artéméther et l'artésunate sont disponibles en pharmacie, en conditionnement pédiatrique. Ces dérivés de l'artémisinine (*qin ghao su*) sont des antipaludiques plutôt efficaces et bien tolérés qui seront prescrits par un praticien local. D'autres maladies transmises par les moustiques sont possibles, et passionnantes à révéler, mais elles dépassent largement le cadre de notre propos.

Infections périnatales et parentérales

L'hépatite B : un classique en adoption

L'hépatite B est une infection du foie causée par un virus appelé couramment VHB. Plus d'un milliard d'individus sur la planète sont porteurs d'hépatite B et environ 200 millions d'entre eux développeront une hépatite chronique. Le problème est si lourd, dans plusieurs pays d'Asie comme au Vietnam, en Thaïlande et dans certaines provinces de Chine, que malgré les maigres budgets alloués à la santé, on a rapidement mis en place des politiques avant-gardistes de vaccination contre l'hépatite B.

L'hépatite B se transmet par le sang et les liquides biologiques, donc par le partage d'aiguilles souillées, par les tatouages, les relations sexuelles non protégées et les transfusions dans certains pays en développement. C'est un virus fort et très résistant : même en dehors du corps humain, il survit des heures et même des jours. Ainsi, si on se pique accidentellement avec une aiguille infectée par le virus de l'hépatite B, on risque d'être contaminé 1 fois 20, alors que pour le VIH, c'est 4 fois sur 1 000.

Selon l'étude déjà citée réalisée à l'Hôpital Sainte-Justine auprès de 808 Chinoises adoptées, le taux de porteuses d'hépatite B était d'un peu moins de 3 %. Si l'on fait une revue des écrits scientifiques à ce propos, il y aurait entre 1 % et 5 % de porteurs d'hépatite B chez les enfants adoptés, tous pays confondus, selon la présence ou non d'un dépistage de préadoption ou les spécificités de nouveaux arrivants.

Les enfants, tout particulièrement en Asie, en Afrique et en Europe de l'Est, contractent l'infection de deux façons. Soit de façon verticale, c'est-à-dire de maman à bébé, un mode de transmission très fréquent en Chine, au Vietnam et en Thaïlande, soit de façon horizontale comme en Russie, en Ukraine, en Roumanie, et dans d'autres pays d'Europe de l'Est, via des seringues contaminées ou des produits sanguins contaminés. Ainsi, les enfants prématurés, transfusés, longuement hospitalisés ou institutionnalisés dans leur pays d'origine, ceux qui auront reçu des vitamines ou des injections dites thérapeutiques risquent plus de se retrouver porteurs d'hépatite B. Les enfants adoptés dans les années 1990 en Roumanie ont un dossier particulièrement lourd à ce chapitre, avec jusqu'à 20 % de porteurs en l'absence de dépistage préventif en préadoption. En témoigne également l'évaluation de l'UNICEF concernant les orphelinats roumains : 25 % de porteurs chroniques d'hépatite B en institution et jusqu'à 50 % dans les centres spécialisés pour enfants handicapés.

Un prélèvement sanguin permet de savoir si l'enfant est porteur de l'hépatite B. Mais avant toute chose, il faut savoir que la maladie a en moyenne une incubation de 60 à 120 jours. Ainsi, et tel que vu au chapitre de l'évaluation médicale préadoption, le nouveau-né testé à la naissance peut avoir un résultat négatif dans son pays d'origine, mais s'avérer porteur de l'hépatite trois mois plus tard. La prudence est donc de mise dans l'interprétation d'un test de dépistage fait en période de préadoption.

On peut faire une hépatite B, puis s'en débarrasser sans rester porteur. Sur dix enfants ayant acquis l'infection de la mère biologique à la naissance, un seul guérira de cette infection et sera protégé à vie, comme s'il avait été vacciné. On dit alors qu'il a fait une hépatite B aiguë. Sur dix enfants, neuf resteront néanmoins porteurs et, de ce nombre, un sur quatre en souffrira en développant une inflammation chronique du foie. Les dosages d'anticorps, appelés Ag HBs , anti Ag HBs et anti-HBc, feront ainsi partie du bilan d'accueil effectué par le médecin afin de dépister cet état de porteur et d'agir en conséquence. En raison de l'incubation prolongée de la maladie, il s'avère parfois utile de tester à nouveau l'enfant six mois après son arrivée.

En cas de dépistage d'hépatite B positif, le sérum de l'enfant devrait être prélevé pour d'autres anticorps : on les appelle l'HBeAg, l'anti HBeAg et l'anti D. On le vaccinera en priorité contre l'hépatite A pour lui éviter des complications encore plus grandes. De plus, on mesurera la fonction du foie, les alphafetoprotéines et la charge virale qui témoignent de l'activité du virus. En effet, le virus peut être peu actif et l'immunité du bébé très tolérante ou, à l'inverse, le virus peut être très vorace et l'immunité du bébé très combative. Parmi les enfants qui sont porteurs chroniques, 25 % risquent de développer une maladie du foie à l'âge adulte, par exemple une hépatite carabinée, une cirrhose ou encore un cancer du foie. Le cancer du foie est d'ailleurs le cancer le plus fréquent au monde à cause du nombre de jeunes Asiatiques qui contractent le virus de leur maman à la naissance ou, plus tard, lors de relations sexuelles. Toutes ces considérations expliquent pourquoi l'enfant porteur chronique d'hépatite B mérite d'être suivi par une équipe spécialisée, dont un hépatologue, spécialiste du foie, ou encore un gastro-entérologue, spécialiste du tube digestif. L'équipe suivra l'évolution de la maladie de l'enfant : est-ce que le foie semble malade ? L'enfant a-t-il des symptômes ? Pour cela, l'équipe procédera annuellement à des prélèvements sanguins ainsi qu'à de l'imagerie médicale, une échographie du foie par exemple. Parfois, on suggérera une thérapie à l'interféron ou à la lamivudine, des médicaments très spécialisés contre les virus et ce, pour essayer d'inverser le processus de détérioration du foie. Malheureusement, à ce jour, on connaît mal les bénéfices de cette médication sur une population pédiatrique.

Les enfants qui ont contracté l'infection via leur mère risquent plus de rester porteurs de la maladie que les enfants qui l'ont acquise par des seringues contaminées. Par exemple, les orphelins russes qui auraient acquis l'infection lors d'un vaccin auront beaucoup plus de chances de se débarrasser de leur hépatite. Seulement un sur dix tolérera le virus et le portera longtemps dans son foie.

Certaines familles adoptent un enfant porteur d'hépatite B en toute connaissance de cause, ce qui est compréhensible à condition que les risques et les nécessités soient bien compris des adoptants. Le diagnostic révélé par le bilan d'accueil est par ailleurs un choc pour de nombreuses familles non averties.

Devant cette situation, le médecin et l'infirmière sont appelés à bien les éclairer et à les guider.

En raison des dangers de contagion et des craintes associées, l'arrivée ou le diagnostic d'un enfant porteur d'hépatite B suppose également que toute sa famille d'accueil élargie soit vaccinée contre la maladie. En effet, même s'il est souvent difficile de prouver la façon exacte dont il est transmis dans la vie de tous les jours, le virus de l'hépatite B se transmet plus facilement entre les gens qui vivent ensemble, par exemple dans une famille et, dans une moindre mesure, à la garderie. Nous avons vécu plusieurs débordements de parents inquiets de voir leurs enfants transmettre la maladie ou, à l'inverse, inquiets de voir leurs enfants contaminés par leurs jeunes amis adoptés. La vaccination est sécuritaire, efficace et peu coûteuse.

L'hépatite C: beaucoup d'inconnu

Plus de 170 millions d'individus seraient infectés dans le monde par l'hépatite C, mais la répartition de l'infection est très inégale, et pas très bien connue. Par exemple, il y a très peu d'infections en Angleterre et en Scandinavie, avec moins de 0,01 % à 0,1 % de la population contaminée, et beaucoup d'hépatite C en Égypte où 17 % à 26 % de la population serait infectée. Par ailleurs, l'infection atteint également de 1 % à 5 % des populations d'Europe de l'Est, d'Asie, de l'Inde et du pourtour de la Méditerranée. Sa fréquence est plus faible, 0,2 % à 5 % de la population, en Europe de l'Ouest et en Amérique ainsi qu'en Australie et en Afrique du Sud. On peut toutefois affirmer qu'on retrouve moins d'infections chez les enfants que chez les adultes. Par ailleurs, on ne connaît pas exactement le nombre d'infections chez les enfants adoptés, ni la proportion d'hépatite C chez les enfants institutionnalisés.

La transmission de la mère à son bébé se fait avant et pendant la naissance de l'enfant dans 5 % des cas. La majorité des hépatites C sont cependant acquises plus tard dans la vie, via la contamination par des aiguilles d'acupuncture réutilisées, par des injections de drogues ou par les tatouages. Dans les orphelinats d'Europe de l'Est, les enfants contractent souvent l'infection en raison des injections qu'ils reçoivent pour dormir ou quand on leur administre des vaccins ou des vitamines. Des études réalisées par l'UNICEF en Roumanie ont démontré qu'une seringue sur dix était porteuse de virus et risquait de transmettre une infection chez la personne injectée. Pour la plupart des gens contaminés par le virus de l'hépatite C, la maladie initiale est tout à fait légère et même absolument imperceptible. La période d'incubation varie entre sept et neuf semaines. Néanmoins, entre 75 % et 85 % des personnes contaminées restent infectées par le virus qui, deux fois sur trois, atteint le foie de façon chronique. La maladie est d'autant plus vicieuse (plus même que l'hépatite B) qu'elle risque aussi de se solder, de dix à vingt fois sur cent, par une cirrhose grave et, de une à cinq fois sur cent, par un véritable cancer du foie.

Contrairement aux hépatites A et B, il n'existe pas de vaccin contre l'hépatite C. Il n'y a pas de traitement spécifique non plus. Certains parents adoptants croient que la présence d'une hépatite comme l'hépatite B confère une protection contre les autres hépatites. Il n'y a rien de plus faux. Un enfant ayant séjourné longtemps dans des hôpitaux et ayant reçu de nombreuses transfusions et injections de tranquillisants pourrait donc s'avérer être un porteur chronique à la fois d'hépatite B et d'hépatite C, par exemple un prématuré venu de Russie ou un enfant hospitalisé en Roumanie.

Heureusement, et même si on en parle beaucoup, l'hépatite C ne court pas les rues de l'adoption. Malgré des prélèvements sériés, on n'a noté que quelques cas d'anticorps contre l'hépatite C, que ce soit par notre expérience concrète ou par celle d'auteurs américains, et cela chez moins de 1 % des enfants adoptés en Chine, en Russie et en République de Moldavie. Le plus souvent, il s'agissait vraisemblablement d'anticorps transmis passivement de la maman à l'enfant chez des enfants de moins de un an, qui se sont avérés non infectés par la suite.

À l'étranger, dans son pays d'origine, puis au retour dans son pays d'accueil, on fait subir à l'enfant un dépistage de l'hépatite C, surtout s'il est né d'une mère au VIH positif ou s'il a été longuement hospitalisé dans un pays en développement ou en éclatement. Grâce à la recherche de terrain, d'autres recommandations précises sur la question devraient nous être éventuellement acheminées.

VIH/SIDA : l'infection maudite

Tant de fausses croyances, tant de tabous sur cette infection maudite ! Dans la plupart des pays du monde, on ignore mais on juge. On ne sait pas trop, mais on craint. Ainsi, l'ignorance, le manque de connaissances, la peur et les pressions sociales poussent à l'écart plusieurs orphelins qui sont étiquetés et stigmatisés à cause de cette infection tant redoutée.

Le VIH, le virus de l'immunodéficience humaine, et sa conséquence le sida, le syndrome d'immunodéficience humaine acquise, ne cessent de faire des ravages sur notre planète. Dans nos pays industrialisés, le fléau n'est en rien comparable à la situation qui affecte les pays en développement. L'accès aux soins, à la médication et aux différents programmes de prévention ont largement contribué à améliorer la durée et la qualité de vie des populations affectées par le VIH/SIDA dans les pays du Nord et de l'Ouest. Mais cette réalité est utopique dans les pays en développement.

On connaît la situation catastrophique du continent africain. Dans d'autres coins de la terre, en Asie et en Europe de l'Est plus précisément, l'expansion du VIH est néanmoins en train de jouer des tours en augmentant en flèche, sous la façade de l'économie de marché. À cause de l'utilisation de drogues injectables, de la prostitution (notamment en Thaïlande), et avec la mouvance des populations, des travailleurs, des migrants, l'infection au VIH se déplace rapidement.

Le VIH a été identifié en 1983. Déjà en 1986, on découvrait un second virus apparenté au premier, mais différent d'un point de vue génétique. Il existe donc le VIH de type 1 et le VIH de type 2. La particularité du VIH, qu'il soit de type 1 ou 2, est qu'il pénètre dans l'organisme sans se faire remarquer, au grand malheur de l'hôte, là où il cause l'affaissement du système immunitaire.

La transmission du VIH se fait par l'intermédiaire de certains liquides biologiques, dont le sang, le sperme, les sécrétions vaginales et tout liquide souillé par le sang. Les modes de transmission se font horizontalement ou verticalement. On parle de transmission horizontale quand le virus est acquis lors de relations sexuelles non protégées, de partage d'aiguilles, de seringues ou de produits entre utilisateurs de drogues injectables.

Un bébé pourrait ainsi acquérir l'infection par injection ou par transfusion. La Roumanie s'est faite la championne européenne du sida pédiatrique à cause de ce mode de transmission. La transfusion de produits sanguins ou de dérivés n'est plus considérée comme un mode de transmission en Amérique du Nord et en Europe de l'Ouest, mais nous ne pouvons pas être aussi affirmatifs en ce qui concerne les pays en développement.

La transmission verticale se fait de la mère à l'enfant. On estime qu'à chaque année, près de 600 000 enfants dans le monde contractent ainsi le VIH. Les moyens de contraception et de protection sont peu utilisés à cause du manque de ressources matérielles et financières. De plus, les conceptions et croyances culturelles influencent négativement les moyens de précaution, par exemple l'utilisation du condom.

Entre 14 % et 25 % des enfants nés de mères séropositives sont eux-mêmes infectés par le VIH. Toutefois, en Amérique du Nord, ce risque descend à moins de 8 % pour le nouveau-né grâce à l'administration à la mère d'une thérapie à la zidovudine. Malgré les efforts de plusieurs organismes internationaux impliqués dans la lutte contre le VIH, la thérapie à la zidovudine n'est pas accessible dans la presque totalité des pays en voie de développement. L'organisation ONUSIDA, le programme des Nations Unies pour la lutte au VIH, estimait en l'an 2000 que, dans le monde, trois millions d'enfants étaient infectés par le VIH. Étant donné les ressources limitées, il est difficile pour ces enfants d'obtenir non seulement une thérapie mais aussi une confirmation du diagnostic. Il semble donc que le pronostic demeure étroitement lié au lieu d'habitation dans le monde.

D'un point de vue physiologique, il y a trois stades d'infection pour l'enfant. D'abord, l'infection indéterminée, où l'enfant est âgé entre 0 et 15 mois comme plusieurs enfants des orphelinats. À ce stade, il est difficile d'interpréter la présence d'anti-VIH (IgG), soit les anticorps du VIH. En effet, les anticorps maternels passent librement la barrière placentaire et leur présence peut persister chez l'enfant jusqu'à l'âge de 15 mois. Ainsi, les anticorps mesurés chez l'enfant de cet âge-là confirment l'infection au VIH chez la mère seulement et non chez l'enfant, ce qui complique parfois le dépistage en préadoption. On appelle ELISA (*Enzyme Linked Immuno Sorbent Assoy*) le test sérologique pour détecter la présence d'anticorps. Pour la raison précitée, de nombreux enfants sont malheureusement étiquetés, sans même avoir réellement l'infection. Dans certains cas, il est possible d'obtenir un diagnostic précoce avec un test plus précis dans le sang. Ce test s'appelle PCR VIH. Malheureusement, on ne peut pas effectuer ce test dans tous les pays.

Le deuxième stade d'infection est l'infection asymptomatique. À ce stade, il y a présence du virus dans le sang, mais toutefois sans l'apparition de signes et de symptômes spécifiques. Les symptômes les plus fréquents ne sont justement pas très spécifiques : de la fièvre récurrente, un retard pondéral, des ganglions, un gros foie et de la diarrhée.

L'infection symptomatique est l'étape où l'enfant souffre de manifestations cliniques du sida. L'infection chez l'enfant se fait souvent de façon plus accélérée que chez l'adulte. Pour l'enfant, l'âge d'apparition des symptômes dicte le pronostic. Parmi les manifestations cliniques les plus fréquemment rencontrées chez les enfants infectés, on retrouve la perte de poids, les éruptions cutanées, le muguet dans la bouche, la diarrhée et la pneumonie. L'enfant s'alimente moins bien, très souvent à cause du muguet et de problèmes gastro-intestinaux. Il est donc plus faible et se développe plus lentement que les autres enfants. Dans les orphelinats, ce portrait clinique peut être facilement confondu avec d'autres problèmes de santé. C'est souvent la suspicion de ces autres problèmes de santé qui poussent les nourrices de l'orphelinat à consulter dans un dispensaire, auprès d'un médecin ou d'une infirmière.

L'évolution de l'infection est considérée comme rapide chez 20 % des enfants infectés qui deviendront symptomatiques ou développeront le sida. Les manifestations cliniques précoces et graves débutent entre l'âge de quatre et huit mois. Chez ces enfants, la mortalité arrive souvent avant l'âge de 20 mois. Cette situation est assez fréquente dans les orphelinats. Les autres enfants infectés pendant la période périnatale, soit 80 %, deviennent symptomatiques au cours des cinq années qui suivent. L'apparition de la maladie est plus insidieuse et devient de plus en plus chronique. La survie des enfants varie selon les pays. L'atteinte neurodéveloppementale est une caractéristique de la population pédiatrique infectée.

L'adoption internationale n'a pas encore été affectée de plein fouet par le VIH. Selon notre expérience québécoise, quelques enfants venus de Roumanie, d'Haïti ou du Cambodge se sont révélés séropositifs au bilan d'accueil. Ces événements sont heureusement rares, en partie à cause des dépistages en préadoption. Mais l'inquiétude gagne les spécialistes pour les années à venir, par exemple pour ce qui est de la Chine. La situation catastrophique de l'Afrique, jumelée à la situation quasi explosive de l'Asie du Sud, laisse entrevoir la forte possibilité d'une situation encore plus complexe de dépistage en adoption internationale. L'adoption délibérée d'enfants séropositifs de l'étranger est un sujet complexe que nous n'aborderons pas ici.

CARNETS DE SÉJOURS

Thi Hong a sept ans. Elle a le VIH. Elle demeure avec sa nourrice dans le petit bâtiment à l'intention des enfants séropositifs, un petit bâtiment à part, isolé des autres. De ce milieu de vie, Thi Hong est la seule survivante. Elle a vu mourir tous ses petits copains de berceau. Lorsqu'elle se promène sur le terrain de l'orphelinat, les autres enfants lui crient «SIDA, SIDA». Elle sait très bien à quoi ils font référence.

Elle joue toute seule, se promène seule, se balance seule, lance des cailloux seule. Mais Thi Hong est forte et se dit forte parce que sa nourrice l'aime. Mme Lee adore la petite. Lorsque les autorités ont voulu lui retirer la garde de l'enfant, par risque de contagion, elle s'est farouchement opposée: «Au péril de ma vie, je veillerai sur cette enfant jusqu'à la dernière minute.»

À notre dernière visite à l'orphelinat, la petite avait maigri, beaucoup maigri. Thi Hong avait constamment la diarrhée. Mme Lee nous a raconté que des gens avaient défrayé les coûts pour quelques visites à la clinique. Elle va mieux maintenant. Un ancien médecin militaire lui rend visite toutes les semaines, ainsi qu'une ancienne orpheline devenue infirmière. Thi Hong et sa nourrice continuent d'inspirer bien des gens, les petits orphelins malades, les nourrices, des coopérants, des bénévoles et... nous.

Nous la retrouverons à notre prochain passage.

Lectures suggérées

RUFFIÉ, J., J.C. SOURNIA. *Les épidémies dans l'histoire de l'homme, de la peste au sida : essai d'anthropologie médicale.* Paris : Flammarion, 1995. 302 p. (Champs)

Références

ANCELLE, T., C. HENNEQUIN, A. PAUGAM. *Décision en parasitologie et médecine tropicale.* Paris : Vigot, 1994. 337 p.

ARCHER, D.P., M. MONTEZ. « Infectious disease risks among Filipino ». *Adoptees Journal of Tropical Pediatrics*, 1991, 37; 318-319.

CHRISTENSON, B. « Epidemiological aspects of the transmission of hepatitis B by HBsAg-positive adopted children ». *Scandinavian Journal of Infectious Diseases*, 1986, 18 (2); 105-109.

CURTIS, A.B., R. RIDZON, R. VOGEL et al. « Extensive transmission of Mycobacterium tuberculosis from a child ». *New England Journal of Medicine*, 1999, 341 (20); 1491-1495.

DEVOID, D.E., V.M. PINEIRO-CARRERO, Z. GOODMAN et al. « Chronic active hepatitis B infection in Romanian adoptees ». *Journal of Pediatric Gastroenterology and Nutrition*, 1994, 19 (4); 431-436.

FRANKS, A.L., C.J. BERG, M.A. KANE et al. « Hepatitis B virus infection among children born in the United States to Southeast Asian refugees ». *New England Journal of Medicine*, 1989, 321 (19); 1301-1305.

FRIEDE, A., J.R. HARRIS, J.M. KOBAYASHI et al. « Transmission of hepatitis B virus from adopted Asian children to their American families ». *American Journal of Public Health*, 1988, 78 (1); 26-29.

GUERRANT, D.I., S.R. MOORE, A.M. LIMA et al. «Association of early chilhood diarrhea and cryptosporidiosis with impaired physical fitness and cognitive function four-seven years later in a poor urban community in Northeast Brazil ». *American Journal of Tropical Medicine and Hygiene*, 1999, 61 (5); 707-713.

HERSH, B.S., F. POPOVICI, Z. JEZEK et al. « Risk factors for HIV infection among abandoned Romanian children ». *AIDS*, 1993, 7 (12); 1617-1624.

HOSTETTER, M.K. « Infectious diseases in internationally adopted children : findings in children from China , Russia and Eastern Europe ». *Advances in Pediatric Infectious Diseases*, 1999, 14; 147-161.

HOSTETTER, M.K., S. IVERSON, W. THOMAS et al. «Medical evaluation of internationally adopted children». *New England Journal of Medicine*, 1991, 325 (7); 479-485.

HOSTETTER, M.K., S. IVERSON, K. DOLE et al. « Unsuspected infectious diseases and other medical diagnoses in the evaluation of internationally adopted children». *Pediatrics*, 1989, 83 (4); 559-564.

JOHANSSON, P.J., B. LOFGREN, E. NORDENFELT. « Low frequency of hepatitis C antibodies among children from foreign countries adopted in Swedish families». *Scandinavian Journal of Infectious Diseases*, 1990, 22 (5); 619-620

JOHNSON, D.E., K.D. DOLE. «International adoptions: implications for early intervention». *Infants and Young Children*, 1999, 11 (4); 34-45.

KASHIWAGI, S., J. HAYASHI, H. IKEMATSU et al. «Transmission of hepatitis B virus among siblings». *American Journal of Epidemiology*, 1984, 120 (4); 617-625.

LANGE, W.R., E. WARNOCK-ECKHART, M.E. BEAN. «Mycobacterium tuberculosis infection in foreign born adoptees». *Pediatric Infectious Diseases Journal*, 1989, 8 (9); 625-629.

MARX, G., S.R. MARTIN, J.F. CHICOINE et al. « Long-term follow-up of chronic hepatitis B virus infection in children of different ethnic origins ». *Journal of Infectious Diseases*, 2002, 186 (3); 295-301.

SAIMAN, L., J. ARONSON, J. ZHOU et al. «Prevalence of infectious diseases among internationally adopted children». *Pediatrics*, 2001, 108 (3); 608-612.

UNICEF & OMS. *Vaccins et vaccination : la situation mondiale*. Genève : Fonds des Nations Unies pour l'enfance et l'Organisation mondiale de la santé, 1996.

ZWIENER, R.J., B.A. FIELMAN, R.H. SQUIRES. «Chronic hepatitis B in adopted Romanian children». *Journal of Pediatrics*, 1992, 121 (4); 572-574.

CHAPITRE 10
LE DÉVELOPPEMENT ET LE COMPORTEMENT DE L'ENFANT

▼

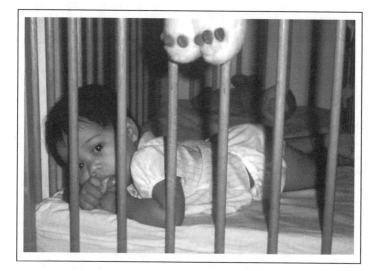

Entre les barreaux
Vietnam, 1997

Quand on parle de «croissance», on pense surtout aux diverses modifications que subit le corps, et quand on parle de «développement», on évoque plutôt une succession d'étapes fonctionnelles qui permettent à l'enfant de passer du stade de dépendance quasi totale du nouveau-né au stade d'indépendance qui caractérise l'adulte, selon une séquence qui suit un ordre précis au fil du temps. Autrement dit, un enfant ne marche pas avant d'être capable de se tenir la tête droite, et les mouvements grossiers apparaissent toujours avant les mouvements fins. Le développement se fait sur différents plans: la motricité globale et fine, les compétences cognitives, le langage, l'affectif, le social, etc., jusqu'au développement de la personnalité. Comme pour la croissance, il existe des poussées suivies de périodes plus tranquilles où les acquisitions sont moins spectaculaires. Pour décrire ce phénomène, il y a eu, il y a et il y aura de quoi remplir des chapitres, des livres, des bibliothèques et des villes entières, réelles ou imaginaires. Ici, dans le contexte de l'adoption internationale, nous abordons quelques points significatifs.

EN ESCALIER CES INCOMPARABLES !

Le développement physique, cognitif, émotif, social d'un enfant ne se fait pas de façon continue et linéaire. C'est d'autant plus vrai chez les enfants adoptés. Pendant de longues étapes, rien ne semble évoluer, puis «tout à coup», ils se mettent à parler, à marcher, à bien dormir, à manipuler des objets avec dextérité, etc.

(…)

(suite)

Quand un enfant adopté arrive, il est souvent très fragile par rapport à ses besoins fondamentaux : manger à sa faim, boire, se sentir en sécurité physique, créer un lien de confiance et d'attachement avec ses nouveaux parents. Il est essentiel que l'enfant trouve une réponse à ces besoins. Il doit être sécurisé avant de passer aux autres étapes, comme l'apprentissage du langage. Certains parents oublient cela. Ils craignent que l'enfant arrive à la garderie ou à l'école avec trop de « retard » par rapport aux autres enfants et ils se concentrent beaucoup trop tôt sur l'acquisition de différentes habiletés. Sans le vouloir, les amis, la famille et même certains intervenants de la santé peuvent aussi faire la vie dure aux nouveaux parents en comparant toujours l'enfant adopté aux enfants biologiques. Que ce soit pour la courbe de croissance ou pour l'âge dit « normal » de la propreté, ou pour les habiletés psychomotrices, la comparaison inquiète inutilement les parents.

Durant les six ou douze premiers mois qui suivent l'arrivée de l'enfant, il faut se faire à l'idée qu'il sera « incomparable » et ce, dans plusieurs sens du terme. Il sera incomparable, car il ne correspondra pas à ce que « doit être » un enfant du même âge, né et élevé au Québec ou en Suisse. Il sera aussi incomparable par le fait qu'au cours de ces six à douze mois de vie dans sa nouvelle famille, il se développera à un rythme extraordinaire, surtout si l'on tient compte de son état au premier jour de l'adoption. Ainsi, comme parents, il faut toujours se recentrer, ne pas se laisser blesser ou déstabiliser par les remarques des autres. Cela n'empêche pas d'être réalistes quand survient un véritable diagnostic médical. Il faut toujours comparer son enfant à lui-même. Vous seuls savez le chemin qu'il a parcouru depuis son adoption.

La motricité

> Il court, contrôle la vitesse, freine,
> alterne les pieds dans l'escalier,
> saute à deux pieds joints, pédale,
> peut rester une seconde sur un pied,
> lance la balle avec le geste qui dégage la main
> mais pas encore de façon latérale,
> comme dans le base-ball.
>
> Sergio Kokis

La majorité des parents sont capables d'évaluer eux-mêmes la normalité du développement moteur global de leur enfant. L'âge où il s'assoit, l'âge où il devrait marcher, le temps venu pour qu'il se mette à courir, autant de réalités et de connaissances universelles. On connaît moins, cependant, les attentes en matière de développement de la motricité fine : prendre un objet, le manipuler, tenir sa cuillère, etc. Et on en sait encore moins sur les acquisitions que l'on attend normalement de la part d'un enfant adopté qui a été sous-stimulé sur le plan physique et psychologique et qui, en plus, a été mal nourri. La grille d'évaluation du pédiatre habitué à apprécier le développement moteur de l'enfant adopté peut donc paraître tout à fait inusitée au praticien qui exerce dans un quartier cossu où les bébés sont joufflus et traités aux petits oignons.

La motricité globale : un nouveau paradigme

Normalement, l'enfant commence à se tenir la tête droite vers l'âge de trois ou quatre mois. C'est la curiosité qui l'amène à aller toujours un peu plus d'avant. Ainsi, vers le quatrième mois, lorsqu'il est en position ventrale, il commence à prendre appui sur ses bras. Il s'assoit avec support vers quatre ou cinq mois, mais n'est capable de s'asseoir définitivement sans aide que vers six ou sept mois. L'enfant marche habituellement autour de 12 ou 14 mois, monte l'escalier vers 17 mois et court sans tomber vers deux ans. Cette poussée motrice lui permet une autonomie beaucoup plus grande et lui fournit l'instrumentation nécessaire pour établir un sentiment d'identité. En apprenant à marcher, comme le rappelait le docteur Louise Quintal, pédopsychiatre, le bébé prend conscience qu'il est distinct de son environnement. «Capable tout seul!» déclare-t-il alors.

Ainsi, on observe et on attend d'office des retards de la motricité globale chez 10% à 70% des enfants adoptés à leur arrivée. Plus l'enfant est âgé au moment de l'adoption, plus ces retards sont fréquents et sévères. Entre 1995 et 1997, un collectif de chercheurs américains rapportait une plus grande concentration de ces retards moteurs aux bilans de santé des enfants venus d'Europe de l'Est que chez ceux venus d'Amérique latine. Le manque de nourriture mais aussi la carence de soins en orphelinat en comparaison avec la famille d'accueil contribuaient pour une large part à expliquer ces différences manifestes dans le niveau de motricité des enfants.

Dans une étude menée récemment à l'Hôpital Sainte-Justine auprès d'une cohorte d'enfants, un sous-groupe de 92 enfants venus d'Asie de l'Est (Chine, Taiwan, Corée, Vietnam, Thaïlande, Cambodge), le développement moteur a été évalué à l'aide d'une grille d'analyse scientifiquement validée, appelée «Test de Bailey moteur». À leur arrivée, la moyenne des enfants se situait à 78,1, selon ce test, ce qui signifie un développement moteur bien au-dessous des attentes pour un enfant de cet âge, qui se situe normalement autour de 100. À la deuxième visite, trois mois plus tard, la moyenne était passée à 86,1. Parallèlement à ce gain, on observait une amélioration notable de l'état nutritionnel. Ces chiffres peuvent paraître négligeables, mais ils sont porteurs d'une constatation formidable: malgré le retard, il est possible, grâce aux bons soins des parents et à l'amélioration de l'état nutritionnel, d'inverser le processus morbide pour remettre le petit nouveau sur la voie de la normalité, dans une mesure variable selon les enfants en cause.

Pour évaluer le retard approximatif et acceptable chez l'enfant adopté, on peut calculer environ un mois de retard de motricité par trois mois d'institutionnalisation et ce, après l'âge de six mois. Cette formule mathématique est très pratique. Elle nous a été inspirée par Dana Johnson qui travaille avec des enfants adoptés au Minnesota. Ainsi, à son arrivée, un enfant d'un an pourrait fonctionner comme un bébé de neuf ou dix mois. Normalement, un enfant nouvellement adopté ne marchera pas vers 12-14 mois, mais plutôt vers 12-17 mois! Ce retard sera encore plus marqué si l'enfant a souffert d'une malnutrition. La découverte d'une plagiocéphalie, c'est-à-dire d'une tête aplatie sur le côté, contribue aussi à expliquer un retard moteur plus manifeste. En effet, l'enfant qui n'aura pas été pris souvent dans les bras de sa nourrice et qui aura toujours dormi du même côté se retrouvera avec un côté de la tête plus ou moins déformé. Dans certains orphelinats, les nourrices, débordées par le nombre d'enfants à soigner, accrochent les biberons aux barreaux de la couchette pour que le bébé puisse téter, mais sans se déplacer et déranger la galerie. La découverte d'une plagiocéphalie permet donc d'excuser un retard moteur plus généreux que celui habituellement attendu à l'arrivée. Les marques de contention parfois observées aux chevilles des petites Chinoises expliquent également un certain retard moteur. Les enfants ayant bénéficié d'une nourrice pour eux seuls ou les enfants ayant vécu dans une famille d'accueil ont évidemment moins de retard de motricité que les enfants ayant eu moins de privilèges.

Une incertitude sur l'âge, une prématurité, pas toujours connue, un problème neurologique, par exemple une petite faiblesse motrice des membres inférieurs ou la découverte d'un périmètre crânien inférieur à la norme à l'examen médical, brouillent néanmoins les cartes : l'enfant ne répond plus alors aux normes de la petite formule mathématique. Pour comprendre le retard moteur de l'enfant, ses parents et son pédiatre sont ainsi appelés à chercher d'autres explications que la simple carence. Malgré une certaine tolérance dans les écarts constatés, certains enfants ont plus de retard que d'autres et doivent être suivis de plus près sur plusieurs années.

La motricité fine : des doigts de fée

En dehors des problèmes sévères identifiés à l'examen médical, le développement de la motricité fine chez l'enfant adopté est parfois assez étonnant, détonnant même. En effet, l'enfant constamment couché dans une couchette n'a pas la chance de s'asseoir, d'essayer de se tenir debout et de marcher. Étant confiné à son petit lit, l'enfant développe parfois davantage sa pince «pouce-index», sa préhension, et un regard pour l'infiniment petit. N'ayant rien d'autre à faire des mois durant, l'enfant ramasse des petits débris dans sa couchette. Ainsi, il ne faut pas se surprendre qu'un orphelin nouvellement arrivé et qui

ne réussit pas à s'asseoir soit capable de ramasser un bouton de
chemise en plein milieu de nulle part. Mais parfois le retard
est malheureusement manifeste, même dans cette sphère relativement protégée.

Le cognitif

> *Cela prend quatre caresses par jour pour survivre.*
> *Cela prend huit caresses par jour pour fonctionner.*
> *Cela prend douze caresses par jour pour grandir.*
>
> Virginia Satir

Le développement cognitif, celui de l'intelligence, commence par une phase dite sensori-motrice. C'est par ses sens
(l'odorat, le toucher, le goût, l'ouïe et la vue) que le bébé
emmagasine de l'information. Plus tard, il fera des liens de
cause à effet grâce à la technique d'essais et erreurs. Enfin, entre
18 mois et deux ans s'installera chez lui la fonction symbolique, porteuse de perspectives on ne peut plus extraordinaires.
Dans une situation précise, par exemple quand vient le temps
d'ouvrir une porte, l'enfant transpose son expérience passée et
imagine le geste à poser, il le prévoit au lieu de procéder seulement par essais et erreurs comme auparavant. On le constate,
l'intelligence est bien plus qu'un ensemble plus ou moins riche
de compétences, c'est aussi et surtout la façon d'utiliser ces
mêmes compétences pour gérer, opérer, représenter et utiliser
l'information.

Par la profondeur et la diversité de ses stimulations attentives, la prise en charge avant l'adoption par une nourrice
ou une famille d'accueil compétente influence favorablement
le développement cognitif de l'enfant. Pour leur part, les conditions défavorables de l'abandon et la vie dans un orphelinat
surpeuplé entravent le plein épanouissement du potentiel
cognitif des orphelins, surtout si l'institutionnalisation s'est
prolongée sur des années.

Le groupe d'enfants adoptés d'Asie de l'Est dont nous avons
parlé plus haut montrait un test de Bailey au niveau mental
de 75 à l'arrivée de l'enfant et de 85 à l'examen de contrôle
deux mois plus tard. Avec ces résultats préliminaires bien en

deçà de la moyenne attendue pour une population générale d'enfants, on ne peut présumer de rien, sinon d'une amélioration après un réajustement des conditions de vie.

Pour les enfants de plus de trois ans, Dana Johnson (que nous vous avons présenté plus haut) propose – comme outil clinique approximatif pour les premières visites – d'imaginer que l'enfant perd un point de quotient intellectuel par mois d'institutionnalisation, à partir de l'âge de six mois. Le quotient intellectuel est un outil de mesure très imprécis, comme on le verra plus loin en abordant le sujet des retards intellectuels. Il n'est donc aucunement question de prendre des tests d'intelligence comme examens de routine lors de l'examen de santé multidisciplinaire de l'enfant qui vient d'arriver. Nous soulignons tout de même ici ce petit repère mathématique, simplement pour mettre en lumière les effets nuisibles d'une institutionnalisation prolongée sur les compétences de l'enfant adopté, éventuellement son impact négatif sur les acquis de la pensée symbolique. Il ne faut donc pas se surprendre de voir que le nouvel arrivant, même s'il a plus de deux ans, continue à toujours ouvrir et fermer une porte sans en tirer aucune exemplarité. On se rend compte alors à quel point les comportements déplacés ou «dérangeants» ne sont pas qu'affaire d'émotions, mais aussi de compétences intellectuelles.

Que les parents adoptants se rassurent : la récupération cognitive n'en est pas moins possible dans les mois qui suivent la prise en charge par eux. «Ce que constate la neurophysiologie, c'est d'abord une très grande fragilité», écrit Françoise Dolto à propos du cerveau des enfants, «une sensibilité très forte au choc de l'environnement. Mais cette fragilité n'est pas que négative. Elle présente aussi un avantage de plasticité sur le stade adulte : en cas de lésion, une capacité de récupération plus grande.»

L'ŒUF DE CHRISTOPHE COLOMB

Ils existe des dizaines de tests visant à évaluer le développement de l'enfant, tests qu'on administre le plus objectivement possible dans le bureau du pédiatre. Certains atteignent de hauts niveaux de complexité, et

(...)

(suite)

d'autres, comme le Denver (*Denver Developmental Screening Test*), sont plus simples à réaliser. En adoption internationale, ces outils de dépistage sont toutefois peu utiles dans le bilan de santé des enfants, du moins au cours des premiers mois après leur arrivée, à cause de leur état de santé souvent déficient, et à cause du fait que l'on s'attend déjà à un retard carentiel chez la plupart d'entre eux. Ces tests ont été mis au point pour des contextes différents.

De toute manière, selon son âge à l'arrivée, il faut attendre que l'enfant ait plus de six ans pour préciser avec sérieux ses compétences, ce qui est tardif et parfois angoissant pour des parents. Ce n'est malheureusement qu'à partir de l'âge de six ans que l'on peut avoir une évaluation fiable du quotient intellectuel. Ceci ne veut pas dire que l'on ne doit pas commencer à se préoccuper si, un an et au maximum deux ans après son arrivée, l'enfant ne semble pas avoir rattrapé le développement d'un enfant non adopté de son âge. Son développement moteur, ses acquisitions langagières, enfin son comportement seront autant d'indices pour aider le pédiatre à évaluer l'enfant et à voir si la situation est devenue normale ou si elle progresse vers la récupération.

En cas de retard, il est plus que souhaitable de mettre à contribution une équipe multidisciplinaire, composée entre autres d'un ergothérapeute et d'un physiothérapeute. En cas de doute, il n'y a aucun effet «secondaire» négatif à entreprendre un programme de stimulation précoce si les parents et les intervenants se concentrent sur l'optimisation du potentiel.

Une part de la détresse des parents adoptifs s'explique par le fait qu'un enfant jugé sans problème à l'âge de quatre ou six mois présente un retard cognitif à l'âge de deux ou trois ans, retard souvent inexpliqué. Cela n'est-il pas vrai aussi bien dans une parentalité adoptive que dans une parentalité biologique? Sans doute, mais nous parlerons des risques supplémentaires reliés au vécu préadoption quand nous aborderons le chapitre des troubles de développement.

Le langage

Mibig docteur. Pratév el poto beg'necou
caostirdi eg Alpes og Pyrénées...

Jean Tardieu

Comme pour le développement moteur et le développement de la pensée, le langage s'acquiert par étapes successives dont l'ordre est fixe, mais la progression dépend de chaque enfant. Entre le sixième et le septième mois de vie, l'âge est à la lallation. L'enfant émet un son qui varie en durée, en tonalité, il prend conscience des différentes possibilités de son répertoire. Il cherche à s'imiter lui-même avant d'imiter son entourage : c'est d'abord pour lui une expérience sensorielle avant d'être un moyen de communiquer. Toutefois, vers huit mois, à la vue des personnes qui l'entourent, il émet des « mamama » et des « dadada ». Entre 11 et 15 mois, il a son jargon bien à lui et réussit à se faire assez bien comprendre. À condition d'avoir quelqu'un à qui s'adresser ! Entre 18 mois et deux ans, si l'enfant est normalement stimulé, des petites phrases de deux ou trois mots surviennent. La production des premiers assemblages de mots est, on l'aura compris, étroitement dépendante de la quantité et de la qualité du langage mis à la disposition de l'enfant.

Ainsi, chez la quasi-totalité des enfants institutionnalisés, on constate des retards dans le langage expressif, c'est-à-dire dans l'émission de mots, mais aussi des retards dans la réception du langage, c'est-à-dire dans son décodage. Contrairement à la croyance générale, ce retard n'est pas seulement lié au fait que l'on parle devant l'enfant une langue étrangère qu'il n'a pas connue au cours de sa vie utérine. Ce qui est bel et bien en cause, c'est plutôt la rareté et la pauvreté des contacts, ainsi que l'absence de figures significatives qui appellent à la communication. « Mamama » et « dadada » sont à la fois plusieurs personnes et aucune d'entre elles. Pour apprendre à parler, l'enfant a besoin qu'on lui parle, qu'on le laisse parler et surtout qu'on le *fasse* parler. Le langage explicite ne s'apprend pas sur le plancher d'un orphelinat en jouant avec des camarades de fortune. Le langage s'apprend auprès d'un ou de plusieurs adultes attentifs.

En adoption internationale, les futurs parents s'inquiètent souvent, et à tort, de savoir comment ils communiqueront et entreront en relation avec un enfant adopté, particulièrement s'il l'est après l'âge de 12 ou de 18 mois, âge où un enfant commence normalement à parler quelque peu sa langue maternelle. Certains se farcissent des cours de chinois ou d'espagnol pour aller chercher leur fils ou leur fille de six mois. Excellente idée pour faciliter et agrémenter le voyage, mais démarche totalement inutile pour communiquer avec l'enfant et surtout pour l'aider à apprendre sa nouvelle langue! Même en présence d'un enfant plus âgé, la langue d'origine ne devrait être utilisée qu'en situation d'urgence, pendant la période d'apprivoisement qui dure quelques jours ou quelques semaines: «C'est dangereux, c'est chaud, as-tu mal?» La seule façon pour un enfant d'apprendre une langue est de la lui parler. On parle de langue maternelle, justement parce que c'est en parlant à son bébé que la maman (ou le papa) lui apprend d'abord à comprendre une langue, puis à s'en servir pour s'exprimer.

Plus un enfant est exposé au langage, plus il le développe, d'où l'importance de lui parler, de l'écouter, de répondre à ses questions. Tous les moments intimes sont bons pour communiquer: le bain, le changement de couches, la routine du dodo. Apprenez à votre petit nouveau des bruits d'animaux, votre nom, des parties du corps, racontez-lui enfin des histoires, beaucoup d'histoires. Les rééducateurs du langage utilisent beaucoup de livres d'images en guise d'imprégnation, pour aider les jeunes en difficulté. Pourquoi ne pas s'inspirer de leurs techniques pour donner le goût des mots aux orphelins nouvellement adoptés?

Ne parlez pas à l'enfant en «bébé», utilisez de vrais mots. Ainsi, plutôt que de dire «pati papa», dites plutôt «oui, papa est parti». À l'opposé, il est inutile de faire des phrases trop élaborées pour démontrer les progrès spectaculaires de la talentueuse petite Chinoise. Les «oui, papa est parti travailler pendant que maman s'occupe de toi grâce à la prolongation de son congé parental» n'aident en rien l'enfant à trouver le sens des mots, ni celui de la vie.

Quand l'enfant avance en âge, ne vous limitez pas à dire «c'est quoi ça»? Selon ce que propose l'entourage, l'enfant apprend à parler plus ou moins, mieux ou pire. Commentez, racontez, expliquez. Plus vous parlerez à l'enfant, plus il apprendra.

De l'avis des experts, tout semble se jouer avant l'âge de quatre ans en ce qui concerne les rouages essentiels du langage. Il ne faut donc pas s'inquiéter si un enfant adopté présente un certain retard, d'autant plus s'il sort d'un long épisode de carence affective en institution. La pédagogie du langage – qui est le rayon des parents, de la garderie puis de l'école maternelle – ne demande qu'à être renforcée, souvent avec l'aide de spécialistes. Cependant, certains examens d'accueil et suivis de santé font état d'un taux incroyable d'enfants adoptés qui sont référés en orthophonie : un sur trois arrivants dans certains cas ! Souvent, les médecins et les parents sont trop anxieux et exigent des résultats trop rapides. C'est ainsi qu'ils réfèrent non seulement pour des retards de langage, mais aussi pour des problèmes de prononciation, de diction et de syntaxe. Les jeunes enfants nourris trop longtemps au biberon, jamais à la cuillère, auraient des difficultés à projeter leur langue à l'avant, ce qui, pour des raisons techniques, compliquerait l'élaboration d'un langage intelligible. Il est bon de se rappeler l'existence de certains petits problèmes comme celui-là, qui existent dans un contexte de sous-exposition dans le pays d'origine. Des recherches sociologiques auprès de familles extrêmement défavorisées démontrent que si le fonctionnement des articulations syntaxiques ne s'installe pas au moment voulu, le langage risque de rester pauvre. De fait, même si le vocabulaire s'accroît, même si la prononciation se raffine, la structure du langage n'acquiert pas automatiquement toute sa complexité, et les phrases restent juxtaposées avec peu de subordination. Les travaux de nombreux linguistes ont permis d'établir que le fonctionnement de l'organisation syntaxique s'installe tôt. Par conséquent, l'enfant adopté a du temps pour se reprendre, mais il connaît aussi des difficultés qui risquent de le faire trébucher pendant encore des années.

Une étude scandinave met aussi en garde contre une interprétation erronée d'un apprentissage apparemment facile de la langue, surtout chez les enfants plus vieux. Il semble que la majorité des enfants apprennent relativement vite la langue dite « de tous les jours », une langue utile, concrète et familiale. Mais l'entrée à l'école dévoile ensuite des failles, des morceaux qui manquent dans le puzzle, surtout quand vient le temps de faire de la gymnastique avec des concepts abstraits. Une bonne langue «familiale» ne garantit pas la maîtrise d'une langue «scolaire», nécessaire pour maîtriser des connaissances plus complexes. Souvent, ces enfants ont aussi de la difficulté à décoder les expressions imagées qui font référence à la culture. Nous pensons ici au cas d'une petite qui s'était mise à pleurer lorsque son père lui avait dit gentiment: «Si tu ne viens pas tout de suite, ma chérie, tu vas passer en dessous de la table.» Et l'enfant de hurler: «Pourquoi tu veux que je marche sous la table?» Une langue n'est pas faite que de mots. Son sens est profondément enraciné dans un contexte social, dans une culture et au sein de références historiques.

L'évaluation orthophonique des enfants plus âgés devrait idéalement être effectuée par un professionnel qui connaît leur langue maternelle. Pour les familles bilingues, il est préférable qu'une langue soit associée à chaque parent, exemple maman parle français et papa parle anglais. Dans les situations où l'enfant est en grande difficulté, il est préférable de parler une seule langue avec l'enfant.

HYPOTHÈSE: C'EST PARCE QU'IL PARLAIT ROUMAIN

Découragée de voir que son fils Simon, trois ans et demi, récemment adopté en Roumanie, avait tant de problèmes à apprendre les règles de la vie courante et les rudiments du français, la nouvelle maman demanda conseil à une collègue de travail d'origine roumaine. Après avoir parlé quelques minutes avec le petit, cette femme finit par déclarer aux parents que le petit Simon ne parlait même pas le roumain. «Il dit certains mots simples, souvent sans verbe et sans complément et il parle de lui-même à la troisième personne, sans jamais utiliser le "je"... Pauvre petit, on dirait qu'il a été élevé par des loups dans une forêt!» Eh oui, certains orphelinats sont aussi rudes et rustres qu'une forêt transylvanienne.

Avant d'apprendre vraiment le français, Simon devra être suivi en orthophonie et en ergothérapie, d'abord pour s'initier aux fondements du langage par le regard, par l'exercice des muscles faciaux et l'échange de sons, et en comprenant l'importance de mettre dans une phrase un sujet, un verbe et un complément, habiletés qu'il aurait dû normalement acquérir entre 0 et 24 mois.

Conclusion : Simon ne parle pas bien le français parce qu'il ne parlait pas bien le roumain, et non le contraire.

Les adultes sont toujours fascinés, pour ne pas dire jaloux, de voir avec quelle facilité un enfant de trois ans peut apprendre l'espagnol s'il passe simplement l'été chez sa grand-mère argentine. Les parents adoptants tiennent donc pour acquis qu'un enfant haïtien ou bolivien du même âge a autant de facilité pour le français. Mais il manque souvent une variable importante à cette conclusion empirique. Un enfant apprend facilement une deuxième ou une troisième langue dans la mesure où il en possède déjà une première ! Ainsi, la partie du cerveau où est gérée la langue est la même pour tous les petits êtres humains. Si cette partie a développé beaucoup de connexions, et possède un grand vocabulaire ainsi qu'une maîtrise de la syntaxe, ces réseaux peuvent être rapidement utilisés pour emmagasiner une nouvelle langue, aussi différente soit-elle. De nombreux enfants arrivent à 18 ou 36 mois avec une connaissance très pauvre de leur propre langue d'origine, donc un sous-développement de la tour de contrôle de la parole et de l'audition.

Toutefois, si un enfant est silencieux et semble replié sur lui-même, s'il ne parle pas et surtout s'il ne semble pas bien comprendre, il faut en discuter avec le pédiatre. Ce qui est peut-être en cause : des troubles de l'audition, des compétences limitées, des troubles complexes du langage, reliés ou non aux situations de carences antérieures.

L'affectif et le social

> *Tout enfant a le besoin légitime d'être vu, compris,*
> *pris au sérieux et respecté par sa mère.*
>
> Alice Miller

Conquérir le monde, regarder sa mère, recevoir en retour son approbation, développer sa confiance en soi, puis une véritable estime de soi vers six ou sept ans, et enfin connaître l'autre et le reconnaître pour ce qu'il est, s'investir avec sa famille, ses amis, en amour, aimer assez et s'aimer assez pour faire des enfants, voilà – en deux temps trois mouvements – les cheminements circulaires du développement socio-affectif qui attendent l'enfant et l'adolescent. On imagine que sans être une exception, l'affect et le social de l'enfant adopté ne fait pas que confirmer la règle. «J'ai mal à ma mère», écrit si magnifiquement le pédo-psychiatre Michel Lemay, pour nous rappeler la souffrance de l'enfant trop superficiellement investi, et qui a été carencé, voire abandonné.

À travers des décennies, les particularités psychoaffectives des enfants institutionnalisés ont suscité l'intérêt de nombreux chercheurs. Les travaux de Spitz ont porté sur la dépression des enfants carencés et les réactions dites d'hospitalisme du mal-aimé: anxiété, désorganisation personnelle, absence de profondeur dans les relations, régression sociale, les gros mots, quoi! Parmi ces chercheurs, Tizard aussi, dans les années 70 et 80, a souligné les difficultés de ces enfants à s'investir, une fois adolescents, dans des relations sociales et amoureuses. Ce chercheur particulièrement versatile s'est également intéressé aux capacités intellectuelles des enfants carencés, remarquant lui aussi des effets néfastes de l'institutionnalisation prolongée sur l'éveil et la maturation intellectuelle.

Entre leurs émotions et leurs capacités, les enfants mal aimés évoluent donc dans un monde où les capacités de développe-ment de l'enfant normal s'entremêlent avec le potentiel de guérison neurobiologique propre à la petite enfance. Quelles blessures invisibles disparaîtront? Quelles autres demeureront? Certains enfants développeront de véritables pathologies qui arriveront à confondre leur parents, leurs soignants et la société en général; nous en reparlerons dans un chapitre ultérieur. La plupart d'entre eux feront simplement preuve (et c'est déjà beaucoup) de carences, en eux comme devant les autres. Aux parents de faire fructifier leurs forces et de détecter leurs faiblesses! Il faut construire dans l'adversité, pour mieux développer l'identité de l'enfant. Il faut comprendre l'adversité pour faire enfin émerger une véritable identité sociale.

L'incapacité sociale : l'intelligence du cœur

De nombreuses approches et théories existent donc pour expliquer le développement affectif et social des enfants. Des observations psychologiques dans le domaine des capacités de l'enfant (on pourrait parler de l'école cognitive) auront raison de relativiser les acquis et les difficultés affectives et sociales de l'enfance en fonction des éléments mesurables de leur développement intellectuel et physique.

Ainsi, un enfant adopté en Russie et qui souffrirait d'une déficience intellectuelle attribuée à un syndrome d'alcoolisation fœtale présentera effectivement des défis affectifs et sociaux extrêmement contraignants et directement imputables à son retard intellectuel et à ses troubles majeurs de motricité. On expliquera en partie ses écarts comportementaux, sa manière de s'opposer et les larcins qu'il commettra par une pensée et des capacités inadéquates, un déficit cognitif en quelque sorte.

La théorie de l'attachement : le cercle de confiance

Cependant, en adoption, il nous semble essentiel de souligner les théories qui axent le développement des habiletés sociales et affectives sur la qualité du lien d'attachement que développe l'enfant entre 0 et 18 mois. Certains auteurs, comme Verrier, font même remonter les sources de l'attachement à la vie intra-utérine ! Les connaissances actuelles en matière de développement social et affectif, centrées sur l'approche du processus d'attachement, sont la mise en commun et l'aboutissement des recherches d'Erikson, de Bowlby, d'Ainsworth et, plus récemment, de Foster W. Cline. Pour ces auteurs et ces cliniciens, l'attachement influence non seulement la relation entre un jeune bébé et l'adulte qui en prend soin, mais aussi toutes les autres relations significatives et les relations sociales futures de cet enfant.

Un nouveau-né est totalement dépendant d'un adulte pour répondre aux besoins essentiels à sa survie : nourriture, soins corporels, sécurité, tendresse et cie. Si cet adulte significatif répond rapidement et adéquatement à ses manifestations de malaise, pleurs ou cris, l'enfant en retire un sentiment de bien-être, de calme, de satisfaction. Il établit ainsi une relation de confiance avec le monde extérieur. Un sentiment naît chez lui à l'effet qu'il est un être important et valable puisqu'on prend la peine de s'occuper de lui. C'est ce qu'Erikson décrit comme la première tâche d'un enfant : décider s'il peut ou non faire confiance au monde extérieur. Un enfant bien ancré dans une relation affective développe le goût d'apprendre et d'interagir sainement avec les autres. À l'opposé, s'il est privé de nourriture affective, l'enfant se désorganise dans son monde, il se crée un océan intérieur où il se retrouve seul et dans lequel il se perd.

Ainsi, la qualité des soins physiques et émotifs entre un enfant et l'adulte qui en prend soin entraîne une série d'interactions où chaque réponse contribue à nourrir le cercle de confiance. Ce cercle de confiance est affecté négativement par une réponse qui n'est pas rapide, chaleureuse, cohérente et prévisible. Dès ses cinq mois, l'enfant va donc se permettre de tabler sur sa relation privilégiée en s'amusant à la tester. C'est ici qu'intervient le jeu du « coucou ». Ce jeu l'aide à vaincre son anxiété, en faisant disparaître et réapparaître de façon répétée la figure aimée, et dans des conditions que le nourrisson est à même de contrôler. Ce jeu lui permet également de transformer une réalité qui serait pénible si elle était réelle pour en faire une expérience agréable. Tous les orphelins, on l'imagine, n'ont pas eu la chance de jouer à « coucou ».

Les réponses à la détresse doivent idéalement être faites par une personne aimante, qui a confiance en elle, qui est disponible et engagée sur le plan affectif dans le bien-être de l'enfant. Tout changement de la personne significative ébranle le cercle de confiance. Le cercle de confiance doit aussi s'établir dans un milieu de vie calme, sûr, stimulant et stable. Ainsi, on comprend vite que peu d'enfants abandonnés ont eu la chance de vivre auprès de gens si disponibles et dans un milieu répondant à tous ces critères. Même le meilleur des orphelinats ne peut offrir cette qualité de soins. De ce point de vue, seule une excellente famille d'accueil, comme il en existe en Colombie, au Guatemala, en Corée ou au Vietnam, peut constituer un substitut valable avant un placement permanent.

L'ATTACHEMENT FRUSTRE

Une étude de 1995 menée par un groupe de chercheurs canadiens, l'équipe de Chisholm, s'est intéressée à l'attachement frustre des enfants adoptés de Roumanie.

Deux de ces groupes d'enfants ont été évalués 11 mois après leur adoption. Le premier groupe était constitué de 46 enfants, avec une moyenne d'âge de 25 mois. La durée moyenne de temps qu'avaient passé ces enfants en institution était de 18,5 mois. L'autre groupe, également constitué de 46 enfants, avec une moyenne d'âge de 25 mois, avait vécu en moyenne moins de quatre mois en orphelinat. On a comparé à ces deux groupes un groupe-témoin de 46 enfants canadiens, jamais institutionnalisés et ayant la même moyenne d'âge.

Il ressort de cette étude que plus la durée d'institutionnalisation est longue, plus l'enfant démontre des difficultés d'attachement. En effet, dans le premier groupe, on retrouve des enfants qui veulent être pris, puis laissés, puis à nouveau repris. Ils sont exigeants, impatients, accaparants, ils crient s'ils sont contrariés, jouent durement avec l'adulte et mordent. Le deuxième groupe est comparable au groupe témoin : l'enfant vous enlace lorsque vous le prenez, il vous écoute lorsque vous lui parlez, il cesse de pleurer quand vous le prenez dans vos bras et cherche votre présence pour explorer.

Il s'agit, vous l'avez bien lu, de « difficultés d'attachement », associées ou non à des déficits cognitifs. Les troubles d'attachement et les désordres d'attachement sont des maladies de nature pédopsychiatrique qui appellent un diagnostic et une prise en charge soutenue. Ces difficultés ne signifient pas que l'arrivant ne peut aspirer qu'à la dépendance socio-affective et à l'inconduite sociale. Ces

(…)

(suite)

défis d'attachement ne sont pas obligatoirement de nature psychiatrique. En fait, dans les premiers mois après l'adoption, ces défis sont plutôt la norme. Ils sont autant de rappels que l'enfant a besoin d'être entouré, regardé, écouté, sécurisé dans ses besoins fondamentaux et encadré dans ses choix. Ils sont autant de rappels pour les parents qu'il faudra y mettre du temps, autant en qualité qu'en quantité, surtout au cours des six premiers mois après son arrivée. Sa frustration est immense. Donnez-lui l'occasion de s'accrocher enfin et définitivement à un pont solide.

En matière de développement socio-affectif, les recherches cliniques et socio-biologiques rapportent que des attentes réalistes de la part des parents adoptants sont des facteurs positifs protecteurs et, qu'à l'inverse, si leur seuil de tolérance s'abaisse ou s'ils divorcent, l'enfant peut vivre ces événements de façon très négative, ce qui favorisera l'émergence de détresse et de divers troubles comportementaux.

ALLAITER L'ADOPTÉ ?

Rien de tel pour développer un lien d'attachement que la tendresse, la douceur et la chaleur de l'allaitement maternel ! Ce grand moment de proximité, qui permet à l'enfant et à la mère de s'apprivoiser mutuellement, a évidemment un effet positif notable sur le développement psychoaffectif de l'enfant. Certaines mères adoptantes se mettent donc à rêver d'allaiter leur enfant adopté. Mais est-ce possible ?

Oui et non. La physiologie humaine a ses limites, la psychologie aussi. Quelques études se sont attardées à la possibilité d'induire la lactation chez la mère adoptante. Des femmes ont dû préparer leur corps pendant six ou neuf mois, grâce à une stimulation hormonale nécessaire pour induire une «pseudo-grossesse». Les mamans ont dû s'astreindre à une stimulation mécanique des seins, facteur important dans la production de lait, et absorber des suppléments alimentaires pour induire physiologiquement la lactation. Dans d'autres études, des mères sont allées jusqu'à utiliser un petit dispositif d'allaitement, un tube appliqué sur le mamelon et relié à un sac contenant un substitut de lait maternel installé entre les seins. Mais ne l'oublions pas, le sein est une glande, et pour qu'il produise du lait, encore faut-il que l'enfant le tète.

C'est la principale cause de difficultés. La volonté et l'âge de bébé. Dans les études, 75 % des succès d'allaitement concernaient des enfants âgés de moins de huit semaines. Les enfants adoptés à l'âge de un ou deux mois ne sont pas la majorité. Plus l'enfant est âgé, plus il a vécu de carences, moins il sait quoi faire avec votre sein : sa volonté d'être allaité est donc souvent nulle. L'enfant suffoque dans cette proximité, il repousse le sein, la mère se sent rejetée, le père est sans ressources. L'image attendrissante d'une mère qui allaite son enfant se confond alors avec une lutte gréco-romaine où il n'y a forcément aucun gagnant.

L'allaitement maternel ne relève pas que du désir de maman, mais bien de la volonté de bébé. L'âge et la volonté de bébé : deux points trop souvent oubliés dans les publications-tendances en adoption ! L'induction de la lactation chez la maman d'adoption est donc possible, mais est-ce vraiment intéressant, si l'on veut respecter le point de vue de bébé ?

Le roman familial : le prince kidnappé

Une des tâches très complexes que les enfants adoptés ont à transcender, contrairement à leur contrepartie «fait maison», c'est de résoudre ce qu'on appelle «le roman familial».

Pour un enfant biologique vivant avec ses deux parents biologiques, le roman familial est le plus souvent assez simple à rassembler et à écrire. En fait, il est prévisible, linéaire et chronologique, car il est parsemé d'indices comme des photos, des vidéos, des histoires racontées mille fois par les tantes et les grands-parents. Malgré cette relative facilité, la plupart des enfants passent par une étape de fantasme où, à la suite d'une punition, ils s'imaginent avoir en réalité une «vraie» famille ailleurs, une famille merveilleuse, voire princière. Cette étape normale est de courte durée chez l'enfant biologique. Il doit tranquillement mais sûrement mettre tous les morceaux du réel en place, au fur et à mesure qu'il grandit et qu'il comprend la vie. Cette histoire, qu'il finit par se créer, contribue à construire son sentiment d'appartenance et à lui donner le sentiment qu'il sait d'où il vient et où il va.

Mais Dieu sait qu'il n'est pas simple pour un petit adopté, ce concept de roman familial, car contrairement à l'enfant biologique, cet enfant a raison de croire qu'il a vraiment une autre famille ailleurs. Son fantasme n'en est pas un, c'est une réalité. Ce qui devient un terrain fertile aux fantasmes, c'est la certitude que ces gens vivent quelque part. Aurait-il été mieux ou pire avec eux comme parent? Que faire avec les informations existantes: garder les belles, éliminer les mauvaises et inventer celles qui manquent? Que faire avec les histoires entendues sur les bébés achetés, vendus, arrachés de force à leur mère biologique et à leur pays? Qui sont les «bons» et les «méchants» dans toute cette histoire? Et s'il était en réalité un prince kidnappé, l'héritier perdu d'une fortune ou, mieux encore, un sorcier qui devrait fréquenter Poudlard? Que faire avec les émotions ambivalentes qui parsèment le chemin normal d'un enfant grandissant? S'en tenir à ses parents actuels? Ou fantasmer sur ces autres parents qui auraient été sûrement plus relaxes, plus permissifs et probablement aussi plus jeunes.

Entre la fantaisie et la réalité, en passant par les émotions du conflit de loyauté, l'enfant adopté doit naviguer dans des eaux parfois troubles avant d'arriver à se construire un scénario satisfaisant. L'exploration de la boîte à racines, que nous expliquerons dans un chapitre ultérieur, vous aidera à accompagner sereinement l'enfant dans la fabrication saine de cet immense puzzle.

L'autonomie

> *Il fallait le voir à l'aéroport, pauvre petit,*
> *secouer ses mains et ses pieds pour se débarrasser*
> *de ses nouvelles mitaines et de ses nouvelles bottes.*
>
> Maman de William, deux ans,
> arrivé d'Haïti un 6 janvier, à 25 degrés sous zéro.

Aider son enfant à devenir autonome, c'est le plus beau cadeau qu'on puisse lui faire. Les tâches pour atteindre l'autonomie sont nombreuses : apprendre à s'habiller seul, à être propre, à se rendre aux toilettes, à manger comme un grand. Ces étapes du développement sont importantes : elles sont l'un des jalons de la liberté.

Plusieurs orphelins nouvellement adoptés vivent des expériences de souffrance qui compliquent leur accession à la liberté et entraînent certaines difficultés dans l'acquisition de la propreté, dans la manière de dormir et au chapitre de l'alimentation. Souvent, il faut y mettre du temps, le temps nécessaire pour rebâtir la confiance de l'enfant en lui-même et en ceux qui le guident. Sans confiance en soi, il n'y a pas d'indépendance possible et, sans indépendance, il n'y a pas d'espoir d'autonomie pour se rendre aux toilettes ou pour dormir seul. Une revue de plusieurs études qui font foi des problèmes rapportés par les parents ayant adopté en Roumanie avant 1997 rapportait, chez les nouveaux arrivants, entre 62 % et 65 % de troubles d'alimentation, de 35 % à 44 % de troubles du sommeil, 27 % de colère excessive et, finalement, entre 18 % et 84 % de mouvements stéréotypés. Des carences institutionnelles vicieuses, longues et soutenues imposent ainsi des attentes parentales plus conservatrices à court, voire à long terme.

LA CRÉATIVITÉ DANS L'ADVERSITÉ

Si votre enfant a des comportements que vous considérez comme étranges, hors normes, agaçants ou incompréhensibles, il y a de fortes chances que ces

(...)

(suite)

comportements soient nés d'une habitude ou d'un comportement qui l'aura aidé à survivre pendant des mois ou des années. S'il se berce lui-même pour s'endormir, c'est sans doute parce que personne ne le faisait pour lui à l'orphelinat. S'il cache de la nourriture, c'est peut-être parce qu'il en aura manqué et n'est pas encore certain d'en avoir le lendemain.

Les mouvements répétitifs et stéréotypés, les bercements incessants sont des signes potentiellement inquiétants de carences physiques et affectives. On peut cependant choisir de ne pas voir ce comportement de l'enfant comme une nuisance, mais l'accueillir plutôt comme une preuve de sa créativité et de son instinct de survie. C'est en prenant le temps de l'assurer qu'il n'est plus seul, qu'il n'est plus en danger, qu'il n'a plus besoin de se consoler tout seul qu'il délaissera plus facilement ses anciens modes de survie.

Les autonomies fragiles sont aussi le résultat de mauvaises habitudes. Au Vietnam, par exemple, où les nourrices sont payées pour bien faire leur travail, elles ont tendance à en remettre et à en faire trop : les enfants prennent ainsi l'habitude de dormir contre elles, de se déplacer avec elles, à tel point qu'ils en sont indécollables et pleurent ensuite aussitôt qu'on les dépose par terre. Avec de bonnes intentions et dans l'espoir de bien faire, des centaines de nouveaux parents sont donc ultérieurement conduits à entretenir cette attitude compulsive qui veut qu'on n'entende jamais pleurer l'enfant.

On ne laisse jamais pleurer un nourrisson de deux mois, mais on devrait pouvoir supporter les larmes de celui de neuf mois. À force de rechercher le silence des agneaux, on victimise les enfants et on les prive de leur accès légitime à la liberté. Les enfants portés à outrance sont sujets au spasme du sanglot quand survient la moindre frustration. Dès que s'accentuent leurs pleurs jusqu'alors trop contenus, ils cessent de respirer, pâlissent et bleuissent. Au Québec, on dit qu'ils se pâment. C'est comme s'ils ne savaient pas pleurer. De fait, ils n'en ont jamais eu la chance. Il arrive que l'arrêt respiratoire se prolonge jusqu'à la perte de connaissance et la crise de convulsions. La seule médecine qui compte, ici, c'est le calme. Un peu d'eau fraîche et une attitude zen conviennent bien. Ces syncopes aux pleurs s'amenuisent vers l'âge de trois ans, surtout si les parents font un peu de place à l'autonomie salvatrice. Il n'y a pas de liberté sans pleurs ou grincements de dents.

Il devient primordial que les familles soient guidées par le pédiatre, l'infirmière ou la travailleuse sociale, surtout quand les difficultés à dormir ou à manger deviennent envahissantes. Nous en reparlerons au chapitre consacré à l'adaptation du nouvel arrivant.

Le tempérament

> – C'est bizarre, le môme des Verdurin est énergique et délicieux, alors que ses parents sont l'ombre d'eux-mêmes. Le père, surtout, toujours avachi, plus ennuyeux que tout…
>
> – Paraît-il qu'ils l'auraient adopté…, rajoute une voisine.
>
> – C'est comme pour les chocolats, relance la première, vous avez beau choisir le pourcentage de cacao, il y a toujours ce centre mou qui peut ne pas vous convenir.

Dès sa naissance, on peut entrevoir le tempérament de l'enfant, non pas ses capacités intellectuelles et ses émotions, mais bien son tempérament et sa manière innée d'être au monde. Ses capacités d'adaptation, ses manières de réagir aux bruits et à la lumière et ses humeurs en général laissent effectivement entrevoir, chez chaque nourrisson, un style bien à lui. Certains enfants sont dits de type facile, c'est-à-dire qu'ils s'adaptent bien aux situations et à la routine. Ils ont des cycles biologiques de repas et de dodos réguliers, ils s'amusent, s'enthousiasment pour tout. Ce groupe d'enfants représente environ 40 % de la totalité des enfants. À l'opposé, 10 % des enfants sont considérés comme difficiles. Ils s'adaptent mal au changement, un bruit soudain les effraie, ils sont facilement frustrés. Ces enfants ont besoin de beaucoup d'aide de leurs parents pour apprendre à contrôler leurs humeurs. Environ 15 % des enfants sont plus lents à s'adapter, ils sont plus craintifs et plus prudents.

Ils ont besoin d'encouragements et, à force de répétition, finissent par exécuter les choses, par exemple un casse-tête. Ces enfants ont besoin de beaucoup d'attention et de patience de la part de leurs parents. Finalement, on pourrait dire qu'environ 35 % des enfants ont un tempérament dit mixte, c'est-à-dire qu'ils ont un tempérament parfois difficile, parfois facile. L'histoire ne dit pas si tel ou tel type de tempérament aura favorisé ou nui à la survie en orphelinat, mais on pourrait supposer que les enfants les plus combatifs ont de meilleures chances de se rendre jusqu'à des parents adoptants que les plus passifs du groupe.

La personnalité

– *Que pensez -vous de la fille Trudel ?*

– *Aussi passionnante qu'un verre de lait…*

– *Et son petit ami ?*

– *Propre, toujours propre de sa personne !*

Un mot seulement sur ce sujet vaste comme le monde et qu'interprètent à leur façon différentes écoles de pédiatrie, de psychologie et de philosophie, et certaines écoles spirituelles. Ici, le plan ne consiste surtout pas à faire le tour de la question, mais simplement à souligner, en plus de toutes les considérations développementalistes précédentes, quelques éléments complémentaires pour mettre en lumière l'extraordinaire diversité des enfants adoptés.

Au-delà des tempéraments et des talents particuliers, au-delà des vicissitudes et des bonheurs de leur vie passée et actuelle, tous les enfants adoptés sont des personnes uniques et à part entière ; chacun a une personnalité à lui, au sens large du terme, modulée et façonnée par les événements, les personnes et les apprentissages originaux, sans rapport obligé avec les capacités motrices, langagières ou intellectuelles. Ainsi, chaque enfant thaï, vietnamien ou latino-américain se présente avec sa couleur personnelle, au-delà du regard multiethnique et multiculturel que l'on peut porter sur lui. Ces enfants sont nés comme cela, ils sont devenus comme cela. À vous maintenant de les accompagner dans ce qu'ils deviendront comme adolescents, puis comme adultes.

Le comportement

Le comportement de l'enfant est tributaire de sa personnalité, de ses principaux acquis développementaux et, finalement, de son environnement parental, familial, culturel et social, bref de tout ce qui l'entoure de près ou de loin. Le comportement de l'enfant, c'est sa manière à lui de réagir à une situation, c'est sa façon d'être à l'autre, aux autres. Ainsi, un enfant limité par un handicap physique a ses frustrations qui, en fonction de son tempérament, de ses acquis, de ses leçons de vie, de ses parents et de ses amis, conditionnent sa manière de réagir à une invitation à courir, par exemple, alors qu'il en est incapable. Un comportement irrecevable ou d'allure anormale n'est très souvent qu'un message à l'effet qu'il y a un petit quelque chose à ajuster dans le quotidien de l'enfant, qu'il soit adopté ou non. Il ronge ses ongles, il pique des colères, il se cache sous votre jupe... Chez tout enfant, les occasions sont nombreuses de remarquer des tendances comportementales, qu'il s'agisse d'un nouvel adopté ou d'un enfant adopté de longue date.

À cause de ses antécédents difficiles, il est délicat d'apprécier les écarts comportementaux de l'enfant adopté. A-t-il du retard? A-t-il une maladie psychiatrique? Jusqu'à quel point son petit dada et ses petites crises sont-elles des écarts qui conviennent à son âge? Certains problèmes comportementaux sont majeurs chez les enfants adoptés, peut-être même plus que chez d'autres enfants à pareil âge (nous en reparlerons au chapitre sur les troubles de développement). D'autres problèmes, comme chez tous les enfants du monde, sont attribuables à la discipline quotidienne, mais avec une connotation directement contextualisée par l'abandon et l'adoption. Nous en abordons ici quelques aspects. Bienvenue sur la *Planète Parents*!

L'indiscipline : un pont à franchir

En Amérique du Nord, la grande majorité des demandes de consultation en service social et en psychologie ont pour motifs les écarts de comportement, et plus particulièrement la désobéissance des enfants. Cette désobéissance cache parfois des problèmes familiaux très graves. Mais, étonnamment et plus souvent qu'autrement, le problème est simplement entretenu par un manque d'habiletés parentales et d'outils d'encadrement face à un enfant opiniâtre et capricieux.

Certains parents ont peur de reproduire le modèle parental froid et autoritaire qu'ils ont connu, d'autres se sentent coupables de trop travailler et veulent ainsi se racheter pour gagner l'amour de leurs enfants. Beaucoup de parents sont désemparés et stressés par un fort sentiment d'incompétence parentale. Certains comportements difficiles chez les enfants sont en relation directe avec ces habilités parentales : le manque de règles prévisibles et claires, l'application aléatoire de ces règles et des conséquences, le manque de cohérence et de cohésion, le sur-ajustement des parents aux humeurs de l'enfant, la difficulté pour les parents de distinguer un désir d'un besoin, la peur de traumatiser, de répéter un pattern d'autorité, le manque de connaissances sur les phases normales de développement des enfants, une attitude trop ou pas assez rigide, un manque de moyens concrets d'intervention, une mauvaise utilisation des moyens d'intervention ou encore, et pour terminer cette longue liste d'épicerie de la discipline, une utilisation des bons moyens d'intervention qui ne dure pas assez longtemps pour que le parent et l'enfant changent fondamentalement leurs façons d'agir.

UN TREKKING QUI TOURNE MAL

Imaginez que vous êtes en trekking au Népal. Votre guide sherpa, celui-là même qui est chargé de vous aider, de vous guider, de vous faire traverser sans danger les torrents, les canyons et les chemins escarpés, vous a fait traverser un premier, puis un deuxième ainsi qu'un troisième pont de cordes qui, tous sans exception, se sont cassés et écroulés sous vos pieds. Résultat : vous êtes tombés et vous vous êtes blessés à plusieurs reprises.

Votre fameux guide sherpa vous promet maintenant, vous certifie que le quatrième pont que vous devrez traverser est parfaitement solide. Vous êtes en pleine montagne, en plein milieu de nulle part, et vous savez que vous n'avez pas le choix : pour entrer au camp de base, il vous faut traverser cette rivière. Mais vous êtes méfiants, blessés, voire traumatisés par ces ponts sordides. Qu'allez-vous faire ?

Vous allez vérifier la solidité du pont en l'inspectant vous-mêmes dans ses moindres détails : au-dessous et au-dessus, vous allez tirer sur les cordes, brasser la structure avec force et même violence, lancer de lourdes roches au milieu, sauter à pieds joints sur les côtés puis revenir en courant pour observer avec anxiété sa solidité. Si le pont perd des morceaux, vous n'allez pas vous y engager : vous allez peut-être même choisir de le mettre en pièces pour bâtir avec ses matériaux un autre moyen de transport : un bateau, par exemple. Par contre, si le pont reste fort, souple et solide malgré vos tentatives de le fragiliser, vous serez confiants, rassurés et vous ferez le choix de vous y engager sans trop de peur, malgré toutes vos mauvaises expériences passées. Les ruptures, les négligences, les abandons subis par l'enfant avant son adoption sont autant de « trekkings de vie » qui ont mal tourné.

Chaque parent adoptif arrive dans la vie de l'enfant en lui offrant un pont solide, tendre, disponible, souple et fort. Difficile donc de s'imaginer qu'un bébé ou un jeune enfant ne se sente pas interpellé par autant de considérations. Tous les parents adoptifs s'imaginent que l'enfant s'engagera allègrement et profitera pleinement de la sécurité offerte avec tant d'amour et de générosité. Cependant la réalité est toute autre : l'enfant testera la solidité et les limites du pont par des comportements souvent inadéquats.

Certains enfants plus résilients ou moins fragilisés ne testeront pas trop longtemps ou pas trop vigoureusement leurs nouveaux parents. Ils vont assez rapidement refaire confiance, accepter de s'engager et de se laisser aimer, de se laisser protéger, guider et surtout de se laisser encadrer. Ces enfants ne seront cependant pas à l'abri de l'insécurité si une tempête de la vie fragilise la famille: une maman atteinte d'un cancer, un papa victime d'un accident de voiture, un déménagement, une séparation du couple. Ces événements de la vie peuvent le projeter de nouveau dans une peur incontrôlable d'être encore une fois abandonné.

La plupart des enfants cherchent cependant à tester le nouveau pont «papa et maman» pendant plusieurs semaines ou plusieurs mois, selon leurs stratégies habituelles de survie mises au point à l'orphelinat.

Certains semblent dire: «Non, vous ne m'aurez pas cette fois, je n'embarque pas sur votre pont.» Ils sont colériques, opposants, irritables, de caractère difficile, insatiables, inconsolables. Ces enfants risquent de se retrouver avec un diagnostic de «troubles de l'opposition» ou, pire, de «troubles de conduite».

D'autres pensent plutôt: «J'ai tellement peur que le pont tombe que je m'accroche désespérément à lui et je ne le quitte pas des yeux une seule minute.» Ils sont accaparants, inquiets, agités, toujours accrochés à leurs parents, pleurent pour un rien et ont des problèmes de sommeil. Ces enfants risquent de se voir affublés d'un diagnostic d'«angoisse de séparation» ou d'«angoisse de performance».

D'autres enfin, les petits prudents, extérieurement très dociles, semblent dire: «Je me conforme, je ne fais pas de vagues, je suis en observation, je suis en relation utilitaire avec ce pont et puis on verra bien…» Ce sont des enfants d'apparence calme et sociable, «faciles», qui s'occupent et se consolent tout seuls, qui ne demandent pas grand-chose. Mais ils héritent parfois d'un diagnostic de trouble de comportement «passif-agressif», car même s'ils ne s'opposent pas ouvertement, on les surprend à voler, à mentir, à détruire des objets aimés de leurs parents, à manipuler par «en dessous».

Si les nouveaux parents sont présents, calmes, compréhensifs, pro-actifs, et s'ils répondent avec patience, tendresse et fermeté à toutes les petites manifestations de détresse; s'ils se font totalement disponibles pour rassurer l'enfant dans ses besoins de base, tout en mettant en place certaines règles de vie importantes; s'ils ne se laissent pas ébranler par les tentatives de l'enfant de les fragiliser; enfin, s'ils n'y voient pas une preuve de leur incompétence parentale ou une «preuve» du rejet de l'amour qu'ils offrent si généreusement à l'enfant, ils passeront haut la main le test du pont. Ils deviendront aux yeux et au cœur de l'enfant un pont solide, inébranlable, digne de confiance. Par contre, si le parent ne saisit pas les enjeux en cause, s'il interprète ces problèmes de comportement comme de l'ingratitude, de la malice, des caprices, de la manipulation gratuite, de graves problèmes émotifs, des problèmes psychiatriques sérieux, une guerre à finir pour se faire obéir à tout prix ou encore comme l'impossibilité d'être vraiment aimé par l'enfant, ce dernier n'osera pas s'engager sur un nouveau pont, aussi beau soit-il.

Il faut dire que certains enfants plus fragilisés testeront le pont avec une violence tout à fait spectaculaire. Même s'il est généralement solide, un parent qui n'a pas été prévenu peut facilement perdre plusieurs planches et être ébranlé. Un pont ébranlé a parfois besoin d'un petit coup de main pour comprendre l'origine de cette tempête et pour savoir comment se rafistoler !

DOS HELADOS ! DOS HELADOS !

À l'heure du déjeuner, dans un restaurant d'hôtel, une petite Guatémaltèque de deux ans est debout sur sa chaise et crie en piochant joyeusement des pieds : «*Dos helados ! Dos helados !*» (deux crèmes glacées). Ses nouveaux parents adoptants, désireux de l'apprivoiser, lui commandent alors de la crème glacée pour le déjeuner, le dîner et le souper, et ce pendant les deux semaines que va durer le séjour. De retour à la maison, leur désir d'être «adoptés» par leur fille les conduit à ne pas lui imposer de règles de vie. De fil en aiguille, de semaines en mois et de mois en années, les parents finissent par se sur-ajuster aux crises de frustration et de colère que la petite met en scène dès qu'on lui refuse quelque chose. Demeurée enfant unique, car ses parents osent à peine imaginer en avoir deux pareilles, la petite Sophia est devenue une «enfant-reine» à la maison.

(...)

(suite)

L'entrée scolaire est la goutte qui fait déborder le vase. Les parents, épuisés, décident enfin de marcher sur leur orgueil pour consulter un travailleur social. Celui-ci sensibilise les parents au piège du sur-ajustement dans lequel ils sont tombés. Il leur enseigne aussi la différence entre un besoin et un désir exprimé par un enfant de cet âge. Enfin, il les accompagne dans l'apprentissage et la mise en application des méthodes éducatives conçues par Russel Barcley pour les parents d'enfants difficiles ou opposants. Après quelques mois, les crises s'estompent, l'atmosphère de la maison devient moins tendue, les parents ne se sentent plus les otages des humeurs de leur fille, ils se sentent plus énergiques et compétents. Finalement, la petite fonctionne mieux à l'école. Les parents envisagent même de réaliser leur rêve d'adopter un petit garçon thaïlandais qui deviendra un frère pour Sophia.

Lectures suggérées

BETTELHEIM, B. *Pour être des parents acceptables : une psychanalyse du jeu*. Paris : Robert Laffont, 1988. 401 p. (Réponses)

BOWLBY, J. *A Secure Base : Parent-child attachment and healthy human development*. New York : Basic Book, 1988. 205 p.

BRODZINSKY, D., R. LANG, D. SMITH. «Parenting adopted children in M.H. Bornstein». *Handbook of Parenting*. Mahwah (New Jersey) : Lawrence Erlbaum Associates, 1995. p 209-232.

CYRULNIK, B. *La naissance du sens*. Paris : Hachette, 1995. 168 p.

DOLTO, F. *La cause des enfants*. Paris : Robert Laffont, 1985. 469 p.

LEMAY, M. *J'ai mal à ma mère*. Paris : Fleurus. 1993, 377 p.

Références

BELHUMEUR, C., A. POMERLEAU, G. MALCUIT et al. «Évolution de la croissance et du développement d'une cohorte d'enfants asiatiques nouvellement adoptés au Québec». *Paediatric Child Health*, 2000, 5 (suppl. A) : 21 A. Résumé de présentation.

CHISHOLM, K., M. CARTER, E. AMES et al. « Attachment security and indiscriminately friendly behavior in children adopted from Romanian orphanages ». *Development and Psychopathology,* 1995, 7 (2); 283-294.

CHISLOM, K. « A three year follow-up of attachment and indiscriminate friendliness in children adopted from Romanian orphanages ». *Child Development,* 1998, 69 (4); 1092-1106.

FABER, S. « Behavioral sequelae of orphanage life ». *Pediatric Annals,* 2000, 29 (4); 242-248.

JOHNSON, D.E., L. MILLER, S. IVERSON et al. « The health of children adopted from Romania ». *JAMA,* 1992, 268 (24); 3446-51.

MARCOVITCH, S., S. GOLBERG, A. GOLD et al. « Determinants of behavioral problems in Romanian children adopted in Ontario ». *International Journal of Behavioral Development,* 1997, 20 (1); 17-31.

MILLER, L.C., M.T. KIERNAN, M.I. MATHERS. « Developmental and nutritional status of internationally adopted children ». *Archives of Pediatrics and Adolescent Medicine,* 1995, 149 (1); 40-44.

RUTTER, M. « Developmental catch-up and deficit, following adoption after severe global early privation ». *Journal of Child Psychology and Psychiatry and Allied Disciplines,* 1998, 39 (4); 465-476.

THEARLE, M.J., R. WEISSENBERGER. « Induced lactation in adoptive mothers ». *Australian and New Zealand Journal of Obstetrics and Gynaecology,* 1984, 24 (4); 283-286.

TIZARD, B, J. REES. « The effect of early institutional rearing on the behaviour problems and affectional relationships of four-year-old children ». *Journal of Child Psychology and Psychiatry and Allied Disciplines,* 1975, 16 (1); 61-73.

TIZARD, B., J. HODGES. « The effect of early institutional rearing on the development of eight year old children ». *Journal of Child Psychology and Psychiatry and Allied Disciplines,* 1978, 19 (2); 99-118.

UNICEF. *La situation des enfants dans le monde 2001: la petite enfance.* New York: UNICEF, 2001.

Chapitre 11

Un peu d'ethnomédecine

▼

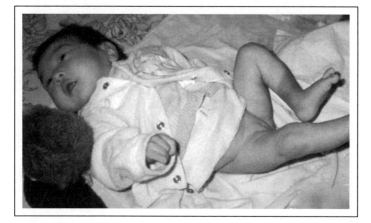

Tache mongolique
Mongolie, 1999

Certaines caractéristiques ethniques des enfants adoptés rappellent à notre mémoire les multiples visages des enfants de notre planète. Ces caractéristiques méritent d'être connues pour dépister des anomalies potentiellement graves, aussi bien que pour éviter certaines interventions injustifiées qui viseraient à normaliser des particularités raciales pourtant bien naturelles. Des traits physiques en passant par les traits forgés ou dictés par l'environnement, jusqu'à certains traits culturels, nous proposons ici aux parents adoptants une petite visite de la *Planète Enfants*. Elle mérite le détour.

Des traits physiques

Les Espagnols disaient des Indiens d'Amérique du Sud: comment peut-on avoir confiance en des hommes qui ne savent pas rougir?

Stephen Jay Gould

Stephen J. Gould est ce paléontologue bostonien récemment décédé, qui a écrit de purs chefs-d'œuvre de vulgarisation scientifique, dont son formidable *La mal-mesure de l'homme*. Dans son ouvrage, il nous fait voyager dans des siècles d'injustices commises à cause de l'appartenance à une ethnie ou à une race. Les immoralités qu'il met en lumière n'ont pas de commune mesure avec les quelques impondérables que nous vous présentons, mais tout cela nous rappelle que la normalité est une chose moins ordinaire qu'elle ne paraît.

L'hypermobilité articulaire : faire son numéro

Depuis la cour d'école jusqu'au numéro de cirque, l'hypermobilité des articulations a toujours été de la bonne matière à spectacle. De nombreux enfants abusés ont ainsi été réduits à l'état d'esclaves dans les cirques du monde entier. Plus près de nous, s'il veut impressionner la galerie avec son hypermobilité, l'enfant n'a qu'à replier son pouce sur son avant-bras ou étendre son coude au-delà de 180 degrés. De telles démonstrations peuvent être favorisées par certaines maladies rares des os et des muscles, mais souvent, chez l'enfant adopté, il ne s'agit pas de cela. Environ 10 % seulement des enfants blancs présentent une telle mobilité de leurs articulations, surtout au coude ou au genou du membre non dominant, alors que facilement plus de la moitié des enfants d'origine asiatique en font autant, surtout les filles, qui ont les articulations particulièrement souples. Nous voici donc avec le portrait-robot de la petite Chinoise ! Le parent adoptant ne doit donc pas s'inquiéter des positions de gymnaste prises par le nouveau rejeton sur la table à langer. Cela ne signifie ni un problème particulier ni un talent extra-terrestre, cela tient aux origines de l'enfant, c'est tout.

La langue géographique : un muscle nomade

Il existe un problème de santé qu'on appelle la langue géographique et qui porte également le nom de glossite bénigne migratoire, ainsi que celui (préparez votre latin) de *glossite aerata migrans*. On peut décrire la langue géographique comme une variation anatomique du muscle de la bouche, la langue étant couverte de placards grisâtres, chargée d'élévations et de dépressions multiformes qui sont apparentes un jour et déjà beaucoup moins évidentes le lendemain. Entre 1 e 2 % de la population présente une langue géographique, le plus souvent sans raison. On retrouve ce problème d'une manière particulièrement fréquente chez les enfants d'origine asiatique. Un déficit en zinc ou en protéines contribue à expliquer la situation, mais n'explique en rien pourquoi la langue demeurerait géographique une fois l'enfant sorti de sa malnutrition et de sa misère.

Plusieurs parents adoptants se disent parfois horrifiés par le caractère inesthétique de cette langue géographique. Avant de consulter leur médecin, ils auront parfois tenté l'impossible, dont certaines pommades à base d'antifongiques ou de cortisone, directement appliquées sur la langue. L'effet n'est pas manifeste et le problème demeure entier. En fait, il n'y a aucun traitement proposé pour cette affection bénigne. Le seul fait de savoir que le phénomène est bénin et qu'il tend à s'amoindrir avec le temps devrait suffire à rassurer les familles. Quant aux esthètes de la langue, ils peuvent toujours jeter leur dévolu sur d'autres lieux anatomiques : ça leur permettra de voyager. Un peu de géographie n'a jamais fait de mal à personne.

La hernie ombilicale : visa le noir

La hernie ombilicale est une protrusion du contenu abdominal au niveau du nombril. En raison d'une faiblesse de la paroi musculaire autour de l'anneau ombilical apparaît, à travers un espace de 1 à 5 cm, une bosse molasse dont la grandeur varie d'un enfant à l'autre, mais qui est invariablement plus imposante lors des pleurs et de la toux. La peau est intacte. La bosse est dite « réductible » lorsqu'elle disparaît facilement sous la simple pression des doigts. La hernie ombilicale se retrouve chez un enfant blanc sur vingt, mais chez près de huit bébés noirs sur vingt, adoptés ou non. Dans certains villages africains, les enfants montrent du doigt ceux qui n'ont pas de hernie ombilicale parce qu'ils les considèrent anormaux ! La hernie est également plus fréquente chez les nourrissons prématurés et chez les filles.

Beaucoup de ces hernies se referment avant l'âge de un an, la plupart avant que l'enfant n'atteigne l'âge de deux ans. Certaines peuvent perdurer jusqu'à l'âge de quatre ans. Qu'on se rassure, il n'y a pas d'urgence à opérer car l'étranglement du contenu de l'abdomen coincé sous la peau est un phénomène rare. L'intervention peut se faire très tôt, vers un an ou deux, si la masse ne semble pas régresser, sinon elle se fera plutôt vers l'âge de quatre ou cinq ans, seulement si c'est encore nécessaire. Souvent avec les années, la nature achève son œuvre et la paroi abdominale finit spontanément par se refermer.

Une petite histoire en terminant : l'autre jour, à l'Hôpital Sainte-Justine , il nous a fallu intervenir sur la hernie ombilicale d'une fillette de six ans nouvellement adoptée à Haïti. Elle employait allègrement le mot « pénis » pour faire référence à sa hernie. Pour les parents adoptifs et toute l'équipe en place, il était drôlement temps d'intervenir.

L'hypertrophie adéno-amygdalienne : de la chair dans la bouche

Les amygdales et les végétations adénoïdes sont quasiment absentes à la naissance. Elles forment une masse de tissus dit «lymphoïdes», qui augmentent progressivement en volume pour atteindre un maximum de grosseur, normalement entre les âges de deux et sept ans. Chez certains enfants, ces tissus dépassent la norme et peuvent obstruer les voies respiratoires. On parle alors d'hypertrophie, soit des amygdales, soit des adénoïdes, soit des deux. En créole, pour décrire le problème, on emploie une expression très imagée : «avoir de la chair dans la bouche». Il faut dire que l'obstruction partielle de l'entrée des voies respiratoires par les amygdales ou les adénoïdes est plus fréquente chez les enfants de race noire.

Par le passé, on a mal interprété la grosseur relative de ces organes et on y a souvent vu une raison de procéder à des chirurgies. À tort, on s'est donc livré outrageusement à l'ablation d'amygdales et d'adénoïdes, sans tenir compte ni de leur rôle possible dans la protection des infections ni des risques de l'opération. Par exemple, à l'époque où elle sévissait dans les pays industrialisés, la fameuse poliomyélite était plus sévère chez les enfants amygdalectomisés que chez ceux qui avaient encore deux grosses boules dans le fond de la gorge. De nos jours, le chirurgien n'intervient donc qu'en cas d'étouffement la nuit, de ronflement terrible ou de difficulté à avaler des aliments solides. Pour tout dire, on a même tendance à être un peu trop tolérant sur la question. De grosses adénoïdes, de grosses amygdales s'infectent facilement, et à répétition. Des otites et des sinusites compliquent souvent la partie. L'enfant s'épuise et son appétit dérive. En cas d'obstruction prolongée, même le cœur peut défaillir.

Qu'il s'agisse de l'ordinaire ou du tragique, l'hypertrophie des amygdales et des végétations adénoïdes mérite également une attention particulière chez les enfants issus des orphelinats et ayant subi des infections répétées du nez, de la gorge et des oreilles sans jamais, ou rarement, avoir reçu d'antibiotiques. À leur arrivée dans leur pays d'adoption, on constate souvent un réel encombrement de leur massif facial, des rhumes, des écoulements nasaux qui n'en finissent plus de finir et, enfin, des toux nocturnes. Pour ces infections devenues chroniques, le médecin pourra prescrire des antibiotiques, souvent pour de longues durées. À retenir néanmoins que la plupart des infections sont de nature virale et ne nécessitent pas d'antibiothérapie. L'oto-rhino-laryngologiste doit aussi être consulté : son avis est important. Si le dégagement des voies nasales au moyen d'une solution saline et la prise d'antibiotiques n'arrivent pas à amenuiser le problème, l'équipe médicale n'hésitera pas à intervenir et enlèvera les amygdales et les végétations adénoïdes, comme dans le « bon vieux temps ».

La tache mongolique : une tache originelle

La tache mongolique n'est pas une tache de naissance comme les autres. De coloration bleu-vert ou plus rarement bleu-gris, on la retrouve chez la majorité des nourrissons du monde. Généralement, elle disparaît complètement quand l'enfant atteint l'âge de deux ou trois ans. Il arrive cependant qu'elle persiste jusqu'à l'âge adulte. On dirait une éclaboussure d'encre, située quatre fois sur cinq dans le bas du dos, cachée dans la région du sacrum. Une fois sur quatre, la tache se retrouve dans la région des épaules ou, en fréquences décroissantes, sur le coccyx, sur la face dorsale de la main ou de l'avant-bras, voire – chez 1 % des bébés – sur la face dorsale du pied. Pour des raisons inexpliquées, certains auteurs rapportent que les taches mongoliques se localiseraient de préférence sur la partie gauche du corps, mais il ne faudrait pas parier là-dessus.

Cette particularité de la peau, de forme irrégulière, mesurant quelques centimètres de diamètre, à la coloration évidente ou atténuée, est présente dès les premiers jours chez la totalité des bébés d'ascendance asiatique ou inuit. Entre 80 % et 97 % des bébés africains ou afro-américains en sont également porteurs, de même que la moitié des bébés de descendance hispanique. Si on cherche un peu, on s'aperçoit qu'un nourrisson blanc sur dix l'arbore, témoignant ainsi du caractère métissé des populations du monde.

À l'occasion, des parents adoptants confondent la tache mongolique avec des hématomes anciens, des marques potentielles de violence, des nævi de la peau dont on leur aurait caché l'existence. Il n'en est rien : les taches mongoliques sont présentes chez n'importe quel bébé dont les ancêtres arboraient un iota de pigmentation. À titre d'exemple, voyez ce proverbe russe: «Grattez le Russe et vous y trouverez le Jaune». Le proverbe témoigne bien du caractère multiracial des gènes, ici de l'hérédité mongole des grands blonds moscovites qui paraissent pourtant bien loin des peaux basanées.

Les taches mongoliques sont parfaitement inoffensives, sinon pour leurs appellations. Certains auteurs emploient plutôt le terme «tache mongoloïde». On évitera cependant les appellations de tache «mongole» ou encore «mongolienne». Il ne s'agit pas de tomber dans la rectitude politique, mais simplement de réaliser que «mongolique» et «mongoloïde» sont des appellations plus pratiques et plus justes d'un point de vue syntaxique. Les mots marquent, les taches passent.

Le pseudo-strabisme et l'épiblépharon: des plis sur la différence

Le pseudo-strabisme (ou pseudo-ésotropie) se caractérise par l'impression que le bébé asiatique a les yeux qui louchent. L'examen ophtalmologique de l'enfant révèle parfois un réel strabisme (ou ésotropie), souvent d'origine congénitale. Toutefois, chez l'enfant chinois par exemple, le fait que la base du nez soit plus aplatie que chez l'enfant blanc crée souvent la fausse impression que les yeux ne sont pas alignés. Un effet similaire se produit chez certaines ethnies à cause d'un épicanthus, ce léger repli de peau en forme de demi-lune et situé dans l'angle interne de l'œil. Un reflet de lumière dirigé par le médecin sur les pupilles des deux yeux de l'enfant permet d'identifier cette petite malformation passagère. L'épicanthus disparaît spontanément vers l'âge de quatre ou cinq ans, de même que la fausse impression que le bébé louche, pour le plus grand bonheur de ses parents.

Pour sa part, l'épiblépharon est un pli horizontal qui traverse les paupières supérieure et inférieure. Les cils frottent alors sur la cornée et risquent de l'endommager. Cette variation de la normale est plus fréquente chez les enfants d'origine asiatique. La plupart du temps, on n'intervient pas. À moins que la cornée s'irrite, auquel cas on opère.

Les maladies cardiaques congénitales: l'écho de passage

Les bruits du cœur ressemblent à des claquements. Entre ces claquements on peut entendre, avec un stéthoscope, un bruit appelé «souffle» causé par les turbulences du sang dans les valves cardiaques. Ce souffle cardiaque est le plus souvent fonctionnel, c'est-à-dire inoffensif. Si votre médecin vous annonce que le nouvel arrivant présente un souffle fonctionnel, vous n'avez donc pas à réagir plus que s'il vous avait dit que votre enfant a les yeux bridés ou qu'il a un nombril. Toute anxiété est non avenue. Par contre, il s'agit d'une tout autre affaire si l'on découvre un souffle dit «organique», c'est-à-dire qui pourrait cacher une maladie anatomique du cœur. Ce souffle peut être causé par une obstruction des vaisseaux ou un rétrécissement d'une valve cardiaque. Selon son intensité, on le classe de 1 à 6. Selon la pathologie sous-jacente, l'anomalie anatomique responsable du souffle peut aussi entraîner le bleuissement de l'enfant.

Nous faisons état ici des malformations cardiaques congénitales parce qu'elles se retrouvent plus souvent chez les enfants d'origine asiatique. Ainsi, les Chinois ne lésinent pas sur l'intérêt de pratiquer des échographies cardiaques sur les orphelins qu'ils s'apprêtent à confier à l'adoption internationale. Jusqu'à preuve du contraire, si votre enfant vous a été remis dans les bras avec un carnet de vaccination et un avis du cardiologue, il s'agit plus d'une formalité d'usage que d'une véritable inquiétude diagnostique de la part des médecins locaux. Les responsables chinois de l'immigration auraient même plutôt tendance à vouloir remettre des enfants en bonne santé cardiaque à leurs parents adoptifs. De partout dans le monde, des parents adoptants ont consenti à adopter des enfants atteints de malformations cardiaques plus ou moins marquées et ont obtenu d'excellents succès médicaux et chirurgicaux.

Les fentes labio-palatines : les sourires du monde

La fente labiale ou palatine est une malformation congénitale fréquente. On estime qu'elle touche 1 nouveau-né sur 700, mais cette proportion est plus grande chez les enfants asiatiques. Dans la majorité des cas, la malformation est isolée, mais pas toujours. Dans les pays en développement, l'opération «Sourire», qui regroupe des chirurgiens plasticiens bénévoles de la communauté internationale, permet de redonner un visage «réglementaire» à des enfants habituellement exclus d'un accès à des soins spécialisés. Plusieurs enfants porteurs de ce handicap, qu'ils soient opérés ou non, sont proposés à l'adoption en tant qu'enfants à particularité, et les parents sont alors appelés à les prendre en charge avec l'aide d'une équipe multi-disciplinaire spécialisée.

Le *prominauris*: oreilles décollées? Signe de fortune

La dynastie Han, vous connaissez? Non seulement c'est la plus grande famille de Chine, mais c'est aussi celle qui lui a donné son visage: ses yeux, son teint rose et laiteux, la base de son nez, sa nuque, sa tête platycéphale et ses oreilles décollées. Neuf chinois sur dix sont de la lignée des Han! Rien de moins qu'un milliard et des poussières de personnes sur notre planète! Les quelques millions d'autres Chinois qui habitent en Chine constituent ce que les sinologues reconnaissent comme des groupes ethniques, de teint plus foncé dans le Hunan ou de taille plus courte dans la région de Canton.

La beauté des Han n'a pas à s'occidentaliser. Des données rapportent toutefois que le rapprochement chirurgical des oreilles décollées à la surface de la tête donne de grandes satisfactions esthétiques aux enfants adoptés, ainsi qu'à leurs parents. Petites filles et petits garçons en ont parfois assez des moqueries de leurs compagnons d'école. Ils ont beau les renseigner sur le *prominauris*, qui est l'appellation non pas chinoise mais scientifique pour désigner les oreilles décollées, rien n'y fait, même si les enfants ajoutent que cette particularité physique était traditionnellement considérée comme un signe de fortune chez les grands de l'Empire du Milieu. Les parents ne devraient donc pas hésiter à consulter un chirurgien plasticien pédiatrique, sinon pour intervenir, du moins pour lui demander conseil.

Les bouchons dans les oreilles: génétique du cérumen

Cérumen sec ou collant? Voilà toute la question. Aussi étonnant que cela puisse paraître, le cérumen des oreilles diffère en couleur et en texture d'une région du globe à une autre. Le cérumen des enfants et des adultes de race blanche ou afro-américaine est du type collant et jaunâtre, tandis que la cire des Asiatiques, des Amérindiens ou des populations d'Afrique du Sud est plus sec, plus pâle et floconneux. Quant au cérumen des populations d'Europe de l'Est, du Moyen-Orient et du Pacifique, il prend une couleur et une consistance intermédiaire.

Le cérumen est produit par une glande dite apocrine, du même type que les glandes axillaires. Ainsi, les Chinois qui produisent un cérumen sec auraient des glandes apocrines moins sécrétoires que celles des Blancs et donc une odeur axillaire moindre. Il ne faut donc pas s'étonner d'entendre un Asiatique prétendre que le Blanc dégage une odeur de lait suri. Au-delà de la désobligeance, il existe un fond de vérité physiologique qui s'explique par le chromosome 16.

C'est le chromosome 16 qui détermine quel type de cérumen votre bébé présentera tout au long de son existence. Il est donc inutile de vous en faire outre mesure si les oreilles de votre petite Vietnamienne vous paraissent bloquées, bourrées d'un cérumen que vous n'arrivez pas à extraire. C'est normal : c'est son chromosome 16 qui est en cause. En évitant d'utiliser un coton-tige et en utilisant quelques gouttes d'huile ainsi qu'un bon gant de toilette, vous viendrez à bout de la majorité des bouchons.

Les chéloïdes et les cicatrices : blessures de guerre

Les enfants d'origine asiatique ont une manière un peu différente des autres de cicatriser. À la suite d'une brûlure, par exemple, on remarquera que la cicatrice a tendance à prendre des proportions exagérées. Leurs parents, avec raison, diront d'eux qu'ils marquent facilement. Ces cicatrices, dites hypertrophiques, sont simplement l'exagération du processus normal de guérison. On les retrouve malheureusement plus souvent au visage, également aux oreilles et au tronc. Dans les cas sévères ou gênants, on peut consulter un chirurgien plasticien. Voici un point rassurant : en général, les marques de contention à la taille ou aux chevilles des petites Chinoises disparaissent presque totalement avec le temps.

On appelle chéloïdes une lésion de tissu fibreux qui dépasse largement le territoire d'une blessure. Les chéloïdes se rencontrent surtout chez les enfants noirs. Elles peuvent même survenir en l'absence de lésions ou de coupures antérieures décelables. On dirait une blessure de guerre. D'ailleurs cela en est une chez certains enfants venus d'Afrique centrale…

Des traits sanguins

> *Les caractères du sang d'un homme dépendent*
> *pour une large part du lieu où cet homme vit et peut-être*
> *plus encore des lieux où ont vécu ses ancêtres.*
>
> Jean Bernard

Tout près de la Volga vivent des hommes et des femmes de l'ethnie Chuvasshian. Plusieurs d'entre eux sont porteurs d'un trait héréditaire qui conduit en quelque sorte à un épaississement du sang appelé «polycythémie congénitale». Cette réalité particulière a été soulignée par les pédiatres américains impliqués dans l'adoption d'enfants en Russie. D'un pays à l'autre, d'une lignée à l'autre, on mentionne des centaines de caractéristiques sanguines, souvent banales, mais pas toujours. Nous avons choisi de vous présenter les principales.

Le déficit en G6PD : visa le mâle

Le G6PD (glucose 6-phosphatase déshydrogénase, pour les initiés) est une enzyme servant à maintenir l'intégrité et le bon fonctionnement des globules rouges. De par le monde, certains individus ont un G6PD modifié, diminué, moins efficace, ce qui rend leurs globules rouges plus fragiles et moins résistants à certaines agressions alimentaires ou médicamenteuses. Ce caractère original du sang est transmis génétiquement, via le chromosome X. Ainsi, les formes sévères de cette maladie sont généralement réservées aux descendants mâles de certaines origines ethniques. La plupart des fillettes porteuses de cette anomalie auront peu de symptômes, du fait que l'intégrité de leurs globules rouges est assurée par leur deuxième chromosome X.

Comme l'hémoglobine S, responsable de la drépanocytose (anémie falciforme), la déficience en G6PD a la particularité de rendre les individus porteurs plus résistants au paludisme (malaria) transmis par les moustiques. C'est pourquoi on trouve plus fréquemment le déficit enzymatique dans des proportions soutenues chez les peuples historiquement décimés par la malaria : les habitants d'Asie du Sud-Est, surtout ceux du Cambodge, les Africains et les Blancs résidant autour de la Méditerranée, par exemple les Grecs, les Italiens et les Juifs sépharades, qui sont atteints dans 5 % à 40 % des cas.

Chez l'enfant ou chez l'adulte, un déficit en G6PD risque de se compliquer d'une crise d'hémolyse, c'est-à-dire de la destruction des globules rouges avec, du coup, de l'anémie et de la jaunisse. L'hémolyse survient sans raison, mais la plupart du temps elle est le fruit d'une provocation, explicable notamment par l'ingestion de médicaments, comme des antibiotiques sulfamidés, des antimalariques et de l'aspirine, ou encore par l'ingestion de certains aliments, comme la fève favique, une légumineuse consommée un peu partout dans le monde.

Le risque d'atteinte est pourtant très variable, car il existe plusieurs types de G6PD anormal. Comme les enfants de race noire en souffrent rarement, on ne recherchera chez eux ce déficit enzymatique qu'en cas d'anémie ou de jaunisse pouvant témoigner d'une hémolyse. Le dépistage systématique du déficit en G6PD, effectué par une simple prise de sang, devrait par ailleurs être offert aux garçons adoptés de Chine du Sud, de Corée, d'Inde ou d'Asie du Sud-Est, pour mieux prévenir une éventuelle crise d'hémolyse. Les événements malheureux sont rares.

QUELQUES MÉDICAMENTS, SUBSTANCES OU ALIMENTS À ÉVITER EN CAS DE DÉFICIT EN G6PD

- Fève Fava
- Anti-inflammatoires non stéroïdiens
- Aspirine
- Probénicide
- Nitrofurantoine
- Primaquine (antipaludéen)
- Acide ascorbique (vitamine C) à dose élevée
- Acide nalidixique
- Bleu de méthylène
- Naphtaline (boules à mites)

La drépanocytose : la plaie d'Afrique

La drépanocytose (ou anémie falciforme) est une maladie génétique de l'hémoglobine qui affecte principalement les enfants et les adultes d'Afrique subéquatoriale, ceux dont les ancêtres en sont issus, comme les enfants haïtiens, ainsi que certains enfants indiens.

Dans plusieurs régions du monde, une à deux personnes sur dix, qu'on appelle les « hétérozygotes », sont porteuses d'un trait d'hémoglobine S qui complique la production d'une partie de leur hémoglobine. On peut les diagnostiquer dès la naissance au moyen d'un test d'électrophorèse de l'hémoglobine ou, en situation d'urgence, grâce au test dit de falciformation. Ces enfants porteurs, parfois difficiles à dépister avant l'âge de six mois, peuvent avoir une légère anémie, mais sans autres complications, sauf en cas de voyage à très haute altitude, ce qui favorise la destruction des globules rouges. Des enfants hétérozygotes sont régulièrement adoptés par des familles ayant été ou non averties au préalable que le candidat à l'adoption est porteur d'un trait d'hémoglobine S. Le pronostic est excellent. Un conseil génétique auprès des familles est primordial pour s'enquérir de la santé éventuelle des petits-enfants des adoptants.

De rares postulants à l'adoption sont drépanocytaires, c'est-à-dire porteurs de deux traits d'hémoglobine S. On les appelle les « homozygotes », et ils franchiront quand même le cap de l'adoption internationale. Une anémie beaucoup plus sévère, des complications osseuses, pulmonaires, ainsi qu'une hyper-susceptibilité aux infections auront déjà eu raison de plusieurs d'entre eux à l'orphelinat. Par contre, quelques-uns pourraient faire l'objet d'une adoption à particularité, avec des parents pleinement conscients de la gravité de la maladie. Les traitements sont chroniques, douloureux, délicats et impliquent de nombreuses transfusions sanguines. Il faut très rarement envisager une greffe de moelle. Bien que l'enfant se montre parfaitement normal sur le plan développemental, son espérance de vie est raccourcie. Ainsi, la découverte fortuite d'une anémie falciforme homozygote dans le bilan de santé d'un nouvel arrivant est une catastrophe pour les parents adoptants. Cette tragédie est rare, mais possible. Le projet de vie demeure, mais il se transforme en perspective de longues souffrances.

Les thalassémies : l'Asie à l'italienne

On désigne sous le nom de « thalassémies » des anémies héréditaires, dites récessives, dont les manifestations sont très variables selon la combinaison génétique obtenue chez les descendants, plusieurs sans conséquences, d'autres mortelles. Ces maladies du sang se retrouvent tout particulièrement dans les pays qui bordent le bassin méditerranéen, mais aussi en Afrique, en Inde et en Asie de l'Est. Le trait génétique responsable de la thalassémie aurait initialement été transporté par les Barbares des grandes steppes de l'Est vers la Grèce et l'Italie, d'où l'appellation « anémie méditerranéenne », encore utilisée aujourd'hui par les Chinois dans les dossiers d'adoption. En raison de l'immigration, les syndromes thalassémiques mineurs sont des entités dont la fréquence augmente, partout dans les pays du Nord-Ouest. En Angleterre, par exemple, où 6 % des résidents et 10 % des nouveau-nés appartiennent à la communauté asiatique, noire ou hindoue, on fait maintenant le dépistage de la thalassémie.

L'enfant adopté n'échappe pas à la condition du reste du monde. Rarement, à moins que les parents aient délibérément réalisé l'adoption d'un de ces enfants à particularité, on découvre chez le nouvel arrivant des formes graves de la maladie, comme la thalassémie Bêta majeure. Le plus souvent, chez quelques Chinoises, ainsi que chez des enfants adoptés de l'Asie du Sud-Est ou du sub-continent indien, le médecin constate à la prise de sang une anémie légère qui ne s'explique pas uniquement par une carence en fer. Grâce à une épreuve diagnostique appelée « électrophorèse de l'hémoglobine », il peut ensuite préciser certains des traits thalassémiques mineurs dont l'enfant est porteur. Ces traits thalassémiques ne donnent aucun problème de santé. De nouvelles épreuves sanguines sont parfois justifiées quand l'enfant atteint l'âge de cinq ans.

L'hémoglobine E : souvenir du Cambodge

Les Cambodgiens ne ressemblent pas aux Chinois. Leur corps est plus charpenté, leur visage est plus carré et leur teint plus foncé. Mais là ne s'arrêtent pas leurs différences. À l'analyse biochimique du sang de nombreux Cambodgiens, on observe la présence d'une hémoglobine spéciale. On l'appelle « hémoglobine E ». Elle confirme l'originalité des ancêtres du peuple du Kampuchéa. De fait, l'hémoglobine E se retrouve surtout au Cambodge et, dans une moindre mesure, en Thaïlande, au Vietnam, en Malaisie, dans certaines îles indoné-siennes et un tout petit peu au Myanmar. On remarque que cette répartition géographique se superpose remarquablement au déplacement des souverains khmers, qui est à l'origine du Cambodge moderne. Le tiers des enfants adoptés au Cambodge présentent donc cette particularité de l'hémoglobine. À l'occasion du bilan de santé de ces enfants, le prélèvement sanguin appelé « électrophorèse de l'hémoglobine » permet de détecter si oui ou non le nouvel arrivant est porteur de l'hémoglobine E.

L'enfant peut présenter la forme hétérozygote, dite « AE », qui indique que l'un de ses deux parents biologiques était porteur du trait, mais pas l'autre. Cette forme de particularité de l'hémoglobine E donne à peine une petite anémie et aucune conséquence clinique. Néanmoins, il est bon d'inscrire cette par-ticularité au carnet de santé de l'enfant, au cas où un médecin s'inquiéterait éventuellement de cette anémie légère, mais inex-pliquée par la pensée diagnostique habituelle. Les enfants ayant hérité des deux traits de leurs parents présentent une anémie plus marquée, mais cela n'a – à toutes fins pratiques – aucune conséquence sur leur santé, sur leur vie ou sur leur développe-ment. Avec des fréquences nettement moins marquées que chez les enfants cambodgiens, les enfants du Sud-Est asiatique ayant eu des ancêtres khmers présentent parfois des traits d'hémoglobine E.

Un intérêt périphérique existe avec la découverte d'une hémoglobine E chez un nouvel arrivant. Par exemple, chez les enfants du Vietnam, notamment ceux qui sont adoptés dans le Sud, dans la région de Soctrang, la découverte d'une hémo-globine E permet de retracer un peu de la filiation d'origine. Si l'enfant est porteur d'hémoglobine E, ses parents pourront un jour lui apprendre qu'il était issu d'une communauté cambodgienne ou encore que ses ancêtres lointains avaient voyagé du Cambodge jusqu'au Sud-Vietnam. La documentation de la filiation d'origine dépasse ici son envergure psychosociale habituelle, elle se veut aussi hématologique, scientifiquement documentée et ce, pour toute la vie.

Des traits environnementaux

Il se passe des choses étranges par ici.

Bob Morane (Henri Vernes)

L'intoxication par le plomb : un poids dans la tête

Le bébé adopté contient du plomb. Mais à ce chapitre il n'est pas le seul : l'écolier new-yorkais contient du plomb, de même que le petit Montréalais et le petit Parisien. En fait, le danger lié au plomb qui encrasse l'organisme de l'enfant en croissance est affaire de proportions et de circonstances. Actuellement, l'intoxication par le plomb est plus fréquente chez l'enfant élevé dans les pays en développement que chez celui des grandes zones industrielles du Nord ou de l'Ouest. Ainsi, l'enfant adopté n'est pas épargné. Le problème n'est pas majeur, loin de là, mais il mérite d'être souligné.

L'expression consacrée « avoir du plomb dans la tête » décrit moins bien le problème appréhendé que l'expression apparentée « avoir du plomb dans l'aile ». De fait, le plomb absorbé par l'organisme n'est pas favorable au développement de divers organes. Les études menées au cours des dernières années ont permis de prouver que le fœtus et le jeune enfant en croissance étaient particulièrement sensibles aux effets délétères du plomb. Le plomb interfère avec le processus de formation des globules rouges et provoque ainsi une anémie semblable à celle que cause une malnutrition sévère. Il entraîne une affection chronique des reins et du tube digestif, et souvent de la constipation. Enfin, le plomb risque de s'attaquer directement au cerveau et à tout le développement du système nerveux. Les enfants gorgés de plomb sont lents sur le plan moteur et intellectuel. Ils présentent des troubles d'apprentissage et de comportement. Dans plusieurs villages de Roumanie, le diagnostic est probant. Il saute aux yeux : il suffit de voir ces enfants noircis aller au ralenti... Ailleurs, le diagnostic est plus subtil, moins frappant. Au-dessus d'un certain dosage sanguin, les effets néfastes du plomb sont évidents et une prise en charge médicale est impérative. À des titres sanguins moins élevés, les effets pervers sur le développement psychomoteur sont moins importants, mais ils existent. En fait, plusieurs chercheurs croient qu'il n'y a pas de seuil réel à la toxicité du plomb chez le jeune enfant. La moindre dose est toxique : le taux sanguin naturel devrait être nul.

Des données en provenance des États-Unis ont rapporté, chez des enfants venus de la Fédération de Russie et de Chine, des plombémies trop élevées par rapport à la norme de plomb sanguin acceptée en Amérique du Nord. Par contre, on n'a pas pu établir de liens directs, chez ces enfants adoptés, entre ces plombémies et des retards d'apprentissage. La source de contamination ayant été laissée loin derrière, dans le pays d'origine, on s'est évité un excès d'inquiétudes. Cependant, comme les Américains semblaient extrêmement préoccupés par ce problème, nous avons procédé – à l'Hôpital Sainte-Justine – à des milliers de dépistages routiniers qui se sont quasiment tous avérés négatifs. Voilà, pour l'instant, une bonne nouvelle pour les parents, ce qui ne nous empêche pas de continuer à chercher, question d'élucider des petites histoires cliniques plus obscures et de prévenir les coups.

Les insecticides de guerre : l'odeur du napalm

Le Vietnam abrite des dizaines d'orphelinats spécialisés regroupant des enfants porteurs de handicaps de toutes sortes : des retards intellectuels, des fentes labio-palatines, des anomalies des membres, des syndromes génétiques tels que la trisomie 21. Les directeurs de ces orphelinats, de concert avec les comités populaires et les institutions de santé, vous expliquent que les tares de ces enfants sont imputables à l'exposition par leurs parents à des insecticides de guerre, notamment le fameux agent orange. Difficile pour nous d'emboîter le pas : le lien de cause à effet entre ces expositions de guerre et les anomalies des générations à venir n'est pas aussi clair, sur le plan scientifique, qu'ils ne le prétendent. De la même manière, les parents adoptants n'ont donc pas à chercher quelque relation que ce soit entre un retard de développement constaté chez un petit Vietnamien et le vécu tragique de ses aïeux.

Les radiations nucléaires : retour sur Tchernobyl

Peu de contaminants inquiètent autant que les radiations. Ainsi, les parents adoptants ont encore Tchernobyl sur le bout des lèvres. On sait que l'ampleur de la catastrophe s'est étendue bien au-delà de l'Ukraine, au Belarus et dans plusieurs secteurs de la Fédération de Russie, notamment Tomsk et Krasnoyark. Cependant, chez la plupart des enfants adoptés de ces régions à risque, on ne détecte aucun effet du passage en territoire contaminé. Dans les écrits environnementaux, on ne rapporte aucun effet génétique éventuellement transmis par les parents biologiques. Pour ce qui est des doses reçues par les enfants ayant grandi pendant quelques mois dans ce milieu irrémédiablement pourri, elles n'ont pas suffi en général pour provoquer le développement de cancers.

La seule exception qu'il nous faille souligner concerne les enfants adoptés lorsqu'ils avaient un peu moins de trois ans au jour de la catastrophe principale en 1986. Ces enfants sont des adolescents maintenant. La dose d'iode radioactif qu'ils auraient pu recevoir lors de l'explosion du réacteur dépasse largement celle des adultes exposés au même moment. Ils sont donc plus susceptibles de développer un cancer de la thyroïde. Ce carcinome thyroïdien se retrouve ainsi en Ukraine et au Bélarus dans une proportion de près de une personne par 100 000 de population, ce qui ne semble peut-être pas beaucoup, mais qui dépasse tout de même la moyenne attendue. Les adolescents adoptés à l'époque méritent un suivi sur la question et, en cas de problèmes, une consultation chez l'endocrinologue.

Des traits culturels

> *La culture n'est pas une chose fixe,*
> *mais un mouvement spontané et perpétuel ;*
> *la culture, c'est ce qui change.*
>
> Guy Sorman

Les parents adoptants se retrouvent parfois face aux limites de l'imaginable. Pour avoir pris en charge quelques enfants adoptés venus du Rwanda ou du Burundi, parfois avec des morceaux en moins, nous savons que la culture est capable du meilleur : ces enfants, souvent dans le cadre de programmes d'adoption intra-familiale, se sont merveilleusement bien adaptés, comme autant de petites mémoires collectives. Nous vous présentons ici quelques situations un peu extrêmes qui, dépendant du point de vue, sont autant de petites routines.

Les mutilations sexuelles féminines : adopter l'indignation

Aucune religion ne prescrit les mutilations sexuelles féminines. Mais beaucoup de femmes d'une vingtaine de pays d'Afrique croient qu'il faut passer par là pour être acceptées par leur communauté. Elles ignorent que ces mutilations ne sont pas pratiquées dans la plupart des pays du monde. La clitoridectomie réfère à l'ablation partielle ou totale du clitoris et l'excision, à l'ablation du clitoris et des petites lèvres. Ces opérations approximatives sont pratiquées avec des lames de rasoir, dans des conditions rudimentaires, sans anesthésie et sans antibiotiques, le plus souvent chez des fillettes âgées entre quatre et dix ans, mais parfois beaucoup plus tôt, avant même l'âge de un an. Ainsi, des parents ayant adopté en Éthiopie ou au Mali se sont vus confrontés à cette terrible réalité de la condition féminine. Parmi les complications rapportées, on compte des infections chroniques des voies urinaires, de l'incontinence, des douleurs causées par la section du nerf du clitoris, sans compter les cicatrices physiques et psychologiques. Une équipe pluridisciplinaire, formée du pédiatre, du gynécologue et du pédopsychiatre, s'avère ici essentielle pour panser les plaies, jamais l'indignation.

Les pieds bandés : le lotus d'or

En Chine, pendant plus de 1 000 ans, environ jusqu'à 1920, on s'obstinait à rétrécir les petits pieds des demoiselles de bonne famille. Grâce à cette torture spécifiquement chinoise qui dispensait les demoiselles de la disgrâce de la drague en ville, les petites se retrouvaient irrémédiablement paralysées à domicile, telles des bonsaïs précieux aux racines immobiles. C'est à la cour impériale qu'aurait pris naissance cette très cruelle mode de filles aux petits pieds bandés, mutilés, puis érotisés, surnommés les « lotus d'or ». De fait, on raconte qu'un empereur de la dynastie Tang avait été très excité par le chausson improvisé de l'une de ses courtisanes qui dansait pour lui un soir de délices où il se serait amusé à confondre les ellipses gracieuses de ses pieds enveloppés avec celles du cycle lunaire. Simple fantaisie de harem pour lui, l'étranglement du pied allait néanmoins devenir une véritable déformation anatomique pour d'autres.

Dès l'âge de sept ans, à l'âge où poussent les premières dents d'adulte, on s'appliquait à masser vigoureusement les pieds de la jeune bourgeoise à rabougrir. On repliait ensuite ses orteils, tous sauf le gros orteil, en les pressant artificiellement contre la plante pour qu'ils y adhèrent chaque jour plus que le précédent, en prenant bien soin d'empaqueter le tout dans des bandages étouffants. Jour après jour, on répétait ce traitement, le pied étant ensuite encarcané dans une chaussure spéciale – de plus en plus étroite à mesure que les pieds se miniaturisaient. Après deux ou trois ans de sévices, le pied avait enfin la forme souhaitée, quelque chose comme la forme d'un cône dont la soi-disant exquise beauté faisait la joie des poètes et des esthètes. Les pieds handicapés recouverts d'une pantoufle brodée et parfumée était une source sans pareille de fascination et d'attrait. Teilhard de Chardin disait de la Chine qu'elle était un bloc plastique et immobile, comme le pied de ses petites femmes.

Aujourd'hui cette coutume est interdite, mais elle a laissé une empreinte culturelle et historique qui est loin d'être oubliée. Ainsi donc, nous abordons la question parce que cette coutume de la Chine ancienne explique sans doute pourquoi les Chinois tiennent tant à souligner, chez leur progéniture, l'intégrité anatomique de chacun des membres. De fait, une malformation des pieds ou des mains, comme un doigt surnuméraire ou un pied bot, peut encore conduire – en Chine rurale – à un abandon plus facile à assumer, pour une famille traditionnelle, que si l'enfant ne présente aucune anomalie. En fait, la petite malformation anatomique constatée chez l'enfant chinoise qu'on vous aura confiée pourrait être envisagée comme le lien direct qui l'unit à vous. Sans cette malformation, votre petite fille aurait peut-être eu plus de chance mais, chose certaine, elle n'aurait pas eu la chance d'être avec vous.

LES BARBARIES ORDINAIRES

On a tout à apprendre du cerveau et peu à connaître du prépuce. Mais qu'il soit propre ou qu'il soit sale, est-ce une raison pour le mettre en charpie? Est-ce qu'il nous viendrait à l'idée d'arracher des oreilles pour éviter des bouchons de cérumen? Ou de charcuter des colons pour

(...)

(suite)

empêcher qu'ils se salissent de tourtière ? Pas facile de définir la barbarie, tellement elle est faite de traditions, de croyances, d'ingérences, de tolérance et de culture. Faute de définition, la barbarie continue de faire ses petits et la circoncision continue de les faire souffrir.

Depuis qu'Abraham s'est lui-même circoncis à l'âge de 99 ans, *Brit Millah* signifie «l'alliance avec Dieu». Dans la Genèse, on peut d'ailleurs lire : «Vous circoncirez tout enfant mâle.» Mais entendons-nous bien, tout enfant mâle descendant du prophète. Les Pharaons aussi pratiquaient la circoncision, mais à voir l'état de leurs momies, on voit bien que c'est toute la peau qui venait avec. Dans la Vierge à l'enfant à la colombe de Piero Di Cosimo, le petit Jésus est 100 % sain et serein. Contrairement à d'autres, le prépuce chrétien a la couenne dure. Dans le mot «circoncision», il y a *circum*, du latin «faire un tour», comme s'il n'était pas possible de faire un tour sans faire de la casse ! Et aussi le suffixe *cidere* pour *circum-cidere* : «couper autour». Mais autour de quoi ? Dans «circoncision», vous remarquerez que l'objet anatomique n'est pas nommé. Pas un mot sur le prépuce ! On est loin du théâtre de l'amphithéâtre et du prépuce de la prépucectomie ou posthectomie, terme consacré à l'opération qui consiste à enlever le prépuce pour des raisons médicales. Ce qui fait de la circoncision une pratique essentiellement rituelle et du prépuce un ingrédient tout usage propice aux excentricités multiculturelles : prépuce à l'océanienne, avalé tout rond par les mères aborigènes ; prépuce à la congolaise, fourré dans une feuille de bananier ; prépuce-party à l'algérienne, découpé à vif devant les mon-oncles et les ma-tantes et, enfin, prépuce génétiquement modifié à l'étasunienne, pour produire 23 225 mètres carrés de peau clonée par morceau de bébé.

De fait, les Américains sont les champions mondiaux de la circoncision par tête de pipe et ils ont autant horreur d'un pénis à l'écran que d'un prépuce dans la vie. Le prépuce, pensent-ils, c'est comme le blé d'Inde, ça s'encrasse, ça se cultive, ça s'épluche, ça se vend, ça s'exporte et pas de blagues, depuis 1986, ça fait même des flocons, selon la bonne vieille recette de John Harvey Kellogg: ingestion quotidienne de *Corn Flakes* contre la constipation, et circoncision à vie contre la masturbation. Mais peu importe ce qu'en pensent les États-Unis, où sont encore circoncis une majorité de petits gars, et qu'on se le dise: un monde sans prépuce est un monde coupé du monde.

À moins d'indication médicale, il n'y a donc pas de raison valable pour circoncire le petit adopté. Il a déjà assez souffert comme cela.

Adaptation libre par J.-F. Chicoine de:
Monologues du pénis, production télé de Zone 3

Lectures suggérées

BERNARD, J. *Le sang et l'histoire*. Paris: Buchet/Chastel, 1983. 150 p.

BRAUDEL, F. *Grammaire des civilisations*. Paris: Flammarion, 1993. 625 p.

J. GOULD, S., *La mal-mesure de l'homme*. Paris: Livre de Poche, 1983. 447 p.

SORMAN, G., *En attendant les barbares*. Paris: Livre de poche, 1992, 384 p.

SOURNIA, J.C., *Histoire et médecine*. Paris: Fayard, 1982. 338 p.

Références

ANONYME. «Ethnic orthodontics: race can make a difference». *Adoption Medical News*, 1997, 3 (2); 1-2

CAOUETTE-LABERGE, L., N. GUAY, P. BORTOLUZZI et al. «Otoplasty: anterior scoring technique and results in 500 cases». *Otoplasty*, 1999, 105 (2); 504-515.

CENTER FOR DISEASE CONTROL. «Elevated blood levels among internationally adopted children – United-States 1998». *MMWR*, 2000, 49 (5); 97-100.

CLARKE, W.N. «Common types of strabismus». *Paediatric Child Health*, 1999, 4 (8); 533-535.

FRANKS, D.A., P.E. KLASS, F. EARLS et al. «Infants and young children in orphanages: one view from pediatrics and child psychiatry». *Pediatrics*, 1996, 97 (4); 569-578.

GILL, P.S., B. MODELL. «Thalassamia in Britain: A tale for two communities, births are rising among British Asians but falling in Cypriots». *British Medical Journal*, 1998, 317 (7161); 761-762.

GLADER, B, K.A. LOOK. «Hematologic disorders in children from Southeast Asia». *Pediatric Clinics of North America*, 1996, 43 (3); 665-681.

HILL, D., C.S. HOSKING, R.G. HEINE. «Clinical spectrum of food allergy in children in Australia and South-East Asia: Identification and targets for treatment». *Annals of Medicine*, 1999, 31 (4); 272-281.

MAR, A., M. TAM, D. JOLLEY et al. «The cumulative incidence of atopic dermatitis in the first 12 months among Chinese, Vietnamese and Caucasian infants born in Melbourne, Australia». *Journal of the American Academy of Dermatology*, 1999, 40 (4); 597-602.

MODELL, M., B. WONKE, E. ANIONNOU et al. «A multidisciplinary approach for improving services in primary care: randomised controlled trial of screening for haemoglobin disorders». *British Medical Journal*, 1998, 137 (7161); 788-791.

SERGEYENA, A., V.R. GORDEUK, Y.N. TOKAREV et al. «Congenital polycythemia in Chunashia». *Blood*, 1997, 89 (6); 2148-2154.

SHEK, L., B.W. LEE. «Food allergy in children: The Singapore story». *Asian Pacific Journal of Allergy and Immunology*, 1999, 17 (3); 203-205.

TOMITA, H., K. YAMADA, M. GHADAMI et al. «Mapping of the wet/dry earwax locus to the pericentromeric region of chromosome 16». *Lancet*, 2002, 359 (9322); 2000-2002.

CHAPITRE 12

L'ADAPTATION DE L'ENFANT

▼

Premiers contacts
Vietnam, 1995

L'adaptation constitue une des étapes les plus importantes d'une adoption réussie, mais non son objectif ultime. Les enfants adoptés ont survécu aux abandons, à la vie en orphelinat et à la négligence en développant de très bonnes capacités d'adaptation. Ils sont même champions dans ce domaine. Trop de parents et d'intervenants en adoption persistent à croire qu'un enfant qui s'adapte à sa nouvelle vie est automatiquement un enfant attaché à sa nouvelle famille. Le véritable enjeu de la nouvelle filiation n'est pas l'intégration rapide, compulsive ou harmonieuse, c'est l'adoption mutuelle profonde, impossible à réaliser sans un ancrage solide préalable, un attachement sain, fort et permanent de l'enfant pour ses nouveaux parents. Or, les difficultés vécues par l'enfant ont fragilisé ses capacités d'attachement. Les enfants capables de s'adapter assez facilement à toutes sortes de situations nouvelles sont donc beaucoup moins outillés pour s'attacher inconditionnellement à de nouveaux adultes. L'inquiétude des parents devrait ainsi se porter davantage sur les moyens à prendre pour favoriser un attachement solide et profond, plutôt que sur la durée à anticiper pour la période d'adaptation.

La vie difficile

Au Québec, l'expression «être casé» fait référence à une personne qui prend enfin racine, se stabilise et investit sincèrement dans une relation affective plus permanente. Ainsi, on dira de la jeune fille et du jeune homme mutuellement tombés en amour qu'ils se sont enfin casés. L'objectif de tout parent adoptif devrait être d'aider l'enfant à se «caser». Ainsi, nous avons eu l'idée de vous présenter notre modèle d'adaptation, un modèle-maison fraîchement inspiré de l'expression: le CAAASÉ.

Il s'agit d'un processus séquentiel qui permet de bien saisir les enjeux en cause. En fait, il est impossible de donner des échéances très claires, car il n'existe pas de modèle scientifique validé pour décrire les réactions physiques ou émotives d'un enfant adopté. Les temps indiqués après chaque étape ne le sont qu'à titre indicatif. Ils se rapprochent simplement des observations de notre expérience clinique. Ils dépendent de nombreux facteurs, dont la gravité des séquelles de préadoption, les capacités de résilience de l'enfant, son état de santé à l'arrivée, la disponibilité physique et émotive de ses parents, la durée du congé parental, la cohérence des interventions de l'équipe parentale, les habiletés des parents à soigner, à décoder et à intervenir pour favoriser l'attachement, ainsi que d'événements imprévisibles après l'adoption, comme le décès d'un parent, le divorce ou une grossesse-surprise. Entre chaque étape que nous soulignons, il y a bien entendu des zones de transition, d'autres étapes que vous ou d'autres pourriez faire ressortir. Selon les événements de la vie, il peut aussi y avoir des périodes de régression à une étape précédente, mais généralement sans perte totale des acquis. Les étapes vécues par les enfants correspondent également aux étapes vécues par les parents adoptifs. Notre « CAAASÉ » n'est pas un modèle absolu. Nous vous le livrons pour que vous puissiez l'apparier le mieux possible avec vos jours et vos nuits. « CAAASÉ » commence par C…

C pour choc : qu'il ait lieu dans un orphelinat à l'autre bout du monde ou dans un aéroport, le moment du premier contact est vécu comme un choc par l'enfant et par ses nouveaux parents. On peut définir un choc comme étant « un ébranlement psychologique ou physique causé par une rencontre parfois violente d'un objet ou d'une personne avec une autre ou d'une personne avec un événement imprévu et difficile ». Un choc cause toujours des manifestations physiques et psychiques intenses et envahissantes. Préparé ou non à l'arrivée de nouveaux parents dans sa vie, l'enfant vivra la transition de sa vie passée à sa nouvelle comme un choc, littéralement. Un changement rapide de l'univers des odeurs, des goûts, des sons, des personnes qui prennent soin de lui peut causer chez un nourrisson un sentiment de grande insécurité. Des manifestations de deuil émotif et physique suivront : de la colère ou un état dépressif, un refus de manger, un refus de dormir, un regard angoissé ou fuyant. Sur le plan neurophysiologique, le taux de l'hormone de stress, appelée cortisol, peut même être modifié. Un enfant plus vieux, de deux ou trois ans, vivra les mêmes pertes de repères sensoriels, les mêmes manifestations physiques et émotives. En plus, il vit la douleur consciente de la séparation des personnes significatives pour lui : la nounou, la maman et le papa de la famille d'accueil. Dans un de ses livres, Maurice Berger décrit ce choc de la rupture avec le milieu de garde comme un « kidnapping symbolique ». D'autres auteurs vont même jusqu'à prétendre que « l'ajustement superficiel » des enfants adoptés plus âgés après une adoption ressemblerait étrangement au syndrome de Stockholm, syndrome caractérisé par une alliance factice entre une personne kidnappée et ses kidnappeurs, alliance ayant pour but de plaire pour survivre. Il s'agit fort heureusement d'une réaction temporaire et inconsciente qui se transforme, dans la majorité des cas, en sentiment sincère et profond. L'état intense de choc peut durer entre 48 et 72 heures, parfois plus.

A pour apprivoisement : l'étape de l'apprivoisement est caractérisée par une baisse graduelle des manifestations d'hypervigilance, ces émotions envahissantes. L'enfant continue d'observer intensément ses nouveaux parents, même s'il ne les regarde pas droit dans les yeux. Ce qu'il observe, ce sont les actions, les gestes, l'état émotif de ces deux adultes « qui parlent bizarre, sentent bizarre et se comportent bizarre ». Ce qu'il doit faire à cette étape, c'est de décider sans appel qu'il n'est pas en danger avec eux. Les nouveaux parents ont alors pour tâche de répondre aux besoins de base de l'enfant : lui donner à manger, le faire dormir dans un endroit sûr, lui parler doucement, répondre délicatement à ses manifestations de détresse en n'imposant pas l'impossible. Tout comme on le ferait avec un petit animal apeuré, les parents doivent apprivoiser l'enfant pour que celui-ci ne se sente plus en danger avec eux. Ce n'est pas le temps d'essayer de voir dans les gestes de l'enfant des manifestations d'amour profond ou de haine définitive. Cette étape dure généralement le temps du voyage à l'étranger et quelques jours après le retour à la maison.

A pour adaptation : le début de l'adaptation a lieu lors du retour à la maison. L'enfant a alors 3 000 choses à apprendre en même temps : des routines de vie, le sommeil et l'heure des repas, des règles de sécurité, l'escalier et la traversée piétonne, de nouveaux goûts et de nouvelles textures dans la nourriture, la sensation des couches en papier ou des couches tout court, les vêtements et tout particulièrement les manteaux et les bottes en hiver, les nouveaux bruits et enfin l'architecture de la maison, les tiroirs, les bibelots, les portes, les tapis, les appareils électriques, la voiture et le «fameux» siège d'auto, les animaux domestiques, etc. La phase d'adaptation varie beaucoup selon les enfants, mais notre petit doigt nous dit qu'il faut compter au moins deux ou trois mois pour les nourrissons et facilement de six à douze mois pour l'enfant qui est plus âgé à son arrivée.

A pour attachement: voilà le nerf de la guerre! Contrairement aux croyances populaires, l'attachement a beaucoup plus à voir avec un sentiment profond de sécurité qu'avec le sentiment d'être aimé. Ce sentiment de grande sécurité et de confiance totale se tisse lorsque l'enfant découvre des réponses adéquates à ses détresses. Il est incontestable que les premières bases du sentiment d'attachement se mettent en place tranquillement, mais sûrement, durant les phases d'apprivoisement et d'adaptation. Une présence constante et rassurante d'un parent, qui prend le temps de favoriser l'apprentissage de toutes les nouvelles connaissances nécessaires pour vivre dans son nouveau milieu, aide l'enfant à se sentir important, valable et de plus en plus en sécurité. De façon inconsciente, c'est à cette étape que l'enfant décide ou non de faire confiance et de s'engager sans crainte. Les terreurs nocturnes, les régressions et les colères diminuent alors. Tout cela, bien entendu, si l'enfant décide de faire confiance. S'attacher à un nouveau parent, c'est littéralement remettre entre ses mains sa vie. «Je t'aime, je me sens aimé inconditionnellement par toi et totalement en sécurité avec toi.» S'attacher à un nouveau parent, ce n'est pas uniquement se sentir aimé et, réciproquement, avoir un sentiment d'amour envers lui: c'est lui faire confiance, c'est compter sur lui pour qu'il revienne toujours à la fin de la journée. Un enfant qui est sûr de l'attachement des siens devient un petit explorateur: il peut grandir, faire ses expériences, s'éloigner de quelques mètres, demeurer avec un autre adulte quelques heures tout en ayant le sentiment profond d'être en sécurité. Il a enfin ce sentiment de pouvoir gravir l'Everest de la vie, car il a maintenant un camp de base solide, disponible, vigilant, qu'il n'a pas à traîner avec lui. L'attachement devient plus sûr de trois mois à six mois après l'arrivée du jeune enfant, parfois plus, et même quelques années plus tard, quand il arrive ici plus âgé.

S pour sevrage: certains enfants s'attachent tellement à leurs nouveaux parents qu'ils ne les lâchent plus d'un centimètre. L'enfant devient un véritable petit koala désespérément accroché à la fourrure des personnes qu'il aime et ce, à cause de son vécu en préadoption, de sa personnalité et aussi à cause de l'attitude de surprotection de ses nouveaux parents. Cette attitude est normale dans les quelques semaines ou mois qui suivent l'adoption. Mais si elle perdure plus de six mois, il y a lieu de se poser de sérieuses questions: l'enfant développe ou maintient avec son nouveau parent ce qu'on appelle une angoisse de séparation. Un sentiment de panique s'installe dès que le parent n'est pas à proximité physique. Le sommeil est agité. Cet attachement n'est ni sain ni souhaitable et, de surcroît, il risque de nuire au développement de l'autonomie de l'enfant, à ses habiletés sociales et à sa confiance en lui. Comme parent, il faut saisir l'origine de ces comportements et trouver les moyens pour y remédier. C'est une question de compassion et de courage. Un enfant qui doute de l'attachement des siens, qui est anxieux, ambivalent ou désorganisé, est d'une dangereuse efficacité pour contrôler les attitudes et les décisions de ses parents. Il arrive à les maintenir captifs dans une relation symbiotique. D'une façon instinctive et inconsciente, il utilise leur panique, leur colère ou leur tristesse pour les contrôler. Il est convaincu d'être en danger s'il ne les contrôle pas. Les parents entrent alors dans un cercle infernal pour éviter à tout prix les crises de l'enfant. Ils y perdent leur autorité, leur énergie et surtout leur sentiment de compétence parentale. L'enfant, lui, ne développe pas les habiletés nécessaires pour intégrer ses émotions. Il faut donc à cette étape faire des « abandons » thérapeutiques: laisser l'enfant quelques minutes, quelques heures puis une journée complète en le confiant à une personne fiable. Idéalement on doit commencer ces abandons thérapeutiques tout doucement, plusieurs semaines après son arrivée, d'où l'extrême importance de prendre un très long congé parental d'au moins six mois, idéalement un an. Il faut rassurer l'enfant sur les raisons de votre départ: ce n'est pas un abandon, ni un rejet, il n'est pas en danger avec la gardienne: « maman ou papa t'aime pour toujours, mais

là on va au cinéma et on revient dans trois heures, c'est promis. »
Bien entendu, l'enfant fera une petite ou grosse crise, mais au
fur et à mesure que le parent partira et reviendra, l'enfant con-
clura qu'il n'est plus ou pas en danger. Dans certaines situations
plus difficiles, il est souhaitable de consulter un intervenant. Des
techniques de jeu favorisant l'attachement et des techniques
d'encadrement, qui consistent par exemple à utiliser un coin
pour la mauvaise humeur, favorisent l'apprentissage de l'obéis-
sance et surtout du contrôle sain des émotions. La période de
sevrage graduel devrait idéalement se terminer au plus tard une
année après l'arrivée de l'enfant. Le moment est alors idéal pour
retourner au travail et pour mettre l'enfant dans un milieu de
garde. Avant de lui faire découvrir une garderie à temps plein,
on peut aussi l'introduire dans ce nouvel environnement à
temps partiel, afin qu'il s'adapte à sa nouvelle vie au lieu de
percevoir ce passage comme un abandon de plus.

É pour équilibre : il faut tendre à un équilibre entre la
dépendance normale d'un enfant envers son parent et l'encou-
ragement à une autonomie rassurante et stimulante où l'enfant
apprend à se faire confiance tout comme il fait maintenant
confiance à son nouveau parent. La phase d'équilibre devrait
prendre place entre six et douze mois après l'arrivée de l'enfant.
Elle nécessitera un travail soutenu, qui se poursuivra pour le reste
de votre vie.

LE RAPPORT-PROGRÈS

En plus des nouvelles joies et des nouveaux défis de la
vie quotidienne avec votre enfant, vous aurez comme
parent adoptant à remplir une série de formalités légales
et administratives dans les mois suivant l'adoption. Il
faudra, selon les lois et procédures en vigueur dans le
nouveau pays, le canton, la province ou l'État où vous
habitez, inscrire l'enfant à l'état civil, faire une demande
de carte d'assurance-santé ou de sécurité sociale, faire une
demande de reconnaissance de jugement ou une ordonnance de placement en vue d'adoption, en collaboration

avec les services sociaux autorisés, obtenir enfin le jugement final d'adoption, faire une demande de citoyenneté et ainsi de suite, selon les joies administratives de votre patrie.

Il faudra aussi procéder au rapport-progrès. Ce rapport doit être rédigé par une personne compétente et autorisée par la loi, idéalement le travailleur social ou le psychologue qui est intervenu auprès du couple ou de la famille avant l'adoption, et a pour but d'effectuer l'évaluation psychosociale. L'objectif légal d'un rapport-progrès est de s'assurer que l'enfant s'intègre « normalement » dans sa nouvelle famille. Il faut pouvoir assurer le juge autant que les autorités du pays d'origine que l'enfant a désormais toutes les conditions nécessaires pour assurer son bonheur, sa santé ainsi que le développement de son potentiel. Le rapport-progrès décrit les réactions émotives de l'enfant face à son adoption, son état de santé, la qualité du processus d'adaptation et d'attachement avec ses nouveaux parents ainsi qu'avec le reste de sa famille, les attitudes parentales face aux petites et aux grandes difficultés de la vie, ainsi que les moyens pris pour y remédier.

La visite à domicile, nécessaire pour évaluer et pour rédiger le document, doit aussi être une occasion d'écoute, de normalisation, de soutien, de conseils et parfois d'aide. Certains parents y voient malheureusement encore une intrusion inutile des gouvernements dans leur vie privée. D'autres parents, épuisés, désemparés devant les problèmes de leur nouvel enfant, ont carrément peur de la visite de l'intervenant. La menace d'être jugé inadéquat ou que l'enfant leur soit retiré plane au-dessus de leur tête comme une épée de Damoclès.

Les exigences de certains pays augmentent encore plus cette pression. Par exemple, la Thaïlande exige trois rapports satisfaisants durant les six premiers mois après l'arrivée de l'enfant. Lors de l'audition devant le comité d'adoption à Bangkok, les parents ont été mis au courant

(...)

(suite)

de cette exigence et ont dû signer un document spécifiant que, si les rapports n'étaient pas positifs, ils s'engageaient à retourner l'enfant en Thaïlande à leurs frais. Le sérieux de ce processus, qui est tout à l'honneur des autorités thaïlandaises, est parfois vécu comme un véritable cauchemar par des parents avec qui l'enfant s'adapte mal. Leur adoption difficile n'est rien en comparaison de la perspective de se faire retirer l'enfant. C'est à ce moment que la qualité de la relation de confiance entre le travailleur social ou le psychologue lors des interventions de préadoption prend tout son sens et toute son importance. Un intervenant qui a accompagné et outillé les futurs parents avec ouverture et respect sera vu à cette étape comme un aidant et non comme une menace. S'il s'y connaît en post-adoption, il aura même préparé le terrain en prévenant les parents qu'il sera heureux de profiter des visites de rapport-progrès pour offrir des petits trucs et conseils au besoin. Il aura aussi dit aux parents qu'un rapport-progrès satisfaisant ne veut pas dire trois pages de contes de fées. S'il n'y a pas de problèmes majeurs, tant mieux ! Mais s'il y a des problèmes, l'important sera de décrire les moyens que les parents prennent pour aider leur nouvel enfant à s'adapter et à s'attacher. Le fait de se cacher ou de mentir ne fait pas partie des moyens les plus appréciés des autorités, qu'elles soient thaïs, québécoises ou autres.

La nécessité du rapport-progrès doit aussi être comprise dans une perspective plus globale et humanitaire. En effet, ce n'est pas de gaieté de cœur que les pays voient partir leurs enfants. Certains sont inquiets du sort qui leur sera réservé. Votre enfant vient de l'autre bout du monde, mais pour la directrice d'un orphelinat du Bélarus, c'est Montréal ou Bruxelles qui est à l'autre bout du monde. Eux aussi entendent des légendes urbaines, des vraies et des fausses, sur le sort de certains enfants vendus, prostitués ou charcutés pour leurs organes. Les autorités des pays ont fait preuve d'une grande foi en vous confiant un de leurs enfants : il faut alors considérer que c'est la moindre des choses de leur donner des nouvelles.

Il est arrivé dans le passé que, par négligence ou par indifférence, certains parents adoptants ayant comblé leur besoin d'enfant n'aient pas fait faire de rapport-progrès et ce, malgré des demandes répétées de l'organisme d'adoption. Ils ont ainsi mis en péril le bonheur de centaines d'autres enfants et de leurs futures familles. Au milieu des années 90, par exemple, la Bolivie décrétait un moratoire sur toutes les nouvelles adoptions avec le Québec, tant et aussi longtemps que tous les rapports-progrès de tous les enfants boliviens adoptés par des Québécois ne seraient pas reçus.

Le sommeil difficile

Ah ! Le sommeil ! Moment de grâce où tout est calme dans la maison, où les petits chéris dorment comme des anges à poings fermés et où les parents peuvent enfin espérer refaire leurs réserves d'énergie...

Presque tous les enfants présentent un quelconque problème de sommeil. Les premiers mois, le sommeil entrecoupé par les repas du nourrisson entraîne souvent une fatigue incalculable chez les parents. Au cours des deux premières années, les pleurs incessants, les réveils nocturnes et le refus de dormir malgré toutes les péripéties imaginables de mise au lit ont tôt fait d'installer un cycle inouï d'insomnies parentales et de débats conjugaux nocturnes sur les bonnes ou les mauvaises façons de s'y prendre pour que la « chose » dorme. Ces difficultés finissent heureusement par disparaître. À l'âge de trois ans environ, plusieurs enfants dorment en paix, mais certains ont encore besoin d'aide pour atteindre ce « nirvana parental ».

Non seulement les parents adoptants ne sont pas épargnés, mais ils sont même particulièrement éprouvés. C'est que les enfants adoptés ont un sommeil encore plus problématique que la moyenne des enfants. On peut même affirmer que les enfants par adoption qui n'ont pas de problèmes de sommeil dans les premiers jours, les premières semaines ou mois après leur arrivée sont des exceptions. Le petit nouveau suscite une certaine pitié. On continue de l'endormir dans le creux des bras et on lui donne à boire ici et là pendant la nuit. On le couche entre papa et maman. On craint d'envenimer ses traumatismes. On oublie de lui faire confiance, de lui redonner le pouvoir de s'endormir seul. On choisit de passer la nuit sur la corde à linge et la journée à s'étendre.

Une nuit de sommeil normale est composée de phases précises. Une vie de sommeil normal est aussi composée de phases précises. Le sommeil n'est pas uniforme. Pour sa part, le sommeil dit lent comporte plusieurs stades. Quant au sommeil rapide ou paradoxal, qui intervient de façon cyclique, il s'accompagne de mouvements subtils des yeux et des rêves qui nourrissent le subconscient. L'un et l'autre s'articulent avec des particularités au cours de la nuit et au cours de la vie. C'est le cerveau qui contrôle l'architecture du sommeil.

Peuvent donc influencer les dodos, ces ancrages du passé, c'est-à-dire les mémoires à jamais imprimées. S'être endormi dans les bras de sa maman biologique, puis s'être réveillé abandonné la nuit sur une place publique ou avoir pleuré de faim, de froid ou de mal pendant plusieurs nuits dans un lit d'orphelinat sont des ancrages qui laissent des traces chez un enfant adopté.

Les habitudes de sommeil que l'enfant avait avant son adoption peuvent aussi rendre la transition difficile. Il couchait sur une natte, il se retrouve maintenant dans un lit moelleux. Il dormait dans une pièce où les fenêtres donnaient sur une rue bruyante, il est maintenant inondé de silence. Il dormait avec sa nounou, il dort maintenant seul. Il faisait toujours chaud et humide, il fait maintenant sec et plutôt frais.

Les terreurs nocturnes et les cauchemars : tigres et dragons

Au cours des mois qui suivent l'adoption, les enfants ont un peu de « travail » à faire durant leur sommeil, particulièrement autour ou durant la phase de sommeil paradoxal où sont captés les rêves.

Comme chez tous les enfants du monde, le cerveau de l'enfant adopté n'est pas encore à pleine maturité. Au lieu d'entrer directement dans le sommeil paradoxal ou REM, comme il le faisait lorsqu'il était âgé de quelques mois, il lui faut maintenant passer comme un adulte par les différentes phases du sommeil lent. Cet assouplissement dans la façon de s'endormir ne se produit pas facilement pour plusieurs enfants et peut ainsi entraîner certaines difficultés, comme les terreurs nocturnes, le somnambulisme et la somniloquie, le terme consacré pour faire référence aux enfants qui parlent durant leur sommeil. Certains enfants présentent plus de terreurs nocturnes que d'autres. Des facteurs biologiques sont en cause. Les terreurs nocturnes surviennent en sommeil profond et non durant la phase d'endormissement. On peut supposer que l'immaturité neurobiologique de certains adoptés particulièrement carencés les prédispose au difficile passage d'un stade du sommeil à l'autre, mais il n'existe pas de données de recherche là-dessus en adoption internationale. Plusieurs parents adoptants rapportent toutefois quelques nuits de terreur, surtout chez les enfants de un à quatre ans. À noter que l'intensité de la crise ne veut pas dire que l'enfant souffre beaucoup.

Les cauchemars surviennent directement dans la phase du sommeil paradoxal (REM). Ils paraissent plus faciles à expliquer chez un enfant qui vit encore au quotidien des tensions, des anxiétés, des passages excitants appelés à être rejoués la nuit par des monstres sans nom. Les terreurs nocturnes n'entrent pas dans le champ de la conscience, mais les cauchemars peuvent être rappelés à la mémoire dès qu'ils surviennent, et ensuite au petit matin. Si le langage le lui permet, l'enfant peut raconter son cauchemar. Certains enfants s'inventent même un rituel complexe de dodo pour tenter de les faire fuir.

COMMENT SE DÉBARRASSER D'UN TIGRE?

Imaginons un enfant normal, avec deux pieds, deux mains et deux oreilles, qui s'endort comme des milliers d'autres autour de 20 h. Vers 22 h, vous l'entendez hurler comme s'il était attaqué par un tigre. Vous vous précipitez

(…)

dans la chambre (malgré la faible éventualité qu'un tigre s'y trouve) et vous le trouvez tout en sueur, assis face au mur ou s'agitant en donnant des coups de pieds à un ennemi imaginaire. Son souffle est court et son cœur bat vite et fort. Ses yeux sont grands ouverts ou non. Il semble perdu, hagard, désorganisé. Il fait un cauchemar, c'est certain. Mais est-il maintenant réveillé ou pas ? Comment pouvez-vous lui être utile ?

Comme l'enfant semble souffrir, vous aurez instinctivement le réflexe de le prendre, de le rassurer, de le caresser, de le bercer, de lui dire de se réveiller, que ce n'est qu'un mauvais rêve, que c'est impossible qu'un tigre se trouve sous son lit. Vous avez d'ailleurs raison d'agir ainsi lorsqu'un cauchemar réveille l'enfant qui, ayant brusquement quitté l'univers du sommeil, reprend conscience de ce qui l'entoure. La plupart des enfants qui présentent des cauchemars sont faciles à consoler et à rassurer. Ils expriment d'ailleurs ouvertement, lorsqu'ils en sont capables, la possibilité qu'un tigre se soit glissé dans leur sommeil.

Mais attention, ce n'est pas parce que l'enfant a les yeux grands ouverts et qu'il jargonne quelques mots qu'il est vraiment réveillé. Au cas où vous avez affaire à une terreur nocturne, il est préférable d'intervenir en vous approchant tranquillement pour mieux vérifier son état d'éveil. Est-ce qu'il vous regarde, suit-il des yeux sa doudou que vous rappelez à l'ordre ? Est-ce qu'il réagit à la question : « Tu vois maman ? » Bref, il faut vérifier s'il est réveillé ou s'il est encore en plein sommeil.

S'il répond de façon rapide et cohérente, s'il vous suit des yeux et réagit immédiatement à vos attentes, adéquatement à vos paroles, c'est qu'il est réveillé. Faites alors ce que tout bon parent doit faire : le rassurer en mots et en gestes, l'écouter vous raconter son cauchemar. Par contre, s'il ne réagit pas ou s'il réagit très mal, il y a de fortes chances qu'il soit pris dans une sorte d'univers qui n'est ni l'éveil complet ni le sommeil. Il s'agit d'une sorte de «piège», de «no man's land». Les chercheurs ne comprennent pas encore exactement pourquoi il est si difficile, si long, chaotique et désorganisant de passer de ce «no man's land» à un état d'éveil conscient. Plus vous intervenez ici avec des mots, des gestes, des touchers pour arriver à «réveiller» l'enfant, plus il devient désorganisé. Après 10, 15 et même 20 minutes d'efforts à le réveiller, vous brisez le cycle normal du sommeil. Il se rendort ultimement comme au début de sa nuit et... il refait un cauchemar semblable une ou deux heures plus tard.

Si l'enfant erre encore dans son monde nocturne, il est préférable d'attendre de 15 à 30 secondes avant d'intervenir puisqu'il peut retourner spontanément dans son sommeil. Si le sommeil ne vient pas, il faut alors s'approcher doucement et lui répéter toujours les mêmes mots. Par exemple: «Sophie, retourne dans ton dodo, papa est là, tout va bien, c'est fini, retourne dans ton dodo...» On peut reposer la tête de l'enfant sur son oreiller avec son toutou près de lui. Il est important d'avoir un ton de voix rassurant mais ferme car, sans être conscient, l'enfant entend vaguement cet ordre simple et rassurant. Il faut répéter le scénario plusieurs fois si les crises sont fréquentes.

Les enfants ne se souviennent de rien le lendemain matin. Vous aurez beau leur raconter dans tous les détails les gestes et les mots qu'ils auront dits, ils n'en garderont aucun souvenir conscient. Pas même du tigre. Alors que vous...

Les refus de dormir et les sommeils interrompus

Les premiers jours, il y a bien les effets du décalage horaire. On doit compter environ une journée d'ajustement par heure de décalage. Mais c'est à cette période que se perpétuent aussi certaines habitudes acquises durant le voyage, par exemple endormir l'enfant dans ses bras avant d'essayer de le poser dans sa couchette ou son lit. L'enfant s'endort dans un endroit et se réveille dans un autre. Dans ces circonstances, il est certain qu'il vous appellera à l'aide au moment du ou des réveils nocturnes.

Malgré la réalité du décalage, il est préférable d'établir dès le premier jour une routine très stricte quant aux heures de coucher et de sieste. Même si l'enfant ne dort pas beaucoup, il s'agit d'un temps de repos. Les jeunes enfants ont besoin de neuf à dix heures de sommeil par nuit. Choisissez donc une heure de coucher entre 19 h et 20 h, que vous respecterez coûte que coûte. Si l'enfant ou le bébé est assez jeune pour avoir besoin d'une sieste le matin ou l'après-midi, réveillez-le après une heure de sommeil pour éviter qu'il continue de fonctionner le jour à l'heure de Shanghai ou de Moscou.

Les difficultés à s'endormir font appel à une hygiène du sommeil. L'enfant a besoin qu'on l'aide à développer une bonne hygiène de sommeil comme il a besoin qu'on l'aide dans tous les domaines de son développement et de son autonomie. Établissez donc une routine très prévisible. Par exemple après le souper, il y a un bain, une lecture – même pour les bébés de six ou sept mois –, un biberon en se berçant, une chanson, un gros câlin puis, finalement, le dodo. Vous pouvez rester dans la chambre ou non, mais sans jamais sortir l'enfant de sa couchette. Évitez à tout prix de le coucher dans votre lit : il y sera encore à son adolescence !

L'enfant peut vivre l'endormissement comme une perte de contrôle sur l'avenir, comme le risque que l'univers bascule durant la nuit et qu'il ne soit plus le lendemain dans les mêmes lieux et avec les mêmes personnes. C'est pour cela que certains enfants combattent désespérément le sommeil. En lui parlant du lendemain, de la promenade anticipée ou du jus d'orange qui est au programme, il voit graduellement qu'il n'y a pas de danger. Assurez-le que vous allez toujours le protéger, toujours assurer sa sécurité. Ne faites surtout pas l'erreur d'attendre que l'enfant tombe endormi d'épuisement sur le divan du salon vers 23 h. Ce serait créer de très mauvaises habitudes. Rappelez-vous toujours de le coucher à heures fixes. Tout en établissant une routine, vous pourrez essayer des petits trucs au fur et à mesure : une veilleuse, par exemple.

Surtout, nous ne le répéterons jamais assez : n'amenez pas l'enfant dormir dans votre lit. Il s'agit d'une solution facile et gratifiante à court terme, car vous répondez ainsi aux insécurités de l'enfant et aussi à votre besoin très légitime de dormir enfin. Par contre, vous maintenez l'enfant dans une relation où il comprendra que, s'il n'est pas collé à vous, il est en danger. Vous entretenez ainsi l'angoisse de séparation plutôt que de la régler.

« Lorsque les problèmes sont graves et persistants, il y a lieu d'utiliser une technique de désensibilisation sur laquelle les deux parents se mettent d'accord et qu'ils appliquent de la même façon », explique si bien le pédiatre Michel Weber dans son récent ouvrage. « Le premier jour de désensibilisation, on le laisse pleurer 5 minutes... Le deuxième jour, on le laisse pleurer 10 minutes ; le troisième 15 minutes et ainsi de suite. Habituellement, la désensibilisation prend de trois à cinq jours, parfois un peu plus. Les échecs sont rares. » Oui, les échecs sont rares, contrairement à tout ce qu'on peut entendre. Exceptionnellement, il faut parfois s'en remettre à un petit numéro de téléphone.

Au chapitre du sommeil, les parents adoptants se retrouvent donc dans le même bateau que tous les nouveaux parents du monde. Le congé parental, tout comme un congé de maternité, sera ponctué de bonnes et de mauvaises nuits. Il ne faut pas voir le sommeil difficile comme un « problème », mais comme une transition prévisible et normale pour laquelle il faut se préparer et s'organiser.

QUEL NUMÉRO DE TÉLÉPHONE ?

Dans la mesure où elles sont appliquées, plusieurs méthodes de désensibilisation fonctionnent. Celle que nous vous proposons ici est une approche concoctée à partir de plusieurs théories comportementales (ou behavioristes). Elle est spécialement adaptée à certaines situations propres à l'adoption. Elle a pour base un principe très important en attachement, décrit par Mary Ainsworth : la réponse à la détresse, par laquelle se tisse le lien d'attachement parent-enfant. Cette réponse doit être « rapide, cohérente, chaleureuse et prévisible ».

(...)

(suite)

Négliger de sécuriser un enfant très carencé la nuit, surtout dans les premiers temps après son arrivée, ne respecte pas ce processus d'attachement et ses critères. Il faut plutôt l'aider à développer de nouvelles habiletés.

Cette méthode n'est pas la seule, et elle n'est peut-être même pas la meilleure, mais si on l'applique correctement, elle fonctionne. Appliquez-la comme on compose un numéro de téléphone. Si vous le faites « à peu près » ou si vous changez seulement un chiffre, vous n'arriverez pas à vos fins. Voici donc les sept chiffres du numéro de téléphone :

Chiffre 1

Pour faire une histoire courte, on peut dire que cela prend autour de 21 jours avant qu'un nouveau comportement soit vraiment ancré et acquis et qu'il risque de persister. C'est vrai pour arrêter de fumer. C'est également vrai si votre enfant a des problèmes d'endormissement. Il faut alors vous donner au moins 21 jours pour maintenir la nouvelle approche avant de déclarer qu'elle ne fonctionne pas.

Chiffre 2

Un enfant maintient un comportement tant et aussi longtemps qu'il y trouve une gratification immédiate. Si vous accourez pour le consoler, le cajoler, le retirer de son lit et l'amener dans le vôtre, il n'a aucune raison de changer. Si c'est votre présence rassurante qu'il souhaite, vous pourrez évidemment la lui offrir, mais seulement lorsqu'il aura trouvé le moyen de se calmer.

Chiffre 3

Si l'enfant hurle à votre sortie de la chambre ou en pleine nuit, allez le voir mais restez sur le seuil de la porte. Parlez-lui doucement en disant que vous allez entrer dans la pièce seulement lorsqu'il aura arrêté de pleurer, lorsqu'il aura reposé sa tête sur son oreiller. Pour faciliter cet apprentissage, ne manquez pas un moment de la journée pour faire du renforcement positif préventif. Plusieurs fois par jour, allez le voir, félicitez-le d'être capable de rester tranquille et donnez-lui plein de câlins, puis retournez à vos activités. Durant le jour, improvisez des petites mises en scène: « On joue au dodo, tu restes calme et maman va te faire de gros câlins. »

Chiffre 4

Le soir ou la nuit, lorsque vous vous retrouvez sur le seuil de la porte et que l'enfant s'est calmé, entrez. Dès qu'il se relève ou qu'il se remet à parler, ressortez au plus vite. S'il reste calme, quelques choix s'offrent à vous. Vous pouvez lui faire une caresse dans le dos et ressortir. Vous pouvez aussi lui dire que vous restez dans la berceuse le temps qu'il s'endorme. Dans les cas extrêmes, nous disons bien extrêmes, vous pouvez installer un matelas ou un futon par terre, sur lequel vous vous étendrez jusqu'à ce qu'il s'endorme, mais encore une fois seulement s'il reste calme.

Chiffre 5

N'abusez pas de l'option « matelas par terre », au cas où elle s'avérerait nécessaire. Admettant que vous avez débuté avec le matelas près du lit, jour après jour, déplacez-le vers la sortie. La semaine suivante, retirez le matelas et ne faites plus que vous bercer près du lit, puis de plus en plus près de la porte. La troisième semaine, ne faites que parler doucement à l'enfant en lui caressant le dos les premiers jours. Enfin, pour finir, dites-lui que vous ne viendrez plus dans sa chambre.

Chiffre 6

Lorsque vous êtes sur le point de flancher, rappelez-vous qu'il est beaucoup plus facile pour l'enfant de maintenir un comportement qui fonctionne que d'en

(...)

(suite)

apprendre un nouveau. Plus il proteste avec férocité et désespoir contre votre nouvelle attitude, plus il vous prouve qu'il a besoin d'apprendre autre chose.

Chiffre 7

Il est extrêmement important de faire équipe avec votre conjoint. Papa et maman doivent comprendre la méthode, l'accepter et l'appliquer rigoureusement. L'enfant tentera de saboter votre cohésion : attention donc aux effets de la pitié et du sabotage affectif en période de grande fatigue. Idéalement, un horaire devrait être établi : chacun sa nuit de « garde ».

La grande majorité des parents qui mettent en pratique pareille méthode arrivent à d'excellents résultats. Ils arrivent à sécuriser l'enfant qui ne se sent pas abandonné de but en blanc, sans transition et surtout sans occasion d'apprendre une façon de se calmer. Si ce n'est pas votre cas, il est alors conseillé de ne pas tarder à consulter.

L'alimentation difficile

L'ogre avait sept filles….

Charles Perrault

L'alimentation est porteuse de beaucoup d'émotions. Biologiquement, c'est la mère qui nourrit l'enfant pendant et après l'accouchement. Dès son jeune âge, l'attachement d'un bébé à son parent est donc intimement lié à l'alimentation et à l'oralité. Malgré le contexte de dénutrition et de carences alimentaires, il ne faut pas négliger le fait que certains problèmes d'alimentation ont des composantes affectives chez les enfants adoptés. Une petite Haïtienne atteinte de kwashiorkor peut se retrouver au-delà du 95e percentile de poids deux ans après son arrivée. À questionner ses parents, on apprendrait qu'elle cache de la nourriture sous son lit. Un enfant qui a un comportement de suralimentation peut ne pas avoir créé un lien de confiance assez solide. L'enfant a peur d'avoir faim comme il a eu faim auparavant. Il ne sait pas et ne sent pas encore que sa nouvelle maman sera maintenant là pour toujours. Il faut le lui rappeler, doucement, en prenant le temps de lui montrer régulièrement le frigo plein de lait et de nourriture, en l'amenant au marché, en lui demandant graduellement et très doucement d'arrêter de pleurer s'il a faim puisque, de toute manière, il aura à manger.

Le contraire peut aussi se produire et un enfant peut refuser de s'alimenter. Il a toutes les raisons de vivre une petite dépression passagère, le deuil d'une personne significative. Il faut alors être patient et très doux. On peut l'aider à faire ce deuil en lui disant que l'on comprend qu'il soit triste et confus, qu'il s'ennuie de sa nounou, de sa mère biologique ou de la maman d'accueil, que c'est normal, mais qu'il faut quand même manger. Les symptômes peuvent toutefois s'envenimer et se prolonger bien au-delà de la période d'adaptation. Il faut alors consulter, car une dépression réelle s'est peut-être installée.

Parmi les moments difficiles, il faut aussi en souligner un en particulier : l'enfant mange bien avec tout le monde, sauf lorsque c'est maman qui essaie de lui donner le biberon ou la purée. La maman se sent alors rejetée, maladroite et incompétente. Il faut beaucoup de courage et de maturité pour qu'une nouvelle maman adoptive, qui espère depuis si longtemps aimer et être aimée d'un enfant, ne prenne pas ombrage d'une telle situation. Avant que l'attachement soit bien ancré, la nouvelle maman est investie des bonnes et des mauvaises relations que l'enfant a eues auparavant avec les autres femmes. Elle doit donc comprendre que ce n'est probablement pas sa façon de faire ou d'agir qui est à l'origine de la fermeture de l'enfant. Son estime d'elle-même n'a pas à se fragiliser : l'enfant finirait par le ressentir et par se braquer au-delà de toute commune mesure et il aurait peur de s'attacher à une maman qui commence à avoir un air un peu étrange tellement cela l'atteint sur le plan affectif. Il faut donc faire preuve d'humour et de patience. Pourquoi ne pas dire à l'enfant : « Je sais, je sais, il faut se donner du temps ! Finalement on ne se connaît pas beaucoup, toi et moi, comment pourrais-tu avoir totalement confiance en moi ? Mais on va essayer d'y arriver ensemble, petit à petit, qu'en penses-tu ? »

La tête dans les plats

Nouvellement arrivée de Chine, la petite Anne-Kim, 22 mois, est assise dans sa nouvelle chaise haute, face à ses deux nouveaux parents qui ont mis des morceaux de fromage et des fruits sur la tablette de sa chaise. Anne-Kim a faim, Anne-Kim aime la papaye, mais Anne-Kim ne bouge pas un doigt, car elle ne comprend plus rien. À l'orphelinat, on la punissait si elle ramassait quoi que ce soit par terre ou sur une table et le portait à sa bouche. En Chine, c'est la nounou qui la gavait de nourriture, directement dans la bouche, à tour de rôle avec ses petites camarades. Pas question d'utiliser ses mains pour manger, ni de pleurer pour en avoir plus et plus vite...

Affamée et ne voulant pas déplaire à l'étrange attente de ses nouveaux parents, et sans déroger aux règles strictes qu'elle a apprises, Anne-Kim trouve finalement une solution à son dilemme cornélien. Elle se met les deux mains derrière le dos et se penche la tête pour attraper avec sa bouche, directement sur la tablette, les papayes et les pommes, en léchant tous les petits morceaux à sa disposition.

La propreté difficile

> *Pss, pss, pss... Ch-ch-ch !*
> Technique vietnamienne

Un à zéro pour le petit Vietnamien! La difficulté est contraire à celle qui était attendue. Les parents sont surpris de constater que leur enfant adopté à l'âge de 9, 12 ou 15 mois maîtrise déjà le petit pot comme un grand. C'est qu'il existe de grandes différences culturelles entre les méthodes utilisées pour encourager l'enfant à devenir propre. La plupart des enfants des pays occidentaux contrôlent leur vessie et leurs intestins entre 24 et 48 mois. Dans les pays en développement, où l'entretien des couches en tissu est impossible et les couches jetables non avenues, les parents et, par extension, les nourrices de l'orphelinat ont tout avantage à accélérer le processus du contrôle des sphincters. Ainsi, dans plusieurs institutions du monde, les enfants, même habillés de la tête aux pieds, vont fesses nues, sans pour autant s'échapper et causer de dégâts. Ainsi, dès son jeune âge, la nounou vietnamienne incite l'enfant à uriner dans un pot en susurrant un petit «pss» du bout des lèvres, et à faire son caca quand le besoin se fait sentir en accompagnant l'émission de ses selles par un «ch-ch-ch» bien martelé. Bien que cette éducation hâtive paraisse paradisiaque au parent adoptant désireux d'éviter les contraintes du pipi-caca, il est bon de revoir la question.

Un couple d'adoptants ayant réalisé l'adoption de deux jumeaux en Asie du Sud-Est a tenté l'expérience pour nous permettre de réévaluer nos positions. Les bébés de dix mois étant tous deux bien propres, les parents ont continué la technique du «pss» et du «ch-ch-ch» chez l'un et remis l'autre aux couches, pour s'apercevoir ultimement que les habitudes sociales de la famille, au magasin ou en party, s'harmonisaient beaucoup mieux avec un bébé qui avait le loisir de faire dans sa petite culotte qu'avec son jumeau dont les sphincters dictaient le programme de la journée.

Tous les enfants adoptés n'ont cependant pas été chouchoutés ainsi par une nourrice. La plupart d'entre eux font, après l'adoption, l'apprentissage de la propreté à leur rythme, selon les démarches occidentales proposées par les fameux pédiatres Benjamin Spock et T.B. Brazelton. Une bonne coordination des mouvements, la capacité de marcher jusqu'au petit pot, un désir de plaire et une grande volonté d'indépendance sont autant de signes avant-coureurs capables d'indiquer la réceptivité de l'enfant. À partir de ses 18 mois ou de ses deux ans, une observation patiente de son rythme biologique permet aux parents de connaître le moment approximatif de la journée où l'enfant a ses selles. C'est donc à ce moment-là qu'on pourra inviter l'enfant à s'asseoir sur le pot. Au départ, on encourage l'enfant à s'y asseoir tout habillé. Plus tard, on conduira l'enfant au petit pot quelques fois par jour pendant quelques minutes, mais désormais sans couche. On prendra soin de le féliciter pour son chef-d'œuvre. En l'absence de résultat, le forcer ne sert à rien, au contraire. Les batailles pour la propreté détériorent la relation du parent avec l'enfant. Une malnutrition, un retard moteur ou langagier, un manque d'encadrement antérieur, enfin le stress qu'il a vécu et qu'il ne peut raconter, tout cela conduira l'enfant adopté à réaliser plus tardivement que d'autres l'apprentissage de la propreté. Devant l'échec, selon son contexte d'abandon, son état de santé et la volonté de l'enfant à aller de l'avant, les parents pourront répéter le processus après une période de un à trois mois. Si des tentatives répétées échouent ou si l'enfant a plus de quatre ans, il s'avère alors nécessaire de consulter le pédiatre.

Étonnamment, la constipation peut compliquer le passage de l'enfant à la propreté. Chez l'enfant adopté, cette constipation est davantage causée par l'utilisation de couches que chez un bébé qui, malgré son jeune âge, avait déjà fait l'apprentissage de la propreté. Cela n'est pas rare en adoption internationale : l'enfant propre et remis aux couches devient un peu perplexe d'avoir à redevenir propre par la suite, selon les us et coutumes de son pays d'accueil. «Décidez-vous!» serait-il en droit de s'exclamer. Des médicaments émollients pour les selles et des recommandations pratiques du médecin traitant viennent néanmoins à bout des situations les plus désespérantes, ou presque. Certains troubles de développement, surtout chez les garçons, peuvent entraîner une réelle constipation chronique qui risque d'entraîner de l'encoprésie. La rétention chronique des selles entraîne alors une surdistension du rectum et une perte de sensibilité du sphincter. Chez ces enfants de quatre ans ou plus, le problème risque de mener à des conflits familiaux et nuire, une fois encore, au développement pourtant si précieux de la confiance en soi.

Les ajustements difficiles

Le temps passe. Il passe pour les parents. Il passe aussi pour l'enfant. Déjà quelques mois que le petit est dans la famille! Papa est maintenant retourné au travail, maman reste à la maison avec lui. Les visites des parents et des amis ont diminué. En fait, tout le monde a vu les photos de la grande rencontre, tout le monde a vu la cassette vidéo de l'orphelinat, et celles de la Baie d'Halong et de la Grande Muraille en sus. Enfin, tout le monde a rencontré l'enfant. Bref, l'événement a perdu de son éclat. Les visites à la clinique sont plus espacées. L'équipe soignante a pris soin de rappeler la famille pour leur donner les résultats de laboratoire. Bébé est en santé, tout va bien. Le médecin ne le reverra que plus tard. La travailleuse sociale a pratiquement terminé le bilan/rapport-progrès qu'il faut remettre au pays d'origine. Ça va bien. Pourtant, la maman se sent triste comme si elle vivait un «blues», un véritable «baby blues».

On connaît tous une maman qui a souffert de dépression post-partum. Sans minimiser les origines de ce problème, en partie biologiques dans le cas d'un accouchement, de plus en plus d'observations cliniques amorcent l'hypothèse d'un «syndrome de dépression post-adoption». Il semble y avoir un phénomène de sevrage d'adrénaline, phénomène purement physique. Après des mois, voire des années d'attente, de démarches, après l'euphorie du voyage, du premier contact, tout tombe à plat. Se rajoutent à cela les ajustements psychologiques de la nouvelle parentalité et s'installe alors un étrange sentiment d'anxiété devant l'ampleur de la responsabilité que l'on vient d'accepter pour la vie, un sentiment d'impuissance devant certains comportements de l'enfant, une certaine mélancolie du quotidien. C'est qu'il faut faire le deuil de la vie antérieure.

D'autres recherches plus systématiques et mieux encadrées seront toutefois nécessaires pour arriver à mieux préciser cette dépression post-adoption que plusieurs infirmières, médecins et travailleurs sociaux voient poindre au cours de leur pratique quotidienne. Retenez simplement qu'elle existe, au cas où vous vous mettriez à sangloter pour un oui ou pour un non.

Certains ajustements sont difficiles. Les ajustements d'office remportent toutes les considérations, toutes les attentions, mais d'autres sont de véritables vagues de fond. Elles atteignent les parents comme leurs enfants, jusque dans leur adolescence et leur vie adulte. Nous nous permettons de terminer ce chapitre sur l'adaptation par une histoire terrible d'ajustement si difficile qu'il s'est fait carrément impossible.

L'INTELLIGENCE DES PETITES CHINOISES

Marie-Claire et Jean-Simon furent parmi les premiers couples à adopter en Chine en 1990. Leur petite Anne-Catherine est arrivée dans leur vie à l'âge de neuf mois, assez malade il est vrai, mais elle a récupéré en quelques mois à peine. «Une enfant merveilleuse, disaient ses parents, douce, intelligente, obéissante et discrète, qui s'adapte à tout et à tous sans jamais broncher.»

Avant l'ouverture de la Chine à l'adoption, le couple avait placé une demande d'adoption en Haïti. À l'époque, les règles étaient moins strictes : on pouvait présenter en même temps deux dossiers dans deux pays différents. Quelle ne fut pas leur surprise, à peine trois mois après l'arrivée de leur fille, de recevoir d'Haïti une proposition pour adopter un petit garçon de 14 mois ! Leur inquiétude quant à la proximité des âges disparut rapidement devant la joie d'avoir presque instantanément la famille dont ils rêvaient. Guillaume aussi arriva très malade, mais au contraire de la petite fille, il était très opposant, colérique et difficile. Les spécialistes consultés parlèrent d'abord de trouble d'opposition, puis de trouble de la conduite, pour enfin se rendre à l'évidence : Guillaume souffrait d'un désordre de l'attachement. Les premières années avec les deux enfants furent très exigeantes, d'autant que le travail de Jean-Simon, haut fonctionnaire au ministère des Affaires étrangères, l'amenait souvent à voyager à l'extérieur du pays. De son côté, Marie-Claire, conseillère financière pour une banque, essayait de jongler avec les exigences de sa carrière et les besoins de ses enfants, particulièrement ceux de Guillaume qui continuait d'être un enfant très difficile. En étude de cas, une travailleuse sociale ignorante révéla les pires préjugés en disant aux parents : «Mais qu'est-ce que vous avez pensé d'adopter un enfant haïtien ? Vous auriez dû retourner en Chine ! Les enfants asiatiques sont tellement plus faciles et dociles...»

Tout au long des mésaventures avec Guillaume, les parents diront à qui veut l'entendre : « Merci mon Dieu, car au moins Anne-Catherine est si gentille, si brillante et si vaillante. Elle fait ses études secondaires au programme international dans une école privée et elle est championne provinciale en patinage artistique. Nous sommes tellement fiers d'elle ! » Seule Anne-Catherine arrive à leur donner une image positive de leurs capacités parentales, d'autant plus que tout ce stress a fragilisé le couple. Papa finit d'ailleurs par être mis en arrêt de travail par son médecin, pour épuisement professionnel, et c'est maman presque toute seule qui tient le fort.

Anne-Catherine ne se plaint jamais et ne parle pas de ce qu'elle vit. Elle n'ose pas : ses parents en ont tellement sur le dos, la fragilité de la famille lui pèse si lourd. C'est à croire que c'est son sens de la perfection qui réchappe la famille du total désespoir ! Et puis si elle s'exprime, subira-t-elle le même sort que Guillaume qui est parti vivre en centre d'accueil ?

Quelques années plus tard, Marie-Claire et Jean-Simon comprendront ce qui s'est passé, mais pour y arriver ils n'auront que quelques jours au chevet de leur fille dans le coma. Ils recevront l'aide d'un pédopsychiatre pour comprendre pourquoi, un soir où ils étaient sortis, leur petite « soie de Chine » a vidé un pot de somnifères avec une bouteille de vodka… Cette petite fille, abandonnée en Chine parce qu'elle n'était pas un garçon et donc pas « un bébé valable », a essayé de répondre aux attentes de ses parents, de l'école, du club de patinage et de la société québécoise qui aime tellement « les petites Chinoises si belles et intelligentes », et cela jusqu'au bout de l'épuisement et du désespoir, question de ne pas être rejetée à nouveau…

Lectures suggérées

HOPKINS-BEST, M. *Toddler Adoption: The weaver's craft.* Indianapolis: Perspectives Press, 1997. 271 p.

WEBER, M. *La santé de votre enfant: de la naissance à la fin de l'adolescence.* Boucherville: Gaëtan Morin, 2001. 339 p.

Références

BEAULIEU, D. *Techniques d'impact pour grandir.* Lac Beauport (Québec): Académie Impact, 2000. 219 p.

GRAY, D. *Attaching in adoption.* Indianapolis: Perspectives Press, 2002. 391 p.

THOMAS, N. *When Love Is Not Enough: A guide to parenting children with RAD – Reactive attachment disorder.* Glenwood Springs (Colorado): Families by design, 1997. 112 p.

Revues

Adoption Today Magazine. Loveland (Colorado): Louis and Company Publishing.

Revue Accueil. EFA - enfance et famille d'adoption. Paris: Fédération nationale des associations de foyers adoptifs.

SMART, J., R. HILBORN. «Post-adoption Helper». *Canadian Adoption Magazine* (trimestriel). Southampton (Ontario).

Sites internet

Ces enfants venus de loin ou simplement du Québec
www.quebecadoption.net

Fédération Enfance et Famille d'adoption France
www.sdv.fr/efa

CHAPITRE 13

Des troubles de développement

▼

Humanité
Roumanie, 2000

On n'aime ni le dire ni l'entendre dire, mais les faits sont là : de nombreux enfants adoptés ont de très graves problèmes de santé attribuables aux conditions de vie intra-utérine, aux conditions de vie avant l'adoption, à la malnutrition et aux infections. Un enfant peut naître avec un problème de santé d'origine génétique ou inexpliqué auquel s'ajouteront malheureusement des facteurs de risque, voire des facteurs précipitants reliés à des conditions de vie préadoption. Ces problèmes de santé peuvent sérieusement affecter leur développement bien au-delà du retard anticipé et attendu pour un enfant abandonné. Ces troubles de développement s'avèrent souvent difficiles à cerner et à diagnostiquer. Certains sont présents d'emblée, d'autres se révèlent avec le temps. Pour bien des parents, il ne s'agit pas d'un problème de santé, mais plutôt d'un fonctionnement très difficile à vivre et à gérer au quotidien. Ces familles ne consultent donc pas toujours au moment où elles le devraient. Par ignorance ? Par peur d'être confrontées, mal jugées ? Par peur de ce qui pourrait arriver ?

C'est dommage et c'est aussi dommageable, car il y a dommage. Ce dommage est ou peut être de nature cérébrale, avec des conséquences neurologiques sur la santé mentale et physique de l'enfant. On parle alors de problèmes neuropsychologiques, pour faire référence à des maladies liées aux neurotransmetteurs du cerveau, ou de problèmes neurocognitifs, pour souligner que l'intelligence est en cause, ou encore de problèmes neuro-développementaux pour rappeler la possibilité que les difficultés de l'enfant dans son apprentissage soient en lien direct avec son passé.

Chose certaine, l'enfant en difficulté tire un grand bénéfice du travail d'une équipe multidisciplinaire : pédiatre, infirmière, psychologue ou neuropsychologue, ergothérapeute, physiothérapeute, psychiatre, orthophoniste, audiologiste, orthopédagogue, éducateur et travailleur social. Chaque discipline aide à mieux préciser le diagnostic ou encore à planifier un plan de soins ou d'interventions. Ces spécialistes font équipe avec les parents pour aider l'enfant à atteindre son plein potentiel, dans les limites, les particularités ou la différence attendues.

Le chapitre qui suit aborde un aspect délicat. Il s'adresse moins aux parents en processus d'adoption qu'à ceux qui sont aux prises avec de très sérieux problèmes, de très sérieuses inquiétudes. Si vous vous sentez mal à l'aise face au contenu qui y est élaboré, sautez au chapitre suivant.

L'EXPÉRIENCE SCANDINAVE

En matière d'adoption internationale, les pays scandinaves ont des politiques progressistes qui devancent d'un bon 15 ou 20 ans les autres pays occidentaux. Forts de ce recul, que d'autres n'ont pas encore, la Suède ainsi que ses voisins norvégiens et danois ont réalisé de nombreuses études sur le développement des enfants adoptés. Leurs préoccupations ne sont pas que des projections théoriques, même si certains parents adoptants et certains organismes d'adoption aimeraient bien voir ces questions n'être que de simples lubies de médecins ou de travailleurs sociaux. La Scandinavie vit au quotidien les immenses victoires et joies de l'adoption internationale, mais elle subit aussi le revers de la médaille : la sur-représentation, par rapport au reste de la population du même âge ou de la même classe sociale, des adolescents et des adultes adoptés dans les services judiciaires, psychiatriques, de réhabilitation en toxicomanie, ainsi que dans les morgues...

À cet effet, voici la synthèse d'une toute récente étude, menée par le docteur Anders Hjern et son équipe du Centre d'épidémiologie du Conseil national suédois de la Santé et du Bien-être à Stockholm, publiée dans la revue médicale *Lancet* du 10 août 2002. Elle est intitulée «Suicide, maladie mentale et difficultés d'ajustement social chez les adoptés à l'international en Suède : une étude exhaustive ». Le docteur Hjern et son équipe y analysent de façon systématique tous les dossiers sociaux, médicaux et judiciaires de 8 700 enfants adoptés en Asie et de 2 620 enfants adoptés en Amérique latine et dont les dates de naissance se situent entre 1971 et 1979. De ce groupe de 11 320 personnes maintenant devenues adultes, 74 % ont été adoptées entre l'âge de 0 et 12 mois ; 16 % entre un et trois ans ; 9 % entre quatre et six ans. Ils ont été comparés non seulement à 853 419 adultes nés en Suède dans les mêmes années et vivant dans les mêmes milieux socio-économiques, mais aussi à un large échantillon d'immigrants du même âge.

Les conclusions sont les suivantes : la majorité se compare favorablement à leurs vis-à-vis suédois de naissance dans leur fonctionnement affectif et social. Mais un adulte ayant été adopté enfant à l'étranger risque beaucoup plus de souffrir de problèmes psychologiques divers qu'une population comparable non adoptée. Et ceux qui ne vont pas bien ne vont vraiment pas bien.

- Un adulte ou un adolescent adopté à l'internationale risque de deux à trois fois plus que ses compatriotes non adoptés de commettre des crimes aboutissant à des procédures judiciaires.

- Un adulte ou un adolescent adopté à l'internationale risque de deux à trois fois plus que ses compatriotes non adoptés d'abuser de l'alcool.

- Un adulte ou un adolescent adopté à l'internationale risque cinq fois plus que ses compatriotes non adoptés d'avoir des problèmes de consommation de drogues.

- Un adulte ou un adolescent adopté à l'internationale risque de trois à quatre fois plus que ses compatriotes non adoptés d'être admis en psychiatrie pour tentative de suicide et autres graves problèmes de santé mentale.

(…)

(suite)

Le docteur Hjern ne se contente pas d'énoncer plate-
ment des chiffres, il fait aussi des recommandations
précises en fonction de ces données. Parmi ces recommandations, il invite les organismes ou œuvres d'adoption
à informer honnêtement les postulants à l'adoption
internationale des besoins particuliers des enfants qu'ils
souhaitent adopter et des dangers réels qui les guettent. Il
souhaite également que les pouvoirs publics établissent
des politiques claires pour que les enfants adoptés et
leurs familles aient facilement et rapidement accès à des
services diagnostiques, contrairement à ce qui se produit
généralement, puisqu'on surestime souvent la capacité
de prise en charge des parents adoptants par rapport à
d'autres populations considérées traditionnellement
comme «plus à risque». Le docteur Hjern recommande
aussi que les enfants, les adolescents et les adultes adoptés
à l'étranger reçoivent une cote de priorité lorsqu'ils font
appel à des services sociaux ou à des services psychiatriques. Pour finir, il en appelle à d'autres études pour
élaborer la mise au point de méthodes d'intervention
précoce durant la petite et la moyenne enfance, afin
d'éviter que de telles statistiques ne se perpétuent.

Malgré ce constat d'humilité, ces amis scandinaves ne
remettent absolument pas en question la pertinence de
l'adoption internationale. L'arrivée d'un enfant par adoption internationale constitue pour la Suède un apport
social et démographique si positif et nécessaire que
les parents y reçoivent l'équivalent d'environ 15 000 $
canadiens (un peu plus de 10 000 euros) et ce, directement du gouvernement, pour payer la majeure partie de
leur adoption! Qui dit mieux?

Des troubles neuropsychologiques

> *Bienvenue dans la zone de guerre.*
> *Une guerre qui n'est pas déclarée officiellement.*
> *Une guerre pour laquelle vous n'êtes pas préparés.*
> *Une guerre pour laquelle il n'existe aucun entraînement.*
> *Une guerre intime et invisible pour le reste du monde.*
> *Une guerre pour atteindre et gagner*
> *le cœur et l'âme de votre enfant.*
> *Une guerre pour conserver votre santé physique et mentale.*
> *Une guerre pour gagner la santé mentale*
> *de votre enfant et lui sauver la vie.*
>
> Paula Pickle, travailleuse sociale, mère adoptive
> d'un enfant souffrant d'un désordre de l'attachement et
> directrice du *Institute for Attachment and Child Development*

Les troubles de l'attachement : touchez pas à mon cœur

Citation étrange, exagérée, voire complètement farfelue ? Cette Paula doit être tout à fait à côté de ses pompes pour oser parler en ces termes de son enfant et de sa vie de famille !

Vous avez raison : Paula était absolument à côté de ses pompes avant que sa fille adoptive ne soit finalement diagnostiquée comme souffrant d'un grave « désordre de l'attachement », avant que sa fille ne reçoive enfin une thérapie appropriée et qu'elle et son conjoint ne s'initient à des méthodes éducatives très particulières pour aider leur petite à grandir normalement.

Les troubles ou désordres de l'attachement demeurent méconnus. Un enfant ne naît pas avec un trouble de l'attachement. L'étiologie de ce trouble n'est pas liée à la génétique, ni aux conditions de grossesse de la maman biologique. Les troubles ou désordres de l'attachement s'expliquent par la multiplication des ruptures avec les adultes importants et significatifs pour l'enfant, par la négligence physique et affective, par le stress dû à la violence et aux abus. On peut se représenter ces menaces, vécues dans la petite enfance, comme aptes à sur-développer le cerveau « reptilien », celui de la survie, et à sous-développer d'autres parties du cerveau, comme celles qui ont la charge du contrôle des émotions, des habiletés sociales, de la confiance envers autrui, notamment ici des segments des lobes frontaux.

Ces réalités neurophysiologiques particulières rendent ainsi caduques plusieurs psychothérapies classiques qui font appel aux parties «sophistiquées» du cerveau.

Les troubles ou désordres de l'attachement doivent, comme tout autre problème, être envisagés dans un continuum de gravité. Tous les enfants adoptés doivent relever des défis d'attachement avec leurs parents adoptants: facilité exagérée avec les étrangers, attention éparpillée, etc. Mais seule une petite minorité d'entre eux doit relever des défis trop grands pour être diagnostiqués comme souffrant d'un désordre de l'attachement. Il ne s'agit pas ici de défis normaux d'attachement parent-enfant, de ce nouvel arrivant qui va de sa mère à la gardienne autant qu'au facteur. Il ne s'agit pas de petits problèmes d'ajustements dans la période prévisible d'adaptation de six mois à un an après l'adoption. Il ne s'agit pas de digressions comportementales comme les autres qui peuvent être réglées par des méthodes éducatives traditionnelles. Il s'agit plutôt d'un problème de santé mentale très complexe: un problème où les parents adoptants ne sont pas «coupables», mais où ils ont inévitablement la responsabilité de soigner. D'ailleurs, l'impact du trouble de l'attachement sur la santé mentale des parents est indéniable, particulièrement sur celle des mamans adoptives.

La maladie (et il faut bien admettre que c'en est une) prend source dans le vécu préadoption de l'enfant, quelque part entre 0 et 24 mois, là où toutes les expériences physiques et affectives sont absolument déterminantes pour le fonctionnement affectif et social des enfants. D'une certaine façon, l'ensemble de ces expériences font que le cerveau de l'enfant «décide» ou non de faire confiance au monde extérieur. Le jeune bébé humain est si dépendant des soins de l'adulte, si vulnérable à la faim, au mal ou au froid! Le bébé s'est parfois retrouvé en danger, et même en danger de mort, si par exemple il s'est réveillé la nuit sur une place publique ou souffrant d'infections qui le rongaient. Seul un adulte chaleureux, répondant jour après jour à la détresse d'un bébé ou d'un jeune enfant, peut faire en quelque sorte fructifier sa matière cérébrale. Au-delà des dérèglements des synapses et autres connexions physiologiques, des études tomographiques du cerveau des enfants «irrécupérables» trouvés dans les mouroirs de Ceaucescu ont démontré de réelles lésions anatomiques chez ces figures d'Épinal de la négligence.

Quand un adulte répond rapidement, de façon cohérente, chaleureuse et prévisible aux besoins et à la détresse de l'enfant, celui-ci n'a pas à développer des moyens pour se calmer seul, il ne vit pas constamment la rage, la frustration, la peur et le désespoir. Il conclut que le monde extérieur est fiable, sans danger, et que les adultes sont dignes de confiance. Si, par contre, la réponse à sa détresse est lente et incohérente, si par exemple on donne à boire à l'enfant seulement lorsqu'il a mal, ou si on réagit toujours de façon froide, ou si ce n'est jamais la même personne qui prodigue les soins et de la même façon, ce qui rend la réaction tout à fait imprévisible pour l'enfant, alors celui-ci expérimente la colère, la peur et le désespoir. Beaucoup d'enfants adoptés ont subi tant de négligence dans leur famille d'origine, dans des orphelinats surpeuplés ou dans des familles d'accueil inadéquates qu'ils développent une perception fausse des relations humaines. Ces distorsions sont imprégnées dans leur cerveau. Elles les font réagir de façon totalement déconcertante par une fermeture à l'amour parental.

D'un point de vue physiologique, la capacité de s'attacher se développe avant l'âge d'un an, plus particulièrement à partir de l'âge de neuf mois et ce, même si dans certains écrits scientifiques on affirme que des bébés très négligés mais adoptés à trois ou quatre mois étaient déjà profondément atteints dans leur capacité d'attachement. Les câlins et la présence rassurante d'un adulte ont ainsi un effet direct sur le développement du cerveau. Autrement dit, les câlins nourrissent le cerveau. Le manque d'attention, de stimulation et de communication avec l'enfant occasionnerait une atteinte dans le cortex pré-frontal droit du cerveau. Ensuite, entre 12 et 18 mois, l'enfant vit sa période dite d'inhibition sociale, et par conséquent il apprend ce qui est bon et ce qui est mauvais grâce aux réactions des gens avec qui il est en relation. Après s'être d'abord attaché à une figure représentative entre 9 et 14 mois, le cerveau en appelle maintenant à la régulation. On peut donc voir ici toute l'importance de la nourrice ou de la soignante dans les soins de l'enfant. Par des sourires ou de gros yeux visant à approuver ou à désapprouver l'enfant, c'est toute l'imbrication hormonale et neurologique qui se module ainsi, sans que rien n'y paraisse. Sauf exception, un enfant insuffisamment attaché à une figure humaine, sans guide pour l'orienter vers le bon et non vers le mauvais, est un enfant perdu, encore un.

Le diagnostic est d'autant plus difficile à faire que les troubles de l'attachement partagent plusieurs manifestations communes avec d'autres troubles de développement, comme le déficit de l'attention avec ou sans hyperactivité, les troubles d'opposition, les troubles anxieux et, surtout, le syndrome d'alcoolisation fœtale. Il y a d'ailleurs une co-morbidité chez les enfants adoptés ou, pour dire les choses autrement, la possibilité qu'un enfant souffre de plusieurs troubles à la fois. Chez un enfant abandonné puis adopté, les troubles de l'attachement devraient toujours être parmi les premiers diagnostics à envisager.

SYMPTÔMES COMMUNS DU TROUBLE DE L'ATTACHEMENT

Symptômes émotionnels

• L'enfant n'a pas confiance en lui ;
• est affectueux avec tous les adultes de la même façon ;
• ne recherche jamais les gestes d'affection de ses parents ;
• demande de l'attention constante et de façon inappropriée ;
• est toujours accaparant ;
• ne contrôle pas ses pulsions et ses émotions ;
• n'arrive pas à se mettre à la place des autres.

Symptômes sociaux

• L'enfant s'engage dans des relations superficielles basées sur un mode de séduction ;
• évite à tout prix de regarder les autres dans les yeux ;
• demande constamment des questions étranges, sans utilité, sans but ;
• parle constamment pour ne rien dire ;
• est toujours en guerre de pouvoir pour des peccadilles ;
• a des relations très pauvres avec ses compagnons ;
• ne voit pas l'utilité de respecter les règles sociales.

Symptômes comportementaux

- L'enfant se mutile;
- détruit facilement les objets;
- est cruel envers les animaux;
- est violent envers la fratrie;
- ment et vole;
- est impulsif dans ses mots et ses gestes;
- mange de façon incontrôlable;
- cache de la nourriture;
- est constamment préoccupé par des choses sordides, comme le feu et le sang;
- est insensible aux punitions;
- recherche le plaisir immédiat;
- fait de la triangulation: divise pour régner.

Symptômes cognitifs

- L'enfant a des paroles anormales;
- n'a pas le sens du bien et du mal;
- ne ressent aucune saine culpabilité;
- ne fait pas les relations de cause à effet;
- vit plusieurs phases de régression dans son développement;
- est peu motivé à apprendre;
- souffre de troubles de l'attention, avec ou sans hyperactivité.

Traduit et adapté de:

REBER, Keith. «Children at risk for reactive attachement disorder: assessment, diagnosis and treatment». *Family Systems Research and Therapy*, 1996, 5: 83-98.

(...)

(suite)

À cette liste de symptômes qui peuvent parfois s'appliquer en partie à d'autres diagnostics s'ajoute également un critère essentiel, selon le docteur Elysabeth Randolph du Colorado, qui consiste a répondre affirmativement à la phrase suivante :

« Mon enfant a été abusé ou négligé
sur les plans affectif et physique,

ou a vécu des douleurs chroniques intenses,

ou a connu plus d'une personne ayant pris principalement soin de lui,

ou a vécu dans plusieurs milieux de vie,

ou a été séparé de sa mère biologique pendant plus de deux jours comme nourrisson et jeune bébé,

ou a vécu en orphelinat au cours de ses deux premières années de vie. »

Traduction et adaptation libre tirée du *Reactive Attachment Disorder Questionnaire*, disponible au *Institute for Attachment and Child Development*. Par Elysabeth Randolph, PhD.

Mise en garde : Aucun diagnostic ne devrait être fait sur l'unique base de ces critères et symptômes. Seul un professionnel ou une équipe de professionnels formés en la matière pourra confirmer ou infirmer les hypothèses que la lecture de cette description pourrait faire naître chez le lecteur.

Un enfant avec un désordre de l'attachement pense qu'il a besoin de tout contrôler pour être en sécurité. C'est comme s'il se répétait inconsciemment et intérieurement : « Je ne peux pas faire confiance à personne, je ne peux compter que sur moi-même pour assurer ma sécurité, pour prendre mes décisions, pour pouvoir satisfaire mes besoins. »

Pour ces enfants, tous les moyens sont bons pour survivre : la violence, le mensonge, le chantage émotif et, particulièrement, la triangulation, c'est-à-dire la tendance à diviser pour régner.

Ainsi, par extension, beaucoup de ces tyrans ou usurpateurs qui font l'histoire sont, en fait, des individus brillants qui ont souffert au cours de leur enfance de graves troubles de l'attachement. Pour arriver à ses fins, l'enfant n'hésite pas à mentir de manière à chercher la sympathie d'un des deux parents, d'un professeur ou de tout autre adulte significatif afin de s'en faire un allié contre l'autre parent. Les désordres de l'attachement mal diagnostiqués ou mal soignés chez les enfants sont probablement responsables d'une grande partie des récidives d'abandon par les nouveaux parents.

L'HISTOIRE DE MARIE

Marie a 35 ans lorsqu'elle part en Thaïlande chercher son premier enfant, qu'elle nomme Nicolas. Son conjoint est un peu plus âgé qu'elle, et déjà père de deux filles adultes nées d'une première union. Enseignante en techniques infirmières, Marie se sent tout à fait préparée à accueillir et à aimer un enfant éventuellement malade, inquiet et avec de petits retards de développement. Le dossier thaïlandais rapporte en effet que Nicolas a été trouvé dans une rue du quartier de Bangkok, maigre et sale. Après deux ans en institution, sa santé serait devenue très bonne. Il a actuellement trois ans et demi. Les premiers contacts à l'orphelinat se passent plutôt mal pour Marie. Nicolas n'a d'yeux et de bras que pour son nouveau papa. Il refuse de regarder Marie, de se laisser toucher ou approcher par elle. Marie trouve cela un peu difficile, mais se raisonne : « Cet enfant est en état de choc, il a le droit de choisir une première figure de sécurité. Avec amour, patience et surtout avec le retour à la maison, tout rentrera dans l'ordre. »

Après six mois de congé parental, Marie n'est plus que l'ombre d'elle-même. De nature optimiste, joviale et énergique, elle est devenue insomniaque, irritable et carrément dépressive. La déception, l'impuissance et la confusion ont envahi sa vie. Elle croit qu'elle devient folle

(...)

(suite)

et qu'elle est une mauvaise personne, car son fils tant espéré et attendu refuse encore tout contact avec elle, alors qu'avec son mari et tous les autres adultes, il est affectueux, coquin et rieur, malgré des crises de colère et un côté très accaparant. Pire encore, Nicolas «tolère» sa présence lorsque son conjoint ou un autre adulte est dans la même pièce, mais il devient agité et violent et perd totalement le contrôle lorsqu'elle se retrouve seule avec lui dans la maison. Jacques, son mari, commence même à douter des paroles et de la santé mentale de sa conjointe. Qui donc est cette femme qui parle en des termes si effrayants de cet enfant si adorable?

Pour Marie une seule explication: elle a forcé le destin, elle n'aurait jamais dû être mère, et c'est la vie qui l'a punie. Pour Marie, une seule solution: quitter son conjoint et Nicolas, ils seront bien plus heureux sans elle. Jusqu'à la révélation.

Une amie invite Marie à une conférence donnée par un pédopsychiatre qui décrit les désordres de l'attachement chez les enfants placés en famille d'accueil ou en adoption: le rejet parfois violent d'une nouvelle figure maternelle et ce, peu importe les merveilleuses attitudes parentales, la tendance de l'enfant à la triangulation, c'est-à-dire à diviser les adultes pour mieux contrôler son environnement. Dès l'entracte, Marie a déjà pris rendez-vous avec le conférencier, cet «ange tombé du ciel», comme elle se plaît à l'appeler.

À suivre...

Les troubles neurosensoriels: sans bon sens

Sentir une fleur, percevoir la douceur de la peau ou le caractère granulé de la farine, décoder le vrombissement d'un moteur, voilà des comportements qui paraissent aller de soi. Or, il n'en est rien. La juste perception des sens suppose des pré-requis d'ordre neurologique et affectif. Privé d'avoir été materné et d'avoir reçu de l'amour, d'avoir connu des relations sociales et des sorties au parc, abandonné des mois durant au fond d'une couchette ou dans un coin de l'orphelinat, l'enfant carencé risque d'avoir du mal à interpréter la richesse des stimulations qui l'entourent. La valorisation de l'espace sensoriel dépend autant de sa physiologie que de son affectivité. Ainsi, le manque de stimulation et de chaleur humaine peut conduire à un dérèglement de l'activité cérébrale, neurologique et hormonale, au point de modifier la tolérance au toucher, à l'ouïe, à la vue, au mouvement ou à l'odorat. Ce trouble neurosensoriel est un problème réel qui cause de réelles souffrances : on pourrait presque parler d'un bégaiement des sens.

À Oulan-Bator en Mongolie, les responsables attentifs de certains orphelinats installent dans des salles de jeux des bassins remplis de sable ou de cailloux, tandis que d'autres bassins sont remplis de quelques centimètres d'eau. Ils initient également les enfants à différents instruments de musique, instruments à cordes et à vent. Jusque dans une certaine mesure, ils préviennent ainsi, en donnant du sens à l'univers des enfants, de nombreux troubles de comportement, de sommeil et d'appétit.

Malheureusement, tous les enfants des orphelinats n'ont pas cette chance. Dans certains orphelinats roumains, on instaure des épisodes dits « de jeux libres », pendant lesquels les enfants sont contraints à s'asseoir sur un grand tapis au milieu d'une grande pièce, pendant plus d'une dizaine d'heures, avec à peu près rien à faire, rien à sentir, rien à voir et rien à entendre, sinon les cris de leurs compagnons de jeu.

Les enfants ayant séjourné à l'orphelinat longtemps ou dans de mauvaises conditions présentent souvent, en plus de différents troubles comme ceux de l'attachement, ces troubles dits neurosensoriels. Ainsi ils seront peut-être effrayés par les textures d'un aliment. Ils sursauteront au passage d'un camion, ils seront terrorisés sur une balançoire. Leurs parents adoptants en appelleront sans doute de leur insécurité et de leur manque de confiance en soi. Bien sûr, cela est possible ! Mais il est également possible que ce soit plus que cela : un formatage différent de leur cerveau, une amplification d'une activité neurologique du système dit « sympathique » et un taux perturbé d'une hormone appelée « cortisol », des lésions et des variations physiologiques qui expliqueraient directement l'ampleur des comportements observés.

Commence alors un long apprentissage, par des jeux, des expériences, des visites au jardin botanique ou à la piscine, ou une simple exposition au vent ou à la pluie. Tranquillement, il faut apprendre à l'enfant à décoder les textures du monde. Le soutien d'un ergothérapeute, en présence de troubles spatiaux par exemple, est grandement souhaitable. Le temps aussi peut arranger les choses, mais il en restera bien souvent un petit quelque chose.

> *...et le jour pour moi sera comme la nuit...*
>
> Victor Hugo

Les troubles de l'humeur : l'œuf ou la poule

On a fait plusieurs descriptions cliniques de dépression chez des enfants abandonnés ou longuement hospitalisés en raison de maladies chroniques et débilitantes. Les chercheurs et les auteurs se sont ainsi attardés à décrire les signes et les symptômes d'enfants tristes comme la pluie, qu'il était impossible de faire sourire ou de faire manger. On diagnostique parfois une dépression dite « anaclitique » chez les nouveaux arrivants. Une prise en charge pédopsychiatrique s'impose alors pour soutenir le travail patient des adoptants. Parmi les questions qui finissent par être soulevées, il faut certainement relever celle-ci : « Pourquoi cet enfant et pas un autre ? » Dans ce qui suit, il y a sans doute des éléments de réponse.

Les recherches scientifiques des dernières années ont effectivement permis de mieux connaître certaines maladies, comme les troubles bipolaires ou maniaco-dépressifs, ainsi que certaines dépressions chroniques. Les origines génétiques de ces maladies, autant que la mise au point d'outils pharmacologiques d'appoint, ont permis à des millions de personnes d'être enfin diagnostiquées, guidées et traitées. S'il n'est pas toujours facile d'évaluer un adulte, le défi est encore plus grand chez un jeune enfant qui présente des phases momentanées de régression, des troubles de comportement temporaires et des violences d'émotion lors de certaines étapes de son développement. Ainsi, les symptômes de la dépression clinique, chez l'enfant ou chez l'adolescent, sont souvent confondus avec des problèmes émotifs circonstanciels ou des problèmes de comportement à cause d'une situation difficile. Il en va de même pour tous les troubles anxieux et les troubles bipolaires. La situation se complique si on tient compte de tous les facteurs précipitants possibles chez l'orphelin maladivement triste d'être rejeté, abandonné, littéralement écarté.

Le trouble bipolaire se caractérise par des cycles de changements d'humeur plus ou moins longs où la personne atteinte passe d'un état dépressif paralysant à un état d'euphorie hyper-énergique, avec des idées souvent grandioses et irréalistes. On retrouve chez plus de 2 % de la population une incidence des maladies bipolaires explicables par la transmission génétique. Une fois sur trois, un parent atteint peut transmettre le gène responsable de la maladie à son enfant biologique.

DES NOUVELLES DE BOGOTA

Juan, neuf ans, adopté en Colombie à l'âge de dix mois, présente des problèmes de comportement et d'humeur très variables, qui se sont accentués au fur et à mesure de son développement. Totalement épuisés, au point de songer à placer l'enfant, malgré de nombreuses consultations professionnelles, ses parents fondent un peu d'espoir sur un diagnostic d'hyperactivité avec déficit sévère de l'attention, pour lequel un pédiatre décide d'administrer un stimulant, pour tenter d'aider Juan à gérer son inattention, son impulsivité et son manque d'habiletés sociales. Très vite, les parents s'aperçoivent que loin de se calmer, Juan devient tyrannique, avec des idées grandioses et des comportements de toute-puissance, où il se croit invincible et où il risque de se mettre en danger. Ses humeurs changent aussi vite que la météo, sans raisons extérieures apparentes.

Entre-temps les parents, qui ont fait quelques appels aux sources, obtiennent miraculeusement plus de

(...)

(suite)

renseignements sur les antécédents biologiques de l'enfant. Quelques mois après la naissance de Juan, sa maman s'est suicidée, après de nombreux déménagements et démêlés avec la justice colombienne, parcours qui pourrait laisser soupçonner chez elle un éventuel problème de santé mentale. Sans plus de détails, mais avec la tête de Juan sur le divan, un pédopsychiatre commence tout de même une médication stabilisatrice de l'humeur. Après quelque temps d'ajustement du dosage, les parents découvrent un enfant enfin différent, qui témoigne déjà d'une meilleure estime de lui-même, d'émotions appropriées et d'une meilleure motivation à l'école. Un encadrement éducatif serré demeure toutefois nécessaire, mais il devient hors de question d'envisager de le placer. Juan lui-même se dit beaucoup plus heureux.

Selon certains spécialistes américains, dont le docteur John F. Alston, un pédopsychiatre du Colorado, il y aurait une surreprésentation de cette maladie bipolaire chez les parents biologiques qui abandonnent leurs enfants. Ainsi, la fréquence de certains troubles de l'humeur pourrait être plus élevée chez les orphelins et, par delà même, chez les enfants adoptés. D'autres recherches s'avèrent par ailleurs nécessaires pour adopter une attitude constructive face à l'ampleur de ce problème courant en adoption internationale.

Les troubles de comportement

Dans la nomenclature nord-américaine en santé mentale, le DSM-IV, les deux principaux diagnostics de troubles de comportement chez les enfants sont les troubles d'opposition et les troubles de la conduite. Les troubles d'opposition ont un grand spectre de symptômes, allant de la désobéissance « ordinaire », mais fréquente, à un mode de fonctionnement où le défi de l'autorité parentale est quotidien, systématique, éventuellement dangereux pour la sécurité et le développement de l'enfant.

Contrairement à la croyance populaire, un enfant opposant ne risque pas plus qu'un autre de devenir un «délinquant» à l'adolescence; par contre, il a toutes les chances de devenir un adolescent franchement déplaisant pour ses parents! D'où l'importance de remédier à la situation avant ces années-charnières... En adoption, il ne faut jamais négliger l'hypothèse que cette opposition soit une mise à l'épreuve de la solidité du «pont» parental et de la nature inconditionnelle de l'amour et de l'attachement. Des conseils éducatifs généraux sur la discipline, mais sans travail parallèle sur l'attachement, pourraient ne donner que des résultats médiocres.

Ce qui est beaucoup plus grave et inquiétant, c'est l'enfant qui souffre d'un trouble de la conduite. En plus de présenter les mêmes manifestations d'opposition, l'enfant est violent physiquement et verbalement, utilise des objets pour frapper, aime jouer avec des armes, mettre le feu, blesser les animaux, mentir et voler, pour ne nommer que cela. Dans un trouble de la conduite, c'est le jugement, l'impulsivité et le sens moral qui sont gravement perturbés. Le pronostic n'est pas rose pour l'adolescence, à moins d'une intervention très musclée dès l'enfance, ce qui fait dire à de nombreux auteurs que ce qu'on désigne comme trouble de la conduite serait plutôt une des formes graves des désordres de l'attachement.

Une grande étude réalisée dans les années 90 aux Pays-Bas auprès de 2148 enfants adoptés, âgés entre 10 et 15 ans, a permis de cerner les facteurs qui influencent les troubles de comportement chez les enfants adoptés. À l'aide d'un instrument, le *Child Behavior Check-List*, les chercheurs ont standardisé les réponses des parents à propos des comportements inadéquats de leurs enfants. Les troubles étaient présents chez les garçons comme chez les filles, peut-être même un peu plus chez les garçons, mais ils se manifestaient différemment. Les garçons à problèmes étaient davantage enclins à la violence, à la criminalité, à l'abus de substances illicites, au vandalisme et, par conséquent, ils étaient plus disposés à une certaine instabilité à l'école ou au travail. Les filles étaient pour leur part plus dépressives, elles avaient une tendance à la pensée suicidaire, à l'abus de substances illicites et à la prostitution. Le pays d'origine n'était pas un facteur prédictif; c'est le vécu en préadoption et l'âge au moment du placement qui l'étaient. La plupart des adolescents ne présentaient pas de troubles d'opposition, de conduite ou autres, mais plus un enfant était âgé au moment de son adoption, plus il risquait de développer ces troubles sérieux du comportement.

On voit donc ici l'importance de reconnaître qu'en adoption, il faut aller beaucoup plus loin que d'établir un diagnostic à partir d'une série de symptômes en évitant de faire la ligne de vie et l'histoire sociale et médicale de l'enfant en préadoption. Les troubles de comportement ne sont pas uniquement une affaire de discipline, comme certains le croient. Des causes plus obscures et des pathologies connexes expliquent souvent les problèmes qui enveniment le quotidien des familles adoptantes. Pour plusieurs enfants, le diagnostic de troubles de l'opposition n'est qu'une métastase bien réelle dont la tumeur principale est beaucoup plus grave : un désordre de l'attachement, par exemple.

LES CHOIX DE LÉO

Léo Bonneville a été professeur de cinéma et directeur de la revue québécoise de cinéma *Séquences* pendant des décennies. Nous lui avons demandé quelques suggestions cinéma pour nous aider à éclairer les multiples facettes des troubles comportementaux des enfants abandonnés. Merci Léo.

- LES QUATRE CENTS COUPS, de François Truffaut, France, 1959, 93 m.
  Un enfant incompris est envoyé dans une maison de redressement d'où il s'évade.

- CHIENS PERDUS SANS COLLIER, de Jean Delannoy, France, 1955, 113 m.
  En suivant trois cas distincts de mineurs délinquants, on observe un juge qui veut comprendre et aider.

- PIXOTE, de Hector Babenco, Brésil, 1980, 125 m.
  Les tribulations d'un gamin sans foyer, évadé d'une institution pour mineurs et qui a formé une petite bande de voleurs.

- OLIVER TWIST, de David Lean, Grande-Bretagne, 1984, 105 m.
  Un jeune garçon échoue dans une bande de voleurs dirigé par un homme féroce.

- L'ENFANCE NUE, de Maurice Pialat, France, 1968, 90 m.
  Un enfant difficile, confié à l'Assistance publique, est placé chez un jeune ménage.

- LOVE-MOI, de Marcel Simard, Québec, 1991, 97 m.
  Un dramaturge découvre la triste réalité de six jeunes délinquants en travaillant avec eux à la mise sur pied d'une pièce de théâtre.

- LE PETIT CRIMINEL, de Jacques Doillon, France, 1990, 97 m.
  Un jeune policier s'attache à un gamin qui a fui sa famille en volant de l'argent et un pistolet.

- LA PETITE VOLEUSE, de Claude Miller, France, 1988, 110 m.
  Une adolescente mal dans sa peau quitte sa famille pour mener un vie libre qui la conduit en maison de redressement.

- HORS-LA-LOI, de Robin Davis, France, 1985, 108 m.
  Une bande d'adolescents s'enfuit du centre de redressement et tente de rejoindre un village abandonné pour s'y installer.

- LA HAINE, de Mathieu Kassovitz, France, 1995, 95 m.
  En banlieue de Paris, un jeune juif et deux de ses amis promènent leur désœuvrement dans les rues, toujours prêts à l'affrontement.

(…)

(suite)

- DE BRUIT ET DE FUREUR, de Jean-Claude Brisseau, France, 1987, 95 m.
Un adolescent livré à lui-même s'attache à un caïd de son lycée qui l'initie à la violence des rues.

- LA VIERGE DES TUEURS (*Our Lady of the Assassins*), de Barbet Schrœder, Colombie-France, 2000, 98 m.
À Madelin, un écrivain désabusé s'éprend d'un jeune de la rue employé comme tueur à gages pour les cartels de la drogue.

Les syndromes de stress post-traumatique : trois fois le F

Un événement traumatisant est défini par l'*American Psychological Association* comme «un événement qui est en dehors des expériences humaines ordinaires et qui est porteur d'une immense détresse pour tout être humain normal». Un événement traumatisant peut être vécu individuellement, par exemple un viol ou une tentative de meurtre. L'événement traumatisant peut aussi être expérimenté de façon collective, par exemple un attentat terroriste. À l'occasion d'un événement collectif traumatisant, les personnes ne réagissent pas toutes de la même manière, avec la même force ou la même détresse. Plus une personne est fragile avant l'événement, physiquement et psychologiquement, plus elle risque de développer un syndrome post-traumatique à cause de l'événement stresseur.

Un syndrome post-traumatique, c'est beaucoup plus que le retour psychique sur l'événement monstrueux : c'est en quelque sorte le dérèglement des capacités du cerveau à percevoir et à réagir objectivement à la réalité. Ce phénomène affecte souvent les enfants adoptés plus âgés, ceux qui ont été battus, violés, qui ont vécu la guerre ou, pire, qui ont vu mourir leurs parents. Ces événements peuvent moduler la régulation de plusieurs éléments physiologiques, dont le cortisol sanguin et de provoquer ainsi différentes réactions psychiques.

Dans une étude menée en 1997 au sein d'une population d'enfants adoptés des pays de l'Est qui présentaient plusieurs problèmes affectifs et de comportement, on a rapporté qu'un enfant sur trois avait vécu un et même plusieurs événements traumatisants avant son arrivée dans le pays d'accueil. Comme dans d'autres études sur les enfants traumatisés, ces enfants présentaient plusieurs symptômes qu'on regroupe sous l'appellation des 3 F: «*Fight, Flight or Freeze*», ce qui veut dire «tu te bats, tu te sauves ou tu paralyses», les trois seules réponses possibles d'un être vivant en danger de mort. Les 3 F signifient: combattre, ce qui correspond à la colère (*fight*), se sauver, ce qui correspond à la peur (*flight*), et enfin, paralyser ou faire le mort, ce qui fait référence au désespoir, à l'impuissance (*freeze*). Ainsi un enfant ou un adulte qui serait constamment en situation de danger, pourrait faire grand usage de ces straté-gies de survie, voire en faire un usage carrément abusif dans le futur. La moindre émotion prendra alors le chemin le plus connu à la suite d'expériences antérieures: la colère, la peur ou l'impuissance (*fight, flight, freeze*).

Chez les enfants adoptés, les 3 F se manifestent souvent sur un mode mineur, surtout durant la période d'adaptation. Un bruit, un visage, une odeur, le départ d'une personne, tout peut déclencher une réaction très exagérée, qui est incom-préhensible et illogique du point de vue parental, mais qui est instinctive et incontrôlable pour l'enfant. La majorité des enfants arrêtent néanmoins ces réactions au fur et à mesure de leurs nouvelles expériences sécurisantes. Mais certains demeurent très atteints et ont besoin d'une prise en charge soutenue en pédopsychiatrie.

ROUGE

Adoptée à l'âge de trois ans au Cambodge, la petite Coralie était une enfant en bonne santé, bien développée, mais au regard triste. Elle avait été confiée à l'orphelinat à l'âge de deux ans et demi par sa tante qui avait alors expliqué aux autorités que la mère de la petite était décédée en marchant sur une mine antipersonnel alors qu'elle travaillait au champ. Lors de son adoption, les

(...)

(suite)

parents adoptants ont bien vu que la petite était en deuil et en choc, et ils ont eu la conviction que Coralie avait été une enfant aimée dont on avait bien pris soin dans sa petite enfance. La petite s'est assez vite attachée et ne présentait aucun retard de développement. Seule ombre au tableau, elle faisait beaucoup de cauchemars. Elle avait une réelle phobie du sang et du rouge, de tout ce qui est rouge.

À l'âge de cinq ans, en hiver, dans la cour d'école, Coralie se blesse au front en percutant une clôture avec son toboggan. Très légèrement blessée, mais saignant abondamment, elle est transportée à l'hôpital pour se faire faire quelques points du suture, mais aussi parce qu'elle est devenue totalement «hystérique», selon les dires des éducatrices du service de garde de l'école. On finit par lui administrer un léger sédatif, puis on la retourne à la maison. Dès le lendemain, les parents commencent à s'inquiéter sérieusement. Coralie refuse d'aller à l'école, sursaute au moindre bruit, passe du rire aux larmes sans raison, dit qu'elle va mourir, a peur que sa blessure s'ouvre. Désemparés, les parents retournent quelques jours plus tard consulter le pédopsychiatre de garde à l'urgence en partageant l'hypothèse non confirmée dans le dossier d'adoption : se peut-il que Coralie ait assisté à l'âge de deux ans et demi à l'accident et à la mort de sa mère cambodgienne ? Le pédopsychiatre confirme aux parents que les symptômes que présentent Coralie pourraient s'apparenter à un choc post-traumatique, réactivé par le petit accident de la semaine précédente. Est ensuite amorcée une psychothérapie multiforme utilisant des jeux, des psychodrames et saisissant au vol toutes les occasions pour exercer la désensibilisation qui s'impose. En gardant le rouge pour la fin.

Les syndromes autistiques : le monde n'est pas ailleurs

Plusieurs maniérismes sont des caractéristiques qui témoignent chez le nouvel arrivant d'un autisme dit « institutionnel ». En voici des exemples : les stéréotypies, toujours ces mêmes mouvements étranges que l'enfant ne cesse de faire ; l'écholalie, toujours cette répétition de ce qu'il vient d'entendre ; l'automutilation, cette manie qu'il a de se faire mal ; l'autostimulation, cette habitude qu'il a de se balancer dans son lit ; les fascinations pour certains objets, par exemple quand il n'arrive pas à détourner son regard de la prise de courant ; le bruxisme, ce son d'enfer qu'il fait en grinçant des dents. On observe fréquemment toute cette panoplie de symptômes autistiques chez les orphelins qui ont souffert de graves privations, par exemple les orphelins de Roumanie, de Russie et de certaines institutions chinoises. Le manque de stimulation aura contraint l'enfant à se retirer dans son propre monde. Ces comportements étranges s'atténuent toutefois, puis disparaissent dans les semaines qui suivent l'adoption chez la grande majorité des adoptés quand ils rencontrent des figures aimantes.

À l'opposé, chez les enfants autistiques, qui constituent environ 1 % à 2 % de la population pédiatrique élargie, ces errances apparaissent avec l'âge, sans lien absolu avec l'abandon. Ainsi, les syndromes autistiques peuvent être innés, secondaires à une carence sévère ou à une institutionnalisation. Ces comportements anormaux inquiètent beaucoup les parents adoptants, et pour cause : la persistance des signes doit faire suspecter à l'équipe soignante un trouble envahissant du développement, communément appelé TED, et même éventuellement l'autisme. En fait, un abandon extrême peut créer des lésions cérébrales, elles-mêmes pouvant s'exprimer par un TED. Un déficit cognitif aussi, par exemple chez un enfant qui, en plus des carences subies, accuserait un réel retard intellectuel, aurait également tendance, d'une visite à l'autre, à voir s'incruster ces symptômes attribués à l'autisme, comme si un manque d'aptitudes individuelles favorisait l'évasion dans l'autre monde.

Lorsque l'enfant se frappe la tête, le parent ne doit pas le gronder, mais plutôt tenter d'attirer son attention vers autre chose, en d'autres termes le stimuler, lui permettre de trouver un sens aux choses, un sens au monde. Pour comprendre l'espace où il se situe, l'enfant doit disposer de repères affectifs. Sans repères familiers, il perd son chemin et s'égare. Les parents aussi ont avantage à être encadrés et d'une manière soutenue. Quatre à six semaines après le bilan d'accueil, ils devraient idéalement se présenter à nouveau chez le pédiatre pour être accompagnés dans leur tâche quotidienne sans commune mesure avec les soins habituels à accorder à un enfant.

UNE PAGE PEU RELUISANTE

Le Québec est maintenant reconnu comme un des chefs de file en adoption internationale, mais l'histoire du traitement que nous avons réservé aux enfants abandonnés n'a pas toujours été aussi reluisante.

Dans les années cinquante, le Québec comptait des milliers d'enfants institutionnalisés qui n'avaient pas eu la chance d'être adoptés. À cette époque, les communautés religieuses tentaient avec fort peu de moyens d'élever et d'éduquer ces enfants dont personne ne voulait. Sensibles au sort des enfants plus vieux qui ne recevaient pas d'éducation, certaines institutions tentèrent de convaincre le gouvernement Duplessis de subventionner la construction et l'entretien d'écoles bien organisées destinées à ces enfants. Il s'ensuivit un triste épisode de querelles de gros sous. Les subventions reçues par enfant pour qu'il fréquente l'école étant moindres que les subventions reçues si on le mettait dans un hôpital, le gouvernement Duplessis n'eut aucun scrupule à trafiquer les dossiers de ces enfants pour les faire déclarer déficients ou souffrant de troubles mentaux, afin de recevoir de plus gros montants d'argent. Malgré des protestations, les communautés religieuses se soumirent.

Mais comment fut-il possible pour des médecins de déclarer tant d'enfants «débiles mentaux», comme on le disait dans le temps? Les connaissances médicales et psychologiques que nous avons aujourd'hui nous donnent du recul face aux comportements de certains enfants institutionnalisés de l'époque qui accusaient des retards de développement et de langage, qui s'automutilaient et qui répétaient des mouvements de façon incessante. C'est ce qu'on appelait alors l'«hospitalisme», et on peut facilement imaginer aujourd'hui que ces comportements aient été rapidement interprétés en «faveur» d'une éthique médicale utile et plus payante. Or, nous savons maintenant que ces formes d'autisme d'institution ou de pseudo-déficience ne sont souvent que temporaires. Elles disparaissent dans une certaine mesure lorsque l'enfant est placé dans une famille aimante et stimulante. Les orphelins de Duplessis, comme ils se nomment eux-mêmes 45 ans plus tard, n'auront pas eu l'occasion et la chance de prouver leur réel potentiel.

Des troubles neurocognitifs

Les troubles neurocognitifs regroupent toute une série de conditions génétiques, infectieuses, nutritionnelles ou environ-nementales qui, directement ou indirectement, investissent la matière cérébrale de l'enfant pour y faire un tort quelconque. Ces pathologies affectent de plein fouet l'avenir de l'enfant adopté.

Les retards intellectuels : le QI et après

Le retard intellectuel n'est pas une maladie mentale. La mala-die mentale affecte les volets comportementaux et affectifs de la personne, sans affecter le fonctionnement intellectuel de cette dernière, et ce n'est pas le cas pour les retards mentaux. Le retard intellectuel est un état permanent qui se montre dans la petite enfance, qui devient carrément plus évident vers l'âge de six ou sept ans, et qui se manifeste toujours avant l'âge de 18 ans. L'enfant qui souffre d'un retard intellectuel a un niveau de fonc-tionnement intellectuel inférieur à la moyenne des autres enfants de son âge. Il montre aussi des difficultés à s'adapter dans la vie quotidienne, que ce soit dans sa façon de communiquer, d'exécuter ses soins personnels ou les tâches domestiques, dans sa façon d'entrer en relation avec les autres, enfin dans son autonomie. Il éprouve de grandes difficultés à fonctionner dans un milieu comme l'école ou encore le travail. C'est une expérience terrible pour les parents adoptants.

Les causes des retards intellectuels sont multiples. Elles peuvent être reliées à la vie intra-utérine de l'enfant, à une maladie génétique comme la trisomie 21 ou encore aux agressions subies par le fœtus durant la grossesse, par exemple par la rubéole, la malnutrition maternelle ou la consommation d'alcool. Les complications lors d'un accouchement, telle l'hypoxie chez le bébé, et qui plus est, dans des conditions de solitude ou d'insalubrité, peuvent entraîner des dommages au cerveau qui seront responsables d'un retard intellectuel. La malnutrition prolongée d'un nourrisson, des infections telles que la méningite, les accidents et les traumatismes crâniens, ainsi que les abandons extrêmes ou prolongés, peuvent aussi être des causes de retard intellectuel.

L'évaluation d'un retard intellectuel n'est pas qu'une affaire de quotient intellectuel (communément appelé QI). Il faut prendre en compte différentes conditions médicales associées ou contributives, comme la surdité. Avant l'évaluation, il faut aussi s'assurer que l'enfant a des capacités de communication : il doit être en mesure d'entendre, de comprendre de petites consignes et de s'exprimer. Le QI est une façon d'évaluer, c'est une photo à un moment précis dans le temps et dans un angle bien précis. L'intelligence n'est ni totalement définissable ni totalement mesurable. En fait, elle est un peu insaisissable. Un enfant qui manque d'intelligence se distingue toutefois des autres : son langage, ses acquisitions, ses réponses ne sont pas celles attendues. C'est un enfant qui crie beaucoup ou encore c'est un enfant passif. Mais c'est surtout un enfant à qui, dans le contexte de l'adoption internationale, il faut donner, dans les mesures de la réalité, encore quelques chances. Pourquoi ? À cause de l'abandon, toujours lui.

Ainsi, le développement cognitif est directement en lien avec les privations de soins et de nourriture dans la période qui précède l'adoption. Une étude menée par un groupe de chercheurs canadiens du Manitoba, dont le Dr Ames, auprès d'enfants institutionnalisés en Roumanie a démontré que la qualité des soins reçus pendant les semaines, les mois et parfois même les années d'institutionnalisation sont d'une importance décisive pour le développement des capacités intellectuelles de l'enfant. Une autre étude menée en Angleterre par l'équipe de Rutler a révélé que l'âge d'entrée dans le pays d'accueil était prédicteur du niveau de fonctionnement de l'enfant. Moins l'enfant a subi de privations, plus il a de chances d'être intelligent.

Le syndrome d'alcoolisation fœtale : santé !

Les excès d'alcool existent partout dans le monde. En Russie, peut-être plus que partout ailleurs au monde, l'alcool s'est chargé de détruire le tissu social, économique et familial déjà fragilisé par des années de dure perestroïka. Le côté sombre de l'âme russe ne s'en est pas trouvé égayé, et le tissu fœtal aussi en a pris un coup, dans ses os comme dans son cerveau.

L'alcoolisme et la violence sont parmi les pires fléaux qui accablent actuellement les familles de Russie. Là-bas, un homme à lui seul consommerait l'équivalent d'une bouteille de vodka aux deux jours. Les femmes aussi sont à risque, et c'est bien là le nœud du problème pour les petits bébés. De fait, une femme pour cinq hommes y boirait plus souvent qu'à son tour, selon une revue de sociologie s'étant récemment intéressée au rôle traditionnel de l'alcool dans la culture russe. On croit souvent que les politiques ont raison de la culture, et c'est vrai en partie, et à plus forte raison dans la Fédération de Russie, mais en matière de vodka c'est surtout la culture qui aura eu raison des politiques : au milieu des années 80, le président Gorbatchev, voulant nuire à la vente d'alcool, a mis de l'avant des mesures draconiennes qui n'auront tout de même pas eu raison des beuveries, et encore moins des bébés baptisés à l'alcool avant même leur naissance.

Le nombre exact de syndromes d'alcoolisation fœtale, appelé SAF, est plus ou moins connu car le syndrome est largement sous-diagnostiqué. On peut tout de même se faire une petite idée de son importance. À titre de comparaison, on diagnostique environ 20 syndromes d'alcoolisation fœtale aux États-Unis pour 10 000 naissances, alors qu'en Russie, c'est entre 1 000 et 2 000 pour 10 000 naissances. De tels chiffres déterminent l'avenir de plusieurs enfants adoptés. Une femme enceinte qui absorbe de 50 à 100 ml d'alcool par jour, surtout pendant son premier trimestre de grossesse, fait déjà courir un très gros danger à son bébé. Si cette femme a plus de 30 ans, si elle se saoule une fois la semaine, son nouveau-né risque d'être marqué par des incapacités encore plus graves.

Un enfant atteint du syndrome d'alcoolisation fœtale a un avenir potentiellement sinistre... D'abord il a une mère qui boit et un père qui risque fort de la battre. Dans ce contexte, l'enfant se retrouve souvent laissé-pour-compte : par exemple, l'alcool (avec ses conséquences) expliquerait directement l'institutionnalisation d'environ 100 000 enfants par année dans la Fédération de Russie. À sa naissance, l'enfant qui souffre du syndrome d'alcoolisation fœtale n'est pas bien gros, ni bien long et, surtout, sa tête est trop petite : il est microcéphale, son périmètre crânien est sous le troisième percentile. Les yeux de l'enfant sont imprégnés d'alcool, sa lèvre supérieure est très mince, ses oreilles sont un peu basses, son menton est fuyant, et tout cela est assez caractéristique pour l'observateur expérimenté qui découvre un visage non réglementaire, si l'on peut dire. Nos voisins du Sud emploient l'horrible expression « *funny looking kid* », pour décrire l'impression laissée par les traits anormaux du visage de l'enfant qui échappe ainsi à la norme.

Tout au cours de la vie de l'enfant atteint du SAF, d'autres problèmes que les traits physiques et la petite taille compliqueront le portrait. Un retard de développement se manifeste : toutes les atteintes sont possibles, mais souvent des problèmes de motricité s'installent d'une manière assez évidente. L'enfant a de la difficulté à coordonner ses mouvements. Il marche avec du retard, et à l'école il tremble en apprenant à écrire. De fait, cela est très caractéristique : l'enfant atteint du syndrome d'alcoolisation fœtale a souvent un problème avec sa motricité fine. Les aptitudes cognitives sont variables, parfois les compétences sont bonnes, mais il faut se rappeler que le syndrome d'alcoolisation fœtale représente sans conteste l'une des principales causes de déficience intellectuelle dans le monde. Le langage risque également d'être perturbé : difficultés dans la compréhension des mots, troubles de l'articulation, déficits de l'attention avec ou sans hyperactivité. Le moment de l'entrée en classe est souvent difficile. Ces enfants ont des troubles d'apprentissage, des difficultés en lecture, en calcul et en écriture. Leur comportement est déviant. Ce sont surtout des enfants moins agréables que d'autres. Dans une phrase assez lapidaire qui met le doigt sur la complexité du diagnostic différentiel avec les troubles de l'attachement, la Société canadienne de pédiatrie s'exprimait ainsi : « Les enfants atteints de SAF ou de SAF atypique sont démesurément amicaux, même face aux étrangers, et sont incapables de distinguer les amis des membres de la famille et des étrangers.»

Le diagnostic définitif de SAF n'est pas facile à poser. Un examen physique fait par un médecin expérimenté en la matière, une évaluation développementale et la mise en perspective de critères précis, comme la petite taille, les anomalies faciales et ce, en présence d'un quelconque trouble développemental, peuvent orienter fortement le diagnostic, sans autres tests plus élaborés. Différentes anomalies anatomiques au cœur, au thorax, aux phalanges des doigts, ainsi qu'une surdité peuvent appuyer les suspicions.

En Corée du Sud, où il y a pas mal d'alcoolisme, le questionnaire préadoption obtenu auprès des mères biologiques est extrêmement détaillé sur cette question. Mais la plupart du temps, en adoption internationale, on ne sait pas vraiment si la mère biologique consommait ou non de l'alcool. Les dossiers en provenance de la Fédération de Russie sont peu loquaces sur la question : dans à peine 2 % d'entre eux, il est fait mention de prise d'alcool chez la mère. Or, il serait fort surprenant que ces femmes en détresse boivent dix fois moins que leurs compatriotes ! Le fait qu'un enfant soit né en Russie et, dans une moindre mesure, dans certaines ex-républiques soviétiques, est en soi un élément capital à considérer dans la démarche qui vise à élucider un problème de syndrome d'alcoolisation fœtale. Dans les formes mineures ou plus incertaines, on parle d'effets de l'alcool sur le fœtus, reconnus sous l'abréviation d'EAF ou encore de SAF atypique.

À moyen ou à long terme s'ajoutent aux déficits primaires (ces déficits «avec lesquels les enfants naissent») des déficits secondaires tout aussi invalidants (les déficits qui résultent de ceux «avec lesquels les enfants naissent»). Les enfants qui souffrent du SAF finissent par prendre du retard à l'école, où ils sont stigmatisés. À cause de cela et de bien d'autres facteurs, ils développent une faible estime d'eux-mêmes. Devenus adolescents et adultes, ils sont souvent aux prises avec des problèmes légaux, ils présentent un comportement sexuel déviant, et plongent souvent dans l'alcoolisme et la toxicomanie. Sur le plan professionnel, ils ne contribuent pas beaucoup au développement de la société et, comme parents, ils sont souvent très peu compétents.

Pour limiter les dégâts de ce triste tableau et pour développer dans une certaine mesure le plein potentiel de l'enfant
adopté et soupçonné de souffrir de syndrome d'alcoolisation
fœtale, on interviendra de façon précoce, autant que possible
avec une équipe multidisciplinaire, compte tenu de la variété de
tableaux en cause. Les conséquences d'un délai de traitement
peuvent être sérieuses. On ne connaît pas le taux de judiciarisa-
tion des adoptés souffrant du syndrome d'alcoolisation fœtale.

KATIA ET LA VODKA

Cécile et son conjoint ont déjà trois fils biologiques
au moment où ils décident d'adopter une petite fille et
de combler leur rêve d'avoir quatre enfants. Agriculteurs
dans un petit village du Bas-du-Fleuve, ils choisissent
d'adopter en Russie, en se disant que l'intégration sera
plus facile si l'enfant n'est pas trop différente physiquement. Cécile tombe littéralement en amour avec ce tout
petit bébé de neuf mois, si délicate et si fragile, en comparaison de ses trois gros garçons bien costauds. Blonde
aux yeux bleus, elle a la frimousse d'une poupée de
porcelaine. Ainsi, on lui garde son joli nom russe : Katia.

La petite est en fort mauvaise santé à son arrivée : elle
ne pèse que six kilos, elle est anémique et très pâle, elle
mange et boit beaucoup, mais ne prend que très peu de
poids. Il lui faut des mois pour s'habituer à une routine
de sommeil, de siestes et de repas. Elle pleure beaucoup,
sourit peu et a souvent un regard absent. Elle est toujours
malade : gastro-entérites à répétition, rhumes, otites et
même pneumonies. Le médecin de famille, qui surveille
le tout de près, attribue une grande partie de ces fragilités
au fait que le dossier médical russe indique que Katia
est née prématurément à 32 semaines de grossesse.
L'attention et les soins de son papa, mais surtout de sa
maman qui reste à la maison à temps plein, finissent par
porter fruit : un an plus tard Katia a pris du poids, elle est
plus énergique et commence à interagir avec ses frères et

ses parents. À la fois très accaparante et très colérique, elle ne commence à parler qu'à trois ans et n'est vraiment propre qu'à quatre ans. Ses parents sont un peu inquiets de constater son immaturité et son manque d'autonomie, mais ils attribuent cela au fait qu'elle est la seule fille, la petite dernière, si gâtée par ses frères, et qu'elle a été si malade.

L'entrée à l'école marque le début de la fin des illusions : Katia ne suit pas les consignes, présente un retard de langage, a des attitudes sociales immatures et inadéquates qui poussent ses petits camarades à la rejeter. Elle fait des crises, crie et pleure en se bouchant les oreilles lorsqu'il y a un peu de bruit. Le psychologue scolaire soupçonne un retard intellectuel, confirmé par des tests, et il oriente ensuite les parents en pédopsychiatrie pour une investigation plus poussée. Le pédopsychiatre confirme un trouble de l'attention, prescrit une médication mais surtout diagnostique en sus un trouble de l'attachement. Les parents, débordés, sont sous le choc, d'autant plus que, même en classe ressource, avec une éducatrice spécialisée qui l'accompagne, le cheminement scolaire de Katia continue d'être très laborieux. Découragée, mais non pas sans espoir, Cécile se tourne alors vers Internet. Quelques navigations sur les sites consacrés aux troubles de l'attachement la conduisent jusqu'au groupe SAFERA et leur site sur le syndrome d'alcoolisation fœtale.

«Mot pour mot», se dit Cécile. On y décrit sa fille presque mot pour mot ! Elle y lit aussi, pour la première fois de sa vie, des renseignements et des témoignages sur les dangers plus élevés de ce syndrome dans les cas d'adoption en Fédération de Russie et en Corée du Sud. Elle informe de tout cela son médecin, qui demande avis auprès d'une équipe aguerrie face au syndrome d'alcoolisation fœtale, et l'on confirme alors que Katia souffre d'atteintes physiques et neurologiques permanentes. Des services de répit et de gardiennage spécialisés,

(…)

(suite)

un centre de réadaptation physique pour de la physio-thérapie, de l'ergothérapie et de l'orthophonie, enfin une travailleuse sociale donnera des conseils éducatifs aux parents pour tenter d'améliorer l'attachement et de mieux contrôler les troubles de comportement à la maison. Accompagnée d'une personne ressource de SAFERA, la travailleuse sociale ira aussi à l'école pour aider l'équipe scolaire à faire cheminer Katia avec son handicap.

Des troubles neurodéveloppementaux

Plusieurs enfants adoptés paraissent malhabiles dans les années qui suivent leur adoption. Au même titre que dans d'autres sphères de leur développement, leur motricité fine aura pris du retard. Certains conservent un déficit subtil. D'autres, souvent des anciens grands prématurés ou enfants nés à moins de 1 500 g, présentent de véritables difficultés de praxis, des difficultés à adapter les mouvements aux buts visés, ce qui commande une évaluation chez le neurologue et une adaptation à la vie en centre de réadaptation. Certains ont un comportement qui complique les difficultés d'apprentissage. Chez d'autres enfin, on découvre des difficultés à la lecture ou avec la reconnaissance des chiffres.

L'enfant adopté n'est donc pas épargné de devoirs au chapitre des troubles neurodéveloppementaux. Nous abordons ici deux sujets parmi les plus essentiels, car probablement plus fréquemment dépistés en adoption internationale, selon notre propre expérience et celle des auteurs consultés.

Les troubles déficitaires de l'attention avec ou sans hyperactivité : TDA/H

Ces dernières années, les troubles déficitaires de l'attention avec ou sans hyperactivité (TDA/H), connus en Europe sous le nom de « déficits d'attention sélective » (DAS) ou de « syndromes hyperkinétiques », ont fait l'objet de nombreuses légendes urbaines. La prise de stimulants, comme le méthylphénidate (Ritalin®), une des avenues thérapeutiques possibles pour ces conditions courantes, a été amplement couverte et décriée par tous les médias. Selon toute apparence, cette couverture médiatique avait sa noble cause : éviter les dérapages, les mauvais diagnostics, les solutions «trop» faciles à un problème résolument complexe. Toutefois, dans l'intimité des maisons familiales et derrière les portes des classes à l'école, les réalités des enfants atteints d'un réel déficit de l'attention ont continué à être bien différentes.

L'hyperactivité avec ou sans déficit de l'attention est un véritable problème qui cause de véritables souffrances dans la population des enfants en général, et chez les adoptés en particulier. La prévalence de ce problème neurologique dans la population d'enfants d'âge scolaire et d'adolescents est de 5 % à 6 %. Mais plusieurs auteurs s'accordent pour constater que la fréquence du problème serait de deux à quatre fois plus grande chez les enfants adoptés. C'est beaucoup, cela fait presque un enfant sur cinq venu de l'international ! Les chercheurs sont peut-être pessimistes, car d'autres études sont à venir, mais force est de constater que ce problème est très souvent rapporté par les parents et les soignants des enfants adoptés.

Les raisons sont complexes pour expliquer la présence accrue des troubles de l'attention en adoption internationale. Ces troubles sont souvent attribuables à des épisodes de vie que l'on ignore. Beaucoup d'éléments peuvent contribuer, un peu ou beaucoup selon les enfants, à expliquer les causes favorisantes des troubles de l'attention (TDA/H) : il y a d'abord les hypothèses génétiques, avec certains facteurs contributifs dont l'hérédité et le sexe masculin, il y a aussi le retard de croissance intra-utérin, les infections congénitales, l'usage de tabac ou de cocaïne (ou les deux), et même la contamination au plomb durant la grossesse, le syndrome de l'alcoolisation fœtale, l'anoxie périnatale, les traumatismes crâniens, la malnutrition prolongée, les méningites, les carences psychoaffectives et l'encadrement insuffisant. Nous en profitons pour souligner à nouveau l'extrême ressemblance, dans l'évolution de certains enfants adoptés, avec le cursus des enfants de petit poids à la naissance, avec qui ils partagent un scénario d'antécédents.

Aucun médicament ne devrait être administré à un enfant avant que la situation n'ait été totalement investiguée. Cela est vrai pour le trouble de l'attention comme pour le diabète. Pour diagnostiquer le diabète, il y a un protocole. Ainsi, et de la même manière, il existe un protocole pour diagnostiquer une hyperactivité avec déficit de l'attention (TDA/H). Il ne suffit pas de provoquer ses enseignants ou de s'étioler devant le médecin de famille pour être déclaré hyperactif avec un déficit de l'attention. Ce sont les prescriptions poussées du bout du crayon, et sans évaluation complète préalable, qui ont donné si mauvaise presse à ce méthylphénidate et au trouble de l'attention en général. Un diagnostic ne doit jamais être approximatif, et un traitement ne doit pas être exclusivement pharmacologique. On ne contrôle pas non plus un diabète avec la seule insuline. Un jeune diabétique doit surveiller son alimentation, faire du sport, avoir une bonne hygiène de vie, et ses parents doivent être présents et disponibles, et développer des habiletés pour le soigner. C'est exactement la même chose pour un enfant souffrant d'un trouble de l'attention. Ses parents doivent apprendre et appliquer des méthodes éducatives très particulières pour l'aider à mieux fonctionner. Sans la mise en place de tous ces moyens, ni le diabétique ni l'enfant souffrant d'un trouble de l'attention ne peuvent contrôler leur problème et fonctionner normalement.

Vous résistez à la comparaison ? Vous croyez que le diabète est une vraie maladie physique, sur laquelle les enfants n'ont aucun contrôle, tandis que le trouble de l'attention n'est que « psychologique » et donc parfaitement « guérissable » par le simple effet de la volonté ? Détrompez-vous. Le trouble de l'attention est un trouble neurologique et physiologique. Les difficultés de concentration, accompagnées ou non d'agitation physique, peuvent très bien provenir de l'immaturité ou du sous-développement d'une partie du cerveau qu'on appelle le « cortex orbito-frontal », situé juste au-dessus de l'œil droit. Cette partie du cerveau a pour fonction de contrôler les impulsions, la capacité d'attention et la résistance aux distractions, enfin de développer des habiletés sociales. Sous-développée pour toutes les raisons abordées plus haut, cette zone cérébrale ferait la « paresseuse ». C'est pourquoi les médicaments utilisés pour alléger le problème ne sont pas des calmants, comme plusieurs semblent le croire, mais bien des stimulants. Ces stimulants aident cette partie du cerveau à jouer son rôle plus efficacement.

DES NOUVELLES DE JACOB

Jacob, huit mois, pèse quatre kilos lorsque ses nouveaux parents l'accueillent à l'aéroport de Dorval, à Montréal. La personne de l'organisme qui assure le service d'escorte leur demande expressément de se rendre tout de suite à l'Hôpital Sainte-Justine, car elle juge que le petit ne va pas bien. Il est maigre, fiévreux et apathique, et il a le regard absent. Il est trop faible pour boire, sa succion n'est pas bonne. Au cours des premiers mois, la nouvelle petite famille vit donc entre maison et hôpital. L'extrême faiblesse de l'enfant a pourtant un effet secondaire formidable : un attachement très fort et très sain naît entre papa, maman et l'enfant.

À deux ans, Jacob est en santé, souriant et agréable, même s'il paraît évident qu'il bouge beaucoup et qu'il est un peu trop énergique. Il vit encore certaines petites insécurités auxquelles ses parents répondent avec compréhension et chaleur, mais sans le surprotéger. Cadet d'une famille de quatre jeunes enfants, dont un autre par adoption et deux « fait maison », Jacob reste à domicile jusqu'à l'âge de trois ans. Il fréquente ensuite une petite garderie en milieu familial où il est stimulé et choyé. Son éducatrice l'adore, malgré l'attention qu'il demande. Il faut toujours l'occuper, sans cesse faire du sport et des activités. Jacob n'aime pas beaucoup dessiner ou feuilleter des livres, mais il excelle dans tout ce qui demande une habileté psychomotrice. « Jacob, c'est Jacob », dit-on de lui.

Avec enthousiasme, Jacob entre à l'école maternelle à cinq ans : il pourra enfin prendre l'autobus avec ses frères et sa sœur ! Au premier bulletin de novembre, l'enseignant parle des belles qualités de Jacob, mais aussi de son immaturité affective, de sa difficulté à se concentrer longtemps sur une même tâche et de sa tendance à bouger en se

(...)

(suite)

laissant facilement distraire par les autres. « Bon, c'est un garçon, et il est plus moteur qu'intellectuel. C'est un petit dernier et il ne faut surtout pas oublier qu'il a eu un début de vie difficile », précise alors la maman. Avec l'aide de l'enseignante et de ses parents, Jacob finit par « réussir » sa maternelle par la peau des fesses. Il est fier et heureux, pour l'instant. Or, arrive la première année. Après deux mois de fréquentation, rien ne va plus : Jacob ne veut plus aller à l'école, prétend qu'il n'est pas bon, que c'est ennuyant. L'heure des devoirs donne lieu à des batailles indescriptibles. L'enseignant confirme aux parents qu'il y a un problème : Jacob ne fonctionne pas en classe, il ne suit pas les consignes, cherche constamment à faire rire les autres, termine rarement les exercices d'écriture ou de calcul, semble souvent dans la lune.

Après avoir exclu un problème visuel ou auditif, les parents acceptent de consulter le psychologue scolaire qui rencontre Jacob à quelques reprises. Il lui fait passer un test de quotient intellectuel (QI) et différents tests psychométriques pour évaluer ses capacités d'attention. Pendant ce temps, les parents et l'enseignant remplissent chacun un questionnaire, le Conners pour les initiés, qui porte sur les comportements que l'on observe chez l'enfant en classe et à la maison. Le psychologue rencontre ensuite les parents pour leur donner ses résultats : le test et les questionnaires indiquent que Jacob a une intelligence tout à fait normale, mais sans être dans la moyenne supérieure. Par contre, il souffre d'un déficit de l'attention de gravité moyenne avec une hyperactivité marquée. Le psychologue leur recommande alors de consulter un travailleur social ou un orthopédagogue intéressés par les méthodes éducatives adaptées aux enfants souffrant de trouble de l'attention. De plus, il leur donne le nom d'un pédiatre spécialisé en développement et qui s'y connaît, non seulement en troubles de l'attention, mais aussi en adoption internationale. Après une longue entrevue et un examen médical où l'on écarte la possibilité d'un syndrome d'alcoolisation fœtale ainsi que d'un grave trouble de l'attachement, le pédiatre confirme le diagnostic et recommande aux parents l'essai du méthylphénidate. Un peu hésitant, le médecin leur dit de ne pas se précipiter, mais il leur recommande de communiquer avec l'Association québécoise PANDA, un regroupement de parents dont les enfants souffrent d'un trouble de l'attention. Les parents voient régulièrement la travailleuse sociale ou l'orthopédagogue habilités à leur donner des trucs et des informations sur le trouble de l'attention. Après avoir assisté à une conférence sur le sujet donnée par un neuropsychologue et lu un livre ainsi que des brochures, les parents de Jacob commencent progressivement la médication. Au bout de quelques semaines, les effets secondaires mineurs de la petite pilule s'estompent, comme la perte d'appétit et des difficultés d'endormissement. En revanche, les effets bénéfiques se pointent rapidement. Jacob devient un nouveau petit garçon en classe. Il s'intéresse aux matières, participe aux activités, pose des questions appropriées, dérange moins les autres, arrive à finir la plupart des tâches demandées dans un temps et dans un ordre relativement normaux. Il ne refuse plus d'aller à l'école le matin et ses devoirs ne sont plus l'occasion de batailles rangées, même s'ils exigent toujours beaucoup d'énergie. La guerre n'est pas finie, mais elle fait moins mal dans la tranchée.

Les enfants hyperactifs avec trouble de l'attention peuvent avoir un cheminement scolaire tout à fait normal. Il faut néanmoins que leurs parents, avec l'aide d'une équipe soignante, appliquent les méthodes éducatives appropriées et, au besoin, qu'ils utilisent une médication selon les ordonnances, d'où l'importance de consulter en cas de doute. Dans le contexte de l'adoption internationale, il y a un défi supplémentaire : la majorité des symptômes du trouble de l'attention peuvent aisément se confondre avec un trouble ou un désordre de l'attachement, ou avec un syndrome d'alcoolisation fœtale ou un trouble d'opposition, ainsi qu'avec divers autres problèmes d'apprentissage.

Les troubles spécifiques du langage et de l'audition : le téléphone pleure

Si l'on fait exception de toutes les formes « mécaniques » de la surdité, c'est-à-dire attribuables à l'absence ou à la diminution des outils de réception des sons extérieurs, comme ces tympans perforés souvent constatés au bilan de santé des enfants, les troubles de langage peuvent être regroupés en deux grandes catégories : les troubles de l'expression et ceux de la compréhension.

Dans un trouble de l'expression, l'enfant ne parle pas, il cherche ses mots, bégaie, articule mal et malmène la sémantique et la syntaxe. C'est le cas, par exemple, d'un enfant dysphasique ou souffrant d'un syndrome de Gilles de la Tourette. L'enfant, en quelque sorte, ne peut pas téléphoner à l'autre normalement. Dans les troubles de la compréhension, l'enfant s'exprime normalement, mais comprend mal la parole de l'autre, comme cela peut arriver à l'enfant dysphasique ou souffrant d'un trouble de l'audition centrale. Pour utiliser une image, disons que c'est comme si ces enfants parlaient facilement au téléphone, mais qu'ils n'arrivaient pas à décoder la réponse de leur interlocuteur à l'autre bout du fil. Leur facilité à s'exprimer est particulièrement déroutante, car l'interlocuteur conçoit mal que l'enfant ne décode pas bien les mots des autres, puisqu'il les utilise avec tant de facilité. Certains souffrent à la fois de troubles expressifs et compréhensifs. On imagine alors les difficultés à entrer en relation avec les autres : ils n'arrivent ni à émettre ni à recevoir, ni à téléphoner ni à répondre aux appels !

LA PETITE JULIE

Adoptée en Thaïlande à l'âge de 13 mois, la petite Julie est en bonne forme physique, malgré sa toute petite taille. On sait qu'elle est née prématurément dans un hôpital de campagne et que sa maman biologique s'est sauvée sans laisser d'adresse. Ses nouveaux parents ont de l'expérience : un fils biologique et deux enfants de l'adoption internationale, un fils né aux Philippines et une fille née en Haïti. Les parents de Julie décodent rapidement que la petite a des petits défis d'attachement : elle est charmeuse et beaucoup trop amicale avec tout le monde. Mais ils sauront intervenir précocement pour favoriser un attachement sain, même si Julie demeure une enfant accaparante et souvent angoissée. Elle ne parle pas vraiment « franc » avant l'âge de trois ans et elle reste un peu plus immature que ne l'étaient ses frères et sa sœur au même âge. L'entrée à la maternelle se déroule toutefois dans l'harmonie.

Son enseignante remarque que Julie ne semble pas toujours entendre convenablement pendant les activités en classe. Un test audiologique de base révèle ultérieurement une surdité complète unilatérale gauche, mais une audition parfaite de l'oreille droite. Rétroactivement, les parents de la petite se rappellent son impossibilité à repérer la provenance d'une voix dans la maison. Sans audition des deux oreilles, le son n'est pas stéréophonique. Une consultation chez un oto-rhino-laryngologiste ne donne pas d'explication à cette condition. Otite mal soignée, conséquence d'une méningite ou handicap congénital ? On l'ignore.

Les apprentissages de la première année commencent lentement et difficilement, malgré la grande détermination de la petite qui travaille très fort. Julie a une intelligence normale, mais comme elle souffre d'un déficit de l'attention, on lui donne une médication qui lui permet de mieux apprendre en classe et de mieux s'appliquer dans ses devoirs. Les parents en ont vu d'autres. Pourtant, en deuxième année, malgré les moyens mis en place, une constante demeure : Julie a beaucoup de difficultés à se souvenir des jours de la semaine et des mois de l'année. Étrange ? Elle ne peut presque jamais raconter sa journée

(…)

(suite)

dans un ordre chronologique, elle se rappelle difficilement les mots d'un poème, les phrases d'une chanson. En
plus, l'apprentissage de la lecture est très fastidieux. Les
autres caractéristiques de son déficit de l'attention se sont
grandement améliorées, mais pas celles qui concernent
la mémoire auditive et l'organisation séquentielle, c'est-à-
dire un ordre précis dans le souvenir des événements.

La maman de Julie parle de cela à l'audiologiste du
centre de réadaptation auditive de la région, qui doit
faire des recommandations à l'enseignante concernant
la surdité unilatérale de la petite. Ce spécialiste fait alors
subir à Julie un test d'audition centrale qui se révèle
positif: non seulement Julie a un problème auditif périphérique, dans la mécanique d'une de ses oreilles, mais
elle a aussi un problème de décodage et d'organisation des
messages verbaux dans son cerveau. Ouf! Finalement, en
ajoutant d'autres outils d'intervention, Julie et ses parents
passent une année scolaire convenable, pas simple, mais
convenable.

En adoption internationale, de nombreux enfants, particulièrement ceux qui ont été longuement institutionnalisés,
arrivent à 18 ou 36 mois avec un connaissance très pauvre de leur
langue d'origine, ce qui équivaut à un véritable sous-développement de leur tour de contrôle de la parole et de l'audition.

Selon l'Association américaine ASHA (*American Speech-
Language-Hearing Association*), sur les 12 500 enfants qui arrivent
par adoption internationale aux États-Unis chaque année, 20 %
ne présenteraient aucun problème de langage, 60 % auraient
des problèmes temporaires et 20 % des problèmes permanents,
c'est-à-dire trois fois plus fréquemment que dans la population
générale. L'Association mentionne aussi que ce fort pourcentage
doit être encore une fois contextualisé : beaucoup de ces enfants
adoptés sont aussi des prématurés, de petit poids à la naissance,
beaucoup ont souffert de malnutrition et accusent des stigmates
du syndrome d'alcoolisation fœtale. Dans la population, il y

a par exemple six enfants sur 10 000 qui sont dysphasiques, quatre fois plus chez les garçons que chez les filles, avec de fortes incidences génétiques. Plus un enfant dysphasique est diagnostiqué jeune, plus les thérapies et les stimulations précoces sont efficaces. On imagine donc les résultats désastreux chez un enfant qui en souffre et qui se retrouve dans un orphelinat où l'on ne fait rien pour le prendre en charge.

L'HISTOIRE DE MARIE – LA SUITE

Après quatre mois d'application de techniques favorisant l'attachement, avec moult conseils éducatifs spécifiques, renforcés également par le papa, le petit Nicolas commence peu à peu à accepter de légers contacts physiques avec la maman, et il accepte de la regarder de temps à autres, brièvement. Surtout, il ne fait plus de crises violentes lorsque Marie est seule avec lui. La maison triste est redevenue une maison joyeuse. Le pédopsychiatre a averti le couple du caractère fragile de ces améliorations, à court terme, ainsi que des régressions et des rechutes possibles. Il a assuré la famille de son soutien, au besoin, et de la possibilité d'entreprendre dans les mois qui vont suivre une thérapie, directement avec l'enfant et en leur présence.

Marie a appris qu'elle n'était ni folle ni punie par le destin. Voilà donc la suite de son histoire, qui est aussi pour nous la fin de ce chapitre malaisé, mais nécessaire.

Lectures suggérées

CLINE, F.W., J. FAY. *Parenting with Love and Logic : Teaching children responsibility.* Colorado Springs : Pinon Press, 1990. 229 p.

DESTREMPES-MARQUEZ, D., L. LAFLEUR. *Les troubles d'apprentissage : comprendre et intervenir.* Montréal : Les Éditions de l'Hôpital Sainte-Justine, 1999. 126 p. (Collection de l'Hôpital Sainte-Justine pour les parents)

LAVIGUEUR, S. *Ces parents à bout de souffle : un guide de survie à l'intention des parents qui ont un enfant hyperactif.* Nouv. éd. Outremont: Quebecor, 2002. 416 p.

MATÉ, G. *L'esprit dispersé : comprendre et traiter les troubles de la concentration.* Montréal: Éditions de l'Homme, 2001. 386 p.

RANDOLPH, E. *Children who Shock and Surprise : A guide to attachement disorder.* Salt Lake City: RFR Publications, 1999. 45 p.

SAUVÉ, C. *Apprivoiser l'hyperactivité et le déficit de l'attention.* Montréal: Les Éditions de l'Hôpital Sainte-Justine, 2000. 82 p. (Collection de l'Hôpital Sainte-Justine pour les parents)

SLAP, G., E. GOODMAN, B. HUANG. « Adoption as a risk factor for attempted suicide during adolescence ». *Pediatrics*, 2001, 108 (2); E30.

SOCIÉTÉ CANADIENNE DE PÉDIATRIE. « Le syndrome d'alcoolisme fœtal: ce que vous devriez savoir au sujet de la consommation d'alcool pendant la grossesse ». *Paediatric and Child Health*, 2002, 7 (3); 199-200.

THOMAS, N. *When Love is not Enough: A guide to parenting children with RAD – reactive attachment disorder.* Glenwood Springs (Colorado): Families by design, 1997. 112 p.

Références

AINSWORTH, M.D. *Infancy in Uganda : Infant care and growth of love.* Baltimore: Johns Hopkins Press, 1967. 471 p.

AINSWORTH, M.D. « Individual differences in strange situation behavior of one-year-olds. » In H.R. Schaffer Ed. *The Origins of Human Social Relations.* New York: Academic Press, 1971: 17-58.

ANDERSEN, I.L. « Behavioural and school adjustment of 12-13 year old internationally adopted children in Norway : a research note ». *Journal of Child Psychology and Psychiatry*, 1992, 33 (2); 427-439.

BARKLEY, R.A. *Attention-Deficit Hyperactivity Disorder : A handbook for diagnosis and treatment.* New York: Guilford Press, 1990. 747 p.

BEAULIEU, D. *Intégration par le mouvement des yeux.* Lac Beauport (Québec): Académie Impact. 20 p.

BENOIT, T.C., L.J. JOCELYN, D.M. MODDEMANN et al. « Romanian adoption : The Manitoba experience ». *Archives of Pediatrics and Adolescent Medicine*, 1996, 150 (12); 1278-1282.

CHICOINE, J.F. « L'enfant, la locomotion et le monde Locus movere ». *Le médecin du Québec*, 1998, 33 (1); 73-79.

CLINE, F.W. *Understanding and Treating the Severly Disturbed Child.* Evergreen (Colorado) : Attachment Center at Evergreen, 1979. 215 p.

FABER, S. « Behavioral sequelae of orphanage life ». *Pediatrics Annals*, 2000, 29 (4); 242-248.

FREDERICI, R. « Raising the post-institutionalized child ». *The Signal*, 2000, 8 (4); 1-20.

GRAY, D.D. *Attaching in Adoption: Practical tools for today's parents.* Indianapolis : Perspectives Press. 2002. 391 p.

GWINNELL, E. « Post-traumatic stress disorder in children ». *Adoption Medical News*, 1998, IV (8); 1-6.

HJERN, A., F. LINDBLAD, B. VINNERLJUNG. « Suicide, psychiatric illness and social maladjustment in intercountry adoptees in Sweden : a cohort study ». *Lancet*, 2002, 360 (9331); 443- 448.

HUGHES, D.A. « Adopting children with attachment problems ». *Child Welfare*, 1999, 78 (5); 541-560.

HUGHES, D.A. *Building the Bonds of Attachment : Awakening love in deeply trouble children.* Northvale (New Jersey) : Jason Aronson, 1998. 312 p.

KALER, S.R., B.J. FREEMAN. « Analysis of environmental deprivation : cognitive and social development in Romanian orphans ». *Journal of Child Psychology and Psychiatry*, (1994) 35 (4); 769-781.

LEVY, T.M. et al. *Handbook of Attachment Interventions.* New York : Academic Press, 2000. 289 p.

MCKELVEY, C.A. *Give them Roots, Then Let them Fly : Understanding attachment therapy.* Evergreen (Colorado) : Attachment Center at Evergreen, 1995. 280 p.

VERHULST, F. C., M. ALTHAUS, H.J. VERSLUIS-DEN BIEMAN et al. « Problem behavior in international adoptees - II : Age at placement ». *Journal of the American Academy of Child and Adolescent Psychiatry*, 1990, 29 (1); 104-111.

VERHULST, F. C., H.J. VERSLUIS-DEN BIEMAN, J. VAN DER ENDE et al. « Problem behavior in international adoptees - III : Diagnosis of child psychiatric disorders ». *Journal of the American Academy of Child and Adolescent Psychiatry*, 1990, 29 (3); 420-428.

SOCIÉTÉ CANADIENNE DE PÉDIATRIE. « Le syndrome d'alcoolisme fœtal ». *Paediatric and Child Health*, 2002, 7 (3); 181-196.

Sites Internet

SAFERA
site visant la sensibilisation des effets de l'alcool sur le fœtus
www.safera.qc.ca

Institute For Attachment & Child Development
(anciennement connu sous le nom de « Attachment Center at Evergreen »)
www.attachmentcenter.org

ATTACH
Association for Treatment and Training in the Attachment of Children
www.attach.org

Documents

ASSOCIATION DES CENTRES JEUNESSE DU QUÉBEC. *De l'attachement à l'abandon : forum sur l'abandon*. Montréal : Association des Centres jeunesse du Québec, 1999. 72 p.

DALEN, M. *The State of Knowledge of Foreign Adoptions*. Oslo : Department of Special Needs, Education, Faculty of Education, University of Oslo, 1999.
www.comeunity.com/adoption/adopt/research.html

DALEN, M, A.L. RYGVOLD, B. SAETERSDAL. *Mine-Yours-Ours-and Theirs : Adoption, changing kinship and family patterns*. Oslo : University of Oslo, 1999. 266 p.

FLANDERS, G., D. FLANDERS. *What's the deal at Flanders Cuckoos Nest? Explanation of therapeutic parenting*. Evergreen (Colorado) : The Attachment Center at Evergreen, 2002.

PICKLE, P. *Life in the Trenches : Survival tactics*. Evergreen (Colorado) : The Attachment Center at Evergreen, 1997. 36 p.

CHAPITRE 14

L'ENFANT DANS SON MILIEU

▼

Brossage de dents
Chili, 1999

Sa chambre, sa maison

*Pour qu'un enfant grandisse fort et heureux,
il faudra lui donner des racines et des ailes.*

Poème américain d'un auteur inconnu

La sécurité à domicile : les risques du retour

Les maisons et les appartements des parents adoptants sont souvent bien garnis, truffés de souvenirs de noces ou de voyages, d'objets décidément très fascinants pour un petit trottineur. La plupart des parents adoptants ne se rendent pas compte que l'enfant, qui ne marchait pas à son arrivée, évoluera très rapidement et se déplacera ici et là dans la maison pour toucher à tout, prendre possession de tout, et passer à une longueur de bras de la défenestration. Ainsi, à l'instar de tous les enfants de leur âge, des enfants adoptés seront victimes d'accidents et, souvent, selon notre expérience, dans les premiers mois suivant leur arrivée, de fractures de l'humérus ou de la clavicule, de traumatismes crâniens, de brûlures ou d'intoxications. Les parents biologiques ont eu plusieurs mois pour s'ajuster progressivement aux acrobaties de leur bébé. Les adoptants, eux, devenus parents à une vitesse relativement accélérée, sont souvent assez novices en matière de sécurité. Ils ne connaissent pas les capacités de leur nouvel enfant et ils n'ont pas encore acquis l'expérience pratique, quotidienne et progressive avec le tout-petit. Conjoncture parfaite pour un accident !

Premier conseil, qui peut paraître farfelu : faites le tour de votre maison à quatre pattes. Dans cette aventure somme toute amusante, vous découvrirez un nouvel angle à vos chinoiseries. Bébé peut vous accompagner. Même s'il ne rampe pas, il se déplace souvent sur ses fesses. Contrairement aux idées reçues,

ramper n'est pas une étape incontournable de son développement. De plus en plus de nourrissons habitués à dormir sur
le dos, comme les enfants chinois, passent directement de la
position assise à la station debout avec soutien. La visite n'en
sera que plus formatrice.

Lors du changement de couche ou pendant l'habillement, ne
laissez jamais l'enfant seul sur la table à langer, restez toujours à
ses côtés. L'enfant peut rouler sur lui-même et tomber en bas de
la table… Ne vous fiez pas à ce qu'il est capable de faire ou ne
pas faire, il pourrait vous surprendre avec son acquisition du
jour. S'il bouge trop lors du changement de couche, vous pouvez
toujours vous installer par terre. Placez-le loin des stores : en
jouant avec les cordes, il pourrait s'étrangler.

Comme il porte tout à sa bouche, évitez aussi de laisser
traîner des petits objets, par exemple des dés à coudre, des
copecks en souvenir, des boutons de chemise ou des bijoux. À
propos des bijoux, il n'est pas sûr pour un enfant de porter
bracelets, chaînettes et boucles d'oreille. Lorsque vous trouvez
effrayantes ces cicatrices de contention sur la cheville de votre
petite Chinoise, dites-vous bien que les Chinois trouvent épou-
vantable que vous lui perciez les oreilles. Les contentions, c'était
pour la sécurité, les boucles d'oreille, ce sera pour la maturité.

Gare à l'eau chaude : vérifiez toujours la température du
chauffe-eau, elle ne doit pas dépasser 54 °C. Certains enfants
peuvent actionner les robinets et se brûler. Pour l'eau du bain,
vérifiez la température avec votre coude avant d'y tremper l'enfant. Ne le laissez jamais seul, pas même une seconde. Faites
attention aux ciseaux, aux lames de rasoir, aux couteaux, aux
sacs de plastique et aux housses de pressing. Assurez-vous que
tous les médicaments sont rangés en sécurité dans votre petite
pharmacie, y compris ces comprimés contre le paludisme que
vous avez omis de prendre au retour de votre voyage d'adoption. Les produits nettoyants doivent être rangés dans une
armoire fermée. Entre l'âge de 18 mois et trois ans, l'enfant est
devenu un superdétective qui grimpe, cherche et tâte tout ce
qui se trouve dans son domaine.

Au repas, l'enfant doit toujours être bien attaché dans sa
chaise haute, sinon il pourrait glisser ou simplement décider
d'enjamber le dossier ou la tablette. Surveillez-le. Certains

enfants font des acrobaties dignes du Cirque du Soleil ! Assurez-vous qu'il ne peut pas pousser la table ou le comptoir avec ses pieds et faire ainsi basculer sa chaise. Comme les petits enfants adorent tirer sur les nappes et s'emparer de tout ce qu'ils voient, tournez donc les anses des pots et les poignées des poêlons vers l'intérieur, de façon à ce qu'ils soient hors d'atteinte. Surveillez la cuisinière, la plupart des enfants sont curieux de savoir si c'est vraiment chaud.

En voiture, utilisez un siège d'auto approprié au poids de l'enfant. Si vous êtes embêté par ce choix et par l'installation, demandez à l'infirmière en pédiatrie de vous donner un petit coup de main. À bicyclette, utilisez un porte-bébé adapté à son âge et à son poids. N'oubliez pas le casque.

La période des deux ans marque le début d'un besoin de liberté qui s'exprime le plus souvent par une envie de jouer à l'extérieur. Choisissez des jouets appropriés à l'âge de l'enfant, des jouets stimulants et attrayants, par exemple des jouets aux couleurs vives, mais aussi lavables, non toxiques, incassables et à l'épreuve du feu. Les jouets doivent être assez gros pour éviter que bébé ne les avale. Les Américains vendent actuellement, par commerce électronique, une petite orpheline qui pleure en chinois et fait pipi en chinois...

LA POSITION DU SOMMEIL : BON DOS

L'Occident a tardé à s'inspirer de plusieurs pays arabes, africains et asiatiques, notamment la Chine et le Japon qui, depuis des générations, couchent leurs nourrissons en position de sommeil dorsal, sur un tatami ou une surface dure. Le fait de coucher les enfants sur le ventre, comme on le recommandait à l'Ouest dans les années 80, a été spécifiquement associé au syndrome de mort subite du nourrisson.

Le terme syndrome de mort subite du nourrisson (SMSN), utilisé par les chercheurs nord-américains, désigne le décès soudain, inexpliqué et inattendu d'un enfant âgé de moins de un an, apparemment en bonne

(...)

(suite)

santé et sans antécédents pathologiques, chez qui une autopsie complète, l'examen de la scène du décès ainsi que la revue de l'histoire antérieure ne rapportent aucun indice contributif. Jusqu'à tout récemment, le SMSN était la principale cause de décès chez les nourrissons. Mais on a épargné des milliers de vies depuis qu'on a découvert qu'il y avait un lien entre la position du sommeil sur le ventre et le risque accru de mort subite chez le nourrisson et qu'on a fait de grandes campagnes de sensibilisation auprès des parents et des professionnels de la santé. Au Canada par exemple, comme le soulignait le docteur Aurore Côté, pédiatre et pneumologue à Montréal, il y avait environ 400 décès par an attribués au syndrome de mort subite du nourrisson au début des années 90; on en compte maintenant moins de 150. Ainsi, l'enfant adopté, comme n'importe quel autre nourrisson, doit être couché sur le dos. On essaie même d'éviter la position sur le côté, qui est instable. En effet, des auteurs nous apprennent que plusieurs nourrissons retrouvés pour la première fois sur le ventre avaient l'habitude de dormir sur le côté.

Dans les mois qui suivent le retour à domicile, les troubles de sommeil, si fréquemment décrits chez les enfants adoptés, risquent d'inciter certains adultes à partager leur lit avec leur nouvel enfant. C'est une bonne intention, mais ce n'est pas une bonne idée, et pour plusieurs raisons. N'oubliez pas que l'on a rapporté des syndromes de mort subite du nourrisson chez des enfants adoptés de moins de un an.

D'autres facteurs ont été reliés au risque de mort subite : certains incontrôlables, comme le fait d'être né avec un petit poids de naissance, et d'autres facteurs plus faciles à contrôler pour le parent adoptant, par exemple le simple fait de fumer dans la maison du nouvel arrivant, le tabagisme passif diminuant la réponse d'éveil et augmentant le risque de syndrome de mort subite du nourrisson.

C'est simple, il ne faut pas fumer dans une maison où il y a un petit enfant, pas même devant la fenêtre ouverte, pas même sous la hotte.

La boîte à racines de l'enfant adopté : des racines en boîte

Les maisons de presque tous les enfants du monde sont aussi les lieux de racines, où l'on voit des témoignages du passé de l'enfant autant que du monde qui existait avant son arrivée. Les photos de maman enceinte à Noël, l'album avec copie de l'échographie, la vidéo de l'accouchement avec papa qui pleure de joie, la boîte contenant le bracelet de l'hôpital, tout cela fait partie de l'univers de l'enfant. Tous ces objets éparpillés lui donnent un sens de la continuité et de l'appartenance. L'immense majorité des parents adoptants veulent donc reproduire ce modèle de lieux de souvenirs et d'objets significatifs rapportés du pays d'origine.

Nous vous suggérons ici d'aller beaucoup plus loin dans vos moyens et votre réflexion. Nous vous conseillons carrément de créer un lieu ou un objet dont l'existence aura comme unique fonction d'explorer le vécu préadoption, afin d'apprivoiser et de mieux comprendre le passé de l'enfant. Un lieu ouvert, accessible et très précieux. Un endroit où l'enfant pourra aller seul, ou avec vous, ou avec d'autres personnes significatives pour lui. Des objets et des mots écrits qui favoriseront les échanges et la création de liens entre sa vie avant l'adoption et sa vie après l'adoption. Un lieu de racines et, pourquoi pas, une boîte de racines ! Comme pour tout autre moyen de développement ou de sécurité, plus cette boîte fera partie de votre quotidien, plus elle préviendra d'éventuels accidents émotifs de parcours.

Les parents adoptifs, à l'instar des autres parents du monde, doivent répondre aux milliers de questions de leur enfant sur la vie, la mort, la souffrance, l'injustice, la maladie, l'amour, la sexualité, le tonnerre, les oiseaux, et le « pourquoi les gens sont gentils ou méchants ». Comme tous les parents du monde, vous travaillerez fort pour que vos enfants deviennent des êtres heureux, équilibrés, avec une bonne estime d'eux-mêmes, une bonne connaissance de leurs forces et de leurs faiblesses. Mais l'adoption vous impose certaines tâches supplémentaires pour lesquelles vous n'avez pas les outils. Donner des racines à un enfant déraciné est un défi que tous les autres parents n'ont pas à relever. Votre tâche est donc plus complexe, particulièrement en regard du vécu de votre nouvelle recrue avant l'adoption. Vous devrez répondre à de très nombreuses questions supplémentaires sur les origines, l'abandon, les parents biologiques. Vous aurez à vivre avec la réalité de ne pas pouvoir répondre à certaines autres questions. Vous aurez à vous trouver des moyens de révéler des faits, au bon moment et de la bonne façon. Vous devrez accueillir la souffrance causée par les morceaux manquants du puzzle et ce, sans vous sentir coupable de ne pas pouvoir tout réparer. La question de la révélation des origines demeure, encore aujourd'hui, un grand défi pour tous les parents adoptants. La peur de faire des gaffes, de traumatiser, de faire souffrir votre enfant sont encore des préoccupations présentes et tout à fait normales.

En adoption internationale, de très nombreux parents adoptifs sont inquiets et bouleversés de la précocité des questions posées par leurs enfants. Plusieurs se croyaient solides, ouverts, bien préparés, mais se sont retrouvés extrêmement désemparés et malhabiles devant les questions, les situations et surtout les émotions de leur petit de trois, quatre ou cinq ans. Alors que dire ? Quoi dire ? Qu'en dire ? Comment le dire ?

Le concept de la boîte à racines est né du besoin d'offrir aux enfants adoptés des ancrages, des objets, des symboles et surtout un lieu précis où aller chercher des renseignements sur leur vie avant l'adoption. Plusieurs auteurs parlent de l'importance de constituer une boîte de souvenirs significatifs, mais la boîte à souvenirs de l'enfant adopté est beaucoup plus que ce qu'elle semble être au premier abord. Il s'agit d'un moyen d'intervention pour l'enfant et pour ses parents. Cette boîte doit appartenir à l'enfant et contenir tout ce qui lui sera utile pour combler les vides de son puzzle de vie. Les enfants aiment voir, prendre et manipuler des objets. Les enfants parlent plus facilement en faisant des choses plutôt que lorsqu'on leur impose de bavarder «sérieusement». La boîte servira d'accessoire, d'élément déclencheur pour alimenter la conversation, susciter des questions, favoriser l'échange et la recherche de renseignements plus précis. Elle ne devrait contenir que des objets faisant référence à la vie de l'enfant avant son adoption, à sa différence ethnique, à son pays d'origine, à la réalité concernant sa famille biologique, au processus d'adoption, enfin au voyage d'adoption. Il serait bon de ranger à un autre endroit les souvenirs post-adoption.

LE CONTENU DE LA BOÎTE

Prenez plaisir à magasiner une jolie boîte ou un coffret en plastique, en métal ou en carton solide. La boîte doit être de la dimension d'une petite valise pour permettre le rangement nécessaire de plusieurs objets. Elle doit pouvoir être facilement placée dans la chambre ou le placard de votre enfant. Elle doit être attrayante et joyeuse pour que l'enfant la perçoive comme un cadeau qu'on lui offre, une fois le contenu rassemblé. Tous les objets et paperasses qui s'y trouvent doivent être conçus de façon solide, car la boîte devrait pouvoir résister au passage du temps et convenir aussi bien à un enfant de 18 mois qu'à un autre de 12 ans.

Mes archives à moi

Il est utile et nécessaire de conserver précieusement les documents concernant l'adoption d'un enfant. Par contre, les garder cachés et secrets ne fait qu'amplifier artificiellement leur valeur symbolique. Plus ils sont tabous et interdits, plus l'enfant aura l'impression qu'on lui cache quelque chose de grave, de honteux, de dramatique et même de dangereux. S'il n'a pas accès aux faits, son imagination sera beaucoup plus fertile et insidieuse. Ces secrets pourraient être faussement interprétés comme un manque de confiance de la part du parent envers l'enfant. Or, qu'y a-t-il de si terrible dans ces documents? Qu'y a-t-il donc que l'enfant ne puisse ou ne doive vraiment pas savoir? Au nom de quoi devriez-vous ne pas lui montrer les archives de sa vie, les lui remettre? Hormis quelques exceptions, par exemple des renseignements

(...)

(suite)

révélant que l'enfant aurait été conçu suite à un viol ou à de l'inceste, ou encore le décès par meurtre ou suicide de son parent, les documents devraient plutôt servir de pont entre le passé et le présent. Pour ce faire, il vous faudra rassembler tous les papiers suivants, et d'autres encore :

- l'évaluation psychosociale ;
- les documents reçus du pays d'origine : proposition d'adoption, certificat médicaux ;
- les documents du tribunal : ordonnance de placement et jugement d'adoption ;
- les rapports-progrès ;
- le passeport du pays d'origine ;
- les photos et les lettres des parents biologiques, s'il y en a.

Conservez tous les originaux en lieu sûr, et faites des photocopies de tous ces documents. Idéalement, plastifiez le tout, faites une page couverture où vous inscrirez : « Les Archives personnelles de ___(NOM DE L'ENFANT)___ », puis faites boudiner ou relier le tout avec trois rubans colorés et solides. N'oubliez pas de placer l'œuvre dans la boîte.

Mes deux arbres généalogiques

Dès l'entrée à l'école, tous les parents adoptants et leur enfant font face à ce fameux devoir : faire son arbre généalogique ! Ce devoir est fort embêtant pour de nombreux enfants qui ne vivent pas dans une famille nucléaire. Il est difficile à faire pour les familles séparées ou reconstituées, les familles homoparentales et monoparentales, pour les enfants placés en famille d'accueil et, bien entendu, pour les enfants adoptés. Toutefois, s'il y a dans la boîte à racines un dessin des deux arbres généalogiques, l'enfant n'aura pas de surprises désagréables à ce sujet, qui aura déjà été abordé. Les informations auront déjà été digérées et seront disponibles. L'enfant pourra alors s'y référer et choisir comment il veut faire ce fameux devoir : avec un seul ou encore avec deux arbres généalogiques.

Il s'agit simplement de dessiner deux arbres généalogiques, côte à côte, où s'entrelacent des racines. Au-dessus des racines, entre les deux arbres, vous placez une photo de votre enfant et son nom. Dans l'un des arbres, vous mettez vos propres noms, le nom des quatre grands-parents, etc. Dans l'autre arbre, vous écrivez le nom des parents biologiques, si vous les connaissez (sinon simplement « papa cambodgien », « maman cambodgienne », et « grand-maman cambodgienne », etc.). Vous pouvez aussi ajouter un petit texte où vous soulignerez que, contrairement à la plupart de ses compagnons de classe, votre enfant a la chance d'être le fruit de quatre personnes : deux qui lui ont donné la vie, la couleur de ses yeux et de sa peau, et deux qui lui donnent au quotidien et pour toujours l'amour, sa langue, sa culture, la sécurité, le goût de grandir, les moyens d'être heureux et en santé. Au lieu de se sentir coincé par son devoir, l'enfant y verra l'opportunité de discuter avec ses parents et pourra prendre conscience qu'il est issu d'une longue lignée d'êtres humains dans son pays d'origine.

La longue liste de noms

Pour se bâtir une bonne estime d'eux-mêmes, tous les enfants du monde ont besoin de sentir qu'ils ont été profondément désirés par leurs parents. Ainsi, votre enfant adopté a besoin que l'on saisisse toutes les occasions de lui démontrer que, malgré les abandons, il avait beaucoup de valeur aux yeux de nombreuses personnes. Le plan est donc de démontrer à l'enfant que des dizaines et des dizaines de personnes se sont donné la main pour réussir son adoption. Cette chaîne humaine peut être comparée à une grossesse collective où de nombreux adultes ont joué un rôle, parfois petit, parfois plus gros, mais toujours important pour la réussite du projet.

(...)

(suite)

On peut épingler tous les noms ou les fonctions de ces personnes sur un long fil qui va du pays d'origine jusqu'au pays d'adoption, par exemple :

- la personne ressource de l'organisme d'adoption ;
- la directrice de l'orphelinat ;
- la maman de la famille d'accueil ;
- le chef de police, si l'enfant a été trouvé devant un poste de police ;
- le médecin de l'ambassade ;
- le notaire ;
- la travailleuse sociale du pays d'origine qui a fait le pairage ;
- la secrétaire qui a traduit les documents ;
- le médecin de famille qui a donné une lettre de référence ;
- la directrice de l'organisme d'adoption ;
- le nom de l'escorte, le cas échéant ;
- l'agent de bord qui a chauffé les biberons ;
- la juge qui a prononcé le jugement d'adoption ;
- les amis qui ont donné des lettres de référence ;
- l'agent de voyage qui a trouvé des billets de dernière minute ;
- le gars de l'hôtel qui a couru chercher des couches en pleine nuit ;
- la grand-maman qui a gardé la grande sœur pendant le voyage d'adoption ;
- et tous les autres.

Les artefacts de l'anthropologue

Afin que votre enfant apprivoise tranquillement sa double identité ethnique et culturelle, offrez-lui des exemples et des modèles stimulants: des coupures de revues, des livres sur son pays d'origine, une cassette vidéo touristique datant idéalement de l'année de sa naissance. Vous pouvez également rassembler dans un album des reportages écrits ou des vidéos sur des gens célèbres, des sportifs et des artistes qui sont de la même origine, et glisser cet album dans la boîte.

La poubelle et le coffre au trésor

La différence ethnique de votre enfant sera pour lui parfois un avantage et parfois un handicap. Il sera admiré ou rejeté pour son côté exotique. Il devra apprendre à se protéger des paroles blessantes, mais aussi à chérir les avantages de ses particularités. Comment faire pour qu'il garde dans son cœur tous les avantages? Comment faire en sorte qu'il se débarrasse efficacement des inconvénients? Voici une approche symbolique facile:

- achetez une petite poubelle de table sur laquelle vous inscrirez: «Les mots microbes à jeter»;
- achetez aussi un joli petit coffre à bijoux sur lequel vous inscrirez: «Les mots douceurs à conserver»;
- puis expliquez à votre enfant qu'à partir de maintenant tout ce qu'il vivra ou entendra de gentil, de pittoresque sur sa différence, il pourra venir vous le dire. Ensemble, vous inscrirez ce mot ou cette phrase sur un bout de papier. Vous le conserverez précieusement dans le coffre au trésor et le mettrez dans la boîte à racines. Vous pourrez retourner lire ensemble ces mots doux lorsque l'enfant vivra des moments difficiles. Expliquez-lui ensuite que tous les mots méchants sont comme des microbes qui rendent notre cœur malade si on ne les verbalise pas, si on ne les détruit pas. Vous les inscrirez ensuite sur un bout de papier et les déchirerez ensemble, puis à la poubelle! Vous viderez la poubelle dans le bac à vidange.

(...)

(suite)

Cette méthode n'empêchera pas votre enfant de souffrir, mais vous pourrez ainsi mieux l'accueillir et l'aider à décider ce qu'il devrait jeter ou conserver précieusement.

Les lettres

Quand, comment et quoi dire à l'enfant au sujet de ses parents biologiques? Quand devrez-vous prononcer le mot «maman biologique»? Idéalement: le premier jour de son adoption, le jour de sa «naissance» symbolique dans votre vie. Vous le ferez en le berçant le soir, comme le préconisait Françoise Dolto, en lui racontant son histoire tout doucement: «Je sais que tu ne saisis pas tout ce qui t'arrive, tu étais dans le ventre d'une autre maman qui n'a pas pu te garder... je ne sais pas exactement pourquoi, mais ce que je sais c'est que cela a dû être très difficile pour toi... je suis ta nouvelle maman (ou ton nouveau papa) et moi, je suis là pour toujours, je ne t'abandonnerai jamais, tu seras toujours en sécurité avec moi. Je t'aime pour toute la vie.» Par ailleurs que faire si vous vous sentez incapable de prononcer le mot «maman biologique» sans avoir la gorge serrée?

Il est alors temps d'écrire «Des nouvelles de Frédérique». En adoption ouverte ou semi-ouverte, certains parents adoptants ont le privilège – oui, vous avez bien lu, le privilège – de rencontrer les parents biologiques de leur enfant quelques jours avant de l'adopter. Lors de cette rencontre, beaucoup de parents biologiques (surtout les mamans) demandent à ce qu'on leur envoie chaque année une lettre, avec des nouvelles de l'enfant. L'écriture de ces lettres est une véritable «thérapie» pour les parents adoptants. L'exercice qui consiste à donner des nouvelles de Frédérique, par exemple, est difficile à faire et touchant, mais très puissant.

Vos lettres ne pourront probablement jamais être réellement postées. Mais vous les écrirez quand même et en ferez des copies que vous placerez en liasse dans la boîte à racines de votre enfant. La lecture de ces lettres symboliques sera un merveilleux antidote aux reproches éventuels de votre enfant, s'il vous «accuse» de l'empêcher d'aimer, de haïr ou, éventuellement, de retrouver ses parents biologiques. Vous pourrez ainsi lui prouver que vous aviez assez de respect pour ces personnes pour leur transmettre votre gratitude et votre joie de l'avoir dans votre vie.

Plus tard, s'il le souhaite, l'enfant pourra aussi écrire des lettres à ses parents biologiques pour exprimer aussi bien ses pensées, ses questions et sa gratitude que sa colère.

Le conte sur mesure

Parents adoptants, à vos crayons de couleur, à votre ordinateur! L'objet probablement le plus utile de la boîte à racines, c'est le conte que vous allez écrire à votre enfant. Bien sûr, il y a les photos et la vidéo qui montre le voyage et l'arrivée à l'aéroport, et tout cela contribue à lui raconter son histoire. Toutefois, pour susciter la réflexion, l'introspection et la curiosité sur sa vie avant l'adoption, il faut à l'enfant un espace où il pourra utiliser son imagination et exprimer ses idées, bonnes ou mauvaises. Lui écrire un conte, même de quelques pages, où vous racontez ce qui lui est arrivé avant son arrivée chez vous, voilà un cadeau qu'il accueillera avec surprise et émotion. Comment écrire ce conte? Il faut s'inspirer de la forme du conte traditionnel, en commençant par «Il était une fois» et en terminant par «Ils vécurent à jamais une merveilleuse vie en famille». Il faut y mettre une certaine poésie, des références culturelles aux deux pays. Par exemple: «Il était une fois, au Royaume du Siam, là où il n'y a que deux saisons et où les toits des temples sont recouverts d'or...» «Pendant ce temps, au pays du Québec, là où il y a quatre saisons et de grands glaçons d'argent qui tombent des toits...» Dans votre conte, vous décrirez:

(...)

(suite)

- avec pudeur, les circonstances connues ou très probables de l'abandon ;
- le milieu où l'enfant a été gardé, l'orphelinat ou la famille d'accueil ;
- la longue attente de part et d'autre ;
- le voyage, non sans petits détails humoristiques ;
- l'arrivée à l'aéroport et la joie de commencer le reste de la vie ensemble.

Utilisez les premiers noms de votre enfant, au début du conte, puis son nouveau nom à la fin. Garnissez le tout de dessins et de collages. Essayez de trouver un titre accrocheur : « Le petit éléphant du Siam », « Le petit tzar sans château », « La fleur des îles », etc.

Les objets de mon passé

Mettez aussi dans la boîte tous les objets rapportés du pays : la robe traditionnelle coréenne faite à la main par la famille d'accueil, le petit bracelet à clochettes offert par la nounou cambodgienne, les vêtements d'hiver épais des orphelinat chinois, le t-shirt déchiré et les vielles chaussures usées. Tout devient extrêmement précieux dans le monde éphémère d'un passé incertain. On peut y ajouter quelques objets achetés sur place qui évoquent son pays et sa culture.

Les photos et les vidéos de voyage

Conservez les originaux en lieu sûr, dans vos propres souvenirs de voyage, mais faites des copies des photos ou des vidéos les plus significatives pour les mettre dans un petit album à l'usage exclusif de l'enfant. L'enfant doit pouvoir avoir accès à ces photos sans votre présence et sans votre permission. Toutefois, il pourra aussi vouloir que vous partagiez ce moment avec lui : c'est son affaire.

Le carnet de la longue attente

Plusieurs parents adoptants ont pris des notes pour meubler la longue attente qui a précédé l'arrivée de bébé ; parfois, dans un cahier tout simple ou dans un de ces albums de bébé, version adoption, maintenant disponibles sur le marché. Là encore vous pouvez garder l'original et en faire une jolie copie, si vous craignez les dégâts perpétrés par les petites mains sales.

La flamme du survivant

Le dernier objet à mettre dans la boîte à racines, mais non le moindre, c'est un dessin ou un bricolage représentant une flamme très forte, brillante et lumineuse.

La terrible sélection « naturelle » fait que vous avez raison de conclure que votre enfant avait des forces de survie bien au-dessus de la moyenne. Vous le savez, vous le sentez, mais est-ce que vous lui dites ? Il faut absolument qu'il l'entende de votre bouche ! Il faut qu'il sache que vous le trouvez fort et courageux de s'être accroché à la vie assez longtemps pour que vous puissiez aller le chercher et l'aimer. Il faut qu'il puisse se rappeler de cela quand il se trouvera moins bon qu'un autre, qu'il aura de la difficulté à l'école ou qu'on lui sifflera des choses blessantes. Il faut lui dire : « Oui, la vie n'est pas toujours facile, mais toi tu as déjà prouvé que tu étais capable de te sortir de choses bien plus difficiles ! Tu as une force hors du commun, là dans ton cœur. C'est une flamme que personne n'a réussi à éteindre ! » En lui disant cela, vous pouvez sortir « la flamme », lui donner pour qu'il ait du courage à l'école ou durant son camp scout ! Regardez bien votre enfant dans les yeux lorsque vous lui raconterez cela. Regardez la flamme dans ses yeux.

Sa garderie

Il y a une trentaine d'années, l'entrée massive des femmes sur le marché du travail a favorisé la création de milieux de garde adéquats pour les jeunes enfants d'âge préscolaire. L'accroissement des connaissances sur le développement social, cognitif et affectif de l'enfant a rassuré les parents sur les avantages qu'il y a à offrir à l'enfant un milieu stimulant et rassurant en dehors de sa maison et de sa famille. Des données multiples sur les effets positifs des centres de la petite enfance sur le développement moteur et cognitif des enfants venus des milieux défavorisés ont également grandement contribué à donner du crédit aux gardiennes éducatrices.

Les parents ne bénéficient pas tous d'un congé parental prolongé après l'adoption. En effet, plusieurs d'entre eux doivent retourner travailler beaucoup trop tôt. Ils confient parfois l'enfant à une gardienne à la maison, ce qui est idéal dans le contexte. Mais, le plus souvent, ils placeront l'enfant dans une garderie et ce, parfois quelques semaines à peine après son arrivée. Les raisons de ce choix sont multiples, mais auront des conséquences souvent très graves sur la santé de l'arrivant et sur le processus d'attachement parent-enfant, autant que sur la transmission des infections.

L'extrême sociabilité : attention enfant sauvage

Beaucoup de croyances erronées circulent à propos de l'intégration d'un enfant adopté au milieu de garde. Certains parents craignent que l'enfant de 12 ou 15 mois se sente déjà seul, lui qui était entouré de tant d'enfants à l'orphelinat ! D'autres parents sont très préoccupés par l'apprentissage rapide de la langue et pensent que seul un milieu de garde stimulant pourra assurer l'explosion du langage. Plusieurs parents souhaitent ne pas trop déstabiliser l'enfant et se disent qu'il aura beaucoup plus de difficultés à s'adapter à une vie tranquille en famille qu'à une vie de groupe. Ces derniers ont absolument raison. En effet, un enfant élevé en orphelinat sera sans doute rassuré de se retrouver dans une vie de groupe avec plusieurs enfants de son âge, plutôt que de s'astreindre à apprendre à vivre dans une maison en famille, avec un papa, une maman et un soleil dans le coin du dessin.

« C'est merveilleux : il est bien partout ! » Ces parents décrivent à quel point leur petit est sociable, agréable en public, avec quelle facilité il va dans les bras de tout le monde sans avoir peur et que c'est chouette de le voir embrasser le voisin dès qu'il l'aperçoit dehors. Devant cette merveille d'adaptation, les parents se disent qu'ils n'ont absolument pas besoin de faire quoi que ce soit de particulier pour harmoniser les rapports de l'enfant avec autrui. Que la meilleure chose à faire, c'est de le placer dans un milieu de garde et de retourner à la vie normale du travail !

Le plus insidieux, c'est que les conséquences du retour hâtif au travail ne se font sentir que plusieurs mois ou plusieurs années après l'arrivée de l'enfant. Commencent ainsi tranquillement des problèmes de comportement ou des problèmes émotifs graves, souvent sans éléments déclencheurs pour l'œil profane. Incrédules et dépassés, les parents consultent enfin : « Mon Dieu, qu'est-ce qui lui arrive ? Tout allait si bien ! » Trop peu de professionnels auront alors les connaissances nécessaires pour établir la ligne de vie de l'enfant de façon prioritaire, avant et après l'adoption. Beaucoup ne tiennent pas compte de l'impact pour l'enfant adopté de ce placement précipité en garderie, au moment où il est encore trop superficiellement attaché à sa famille. Ils ne s'agit pas ici de culpabiliser les parents qui ont fait ce choix, souvent par méconnaissance, mais plutôt de leur expliquer qu'ils auront à reprendre ce temps perdu.

Après l'adoption, vous devez donc, idéalement, prendre un long temps d'arrêt de vie professionnelle. Vous êtes toujours remplaçable au bureau, mais personne ne peut vous remplacer dans la tâche de créer des liens avec votre enfant. Idéalement, après six mois de soins et d'encadrement à la maison – oui, vous avez bien lu, six mois –, vous pourrez profiter du reste de votre congé pour initier tranquillement et progressivement l'enfant à la garderie, selon son âge, pendant quelques heures puis quelques jours, afin que le retour au travail ne se fasse pas brusquement, ce que l'enfant pourrait vivre comme un nouvel abandon.

Ne tenez pas pour acquis le fait que les éducateurs en garderie vont saisir l'ensemble des défis à relever sans aucune explication de votre part. Prenez le temps d'écrire un petit texte ou de décrire verbalement l'histoire sociale et médicale de l'enfant, ainsi que ses particularités d'attachement à ses parents et d'adaptation à sa famille.

L'extrême contagiosité: attention enfant gardé

Les enfants en milieu de garde sont «solidaires»; si l'un est malade, tout le monde est malade. Un milieu de garde est idéal pour transmettre des infections. Ainsi, l'enfant qui fréquente une garderie risque environ trois fois plus de contracter une infection qu'un enfant qui reste à la maison. La transmission des infections en milieu de garde se fait par contact direct ou par des objets contaminés, comme les jouets et les comptoirs. Les infections peuvent aussi se transmettre de façon aérienne, par l'intermédiaire de fines gouttelettes ou des liquides biologiques, c'est-à-dire le sang, les selles, l'urine et la salive. Les mains, les objets et les surfaces peuvent permettre le «transport» des petits microbes d'une personne à l'autre. Les enfants sont des enfants: ils portent tout à leur bouche, ils portent des couches et les mesures d'hygiène ne font pas partie de leurs priorités.

Entre les maladies respiratoires, entériques et d'autres tout aussi contagieuses comme la varicelle, un enfant qui se remet à peine de sa malnutrition ou de sa diarrhée bactérienne acquise à Manille ou à Phnom Pen peut contracter beaucoup de petites infections des autres, et en refiler plein d'autres également. D'un point de vue microbiologique, il faut donc se donner six mois – oui, vous avez bien lu, encore six mois – pour que l'enfant reprenne son poids et que soient calmées la majorité des parasitoses ou autres infections diagnostiquées lors de l'examen de santé à l'accueil. Certains enfants adoptés sont également des mordeurs potentiels, à l'instar de tous les enfants de 18 mois. Du point de vue du «mordu», il est intéressant de disposer d'un test d'hépatite B déjà inscrit en bonne et due forme au dossier.

Enfin, afin de prévenir les infections qui sont évitables par vaccination, assurez-vous que les immunisations de l'enfant sont en règle. Certains milieux de garde exigent un rapport de santé. Toutefois, les informations contenues dans le carnet de santé de l'enfant sont habituellement suffisantes pour permettre une bonne gestion des risques potentiels pour tous et chacun. Vous n'avez pas à dévoiler tout le contenu du dossier médical de l'enfant à Pierre-Jean-Jacques. Rappelez-vous: le dossier médical de l'enfant est confidentiel. Le droit à la vie privée n'est pas assujetti à la puberté.

Son école

> *Dès la première année d'école primaire,*
> *nous devrions disposer d'un grand nombre de spécialistes*
> *pour observer les enfants et voir qui fonctionne bien*
> *et qui manifeste des difficultés.*
> *Il faudrait aussi un organisme auquel ces spécialistes*
> *enverraient leurs observations et qui prendrait le relais.*
>
> T. Berry Brazelton

Partout dans le monde, l'entrée à l'école constitue un grand pas dans la vie des petits garçons, des petites filles et des parents. C'est un adieu à l'univers de la petite enfance, un passage, un deuil nécessaire mais parfois difficile. Les enfants passent ici de la vie privée à la vie publique. On exige d'eux qu'ils «produisent» des résultats, alors qu'auparavant on ne leur demandait que d'être heureux. Les parents qui avaient le devoir de tout décider cèdent maintenant une partie de leurs responsabilités et de leur pouvoir à des enseignants. Bref, il s'agit d'un ajustement pour toute la famille. Avant l'entrée à l'école, il est suggéré de faire une petite visite chez le pédiatre et, au besoin, chez l'optométriste. Certains enfants ne fonctionnent pas bien en classe parce qu'ils n'entendent ou ne voient tout simplement pas bien. Un examen de la vue s'avère alors fort utile et évite à l'enfant bien des ennuis.

Cette entrée à l'école constitue le véritable test de la «réparation» totale ou partielle des blessures visibles ou invisibles des enfants adoptés. Vous avez beau avoir réussi à rattraper ses retards de développement, à avoir grandement amélioré sa santé par vos bons soins, à en avoir fait un enfant heureux, bien adapté à sa nouvelle vie et accroché à sa nouvelle famille, vous allez maintenant voir si votre enfant a été fragilisé par son vécu préadoption, sa naissance difficile, sa dénutrition, ses infections, son bagage génétique inconnu et, enfin, par son abandon. Vous verrez alors s'il a utilisé de façon intensive tout l'éventail des possibilités et des talents de son cerveau.

Certains parents ont déjà soupçonné des difficultés de concentration ou d'apprentissage chez leur enfant. D'autres tombent des nues et sont très surpris, et surtout déçus, de constater que leur enfant n'apprend pas normalement et a besoin d'aide en orthopédagogie, en orthophonie et en ergothérapie. C'est que l'enfant ne donne pas obligatoirement de signes manifestes et clairs de problèmes avant que l'on ne sollicite les parties de son cerveau qui servent aux apprentissages scolaires plus abstraits. S'il est difficile, pour tous les parents du monde, de vivre la déception d'avoir un enfant qui a de la difficulté dans son cheminement scolaire, cela est en général beaucoup plus mal vécu par les parents adoptants. Il ne faut pas se leurrer : même si les parents adoptants proviennent de toutes les classes sociales, il y a beaucoup plus de cols blancs que de cols bleus, il y a beaucoup plus de gens un peu plus âgés que la moyenne, des gens qui ont réussi leur vie et qui ont réussi dans la vie, des gens pour qui une éducation supérieure est une valeur importante. La perspective que leur enfant devienne mécanicien plutôt qu'ingénieur en déboussole plusieurs. Il s'agit d'ailleurs d'une des conclusions de l'étude du docteur Hoerks du Danemark : les problèmes d'adaptation et de stress face au monde scolaire à l'adolescence, chez les enfants d'origine thaïlandaise, semblaient être influencés positivement ou négativement par le statut social des parents. Ainsi, les enfants de cols bleus vivaient moins de stress et moins de problèmes d'adaptation à l'école.

Le sac d'école des parents : l'éducation n'a pas d'âge

Comme enfant à l'école, vous avez vécu des succès, des échecs, des difficultés et des victoires. Toutes ces expériences font partie de votre bagage, comme autant d'objets agréables ou désagréables dans un sac d'écolier que vous traînez avec vous tout au long de votre vie adulte. Ce que vit votre enfant à l'école va vous précipiter à nouveau dans ces émotions truffées d'échecs et de succès. Les amis, les disputes, les injustices, les prix d'honneurs, les jours de tempête de neige, les examens, les bulletins, les boîtes à lunch, les professeurs sévères ou gentils, le directeur souriant ou maussade, l'odeur de la craie et des crayons de plomb, bref tous ces artefacts ou figures nomades vous replongeront rapidement dans vos forces ou vos fragilités antérieures. Évitez alors de projeter sur votre enfant vos propres ambitions déçues, vos propres fiertés, votre soumission ou vos quatre cents coups devant l'autorité, vos anxiétés pythagoriciennes ou votre trouille des exposés oraux.

Vos enfants adoptés ont particulièrement peur du rejet et du jugement des autres. Ils évaluent leur propre valeur un peu trop sur ce qu'ils font et pas assez sur ce qu'ils sont. Ils témoignent ainsi d'une hypersensibilité à toute remarque sur la propreté d'un cahier, sur une note moins bonne à un examen. Même si cela ne paraît pas logique, l'abandon a trop souvent fragilisé leur confiance en eux. L'estime de soi est un outil indispensable à la réussite scolaire.

– Pourquoi m'a-t-on abandonné? Je devais sûrement avoir quelque chose de défectueux, d'incorrect, d'irrecevable pour que ma mère m'abandonne...

Le bulletin scolaire: amour et mauvaises notes

Tous les enfants ont besoin de sentir que l'amour de leurs parents n'est pas conditionnel à leurs bons ou mauvais comportements, à leurs bons ou mauvais résultats scolaires. Or, vos enfants adoptés y sont encore plus sensibles que les autres. L'arrivée du bulletin est donc un autre test pour vérifier la permanence de cet attachement, la solidité de cet amour inconditionnel qui s'inscrit entre vous deux, ou vous trois. Il faut utiliser les bons mots et de la bonne façon, autant pour féliciter des bons résultats que pour souligner les mauvaises notes: «Je t'aime pour toujours, que tu aies de bonnes ou de mauvaises notes... mais je suis fière des efforts que tu as faits pour avoir ces bonnes notes»; ou, à l'inverse, «...mais je suis déçue que tu n'aies pas suffisamment fait d'efforts, car tes résultats sont faibles.»

Il existe des enfants avec des notes très moyennes qui se disent heureux, fiers d'eux-mêmes et qui vont bien réussir dans la vie. À l'opposé, certains premiers de classe misérables ont une estime de soi inversement proportionnelle à l'excellence de leurs notes! Dans les deux cas, l'interprétation que leurs parents font de la réussite ou de l'échec est déterminante. Certains parents s'accordent une «valeur» ou des compétences parentales selon les résultats scolaires de leur enfant. Imaginez le poids à porter: réaliser que son bulletin scolaire est garant de l'estime de soi de son parent!

Le fait d'avoir été abandonnés rend ces enfants très sensibles aux critiques et aux pressions. Un petit rien peut jeter par terre leur confiance déjà fragilisée. Il faut parfois faire du ménage dans vos priorités et vous dire qu'il vaut mieux un résultat moyen, avec des parents et des enfants heureux.

La réussite scolaire : obligation de moyens ou de résultats ?

Prenez tous les moyens pour aider votre enfant dans son cheminement scolaire. Offrez-lui du soutien moral, des encouragements et des moyens matériels pour qu'il ait le goût d'apprendre et qu'il soit fier de lui.

Néanmoins, certains parents font preuve d'un acharnement tel qu'on a l'impression que la réussite en mathématiques ou en anglais langue seconde est une question de vie ou de mort. On les entend dire, littéralement : «Nous avons une très belle note en français cette semaine, n'est-ce pas Sophie ?» Que votre enfant ait des difficultés d'apprentissage ou non, il y a une limite à lui imposer un résultat.

Si la période des devoirs devient une véritable bataille, une corvée à finir à tout prix, si cela devient un moment désagréable, frustrant pour l'enfant et pour vous, il y a le risque de fragiliser votre relation parent-enfant. Les obligations et les ordres, il faut plutôt les transformer en choix à faire, car même si vous devez veiller au grain, il s'agit de sa vie, de sa réussite ou de son échec. Au bout du compte, c'est toujours l'enfant qui choisit ou non de travailler, d'apprendre, de faire ou de ne pas faire ses devoirs. Et c'est lui qui devra expliquer cela à son professeur le lendemain. Cette notion de choix est extrêmement importante en adoption. Votre enfant a été tributaire ou victime de beaucoup de décisions prises par des adultes. Il peut ainsi conclure que rien n'est jamais de sa faute, puisqu'il n'est imputable de rien et n'a de pouvoir sur rien. Un parent qui donne toujours deux choix à l'enfant est un parent qui lui apprend qu'il peut avoir du pouvoir sur sa propre vie.

LE « SYNDROME » DU FAUX 747

Certains enfants n'ont pas de trouble d'apprentissage ou de comportement. Ils sont à l'école des enfants «parfaits», calmes et dociles. Ils travaillent très fort, avec rigueur et vigilance, réussissent bien, excellent dans tout ce qu'ils entreprennent. Leurs parents sont généralement rassurés et fiers devant un tel éventail de talents.

Alors, pourquoi ne pas lui faire prendre des cours de piano, de ballet, d'anglais et de gymnastique – pas tous le même soir, il faut bien être raisonnable, mais un par soir, sept soirs sur sept ?

Un jour, l'enfant parfait se met à faire des crises à la maison, puis d'autres crises. Il arrive de mauvaise humeur, fait ses devoirs en critiquant, se disant incapable. Il efface et recommence tout ce qu'il écrit, n'accepte pas de commettre une seule erreur ou d'avoir une note moins élevée que d'habitude, dort mal la veille de ses examens, a mal au ventre et vomit le matin de sa présentation orale.

Plusieurs enfants adoptés sont au nombre des enfants parfaits : ils sont formidables ! Ils ont de grandes capacités d'adaptation et de très bonnes capacités intellectuelles. Cela leur donne un extérieur solide de gros porteur, une carlingue d'avion 747. Leurs parents et leurs professeurs ne voient que ce côté très doué intellectuellement et pensent bien faire en l'exploitant au maximum. Comme ce sont des enfants qui ont peur du rejet, de l'abandon, qui craignent qu'en cas d'imperfection, on les aime moins ou les renvoie en Chine, ils essaient très fort de répondre aux attentes de leur entourage, jusqu'à épuisement physique et émotif.

Lorsque l'avion menace de s'écraser, ne fonctionne plus très bien, l'entourage ne comprend pas. Ce qu'on ignore trop souvent, c'est que sous cet extérieur très performant de 747 se cachent deux petits moteurs de Cessna. En y regardant de plus près, on s'aperçoit que l'enfant a des capacités cognitives au-dessus de la moyenne de son âge, mais des capacités émotives qui sont en dessous. Il est plus immature et plus anxieux, il doit déployer plus d'efforts pour arriver au niveau qu'il pense que l'on exige de lui.

L'écrasement peut prendre l'allure de symptômes somatiques : maux de ventre, eczéma, crises d'asthme, maux de tête, ou encore l'allure d'anxiété de performance ou de

(…)

(suite)

séparation qui causent de l'insomnie, une grande irritabi-
lité, des crises de «nerfs» ou des colères à n'en plus finir.

Ainsi donc, les parents doivent prendre le temps de
bien connaître leur petit modèle d'avion, avant de lui
demander de voler sans escale de Chicago à Tokyo.

La relation parents-éducateurs : adoption 101

Comme parents, forgés par la vie auprès d'un orphelin venu
d'ailleurs sur la planète, et par tout ce que vous aurez lu, vu ou
entendu sur le sujet de l'adoption internationale, vous êtes
maintenant à même de réaliser l'ampleur des conséquences de
l'abandon et de la vie en institution sur le devenir des petits
êtres. Ne tenez pas pour acquis que les enseignants, la direction,
les éducateurs connaissent tout cela. La réalité du monde de
l'éducation est tout autre. Vous devrez donc vous engager activement : il faut les aider à vous aider.

Dans les milieux plus urbains, les enseignants associent
souvent un enfant d'origine étrangère à la réalité des enfants
d'immigrants, ce qui les met sur des fausses pistes d'intervention. La grande majorité des enseignants, des orthopédagogues
et des psychologues scolaires n'ont reçu aucune formation sur
les origines et les spécificités des problèmes neurologiques,
d'apprentissage ou de comportement des enfants abandonnés
puis adoptés. Les outils qu'ils utilisent sont excellents, mais
donnent la plupart du temps un résultat «atypique», qu'ils ont
de la difficulté à interpréter en l'absence de données factuelles,
par exemple l'âge exact de l'enfant et ses antécédents familiaux.
Souvent, leur travail se complique parce qu'ils ne connaissent pas
certaines pathologies, comme les troubles de l'audition centrale
liés à de la sous-stimulation précoce, les troubles d'intégration
sensorielle liés au manque de stimulation vestibulaire, la contamination au plomb et les troubles d'attachement sévères.

Les enseignants sont aussi très souvent déroutés parce que
les parents sont présents, stimulants et adéquats dans leurs

attitudes parentales, mais que leurs enfants ont les mêmes pro-blèmes d'apprentissage que les enfants des milieux négligents, violents ou défavorisés. Soyez donc pro-actifs, allez au-devant, répondez à leurs questions. Sauf pour de regrettables excep-tions, les parents qui ont proposé de la documentation ou offert d'aller en classe faire une présentation sur l'adoption, sur la Chine ou encore sur Haïti, ont été accueillis à bras ouverts par les enseignants. La même réalité d'initiation s'applique à l'orthopédagogue ou au psychologue scolaire qui aura à inter-venir auprès de votre enfant.

En contrepartie, il vous faut être ouverts à ce que les inter-venants scolaires auront à vous dire sur les difficultés scolaires de votre enfant. Et il ne s'agit pas toujours de bonnes nouvelles. Tout comme vous, les enseignants ont le souci de la réussite de votre enfant. Toutefois, il faut parfois se rendre à l'évidence : des études scandinaves, et d'autres aussi, démontrent que si 5 % à 10 % des enfants non adoptés ont de graves problèmes d'apprentissage, les chiffres grimpent facilement jusqu'à 15 % et 20 % chez les enfants ayant vécu des abandons, de la malnutri-tion, de la sous-stimulation en bas âge, des carences affectives et, surtout, beaucoup de stress durant les 12 premiers mois de leur vie.

Car ce n'est pas l'adoption qui cause les problèmes, c'est ce qui s'est passé ou qui aurait dû se passer avant l'adoption qui donne décidément la note.

LA DÉROGATION À L'ENVERS

Au Québec, devant la précocité de leur petit rejeton biologique, certains parents ont réclamé et obtenu le droit de déroger à la Loi de l'instruction publique pour faire entrer leur enfant à l'école une année plus tôt que ne le prévoit la loi. D'autres parents s'insurgeaient de devoir faire attendre une année entière un enfant né à minuit et une minute le jour suivant la date prévue par l'autorité scolaire. Toujours est-il qu'au Québec, un parent qui souhaite se prévaloir de ce « privilège » doit faire passer

(...)

(suite)

des tests psychométriques à son enfant par un psychologue compétent qui fera ou non une recommandation positive. Une chose importante à savoir en matière de dérogation : le psychologue doit émettre une opinion non seulement sur les capacités cognitives de l'enfant, mais aussi sur son niveau de développement social et sa maturité. En effet, on peut connaître tous les chiffres, réciter des fables de Lafontaine et écrire de jolis mots tout en ayant encore besoin (et le droit) de jouer pour grandir.

Or, en matière d'adoption internationale, plusieurs études soulignent que, par rapport à l'intégration des enfants à l'école, on observe de façon constante un écart marqué entre l'âge chronologique et le niveau réel de maturité affective. Plusieurs enfants arrivent à l'école avec des capacités cognitives qui correspondent à leur âge chronologique, mais sans avoir l'équivalent au point de vue affectif. Ils sont plus «bébés», plus immatures, plus enfantins dans leurs habiletés sociales, aiment mieux jouer qu'apprendre à lire ou à écrire. Il n'est pas rare de voir une fillette de cinq ans et demi se comporter en classe comme une enfant de quatre ans, quand elle a été adoptée à l'âge de 16 mois. Et il vaut mieux y voir rapidement, car une intégration scolaire difficile comporte des risques en matière d'estime de soi.

Par le passé, certains parents se sont même résolus à demander aux tribunaux de changer la date de naissance de l'enfant pour éviter d'avoir à affronter la commission scolaire qui exigeait que leur enfant entre à l'école. Alors, au lieu d'en venir à ces extrêmes, certains parents, encouragés par des intervenants qui s'y connaissent en adoption, ont réussi à obtenir une évaluation de dérogation, mais à l'envers des prévisions de la loi. L'évaluation indique alors que l'enfant a besoin d'une année supplémentaire pour atteindre la maturité que son vécu en institution ne lui a pas permis de déployer. Même s'il n'existe pas

encore d'études sur les impacts positifs ou peut-être négatifs de cette pratique encore extrêmement marginale, il
existe cependant une certaine «jurisprudence». En effet,
un petit programme mal connu, avec un budget très maigre
du ministère québécois de la Famille et de l'Enfance,
prévoit déjà une telle dérogation dans les cas de certains
enfants handicapés ou pour un enfant qui aurait vécu
une longue hospitalisation pour une maladie grave.
En faisant appel à ce programme, à l'aide de rapports
médicaux et psychologiques, l'enfant peut bénéficier
d'une année supplémentaire en milieu de garde et entrer
normalement à la maternelle par la suite. Cependant,
il faut alors que les parents passent par des études et
des méandres administratifs. Un jour, un papa exaspéré
s'interrogeait: «Est-ce trop demander au système scolaire
que de redonner une année d'enfance à ma fille qui en a
perdu trois en orphelinat en Chine?»

Les recherches en adoption internationale ont démontré
qu'il existe des facteurs de risque en santé physique et mentale,
de même qu'en ce qui concerne le comportement et le
développement. Ces mêmes recherches insistent aussi sur la
nature des défis particuliers qui attendent un enfant adopté à
l'internationale, tout comme un parent adoptant à l'internationale. Tel que mentionné plus tôt, les enfants de l'adoption
internationale qui vont mal vont en général très mal. En
revanche, les enfants qui, après une période d'adaptation plus
difficile que la moyenne, vont bien vont très bien et ce, tout particulièrement en ce qui concerne leurs performances cognitives
ainsi que leurs habilités sociales et scolaires.

Le cursus scolaire des adolescents :
pas la bosse des maths ?

Malgré certaines constantes dans les difficultés en mathématiques et en langues, une grande proportion des enfants de
l'adoption internationale ont de très bons résultats scolaires
et poursuivent des études supérieures dans des proportions
parfois plus grandes que les enfants non adoptés. C'est du

moins ce que rapportent des études effectuées aux Pays-Bas, en Suède et aux États-Unis, études faites auprès d'enfants noirs ou latinos adoptés par des famille blanches. Il est rare que ces auteurs se prononcent très clairement sur les raisons de ces résultats remarquables, d'autant plus si les débuts ont été difficiles et que l'enfant connaît des difficultés en mathématiques. Les hypothèses les plus souvent avancées sont la force de caractère des élèves, leur détermination «innée», leurs capacités de survie hors du commun. Vient ensuite le désir de plaire, d'être aimé, d'être accepté. Pour finir, on souligne l'engagement affectif des parents qui, tous, ont vraiment choisi d'être parents et proviennent souvent, rappelons-le, de milieux socio-économiques favorisés, milieux qui valorisent traditionnellement l'éducation. Ils y mettent aussi le temps et les moyens.

L'autonomie des adolescents : les ados ados

Parents, attention ! Allez toujours au-delà de l'évidence, car vos sens peuvent vous tromper. Même si votre enfant devenu adolescent a un corps d'homme ou de femme, même s'il semble raisonner et argumenter comme un adulte, même si ses capacités cognitives et physiques semblent parfois supérieures aux vôtres, rappelez-vous une chose : ce n'est pas encore un adulte. Il y a encore un énorme écart entre ses capacités physiques et intellectuelles, et ses capacités à saisir, à contrôler et à canaliser sainement ses émotions et ses nouvelles pulsions. Un jour, il aime à la folie, le lendemain il déteste. Il ne dort pas pendant 36 heures puis, le lendemain, il dort jusqu'à trois heures de l'après-midi. Si un adulte se comportait de la même façon, ce serait un signe inquiétant de déséquilibre émotif, d'une grande immaturité, voire d'une maladie mentale. Mais voilà, les ados ne sont pas de «mauvais adultes». Il est irréaliste d'exiger d'eux qu'ils se comportent comme des adultes.

Le chemin de l'exploration de l'autonomie est difficile. Les adolescents de l'adoption internationale ont encore plus d'embûches que les autres. Leurs émotions sont encore plus sollicitées par des ancrages préadoption, par des questions existentielles sur leurs origines, par la permanence du lien d'attachement, d'autant plus qu'ils doivent préparer un éventuel départ de la maison. Parents, attention ! De vos adolescents, il faudra apprendre à vous séparer, mais ça c'est une autre histoire…

JEAN-PHILIPPE, 14 ANS ET 140 DE QI

La directrice adjointe de l'école secondaire que fréquente le fils de Sylvie vient d'apprendre à la maman que, pour la troisième fois depuis septembre, Jean-Philippe sera suspendu pendant une journée complète pour non-respect des règlements de l'école. Non, Jean-Philippe n'a pas volé, n'a pas été impoli avec un enseignant, n'a pas séché de cours ni «cassé la gueule» à un camarade. Simplement, Jean-Philippe ne remet pas ses travaux, car il a décidé qu'en troisième secondaire il ne voulait pas avoir une moyenne autre que 65%. Pour arriver à son but, il doit donc faire un savant calcul du nombre de bonnes et de mauvaises réponses qu'il doit faire aux tests d'étapes, ainsi que du nombre de travaux à remettre et à ne pas remettre. Le plus étonnant, c'est qu'il y arrive et cela rend ses parents complètement fous! Pourquoi un jeune homme si brillant au primaire est-il devenu un sous-performant volontaire au secondaire? Ses parents n'y comprennent rien, tout comme ses enseignants et la direction de l'école. Le psychologue scolaire a bien émis quelques hypothèses: adopté à Taiwan à l'âge de deux ans, peut-être vit-il une forme de révolte passive-agressive envers ses parents adoptants qui sont blancs et pour qui un cours universitaire est incontournable?

Puis, un jour, le papa de Jean-Philippe entend une entrevue radiophonique où il est question des adolescents adoptés à l'internationale. Une psychoéducatrice y décrit certains problèmes d'attachement, pas nécessairement très graves, mais qui poussent certains jeunes à avoir très peur du rejet, de l'abandon s'ils ne sont pas «parfaits», s'ils ne répondent pas aux attentes de leurs parents. Comme il est impossible de contrôler la perfection, ils préfèrent gérer l'échec. Comme une sorte de contre-phobie, la peur d'échouer étant plus terrifiante que l'échec lui-même, ils provoquent volontairement la situation si

(...)

(suite)

redoutée! Ils ont peur de réussir, ont une estime d'eux-mêmes fragilisée par l'abandon. Certains vivent même le syndrome du «*bad-baby*» ou du «*trash-baby*», un bébé trop mauvais à sa naissance pour qu'on le garde, un bébé qui est voué à l'échec dans la vie, un bébé trop difficile à aimer, à materner donc, et qui n'a pas vraiment de valeur intrinsèque. Pas question qu'un mauvais bébé devienne un adolescent performant! Un tel bébé ne serait nul autre qu'un imposteur…

Cette révélation partagée avec sa conjointe, puis avec le psychologue de l'école mènera enfin les parents et Jean-Philippe à effectuer un travail thérapeutique beaucoup plus profond et nécessaire, bien au-delà d'une simple note en mathématiques ou du passage d'une année scolaire à l'autre.

> *L'estime de soi prend naissance*
> *dans une relation d'attachement.*
>
> Germain Duclos

Lectures suggérées

DE MONLÉON, J.V. *Les deux mamans de Petirou*. Paris: Gautier-Languereau, 2001. 17 p. (3 ans +)

DUCLOS, G. *L'estime de soi, un passeport pour la vie*. Montréal: Éditions de l'Hôpital Ste-Justine. 2000. 115 p. (La Collection de l'Hôpital Sainte-Justine pour les parents)

GRAVEL, D. *Les nouveaux parents de Van Tiên*. Montréal: Mégafun, 1997. 32 p. (7 ans +)

LAVAUD, J. *La sécurité de vos enfants: S.O.S. accidents*. Paris: Hachette, 1987. 221 p. (Parents)

RASCAL. *Moun*. Paris: L'École des Loisirs, 1994. 32 p. (Pastel) (5 ans +)

Références

HOKSBERGEN, R., F. JUFFER, B. WAARDENBURG et al. *Adopted Children at Home and at School*. Utrecht (Pays-Bas): Swets et Zeitlinger, 1987. 104 p.

OUELLET, F.R., H. BELLEAU, C. PATENAUDE. *L'intégration familiale et sociale des enfants adoptés à l'étranger: recension des écrits*. Sainte-Foy: INRS-Culture et société, Institut national de la recherche scientifique, Université du Québec, 1999. 197 p. www.inrs-ucs.uquebec.ca/pdf/rap2001_01f.pdf

CHAPITRE 15

L'IDENTITÉ DE L'ENFANT ET DE L'ADOLESCENT

▼

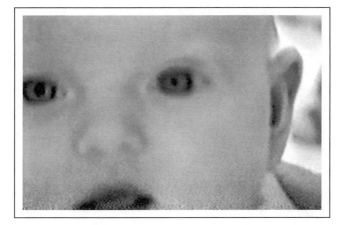

24 images par seconde
Fédération de Russie, 1999

Dans notre monde d'échanges humains, sociaux, culturels et commerciaux sans précédent dans l'histoire de l'humanité, les questions d'identité fascinent et angoissent beaucoup de gens. À la peur de l'acculturation des populations migrantes et à la montée des mouvements nationalistes, se mêle curieusement, et en même temps, un mouvement «*world beat*» qui prône les mélanges d'idées et le brassage de génomes en célébrant les hybrides de tout acabit. Les enfants de l'adoption internationale et leurs familles font partie de la catégorie des hybrides. Ils forment une réalité nouvelle et colorée, impensable à grande échelle il y a à peine un demi-siècle. Leur existence redéfinit le concept même d'identité.

L'IMPOSTEUR BLOND

« Je suis un imposteur, je suis comme un œuf: blanc à l'extérieur et jaune à l'intérieur », déclare très sérieusement, en marchant sur Wall Street, un beau jeune homme aux cheveux blonds bouclés et aux yeux bleus. James est né au Japon de parents missionnaires américains. Ce japonais tout blond passe son enfance à Tokyo où il dit avoir pleuré toutes les larmes de son corps en suppliant sa mère de lui teindre les cheveux en noir pour ne plus être la risée de l'école. Le jour de la photo annuelle s'avérait particulièrement éprouvant: malgré la casquette marine aux insignes de l'école, le photographe n'avait jamais su quoi faire avec cette tête blonde qui brisait sans doute l'harmonie toute zen de l'ensemble. James sait maintenant tirer partie de sa blondeur, d'autant que sa maîtrise parfaite

(...)

(suite)

non seulement de la langue nipponne mais aussi des moindres subtilités de sa culture lui permet d'obtenir un salaire faramineux dans une firme de courtiers.

« Je ne me sens pourtant ni totalement Américain ni totalement Japonais», dit-il en mangeant ses sushis arrosés d'une bière Miller…

Histoire vraie, New York 1982

Tous ces changements ébranlent des croyances autrefois considérées comme immuables. Demandez à un grand-père de Rimouski ce qu'est un Québécois «pure laine» et sa réponse risque d'être très claire: c'est un descendant direct d'un colon français, qui parle français, et qui est de confession catholique. Posez la même question à un adolescent et sa réponse dépendra de son lieu de résidence, de ses convictions politiques ou philosophiques, de sa marque de T-shirt préféré, de la composition de sa famille, etc. Depuis deux générations, de vastes chambardements bouleversent à une vitesse folle la définition identitaire des Québécois, des Canadiens, des Nord-Américains, des Français, des Européens, et ainsi de suite de par le monde. Plusieurs ont de la difficulté à suivre. Sans absolus et sans repères, certains angoissent, s'inquiètent et paniquent même.

Mais qu'est-ce donc que l'identité? Sur la notion de séparation et d'individuation, Erikson et Winnicott ont élaboré les prémisses essentielles de la recherche identitaire. Pour sa part, le psychologue social Tap définit ainsi la question: «L'identité est l'ensemble des caractéristiques physiques, psychologiques, morales, juridiques, sociales et culturelles à partir desquelles la personne se définit, se présente, se connaît et se fait connaître, ou à partir desquelles autrui la définit, la situe ou la reconnaît. L'identité, c'est ce par quoi l'individu se sent exister en tant que personne, dans tous ses rôles et toutes ses fonctions, se sent accepté et reconnu comme tel par autrui, par son groupe ou sa culture d'appartenance.» Pas étonnant donc, à lire cette définition, que les questions de quête d'identité et d'acculturation aient été les premiers aspects à être étudiés en adoption.

L'identité étant généralement transmise de génération en génération par la socialisation des enfants biologiques, l'impact du déracinement biologique, social, voire culturel ébranle et inquiète lourdement. Aux États-Unis, par exemple, la polémique entourant l'acceptation de l'adoption nationale d'un enfant noir par une famille blanche fait encore l'objet de débats télévisés ou radiophoniques. Autre exemple : au Canada, la politique de limiter à l'extrême l'adoption d'Amérindiens ou d'Inuits par des Blancs est née en réaction aux politiques d'assimilation du passé que d'aucuns ne cessent de raviver.

Avec l'arrivée de l'adoption internationale, les préoccupations autour des questions d'identité sont mises en évidence et ont donné lieu dans le monde, au cours des 25 dernières années, à des centaines de recherches en sociologie, en anthropologie, en psychologie et en travail social. En parcourant ces études, on s'aperçoit que la majorité des chercheurs adoptent comme principe qu'en matière d'adoption transraciale, le plus gros défi, voire l'unique difficulté, serait pour l'enfant et ses parents de faire face aux questions identitaires. Ainsi, toutes les difficultés d'adaptation, de développement, de santé, de relations parents-enfants y sont interprétées à travers la lunette des différences culturelles, des différentes couleurs de peau d'où émanerait nécessairement une crise terrible à résoudre, soit le choix entre l'appartenance d'origine et l'appartenance à la nouvelle famille. Nous ne sommes pas sans émettre l'hypothèse que ces préoccupations proviennent peut-être d'un phénomène de projection plus ou moins conscient : si l'autre se définit comme moi tout en étant fondamentalement différent, alors qui suis-je au juste ?

Sans nier la très grande importance de ces enjeux dans le développement de l'enfant et les défis particuliers qui attendent les parents adoptants dans ces situations, on peut se permettre avec du recul de nuancer certaines choses. Ainsi, entre un bébé noir et une maman et un papa blancs, il y a pas mal plus de ressemblances que de différences sur les plans affectif, cognitif et physique. En adoption internationale, le questionnement identitaire n'est qu'un besoin parmi tant d'autres. Il faut donc voir la construction de l'identité raciale ou culturelle d'un enfant adopté comme un des morceaux du puzzle qui explique ses facilités ou ses difficultés à vivre sa différence, à être heureux et bien dans sa peau (dans tous les sens du mot). Par ignorance des autres enjeux physiques, émotifs et familiaux, on peut vite sauter aux conclusions en ne cherchant pas plus loin que l'évidence. Encore des exemples : si l'enfant a des problèmes scolaires, c'est parce qu'il est le seul Asiatique à l'école ; si l'adolescente n'a pas une bonne estime d'elle-même, c'est parce qu'elle est Noire parmi des Blancs, et si l'adolescent s'est joint à un gang de rue latino pour faire des mauvais coups, c'est parce qu'il recherche activement sa véritable identité. Les enfants eux-mêmes peuvent être convaincus qu'il n'y a pas d'autres explications logiques. Toutes ces raisons sont plausibles, mais elles ne sont jamais exclusives. En matière de santé ou de comportement humain, les causes sont presque toujours multifactorielles.

La différence

> C'est pas vrai que j'ai renié mes origines !
> Je l'ai toujours dit que je venais du Lac Saint-Jean !
> Pis partout ! Comme Kiri a toujours dit qu'elle était Maorie !
> Mais vois-tu ça, toi, à l'Opéra de Paris, sur la scène,
> pendant une répétition, une diva avec un accent québécois ?
>
> Michel Tremblay

La majorité des études qui traitent des questions identitaires chez les enfants adoptés à l'étranger mentionnent l'énorme influence des attitudes parentales sur les stratégies d'ajustement de l'enfant face à sa différence. Un des pièges qui guette les parents adoptants, c'est d'exagérer l'importance de l'identité ethnique ou, au contraire, de la minimiser.

UN EMPLOI À L'ALUMINERIE

Fort et fier de son tout nouveau diplôme d'ingénieur en métallurgie, Pierre Tremblay se présente à une entrevue d'emploi dans une aluminerie de son coin de pays. De leur côté, les deux membres du jury de sélection examinent avec intérêt le curriculum de M. Tremblay, un petit gars de Dolbeau. Le moment de surprise survient à l'entrevue lorsqu'ils regardent en direction de la porte et qu'ils aperçoivent un gaillard de six pieds au teint olivâtre, aux cheveux de jais et aux yeux bridés. Y aurait-il méprise ?

« Non, je suis bel et bien Pierre Tremblay », répond le candidat face aux points d'interrogation qu'il lit dans les yeux de ses éventuels patrons. Avant même d'entrer dans le vif du sujet, Pierre expliquera en long et en large l'histoire de sa naissance en Corée, puis son adoption à l'âge de 15 mois et son enfance passée sur les bords du lac Saint-Jean, tout ce qui fait de lui un être très particulier : un Bleuet coréen ! Pour les Français qui nous lisent, le bleuet est une grosse myrtille qui fait la réputation du Lac Saint-Jean, une région du Québec. Cette grosse myrtille est rarement coréenne !

Pierre obtient l'emploi. Accessoirement parce que sa petite histoire a fait impression, mais surtout... parce qu'il est le meilleur candidat.

Certains parents sont si fiers de leur petite d'origine chinoise qu'ils transforment la maison en pagode, se mettent à manger avec des baguettes tous les jours, apprennent le mandarin en famille et racontent à tous que leur fille est porteuse d'une culture millénaire. Dans le petit journal que nous feuilletons au moment d'écrire ces lignes, une comédienne québécoise se vante des performances aquatiques de sa petite adoptée de six mois qui est « agile comme toutes les petites Chinoises ». Ces parents conservent aussi les noms chinois de leurs enfants, aussi imprononçables soient-ils pour des Occidentaux. Réponse au besoin identitaire de leur enfant ou « lubie » personnelle ?

À l'opposé, certains parents cherchent à effacer toute trace identitaire de l'enfant, comme ce couple qui pensait bien faire en jetant tous les vêtements et petits objets de l'enfant dans les poubelles de l'aéroport pour que l'enfant reparte à neuf, pour qu'il oublie son passé pénible, y compris son identité russe ou roumaine.

L'enfant doit apprendre à fonctionner avec ses deux identités, en ayant la permission d'être Chinois ou Roumain lorsqu'il en ressent le besoin et d'être «Québécois pure laine» ou «Français-Français» lorsqu'il le désire. Cela dépendra des périodes de sa vie, des événements, des sujets abordés, des difficultés rencontrées. De même, pour les parents, il faut faire la part des choses: si l'enfant va bien ou mal, il ne faut pas tout imputer à l'adoption, ou, à l'inverse, toujours nier qu'il y a une partie d'explication enfouie dans le passé de l'enfant ou dans son bagage génétique ou culturel. Il faut aussi savoir que l'enfant pourra prendre le prétexte de sa couleur ou de sa différence pour tester la solidité de l'attachement de ses parents et son appartenance à sa famille.

L'enfance : le rejet de la différence

Il est utile de comprendre que les enjeux identitaires de l'enfant sont en constante évolution selon les étapes de sa socialisation. Malgré une certaine curiosité sur leurs origines, non seulement ethniques mais adoptives, durant la petite enfance et la période de latence entre 6 et 12 ans, la plupart des enfants se définissent comme étant physiquement différents, mais selon des critères autres que ceux utilisés par les autres membres de la famille ou du quartier. Souvent confrontés directement à leurs différences lors de l'entrée scolaire, ils cherchent en fait à se définir et à être considérés comme faisant partie de la culture dominante. Leur but : être comme les autres, c'est tout. Les questionnements sur leurs origines les rendent souvent mal à l'aise car, à la différence de ce qui se passera dans les futures étapes de leur vie, ils ne cherchent pas ici à se distinguer, de peur d'être mis à part. Ainsi, certains parents seront tout à fait catastrophés d'apprendre que leur fille d'origine guatémaltèque s'est liguée avec les enfants blancs pour se moquer d'un nouveau petit camarade fraîchement arrivé du Rwanda. Il valait mieux pour elle s'identifier à la majorité plutôt que de subir le même sort.

À cet âge, un enfant, adopté ou pas, s'identifie d'abord à sa famille, bien avant sa race ou sa nationalité. Même si les parents sont ouverts et vigilants, il semble aussi que la famille fonctionne au quotidien avec un certain «daltonisme» et que la différence n'est qu'insuffisamment soulignée dans l'intimité de la maison ou du quartier ou de la famille élargie. Face au monde extérieur cependant, plusieurs auteurs mentionnent qu'une des meilleures stratégies pour aider le jeune enfant à accueillir positivement sa différence, c'est de ne pas le définir comme le seul élément différent de la famille. Il faut plutôt souligner le fait que sa présence fait de toute la famille une famille différente, même si certains membres sont issus de la culture « dominante ». L'enfant sait qu'il est différent, mais pas à part, puisque tous acceptent et célèbrent leur identité familiale comme étant différente : fédératrice, solidaire, « normale » et colorée.

L'adolescence : l'exploration et l'ambivalence quant à la différence

Les choses se corsent un peu plus à l'adolescence. Un adolescent a déjà à traverser une crise d'identité. Il s'agit d'une étape normale et nécessaire pour devenir adulte. Mais quand s'ajoute à cela une histoire d'abandon, une conscience plus aiguë des différences physiques avec le reste de sa famille et des questionnements sur les origines de ses goûts, de ses défauts, de ses qualités, de ses problèmes de santé, quand s'ajoute enfin le regard des autres qui sont surpris, par exemple, qu'il ne danse pas comme Ricky Martin bien qu'il soit latino, alors le sentiment d'identité ne quitte plus son programme de la journée. Il y a décidément du travail à faire pour que l'adolescent trouve des réponses satisfaisantes et se fabrique une identité, beaucoup plus de travail que dans sa première décennie. Il y a nécessité pour l'adolescent non seulement de démêler les fantasmes des réalités, mais aussi de réécrire à sa façon son histoire et la définition qu'il se donne de lui-même.

Selon l'étude conduite en 1995 par la chercheuse Ginette Morrier, même si l'identité est un processus complexe et dynamique, la majorité des adolescents finissent par trouver une stratégie identitaire satisfaisante. Ainsi, selon ces travaux, la majorité des adolescents seraient des « assimilationnistes » qui s'identifient à la culture majoritaire de leur pays d'adoption. Ensuite viendraient les « biculturels » qui s'identifient aussi à la majorité, mais qui revendiquent aussi leur couleur et certains aspects de leur culture d'origine. En plus petit nombre, il y aurait ensuite les « internationalistes » qui ne s'identifient vraiment ni à la majorité ni à leur culture d'origine, mais plutôt à l'humanité en général. Finalement, il n'y a qu'une infime minorité qui se réclamerait uniquement de l'ethnie d'origine.

Doit-on s'inquiéter, s'attrister ou se réjouir de cette répartition ? Difficile à dire à long terme. Ce qui ressort de la plupart des études, c'est qu'une fois « fabriquée », cette identité fonctionne positivement pour ces adoptés. Qui sommes-nous pour dire et tenter de les convaincre du contraire ?

UNE ENTREVUE À *20/20* SUR **ABC**, PRINTEMPS 2001

Lors d'une émission consacrée à l'adoption, la célèbre journaliste Barbara Walters faisait témoigner le fils d'un de ses collègues. D'origine indonésienne, il fut adopté à l'âge de 18 mois par un médecin américain et sa femme, tous deux d'origine suédoise. Ils vécurent ensemble quelques années en Indonésie, mais le jeune homme fut élevé à New York où, devenu adulte, il habite toujours. « Ma tête et mon corps me disent que je suis d'origine indonésienne, déclarait-il. Je sais aussi que je suis Américain et fier de l'être. Mais la culture qui me colle le plus à la peau est la culture suédoise. C'est en parlant suédois que je me sens chez moi, mes mets préférés sont suédois. Alors, sur le plan affectif, je me sens beaucoup plus Suédois qu'Indonésien et ce, sans porter préjudice à mes origines. »

Le monde adulte :
une tentative pour intégrer la différence

One mouse, one world.

Mickey Mouse

À l'âge adulte, les adoptés ont généralement trouvé une double identité satisfaisante, même si de nombreuses questions et deuils restent à faire. Mais leur réalité identitaire continue trop souvent à être définie par le regard des autres. Pour les Blancs, ils sont trop noirs ou jaunes pour être de « vrais » Blancs. À l'opposé, lorsqu'ils côtoient des gens de leur pays d'origine, ils ne sont pas acceptés comme faisant partie de ce groupe. Les Américains appellent cela le « syndrome » du biscuit Oréo : tu es Noir en dehors, mais Blanc en dedans. Ou encore le « complexe » de la banane : tu es Jaune en dehors, mais Blanc en dedans, c'est à dire d'apparence africaine ou asiatique ou latino ou autre, mais avec des comportements, des valeurs et des idées blanches. Un peu imposteur dans les deux camps.

Maintenus entre deux chaises, ces adultes choisissent parfois de joindre des regroupements d'adultes adoptés. Ainsi, plusieurs associations d'adultes d'origine coréenne sont très actives aux États-Unis et en Europe. À l'aide de sites de discussion, de camps culturels appelés « *Roots Camps* », de voyages de retrouvailles en Corée et même de certaines revendications plus politiques, comme celle qui vise à obtenir la double citoyenneté, ces grands adoptés sont en train de se créer une nouvelle réalité bien à eux. Ils sont des pionniers dont le cheminement et les réflexions devraient inspirer les intervenants et les parents adoptants. Imaginez ce que toutes les petites filles adoptées en Chine, tous les Haïtiens ou les enfants de la Colombie auront à inventer sur eux-mêmes !

D'ici là, les parents adoptants doivent faire preuve d'ouverture et accepter cette part d'inconnu dans le cheminement des enfants. Ils doivent être souples, attentifs, bref offrir un menu sans imposer le repas.

La quête

Pour atteindre l'inaccessible étoile…

Jacques Brel

Le questionnement et la compréhension des origines varient selon l'âge émotif et mental de l'enfant, puis de l'adulte. Cette recherche n'a pas la même importance et la même signification pour tous. À preuve, la plupart des adoptés québécois ne font pas de demandes de retrouvailles et ce, même si depuis 1984, la loi le leur permet.

Pour certains, cependant, ce besoin de savoir devient une quête dont la signification est énorme. Comme le saumon qui remonte la rivière, ils sont prêts à se briser les nageoires sur les roches et à se rendre au bout de leur énergie vitale pour satisfaire cet instinct de retour aux sources. Ce besoin est souvent interprété par le parent comme un désaveu de la relation adoptive, comme un échec de l'amour mutuel. Les parents pensent à tort qu'ils n'ont pas assez aimé l'enfant, qu'ils n'ont pas assez rapiécé le passé, qu'ils vont perdre quelque chose de spécial s'ils laissent ou encouragent l'enfant à retourner dans son pays. Certains parents veulent aussi éviter à l'enfant de souffrir, d'être déçu s'il ne trouve pas les réponses à ses questions ou l'objet de ses désirs.

Il faut donc que le parent se prépare mentalement à cette étape en accueillant l'enfant. La meilleure façon consiste à régler le «contentieux» et la «logique privée» avec les parents biologiques de son enfants et ce, même si les chances de retracer les parents biologiques sont bien minces, par exemple en Chine. Si, comme parent adoptif, vous considérez les parents biologiques comme faisant partie de votre vie, comme ayant été et étant encore des personnes significatives pour votre enfant, vous n'éviterez pas l'éveil de l'instinct du «petit saumon», mais vous le vivrez de façon constructive. Refuser la légitimité de cette quête peut mettre en péril la qualité de votre relation alors qu'une ouverture sincère ne peut que l'enrichir.

LES RETROUVAILLES DES CLASSES

Imaginez la scène: à Québec, au très chic bar du Château Frontenac, attend nerveusement une dame qui sent le bon parfum de qualité, qui est ornée de bijoux fins et dont les épaules sont couvertes d'un élégant manteau de fourrure. Elle fume cigarette sur cigarette et parle un anglais tout britannique qui laisse transparaître un magnifique accent catalan. Maria décrit son parcours. En 1959, l'année de la chute du dictateur cubain Batista, ses riches parents cubains sont venus ici, à Québec, pour l'adopter. Voulant fuir les révolutionnaires de Fidel Castro, ils se sont rendus aux États-Unis, puis se sont installés à Madrid, où Maria a fréquenté les meilleures écoles privées d'Espagne et d'Europe. Maintenant mariée, mère de deux fils, elle a fait le voyage pour rencontrer sa mère biologique, une dame de 60 ans, retraitée d'une «shop» de couture de la Basse-Ville. La rencontre sera émouvante, pleine de larmes, de rires et de regards à la fois pudiques et inquisiteurs.

Maria écrira plus tard: «Je suis tellement heureuse d'avoir enfin rencontré celle qui m'a donné la vie, mais tellement déçue de n'avoir rien en commun avec elle…»

Au Québec, nous avons la chance de vivre une sorte de voyage dans le temps en matière de retrouvailles internationales. Depuis que la loi le permet, des intervenants accompagnent plusieurs centaines d'adultes adoptés dans un processus de retrouvailles avec leurs parents biologiques. Parmi ces adoptés adultes, plusieurs sont nés au Québec, mais ont été adoptés par des couples étrangers dans les années 40, 50 et au début des années 60. Une réalité peu connue, mais bien réelle: des milliers de bébés nés au Québec ont été adoptés par des Américains, des Cubains, des Européens qui recherchaient des bébés jeunes, «blancs», catholiques et en bonne santé. Ces personnes nous apprennent énormément sur l'impact de l'abandon, sur le déracinement, sur le vrai sens de l'attachement parent-enfant, sur les bonnes et moins bonnes attitudes des parents adoptifs, sur les motivations à rechercher ses origines et aussi sur les outils qu'ils ont eus ou auraient dû avoir pour se sentir «complets», pour trouver et comprendre tous les morceaux du puzzle de leur existence.

À l'exception de quelques cas, ces adultes témoignent de leur profond attachement, de leur loyauté, de leur amour et de leur infini tendresse pour leurs parents adoptifs et pour leur pays d'adoption. Par contre, ils racontent trop souvent la souffrance causée par la grande maladresse de leurs parents quant à la révélation de leur adoption et de leurs origines, à savoir le choc de la révélation de l'adoption la veille de l'entrée à l'école par exemple, l'annonce méprisante de l'adoption par un cousin ou un camarade de classe, les conversations tabous et interdites sur «les vrais» parents, les histoires inventées sur les parents biologiques morts dans un pseudo-accident de voiture…

Les temps et les mentalités ont changé, mais la question de la révélation des origines demeure encore aujourd'hui un grand défi pour tous les parents adoptifs. La peur de faire des gaffes, de traumatiser, de faire souffrir l'enfant sont encore des préoccupations très présentes et tout à fait normales. Également au centre des anxiétés, la peur que l'enfant ou l'adolescent débarque un jour avec la classique phrase assassine: «De toute façon je ne te dois rien, car tu n'es pas ma "vraie" mère ou mon "vrai" père.» Les autres ados du monde doivent faire preuve de beaucoup de finesse et travailler très fort pour découvrir le point faible de leurs parents. C'est toutefois sur un plateau d'argent que les enfants adoptés reçoivent en cadeau cette phrase empoisonnée.

Ne tirez surtout pas de fausses conclusions. Cette déclaration ne veut pas dire que votre enfant ne vous aime pas ou que vous êtes un mauvais parent ou qu'il aurait été préférable de le laisser à l'orphelinat ou, enfin, que vous allez «perdre» votre enfant. Cette petite phrase choc veut plutôt dire que l'enfant est confus, qu'il ne sait pas trop quoi penser de son adoption, qu'il veut savoir s'il a le droit d'«aimer» ou de «haïr» son parent biologique, sans que cela remette en question sa relation avec lui. Une telle phrase peut aussi laisser poindre le début du conflit de loyauté que l'enfant adopté aura nécessairement à résoudre, à l'instar de tous les enfants du monde, mais avec les particularités exigeantes du contexte d'adoption.

Pour empêcher votre enfant de trop souffrir, vous lui avez peut-être raconté une version édulcorée de son abandon. Mais en grandissant, n'oubliez pas qu'il aura la possibilité de se renseigner lui-même, de lire des articles de journaux, par exemple sur les enlèvements d'enfants au Guatemala ou au Vietnam, ou d'assister à des reportages sur la vie en Chine, où toutes les petites filles chinoises ne sont pas d'office abandonnées par leurs parents, et tant d'autres possibilités de questionnement sur ses origines et sur la signification de son cheminement de vie. L'enfant adopté doit se créer sa propre histoire, celle qui va lui convenir, pour régler (ou non) son conflit de loyauté entre son passé et son présent. Autant d'éléments qui pourront, un jour ou l'autre, le pousser à souhaiter des retrouvailles, si ce n'est pas avec ses parents biologiques, du moins avec son pays et sa culture.

Non, il n'a pas choisi son passé, mais cela ne doit pas le condamner à ne pas avoir le pouvoir de choisir son présent et son avenir. Accompagnez-le, sans vous sentir menacés par ce qu'il vit ou ce qu'il dit. C'est sa vie.

Le racisme

Le racisme ne sera plus qu'un mauvais souvenir car, au rythme où vont les choses, dans 200 ans nous serons tous un peu bronzés, un peu bridés et nous parlerons tous espagnol......Hi... Hi...Hi...

Jacques Languirand

On a effectué plusieurs études sur la réalité du racisme vécu par les enfants de l'adoption internationale. Il est difficile d'interpréter ces recherches de façon uniforme, car la définition du racisme couvre un très large spectre. Les « purs et durs » vous diront que toutes les questions, taquineries ou remarques, même maladroites, concernant la couleur de la peau ou l'origine ethnique doivent être considérées comme des événements racistes. Les « modérés » iront vers une définition plus restrictive où le racisme doit s'apparenter à de la violence verbale, physique, ou à des actes de rejet et de discrimination basés sur la race, la couleur, la religion ou le pays d'origine. Ces différentes définitions, ainsi que les contextes socio-culturels et historiques des pays d'accueil où les recherches ont été menées, peuvent en partie expliquer les écarts statistiques qui suivent.

Selon l'étude québécoise conduite par Ginette Morrier en 1995, la majorité des adoptés rencontrés ont été victimes de moqueries à cause de leur couleur, une minorité seulement exprime que leur couleur a compliqué leurs relations amicales et amoureuses, et à peine quelques-uns disent avoir été déjà menacés par des membres de groupes se revendiquant de l'extrême-droite. L'étude canadienne Westhues et Cohen, de 1995 elle aussi, révèle que 85 % des garçons et 82 % des filles auraient vécu un ou des épisodes de racisme. En Allemagne, la recherche de W. Kühl, toujours en 1995, parle de 50 % d'épisodes de racisme originant plus souvent des adultes que des jeunes. L'étude de Mette Rorbech, de 1991 au Danemark, parle de 27 % et celle de Terre des Hommes, en France, parle de

43 %. Selon la recherche québécoise de Diane Lussier en 1992, l'âge au moment de l'adoption serait un facteur important dans le degré de sensibilité de l'enfant: plus un enfant arrive âgé dans son pays d'accueil, plus il est affecté négativement par des propos à caractère raciste.

L'immense majorité des recherches internationales mentionnent aussi que, dans leur famille, leur quartier et l'entourage immédiat, les enfants ne subissent que très rarement des épisodes de racisme. De l'ensemble des études que nous venons d'énumérer, on peut retenir que, malgré des événements désagréables, en moyenne seulement de 15 % à 20 % des adoptés estiment que la différence de leur couleur de peau ou de leur origine ethnique sont de réels inconvénients pour eux. La majorité n'y voit ni avantages ni inconvénients graves. D'autres, comme un bon pourcentage de filles dans l'étude allemande, y voient même au contraire un atout pour leurs relations sociales et amoureuses. Les épisodes racistes peuvent se produire plus fréquemment lors de l'entrée à l'école, mais se calment habituellement lorsque les autres élèves apprennent à mieux connaître les jeunes adoptés. C'est plutôt en dehors de leur milieu de vie habituel que ceux-ci en arrivent à être «confondus» avec une population migrante «classique» et qu'ils ont à subir des remarques ou des questions désagréables de la part de purs étrangers.

Autre chose étonnante: il n'y aurait ni plus ni moins d'épisodes racistes dans les milieux homogènes que dans les milieux multiethniques. Leurs expressions seraient simplement différentes. Il semble qu'être le seul Noir ou le seul Asiatique dans un village donnerait plus d'avantages que d'inconvénients. En contrepartie, ce même jeune sera beaucoup plus vulnérable lorsqu'il aura à naviguer dans une grande ville, car il n'aura pas développé de stratégies personnelles et efficaces pour se sortir de situations difficiles ou embarrassantes.

LES HOMMES DE COULEUR NE SONT PAS LES BIENVENUS ICI

Par un beau matin, un homme noir entre dans un café. Comme il s'assoit, un homme blanc assis derrière lui dit sèchement: «Les hommes de couleur ne sont pas les bienvenus ici.»

Alors l'homme noir se lève et se tourne en parlant dignement:

«Quand je suis né, j'étais noir

Quand j'ai grandi, j'étais noir

Quand je suis malade, je suis noir

Quand je vais au soleil, je suis noir

Quand j'ai froid, je suis noir

Quand je vais mourir, je serai noir

Mais vous, monsieur,

Quand vous êtes né, vous étiez rose

Quand vous avez grandi, vous étiez blanc

Quand vous êtes malade, vous êtes vert

Quand vous allez au soleil, vous êtes rouge

Quand vous avez froid, vous êtes bleu

Quand vous mourrez, vous serez mauve...

Et vous osez me dire que je suis une personne de couleur ?!!?»

Calmement, l'homme noir reprit sa place et l'homme blanc sortit du café.

Anonyme

Au fur et à mesure que votre enfant grandit, vous le mettez en garde pour prévenir des situations d'abus, d'agression sexuelle et même d'enlèvement. Vous craignez ces dangers et vous vous faites un devoir d'outiller votre enfant sur les attitudes à avoir si «un monsieur inconnu t'offre des bonbons» ou «si un plus grand veut te toucher d'une mauvaise façon». En faisant cela, vous jouez dignement votre rôle d'éducateur et de protecteur. Cela fait partie du travail de base de tous les bons parents.

Mais voilà, vous et votre enfant adopté avez des tâches sup-plémentaires. Parmi ces tâches, il y a celle qui consiste à aider votre enfant à prévenir les questions délicates ou carrément racistes qu'il aura à subir. Il ne s'agit pas d'un risque rare, comme un enlèvement, mais d'une réalité à laquelle il devra vraisem-blablement faire face.

Même si notre société est très ouverte, il ne faut pas se mettre la tête dans le sable et espérer les yeux fermés et les doigts croisés que les enfants de l'adoption internationale n'auront jamais à vivre cela. Au lieu d'attendre «l'événement» ou «la question» qui vous mettra, vous et votre enfant, au pied du mur. Soyez stratégique et pro-actif, et amusez-vous avec lui.

LE JEU DU TAE KWON DOE DES MOTS

(À jouer avec vos enfants, à un ou à plusieurs)

Tout comme, pour prévenir une agression éventuelle, on peut apprendre le Tae Kwon Doe, qui est un art martial coréen, pourquoi ne pas apprendre à vos enfants adoptés quelques «mouvements» d'auto-défense avec les mots! Afin qu'ils ne soient pas pris au dépourvu, nous vous suggérons de vous inspirer du petit jeu de questions-réponses qui suit, et d'en inventer d'autres. Puis vous pourrez jouer avec vos enfants et pourquoi pas avec leurs amis, adoptés ou non.

Le concept est simple, une mise en situation suivie de quatre réponses possibles:

• une réponse paradoxale ou absurde;

• une réponse émouvante;

• une réponse rigolote;

• ou une réponse inventée par l'enfant.

On décrit la situation et les enfants choisissent parmi cette série de réponses possibles. Un pointage est attribué à chaque réponse, selon son efficacité et sa créativité.

Qu'il y ait ou non un gagnant n'est pas le plus important. Il s'agit de mettre les enfants en action, de les forcer à réfléchir à la question dans un contexte rassurant et amusant. Peut-être n'auront-ils pas le réflexe de s'en servir dans la vraie vie, mais au moins vous aurez abordé le sujet.

Autre stratégie possible : commencez le jeu avec les questions que nous vous soumettons, puis demandez aux enfants de vous suggérer des situations possibles ou théoriques, ainsi que des réponses possibles. Vous serez surpris de ce qu'ils vous révéleront.

Question #1

Dans l'autobus scolaire, un garçon plus grand que toi te dit très fort : «Va te laver, ta peau est sale!»

- Tu te mets à pleurer et tu vas vite t'asseoir dans un banc très loin. (0 point)
- Tu lui réponds : va te faire soigner, tu as l'air malade tout blanc comme ça! (1 point)
- Tu lui dis que c'est très méchant et que s'il recommence, tu le diras au chauffeur ou au professeur en arrivant à l'école. (2 points)
- Ta réponse : _____

Question #2

Une petite fille de ta classe te demande : «Elle est où, ta vraie mère?»

- Tu lui réponds qu'elle est à la maison, sur la rue des Cormiers. (1 point)
- Que tu es chanceuse, car tu as deux vraies mères, contrairement à elle qui n'en a qu'une. (1 point)
- Que ta vraie maman, c'est Johanne, et que ta première maman qui te portait dans son ventre est à l'autre bout du monde. (2 points)
- Ta réponse : _____

(...)

(suite)

Question # 3

Trois garçons plus grands que toi te disent: «Tu n'es qu'un sale importé ! Apporte-nous dix dollars demain, sinon on va te battre. »

- Tu as peur, tu pleures et tu casses ton petit cochon pour apporter l'argent le lendemain. (0 point)

- Tu dis: «oui, oui», et tu pars prévenir immédiatement un adulte de l'école. (2 points)

- Tu dis: «Je n'ai pas à vous obéir! Le taxage est un crime et vous le savez aussi bien que moi !» (2 points)

- Ta réponse: _____

Question # 4

Deux petites amies de la classe te demandent: « Pourquoi ta "vraie" mère t'a abandonnée ? »

- Tu dis: «Elle ne m'a pas abandonnée, elle est juste venue me porter au service de garde ce matin !» (1 point)

- Tu ne sais pas quoi répondre et tu deviens très triste. (0 point)

- Tu dis: «Ma vraie maman m'aime pour toujours et elle prend soin de moi tous les jours et pour toute la vie, mais la première maman qui me portait dans son ventre m'aimait assez pour me trouver des bons parents. » (2 points)

- Ta réponse:_____

Question # 5

Deux filles de la classe te disent: «Ma mère a dit qu'adopter des petites Chinoises, c'est à la mode et que cela coûte cher. »

- Tu dis : « Oui je suis très à la mode et vous deux, vous êtes plutôt démodées. » (1 point)

- « Oui, papa et maman sont allés à l'autre bout du monde pour me chercher, les tiens en auraient-ils fait autant pour toi ? » (1 point)

- « Oui, c'est une belle mode l'amour des enfants et cela n'a pas de prix ! » (2 points)

- Ta réponse : _____

Question # 6

« Est-ce que tu parles encore chinois ? ou russe ? ou espagnol ? »

- Tu dis : « J'ai été adopté à six mois ! Toi, est-ce que tu parles encore en bébé de six mois ? » (1 point)

- Tu ne sais pas quoi répondre et tu deviens triste. (0 point)

- Tu ajoutes : « Pour ton information, une langue on l'apprend, on ne naît pas avec ! » (1 point)

- Ta réponse _____

Les deuils

> À chaque fois que je respire, je meurs un peu.
>
> Pensée bouddhiste

Le mot « deuil » fait référence à un passage naturel, mais il fait peur. On l'évite à tout prix : le deuil signifie la souffrance, et la souffrance c'est mal, mauvais, dangereux. La souffrance nuit à l'efficacité et au bonheur, pense-t-on. Dans notre monde où il doit exister une solution à tous les problèmes, on veut éliminer la souffrance dès qu'elle se pointe le nez. C'est une ennemie à abattre immédiatement par un médicament, une thérapie, une chirurgie.

Sophie-Kim pleure

Sophie-Kim, six ans, pleure dans son lit lorsque sa maman vient lui faire un gros câlin avant de dormir. «Je m'ennuie de ma maman de Chine», donne-t-elle comme explication. Très désemparée devant autant de tristesse, sa maman pense bien faire en lui disant: «Voyons donc, ma cocotte, tu ne peux pas d'ennuyer d'elle, tu ne l'as jamais connue!» La petite arrête immédiatement de pleurer, puis s'endort.

Les jours et les semaines suivantes, Sophie-Kim est irritable, pleurniche et se met en colère pour des riens, alors qu'elle est habituellement une enfant joviale et d'humeur égale. Sa maman s'inquiète, observe sa fille et essaie de comprendre. Elle repense souvent à l'épisode du dodo, mais le balaie du revers de la main sous prétexte que ce n'est pas «logique». Puis un jour, elle se sent envahie, elle aussi, d'une immense tristesse: elle a menti. Sa fille bien-aimée a bel et bien connu sa mère chinoise, comme tous les bébés connaissent leur mère: neuf mois de grossesse suivis de deux mois de maternage avant l'abandon, ce n'est pas rien! Onze long mois qu'elle, la maman adoptive, n'a pas eu la chance de vivre avec cette enfant qu'elle aime tant. Prenant son courage à deux mains, le soir même, la maman s'étend sur le lit de sa fille et lui dit: «Tu sais, ma cocotte, j'y ai repensé et je crois que c'est tout à fait possible que tu t'ennuies de ta maman chinoise. Après tout, tu as passé neuf mois dans son ventre tout chaud et elle a pris soin de toi pendant deux mois.» La petite se met alors à parler et à pleurer, et sa maman aussi... Dès le lendemain matin, les sautes d'humeurs se calment. Plus tard la petite dira à sa maman: «C'est bizarre, maintenant je pense à ma maman chinoise sans être triste: j'ai décidé que c'est de toi que je m'ennuyais lorsque j'étais dans son ventre.»

La souffrance physique ou émotive n'est qu'un messager. On ne détruit pas le message en tuant le messager. La souffrance est une alarme. Plus on prend le temps de l'accueillir et de l'exprimer, plus elle s'atténue rapidement. Pour Freud, le deuil est le détachement affectif à l'endroit de ce que l'on a perdu. Encore faut-il admettre que l'on a perdu quelque chose ou quelqu'un! C'est dans le processus du deuil qu'on comprend les origines de ses souffrances, pour ensuite espérer les calmer. Il y a environ 25 ans, Elisabeth Kübler-Ross écrivait sur le deuil un des livres les plus importants qui soient. Elle fut l'une des premières à sortir la notion du deuil de la définition restrictive de la mort d'un être cher. Pour elle, toutes les petites et grandes pertes de la vie enclenchent un processus de deuil. Au Québec, Jean Monbourquette a par la suite « réhabilité » la notion de deuil en en faisant un processus normal et nécessaire au cheminement de toute vie.

Le deuil inclut toutes les situations qui blessent, négligent, limitent et déçoivent dans nos attentes. On peut penser ici au deuil engendré par une séparation, par le diagnostic d'un cancer, par un divorce, une perte d'emploi ou par la découverte d'une infertilité. Notre bien-être psychique, émotif et physique est intimement lié à la façon dont nous vivons et réglons les pertes inévitables qui surviennent tout au long de notre vie. En fait, notre capacité à traverser sainement tous les grands et petits deuils de la vie est garante de notre santé physique et mentale. Si, après une perte importante, une personne ne passe pas par toutes les étapes du deuil, elle sera condamnée à toujours revivre intensément l'étape où elle s'est arrêtée de cheminer. Ce blocage provient du refus d'admettre, d'accueillir, de décoder toutes les émotions désagréables qui montent en nous.

LES ÉTAPES DU DEUIL SELON ÉLISABETH KÜBLER-ROSS

Le choc, la négation

On nie soit l'incident soit ses propres émotions face à l'incident. On nie pour avoir le temps d'absorber le coup. On fabule, on vit dans un monde imaginaire pendant quelque temps. On nie surtout pour éviter d'être envahi par un chagrin sans fin.

La colère

Viennent ensuite les sentiments de rage et d'injustice. Vous pouvez être en colère contre Dieu, la vie, le patron qui vous met à la porte, le médecin qui vous annonce que vous n'aurez jamais d'enfant biologique. Bref, on cherche désespérément un «coupable» pour ce qui nous arrive.

La négociation

On peut commencer à se faire des scénarios où l'on promet à la vie d'arrêter de fumer et où l'on espère que la morgue se soit trompée en identifiant le corps de la personne aimée.

La dépression

Vient ensuite une période de profond chagrin, de désespoir absolu où rien ni personne n'est capable de nous consoler, de nous assurer que les choses iront mieux un jour. La personne devient tendue, anxieuse, agitée, incapable d'accomplir ses tâches habituelles. Cette phase arrive lorsque la colère faiblit et lorsque la personne est rejointe par le caractère irréversible de la perte. C'est une période d'affaissement où la personne se sent impuissante, démotivée, inutile et incapable de se prendre en main.

Retour à la sérénité

La diminution graduelle des émotions des quatre premières étapes marque le début de la phase de retour à un certain équilibre. La vie reprend tranquillement son cours, les capacités de la personne reviennent. La personne en vient à décider de poursuivre sa vie. Preuve est faite que la personne a fait son deuil quand elle se retrouve capable de trouver un sens à ce qui lui est arrivé, d'apprendre et de grandir de cette perte, d'utiliser cette perte pour construire quelque chose de nouveau. Une personne a aussi fait son deuil si elle est capable d'y penser ou d'en parler avec nostalgie, mais sans colère ou tristesse incontrôlées.

Pourquoi tant insister sur tous ces deuils dans un livre sur l'adoption ? Pourquoi ressasser tant de mauvaises émotions pour rien ? Parce que l'on ne peut pas bâtir une réalité solide sur une histoire romancée, aseptisée. Vous ne pouvez pas remonter le cours de la réalité en éliminant les bouts du film de la vie de votre enfant comme autant de mauvaises émotions qui ne font pas votre affaire. «Tiens, l'abandon c'est trop triste, je coupe ce bout du film. Mon fils pleure en pensant à sa mère biologique, c'est trop pénible à voir. Clic ! Un autre bout de film que j'élimine ! »

Les parents adoptants ont de nobles intentions, pour eux-mêmes et pour leurs enfants, en cherchant à éliminer ou à minimiser les émotions négatives. Ne pas souffrir, ne pas faire souffrir. Mais ce faisant, ils se coupent de toute une partie de l'univers affectif de l'enfant, de leur propre richesse émotive et, surtout, d'un canal de communication merveilleux pour tisser des liens. Selon Mary Ainsworth, c'est dans la réponse à la détresse que se tissent les liens d'attachement parent-enfant, puis entre les êtres humains en général. Nier la réalité des émotions de pertes et de deuils de l'enfant a des conséquences très insidieuses. Au lieu d'apprendre à reconnaître sainement ses émotions, l'enfant doutera de la normalité de ses instincts, il en sera honteux, se sentira bizarre, coupable de ne pas être toujours joyeux et reconnaissant de sa «chance» d'avoir été adopté. Au lieu d'exprimer ses émotions, il risque de s'isoler, de se sentir à part, pas vraiment compris par ses parents qu'il aime, mais à qui il n'a pas le droit de faire de la peine en ayant lui-même de la peine.

LA TRIADE DE L'ADOPTION

C'est dans la triade de l'adoption que les deuils se vivent et circulent tout au cours de la vie de l'enfant. La triade est composée de la relation indissociable de trois entités.

Tous les membres de la triade ont eu des deuils à vivre au moment de l'abandon et de l'adoption :

- le parent biologique, peu importe les circonstances, vit la perte de son enfant et continue de vivre ensuite avec cette absence ;

- l'enfant doit s'ajuster à la rupture avec sa mère biologique, puis avec les adultes qui ont pris soin de lui dans un milieu substitut ;

- le parent adoptant a généralement eu à vivre le deuil de la fertilité, le deuil d'un lien de sang avec un enfant de sa chair ;

L'adoption peut devenir une réponse à toutes ces pertes et souffrances dans la mesure où chacun a eu l'occasion d'effectuer le processus de deuil, chacun à sa façon et selon son âge. L'existence permanente de cette triade comporte des défis affectifs tout au long de la vie de ces différents membres.

La dernière étape du processus de deuil, qui consiste à trouver un sens à la perte et à la souffrance, est un processus dynamique, particulièrement pour l'enfant adopté. En effet, l'enfant ne complète pas son processus de deuil définitivement au moment de son adoption. Il en réalise idéalement une bonne part, selon son âge et son niveau de développement. Ensuite, il comprend de plus en plus, avec sa tête et avec son cœur, qu'il a été abandonné, qu'il est différent physiquement et qu'il y a des trous dans son histoire ; et tout cela fait monter en lui de nouvelles questions inévitablement accompagnées de nouvelles émotions.

Comme le décrit très bien David Brodzinsky dans ses nombreux livres, le bébé, puis l'enfant, puis l'adolescent, le jeune adulte, l'adulte et enfin la personne âgée adoptée a des tâches de résolution de deuil à faire et ce, à chaque étape de son développement psychique et social. Ainsi, le fait de découvrir que l'on ignore son bagage génétique n'a pas le même impact pour une adolescente de 12 ans que pour cette même personne qui devient femme et qui porte son premier enfant. Inquiétude, colère et frustration naissent alors à chaque question du gynécologue, même si la femme n'a jamais souffert de cette lacune auparavant. Ces tâches s'ajoutent à toutes les autres tâches qu'un être humain doit effectuer pour grandir en beauté. Comme parent adoptant, vous aurez aussi la tâche supplémentaire d'accompagner vos enfants dans ces différents deuils où vous vivrez à votre tour certaines pertes. Garanti.

SCIENCE-FICTION ?

Sur notre planète qui vibre au rythme de la mondialisation, les groupes homogènes, les « uni-culturels » deviendront peut-être les mésadaptés identitaires à la recherche de racines, alors que les enfants de l'adoption internationale auront une longueur d'avance pour se réclamer d'une identité hybride et planétaire. Imaginez votre fils d'origine thaï, devenu anthropologue et faisant un mémoire de maîtrise sur ce qui reste de l'identité québécoise « pure-laine » !

Lectures suggérées

BALDWIN, A., C. BALWIN, T. KASSER et al. « Contextual risk and resiliency during adolescence ». *Development and Psychopathology*, 1993, 5 (4); 741-761.

CYRULNIK, B. *Les vilains petits canards*. Paris: Odile Jacob, 2001. 278 p.

CYRULNIK, B. *Un merveilleux malheur*. Paris: Odile Jacob, 1999. 238 p.

ROY, B. *Mémoire d'asile*. Montréal: Boréal, 1994. 252 p.

Références

FONAGY, P., M. STEELE, H. STEELE et al. «The Emanuel Miller memorial lecture 1992. The theory and practice of resilience». *J of Child Psychology and Psychiatry*, 1994, 35 (2); 221-257.

HENRY, D.L. «Resilience in maltreated children: implications for special needs adoption». *Child Welfare*, 1999, 78 (5); 519- 540.

STEINHAUER, P. *Le moindre mal: la question du placement de l'enfant.* Montréal: Presses de l'Université de Montréal, 1996. 463 p.

WERNER, E., R. SMITH. *Vulnerable but Invincible: A longitudinal study of resilient children and youth.* New York: Adams, Bannister and Cox, 1989. 228 p.

Des enfants résilients

▼

Feuilles d'or
Thaïlande, 1986

Nous voici au chapitre 15 et demi... Et demi, parce qu'il reste l'avenir à bâtir avec votre enfant. Le présent livre, tout comme la vie de votre petit, est un ouvrage à remettre vingt fois sur le métier... Un travail dynamique, surprenant, stimulant, à réinventer sans cesse. Vous n'avez pas choisi son passé, et lui non plus. Par contre, avec les connaissances fraîchement acquises, vous connaissez mieux son présent. C'est là du moins notre plus grand souhait. Le présent est son seul lieu de pouvoir. C'est «ici et maintenant» que vous avez la chance de préparer votre enfant à un avenir prometteur.

La lecture du livre vous a peut-être ébranlés, choqués, paniqués? Ou, au contraire, rassurés, outillés et stimulés? Peut-être en saviez-vous déjà beaucoup? Peut-être avons-nous enfin mis des mots sur des impressions et des intuitions? Peut-être auriez-vous préféré continuer à garder une certaine naïveté, du moins pendant un certain temps?

Une chose demeure: déjà la vie vous a amenés à connaître une réalité d'exception, qui consiste à devenir parents par adoption. La vie vous a aussi donné un rôle d'exception: tuteurs de la résilience de votre enfant.

Tous les parents doivent être les tuteurs de leurs enfants, nous direz-vous! Oui, mais tous les enfants ne sont pas des survivants! Car c'est là tout le sens de la résilience: vos enfants ont survécu et rebondi là où des milliers d'autres sont morts ou ne fonctionnent plus assez bien pour être adoptables. Votre accueil, votre amour, votre dévouement font de vous les tuteurs nécessaires de cet instinct de survie. En comprenant les mécanismes de la résilience, vous pourriez bien devenir des parents plus efficaces.

La résilience

> *Pourquoi donc le pommier donne-t-il davantage de fruits*
> *lorsque l'on coupe ses branches ?*
>
> Reichholf

En sciences physiques, la résilience se définit comme «la capacité d'un matériau à résister à un ou à plusieurs chocs importants». Ce terme, tiré des sciences pures, on l'utilise depuis une quinzaine d'années chez les intervenants en relation d'aide et en santé mentale. Ici, le matériau est l'être humain.

On définit la résilience comme la capacité d'un être humain à survivre, sur les plans physique, psychologique et social, et de fonctionner normalement, voire d'être heureux, malgré un ou plusieurs gros traumatismes. L'étude de la résilience est fascinante. Et cette hypothèse, dorénavant incontournable, ne trouve que depuis trop récemment son application clinique dans le monde des sciences humaines.

Aussi surprenant que cela puisse paraître, la majorité des connaissances dont nous disposons en psychologie et en psychiatrie ont été acquises par l'étude de personnes qui ne fonctionnaient pas bien, et non en utilisant l'expérience des survivants. Depuis Freud, les grands explorateurs de l'âme humaine ont forgé leurs théories en observant, en analysant et en aidant des gens qui les consultaient parce qu'ils ne se sentaient pas bien. Freud et les autres n'ont pas passé beaucoup de temps à recevoir en consultation des gens joyeux, fonctionnels, bien dans leur peau et heureux en ménage ! Pour ces psys, il est devenu évident que l'ensemble de leurs patients avaient plusieurs points en commun, à commencer par une enfance malheureuse ; et cela pour toutes sortes de raisons. Également, leurs patients rapportaient souvent un vécu ponctuel ou répétitif d'événements traumatisants : violence, abus, accidents, guerre, emprisonnement, maladies graves, etc. De ces observations est né l'argument suivant : tous les gens qui ne fonctionnent pas bien ont nécessairement vécu des choses traumatisantes, tous les gens qui vivent des choses traumatisantes fonctionnent donc nécessairement mal ! Cette équation inéluctable a donc longtemps teinté la psychologie d'un déterminisme et d'une fatalité inévitable.

Sans être totalement fausse, cette équation n'est pas totalement vraie. Puisque les gens ayant vécu des souffrances ou des traumatismes, mais qui sont heureux malgré tout, ne consultaient pas les thérapeutes, cela a pris beaucoup de temps avant qu'on les déniche, qu'on s'intéresse à eux et qu'on les étudie. Les gens heureux n'ont pas d'histoire, se disait-on ? Pourtant, rien n'est moins sûr ! Au contraire, les gens heureux ont souvent de belles histoires à raconter, même quand ils ont vécu des traumatismes et une enfance malheureuse. C'est ainsi que l'étude de ces survivants heureux a commencé à nous en apprendre autant sur le fonctionnement humain que l'histoire de ceux qui vivaient encore dans le malheur.

Dans le monde francophone, c'est Boris Cyrulnik, psychiatre et auteur exceptionnel, qui a fait connaître à un très large public les principes scientifiques de la résilience humaine. Dans ses nombreux livres, il diffuse la synthèse des travaux de nombreux chercheurs internationaux ainsi que ses propres hypothèses et convictions sur le sujet. En toute humilité, nous nous permettons ici de vous transmettre une synthèse des principes de la résilience tels qu'énoncés par différents chercheurs, avec Boris Cyrulnik en tête de liste et ce, en utilisant notre expérience clinique psychosociale et médicale en adoption internationale.

Le terreau de la résilience

La vita e bella

Roberto Benigni

Il faut savoir que les conditions nécessaires à la résilience peuvent aussi bien être intérieures qu'extérieures. Cependant, il est incontestable qu'un terreau fertile constitue un bon départ.

Première condition : une perception de l'événement traumatisant

Au moment d'un traumatisme comme l'abandon, l'enfant doit en quelque sorte «choisir» de survivre. Un bébé abandonné, soit par une maman qui meurt en couches ou par un papa qui le laisse sur les marches d'un poste de police, doit avoir en lui un instinct de survie assez fort pour ne pas se laisser mourir. Placé pendant des mois en orphelinat, il doit ensuite continuer de choisir la vie plutôt que le désespoir et la mort. Ainsi, même si les conditions de vie préadoption de vos enfants n'ont pas toutes été les mêmes, on peut affirmer que l'immense majorité de ces enfants abandonnés, puis adoptés au sein de votre famille, sont en réalité des survivants. Depuis leur conception, ils ont survécu physiquement et affectivement à une série d'obstacles qui défient l'imagination et qui en ont fait chuter d'autres.

Ces enfants ont survécu à une grossesse assurément difficile, à une malnutrition probable de leur maman biologique, à d'éventuels contaminants chimiques, à la drogue, à l'alcool ainsi qu'à toute une panoplie d'infections possibles, depuis le sida jusqu'aux hépatites. Les circonstances de leur naissance, à part quelques rares cas d'accouchements sous supervision médicale, ont souvent été assez difficiles, laissant des séquelles, autant sur eux que sur leur maman. Dès les premiers jours, ils ont eu froid ou mal, ils ont souffert de faim ou de violence. La qualité des soins dispensés dans leur famille-substitut ou à l'orphelinat a été plus que limitée. Ils ont fait de la fièvre, ils ont manqué de tendresse. Ils ont été frappés, blessés, attachés. Et cela a duré des jours, des mois, des années. Finalement, quelqu'un est venu les chercher. Pourquoi eux et pas leur petit voisin d'infortune ? Et pourquoi avec ces parents-là plutôt qu'avec d'autres ?

Autant de questions sans réponses qui nous indiquent cependant l'incroyable course à obstacles que l'enfant a dû faire avant de se retrouver dans une famille. D'ailleurs, dans le milieu de l'adoption, on s'entend pour dire que sur, environ dix enfants qui arrivent à l'orphelinat – on ne sait pas combien d'autres n'y sont même pas arrivés –, un seul sera finalement vivant ou assez en forme physiquement et sur le plan affectif pour être adoptable.

D'où vient cet instinct qui caractérise certains d'entre eux ? Les opinions sont encore partagées. Certains auteurs parlent de déterminisme génétique, de capacités intellectuelles ou d'un sens de l'humour hors du commun, d'autres cherchent des explications plus psychanalytiques dans la vie intra-utérine et durant les premiers jours, semaines ou mois de vie. Pour Baldwin et ses collaborateurs, on remarque chez les êtres résilients un quotient intellectuel supérieur, de bonnes habiletés à résoudre les problèmes, des stratégies d'adaptation supérieures à l'âge adulte ainsi qu'une autonomie exceptionnelle.

Le champ d'études est encore vaste avant que nous puissions vraiment bien comprendre tous les rouages en place. Sans savoir exactement pourquoi, on peut tout de même avancer que vos enfants sont tous des survivants car ils ont tous choisi de vivre.

Deuxième condition : une capacité d'imagination pour fuir l'insoutenable

Survivre physiquement est une chose, survivre sur le plan affectif en est une autre. Comment ne pas devenir « fou » lorsqu'on est totalement seul et isolé ou en contact avec une réalité extérieure insupportable ? Les récits de survivants adultes nous donnent des pistes de réponses. Ainsi, qu'est-ce qu'un intellectuel russe emprisonné pendant dix ans en isolement total au Goulag a-t-il en commun avec les victimes de tortures en Argentine ? Réponse : le recours à l'imagination, selon plusieurs chercheurs, dont Selinag qui s'est intéressé aux caractéristiques intrinsèques des personnes résilientes. Sans aucun pouvoir sur le monde extérieur qui les menaçait, toutes ces personnes en détresse ont « fui » dans leur tête. Elles se sont créé un monde parallèle, imaginaire, autrement dit elles ont fait le clivage nécessaire à leur survie, elles ont nié la réalité, ce qui les a sauvés de la folie. Une ultime victoire sur l'agresseur qui arrive à contrôler le corps, mais jamais l'âme. « L'enfance de la représentation est sans limite, écrit le philosophe Alain Finkielkraut, l'*homo psychologicus* lui-même reste un comédien. »

Certains enfants adoptés plus vieux ont décrit à leur manière cette stratégie : l'orphelinat est un château, lui est un prince injustement fait prisonnier, la méchante nounou est une sorcière et la gentille bénévole une fée qui finira par le libérer. On peut extrapoler et se dire que même un tout jeune bébé, pour ne plus entendre les pleurs de ses compagnons, a les moyens de se créer un univers supportable en jouant avec ses mains ou en regardant pendant des heures une araignée faire sa toile au plafond.

Sur ces facteurs intrinsèques et sur l'inné, le parent adoptant n'a aucun pouvoir, sauf celui de percevoir chez l'enfant autant de forces que de fragilités.

Les tuteurs de la résilience

Sur les facteurs extérieurs de la résilience, les parents-adoptants ont toutefois un certain pouvoir d'action. Ainsi, pour survivre, un enfant a besoin, tout comme un adulte, de rencontrer une ou des personnes qui sont les tuteurs de sa survie, de sa résilience. Le parent adoptant est l'une de ces personnes.

Troisième condition : la possibilité de parler librement

Tout être humain a besoin d'être cru par un autre être humain pour entreprendre un processus de deuil et de guérison, qu'il soit psychologique ou physique. C'est le principe de base incontournable d'une relation d'aide, qu'elle soit médicale ou psychosociale.

Les personnes qui ont été victimes de traumatismes hésitent souvent à parler, de peur d'être jugés, pas crus ou, pire encore, de peur d'avoir à affronter la souffrance de celui qui entend cette histoire en plus de gérer sa propre souffrance. La personne qui accueille le vécu de l'enfant en se centrant sur ses propres réactions émotives risque de rendre l'enfant à nouveau victime plutôt que de devenir un tuteur de sa guérison. Cela est vrai pour la maladie physique : une maman qui s'effondre en se centrant sur l'injustice et sa propre souffrance d'avoir un enfant leucémique ne peut pas aider cet enfant à guérir. C'est la même chose pour les traumatismes psychologiques. Dans son excellent livre *Twenty things adopted kids wish their adoptive parents knew*, Sherrie Eldridge exprime parfaitement ce propos en nommant l'une de ces vingt choses :

« Je ne veux pas avoir à prendre soin de la souffrance que je te cause en t'exprimant ma propre souffrance en mots ou en comportements. Sois solide, crois ma souffrance, accueille mon désarroi et crois aussi en ma capacité de m'en sortir. Si tu souffres de ces révélations, trouve quelqu'un d'autre que moi – ton enfant – pour te rassurer, te soutenir, t'écouter et te guéri. »

Vous voyez à quel point vos réactions parentales peuvent aider votre enfant ! Votre regard chaleureux et objectif est le miroir nécessaire pour que l'enfant poursuive son cheminement de survivant. Ce cheminement se fait en vivant des deuils successifs, nécessaires à toute croissance.

LES ENFANTS DU SIERRA LEONE

Marie-Hélène est coopérante pour Médecins sans frontières au Sierra Leone, le pays le plus pauvre de la planète, où sévit une atroce guerre civile. On n'y tue pas les gens physiquement, on fait pire : on les mutile, ce qui les tue socialement et psychologiquement. Dans ce contexte surréaliste et dangereux, Marie-Hélène et son équipe accueillent des petits enfants réfugiés, survivants, à qui on a souvent coupé un pied ou une main, après avoir fait subir le même sort à leurs parents. Ils ont dans le regard cette souffrance « blanche » presque transparente, sans cri et sans pleur. Les chemins de la guérison physique, mais surtout psychologique, passent par la parole et le dessin. Ils sont encouragés à dessiner, puis à décrire les scènes les plus inimaginables de barbarie humaine. On les regarde, on les écoute. On croit chaque détail insupportable de leur histoire. C'est seulement ensuite qu'ils arrivent à créer un lien de confiance et à pleurer, pour prendre ensuite le chemin de la guérison et de la résilience.

Quatrième condition :
un amour et une acceptation inconditionnels

Ce que Boris Cyrulnik et d'autres chercheurs ont aussi trouvé de commun dans l'histoire des résilients, c'est la rencontre dans leur vie d'au moins un adulte significatif ayant cru dans le potentiel de l'enfant, ayant vu au-delà des apparences et des stratégies de survie parfois difficiles. Aussi surprenant que cela puisse paraître, cet adulte à l'amour inconditionnel peut être présent dans la vie de l'enfant pendant des années entières ou seulement quelque temps : il peut s'agir d'une juge, d'un enseignant, d'un chef scout, d'un médecin ou de l'épicière du coin. Cet adulte peut avoir beaucoup d'influence, même s'il passe à la vitesse d'une étoile filante !

Madame Gualtieri

Le petit Daniel n'a que huit ans lorsqu'une toute jeune travailleuse sociale arrive avec la police et les agents de le Direction de la protection de la jeunesse pour le retirer de son domicile avec ses cinq frères et sœurs. Cela se fait à la suite d'un signalement de négligence, d'alcoolisme, de violence physique de la part du père envers les enfants et sa conjointe, qui souffre d'une grave maladie mentale. Le père est arrêté, puis condamné à plusieurs années de pénitencier, la mère soignée dans un hôpital psychiatrique, et les enfants confiés aux soins de deux familles d'accueil. La jeune travailleuse sociale suit le dossier pendant quelque temps et constate avec incrédulité que tous les enfants vont très mal physiquement et affectivement, sauf le petit Daniel qui est heureux, débrouillard, imaginatif et parfaitement adapté à sa nouvelle famille. La maman d'accueil finit par parler à la travailleuse sociale d'une certaine madame Gualtieri, dont lui parle souvent Daniel, une dame italienne âgée qui était voisine de la famille.

Nouvellement arrivée du sud de l'Italie pour vivre au Québec avec ses deux fils dans la quarantaine, cette Mme Gualtieri ne parlait pas un mot de français. Mais lorsque «ça bardait trop à la maison», le petit Daniel sortait par un soupirail du logement pour aller se réfugier chez elle. Elle le mouchait, le consolait, le berçait sur sa poitrine généreuse, lui lavait les mains, lui donnait un plat de pâtes bien chaud et le laissait l'aider dans son potager l'été ou pelleter son balcon l'hiver. Ce n'est que 20 ans plus tard, en apprivoisant les concepts autour de la résilience, que la travailleuse sociale put saisir l'incalculable impact de Mme Gualtieri sur la vie du petit Daniel...

Imaginez donc l'extraordinaire occasion que vous avez comme parents adoptants: toute une vie pour prouver à cet enfant votre amour sans frontières! Toute une vie pour accompagner ce merveilleux survivant! Toute une vie pour transformer un malheur en bonheur, une fragilité potentielle en force...

> *... la vie non pas telle qu'elle est,*
> *et non pas telle qu'elle doit être,*
> *mais telle qu'elle apparaît dans les rêves.*
>
> Anton Tchekhov

Lectures suggérées

CYRULNIK, B. *Les vilains petits canards*. Paris: Les Éditions Odile Jacob, 2001. 278 p.

CYRULNIK, B. *Un merveilleux malheur*. Paris: Les Éditions Odile Jacob, 1999. 238 p.

FINKIELKRAUT, A. *L'humanité perdue*. Paris: Éditions du Seuil, 1966.

STEINHAUER, P. *Le moindre mal: la question du placement de l'enfant*. Montréal: Les Presses de L'Université de Montréal, 1996. 463 p.

Références

BALDWIN, A. C. BALWIN, T. KASSER, et al. « Contextual risk and resiliency during adolescence ». *Development and Psychopathology*, 1993, 5(4); 741-761.

FONAGY, P., M. STEELE, H. STEELE, et al. « The Emanuel Miller memorial lecture 1992. The theory and practice of resilience ». *Journal of Child Psychology and Psychia*try, 1994, (35) 2: 221-257

HENRY, D.L. « Resilience in Maltreated Children: Implications for Special Needs Adoption ». *Child Welfare*, 1999, 78 (5): 519-540.

WERNER, E., R. SMITH, *Vulnerable but Invincible*. Adams. New York: Master Media Ltd., 1992.

REICHHOLF, J. *Le retour des castors. Surprises écologiques*. Paris: Flammarion, 1993. (Champs)

ÉPILOGUE

▼

Pour ou contre l'adoption d'enfants dans le monde?

Contre la question, évidemment.

L'adoption internationale est une sacrée bonne solution pour des dizaines de milliers d'enfants abandonnés à l'existence. Mais l'adoption internationale est aussi une solution qui a ses exigences, ses souffrances et une profondeur tributaire des enjeux éthiques, économiques, médicaux, politiques et culturels en place.

Le ministre, le médecin, la directrice d'orphelinat, l'infirmière, l'œuvre d'adoption, la travailleuse sociale, enfin le papa et la maman ont avantage à fuir le dilemme manichéen. La question du pour et du contre n'a définitivement pas sa place. Tous n'ont qu'à faire ce qu'ils ont à faire, c'est tout. Au meilleur de leurs connaissances, au plus fort de leur cœur.

L'être humain se distingue des autres espèces par un caprice bien à lui: la culture qui nous rend encore plus différent entre nous que ne peut l'être une fourmi d'un papillon.

Adopter un enfant dans le monde est l'une des solutions pour magnifier le bonheur des uns et des autres, des enfants et de leurs parents. Bien au-delà de la génétique, l'adoption internationale est aussi une culture qui, à chaque instant et avec lucidité, doit également se porter garante de l'autre, de son corps, de son esprit, de son identité.

Il en va du principe même de l'altérité. Il en va du destin de nos enfants.

Jean-François Chicoine
Patricia Germain
Johanne Lemieux

REMERCIEMENTS

▼

Merci à Luc Bégin pour sa patience et sa disponibilité.
Une pensée bienveillante pour Michel Weber,
Valérie Lamarre, Jean Wilkins, Félix Ramos, Céline Belhumeur,
Maryse Boutin, Linda Ward, Rémi Bouchard
qui nous ont fait l'amitié de relire certains chapitres.

Jean-François, Patricia, Johanne

Merci à Albert Royer, Viorica Tanassé, Lucille Teasdale
et Christine Aynaud pour ce qu'ils ont su me transmettre.

Merci à Gloria Jéliu, Danielle Housset, Dana Johnson,
Jerry Ann Jenista, Frédéric Sorge, Tran Bich Thuy,
Jean Vital de Monléon, Marc Lebel, Olivier Aynaud,
Jean Robert, Andrée Pomerleau, Léo Bonneville,
Gérard Malcuit, Nicole Guérin, Fernando Alvarez,
Bruce Tapiero, Élizabeth Rousseau, Claude Dolbec,
Laurie Miller, Claude Grenier, Julie Leblanc, Louise Quintal,
Marie Desjardins, Sixte Blanchy, Anne Lortie, Michel Rey,
Aurore Coté, Renée Séguin, Éric Caumes, Michel Cloup,
Philippe Hubert, Pierre Arcand, Hélène Buithieu,
Karine Hinano Guérin, Laurent Larose, Hélène Laurendeau,
Martine Zeisser, Dominique Tessier, Sergio Kokis,
Dorinda Cavanaugh, le petit Charles et
les enfants d'ici et d'ailleurs que j'ai soignés,
pour leurs connaissances, leur soutien,
leur amitié et leurs regards.
Ils sauront (ou non) se reconnaître…

Jean-François

Toute jeune, je rêvais de soigner les petits dans le monde.
Au fil des années, plusieurs personnes
m'ont aidée à concrétiser ce rêve.
Vous comprenez que je ne peux donc pas les énumérer
tous ici dans ces quelques lignes de remerciements,
mais je sais qu'ils se reconnaîtront.
Dans cette grande aventure, j'ai eu la chance
d'être guidée et inspirée, et de recevoir les enseignements
de personnes émérites dont le docteur Luc Chicoine.

Je remercie tous les membres de l'équipe du Service
de maladies infectieuses de l'Hôpital Sainte-Justine
et ceux de l'équipe de recherche du Laboratoire
d'étude du nourrisson de l'UQAM, qui partagent
mon quotidien auprès des enfants adoptés.
Enfin, un merci tout particulier à ma famille
et à mes amis qui m'ont encouragée, appuyée,
comprise et, aussi, qui m'ont pardonnée
d'avoir une passion aussi dévorante.

Patricia

Merci à Jean, mon bien-aimé, pour son amour, son humour,
son soutien toujours concret qui me garde les pieds sur terre;
merci à mes trois merveilleux enfants, Marianne,
Thomas et Maéva, que j'aime au-delà de tout et qui
sont la plus grande source d'inspiration de ce livre;
merci à Jacques mon père pour sa présence, sa connivence
et pour m'avoir transmis le sens des racines;
merci à mon frère Éric, toujours présent dans mes pensées;
merci à mes vieux alliés en adoption,
Marie-Paul Mastoumecq, Michelle Bernier, Gilles Breton,
Claire-Marie Gagnon et Renée-Claude Duval;
merci à mes formateurs du
Institute for Attachment and child Development, Colorado,
aux parents biologiques de mes enfants, à tous
les parents adoptants bénévoles des associations de parents
au Québec et en Europe, aux bénévoles des organismes
d'adoption au Québec, aux intervenants que j'ai formés,
à mes collègues et amies du CLSC que j'ai quittés
avec tristesse, à mes amies intimes qui ont suivi
et toujours soutenu ma trajectoire, aux intervenants du
Centre jeunesse de Québec pour ma fille Marianne, aux gens
d'Enfants d'Orient pour mon fils Thomas, et à ceux de
Formons une famille pour ma petite Maéva, à Donald Foidart
pour mes aventures cambodgiennes et, finalement,
toute ma gratitude aux centaines de parents adoptants,
aux enfants et aux adultes adoptés qui ont défilé au
Bureau de consultation en adoption de Québec. J'ai la
conviction d'avoir plus appris de vous tous que le contraire.

Johanne

« Abandon, adoption, autres mondes »
www.meanomadis.com

Le premier portail francophone traitant de l'abandon,
de l'adoption et des enfants migrants dans le monde.

Par Jean-François Chicoine et Rémi Baril

Le monde est ailleurs inc.
info@meanomadis.com

La Collection de l'Hôpital Sainte-Justine
pour les parents

L'allaitement maternel

*Comité pour la promotion
de l'allaitement maternel de l'Hôpital Sainte-Justine*

Le lait maternel est le meilleur aliment pour le bébé. Tous les conseils pratiques pour faire de l'allaitement une expérience réussie !

ISBN 2-922770-57-5   2002/ 104 p.

Apprivoiser l'hyperactivité et le déficit de l'attention

Colette Sauvé

Une gamme de moyens d'action dynamiques pour aider l'enfant hyperactif à s'épanouir dans sa famille et à l'école.

ISBN 2-921858-86-X   2000/96 p.

Au-delà de la déficience physique ou intellectuelle
Un enfant à découvrir

Francine Ferland

Comment ne pas laisser la déficience prendre toute la place dans la vie familiale ? Comment favoriser le développement de cet enfant et découvrir le plaisir avec lui ?

ISBN 2-922770-09-5   2001/232 p.

Au fil des jours... après l'accouchement

L'équipe de périnatalité de l'Hôpital Sainte-Justine

Un guide précieux pour répondre aux questions pratiques de la nouvelle accouchée et de sa famille durant les premiers mois suivant l'arrivée de bébé.

ISBN 2-922770-18-4   2001/96 p.

Au retour de l'école...
La place des parents dans l'apprentissage scolaire

Marie-Claude Béliveau

Une panoplie de moyens pour aider l'enfant à développer des stratégies d'apprentissage efficaces et à entretenir sa motivation.

ISBN 2-921858-94-0   2000/176 p.

Le diabète chez l'enfant et l'adolescent

*Louis Geoffroy, Monique Gonthier et les autres membres de l'équipe
de la Clinique du diabète de l'Hôpital Sainte-Justine*

Un ouvrage qui fait la somme des connaissances sur le diabète de type 1, autant du point de vue du traitement médical que du point de vue psycho-social.

ISBN 2-922770-47-8   2003/368 pages

Drogues et adolescence
Réponses aux questions des parents
Étienne Gaudet
Sous forme de questions-réponses, connaître les différentes drogues
et les indices de consommation, et avoir des pistes pour intervenir.
ISBN 2-922770-45-1   2002/128 p.

En forme après bébé
Exercices et conseils
Chantale Dumoulin
Des exercices et des conseils judicieux pour aider la nouvelle maman à
renforcer ses muscles et à retrouver une bonne posture.
ISBN 2-921858-79-7   2000/128 p.

En forme en attendant bébé
Exercices et conseils
Chantale Dumoulin
Des exercices et des conseils pratiques pour garder votre forme pendant
la grossesse et pour vous préparer à la période postnatale.
ISBN 2-921858-97-5   2001/112 p.

L'enfant adopté dans le monde
(en quinze chapitres et demi)
Jean-François Chicoine, Patricia Germain et Johanne Lemieux
Un ouvrage complet traitant des multiples aspects de ce vaste sujet:
l'abandon, le processus d'adoption, les particularités ethniques, le bilan
de santé, les troubles de développement, l'adaptation, l'identité…
ISBN2-922770-56-7   2003/480 p.

L'enfant malade
Répercussions et espoirs
Johanne Boivin, Sylvain Palardy et Geneviève Tellier
Des témoignages et des pistes de réflexion pour mettre du baume sur
cette cicatrice intérieure laissée en nous par la maladie de l'enfant.
ISBN2-921858-96-7   2000/96 p.

L'estime de soi des adolescents
Germain Duclos, Danielle Laporte et Jacques Ross
Comment faire vivre un sentiment de confiance à son adolescent?
Comment l'aider à se connaître? Comment le guider dans la découverte
de stratégies menant au succès?
ISBN 2-922770-42-7   2002/96 p.

L'estime de soi des 6-12 ans
Danielle Laporte et Lise Sévigny
Une démarche simple pour apprendre à connaître son enfant et reconnaître ses forces et ses qualités, l'aider à s'intégrer et lui faire vivre des succès.
ISBN 2-922770-44-3   2002/112 p.

L'estime de soi, un passeport pour la vie
Germain Duclos
Pour développer des attitudes éducatives positives qui aideront l'enfant à acquérir une meilleure connaissance de sa valeur personnelle.
ISBN 2-921858-81-9   2000/128 p.

Et si on jouait?
Le jeu chez l'enfant de la naissance à 6 ans
Francine Ferland
Les différents aspects du jeu présentés aux parents et aux intervenants: information détaillée, nombreuses suggestions de matériel et d'activités.
ISBN 2-922770-36-2   2002/184 p.

Être parent, une affaire de cœur I
Danielle Laporte
Des textes pleins de sensibilité, qui invitent chaque parent à découvrir son enfant et à le soutenir dans son développement.
ISBN 2-921858-74-6   1999/144 p.

Être parent, une affaire de cœur II
Danielle Laporte
Une série de portraits saisissants: l'enfant timide, agressif, solitaire, fugueur, déprimé, etc.
ISBN 2-922770-05-2   2000/136 p.

Famille, qu'apportes-tu à l'enfant?
Michel Lemay
Une réflexion approfondie sur les fonctions de chaque protagoniste de la famille, père, mère, enfant... et les différentes situations familiales.
ISBN 2-922770-11-7   2001/216 p.

La famille recomposée
Une famille composée sur un air différent
Marie-Christine Saint-Jacques et Claudine Parent
Comment vivre ce grand défi? Le point de vue des adultes (parents, beaux-parents, conjoints) et des enfants impliqués dans cette nouvelle union.
ISBN 2-922770-33-8   2002/144 p.

Favoriser l'estime de soi des 0 - 6 ans
Danielle Laporte

Comment amener le tout-petit à se sentir en sécurité ? Comment l'aider à développer son identité ? Comment le guider pour qu'il connaisse des réussites ?

ISBN 2-922770-43-5   2002/112p.

Guide Info-Parents I
L'enfant en difficulté
Michèle Gagnon, Louise Jolin et Louis-Luc Lecompte

Un répertoire indispensable de ressources (livres, associations, sites Internet) pour la famille et les professionnels.

ISBN 2-921858-70-3   1999/168 p.

Guide Info-Parents II
Vivre en famille
Michèle Gagnon, Louise Jolin et Louis-Luc Lecompte

Des livres, des associations et des sites Internet concernant la vie de famille : traditionnelle, monoparentale ou recomposée, divorce, discipline, conflits frères-sœurs...

ISBN 2-922770-02-8   2000/184 p.

Guide Info-Parents III
Maternité et développement du bébé
Michèle Gagnon, Louise Jolin et Louis-Luc Lecompte

Des ressources fort utiles concernant la grossesse, l'accouchement, les soins à la mère et au bébé, le rôle du père, la fratrie...

ISBN 2-922770-22-2   2001/152 p.

Guider mon enfant dans sa vie scolaire
Germain Duclos

Des réponses aux questions les plus importantes et les plus fréquentes que les parents posent à propos de la vie scolaire de leur enfant.

ISBN 2-922770-21-4   2001/248 p.

J'ai mal à l'école
Troubles affectifs et difficultés scolaires
Marie-Claude Béliveau

Cet ouvrage illustre des problématiques scolaires liées à l'affectivité de l'enfant. Il propose aux parents des pistes pour aider leur enfant à mieux vivre l'école.

ISBN 2-922770-46-X   2002/168 p.

Les parents se séparent...
Pour mieux vivre la crise et aider son enfant
Richard Cloutier, Lorraine Filion et Harry Timmermans
Pour aider les parents en voie de rupture ou déjà séparés à garder espoir et mettre le cap sur la recherche de solutions.
ISBN 2-922770-12-5   2001 / 164 p.

La scoliose
Se préparer à la chirurgie
Julie Joncas et collaborateurs
Dans un style simple et clair, voici réunis tous les renseignements utiles sur la scoliose et les différentes étapes de la chirurgie correctrice.
ISBN 2-921858-85-1   2000 / 96 p.

Les troubles anxieux expliqués aux parents
Chantal Baron
Quelles sont les causes de ces maladies et que faire pour aider ceux qui en souffrent ? Comment les déceler et réagir le plus tôt possible ?
ISBN 2-922770-25-7   2001 / 88 p.

Les troubles d'apprentissage : comprendre et intervenir
Denise Destrempes-Marquez et Louise Lafleur
Un guide qui fournira aux parents des moyens concrets et réalistes pour mieux jouer leur rôle auprès de l'enfant ayant des difficultés d'apprentissage.
ISBN 2-921858-66-5   1999 / 128 p